함께해 주셔서
정말로
감사드립니다♡
알파타르트 드림

재혼 황후

재혼 황후 8

Remarried Empress

알파타르트 장편소설

해피북스
투유

차례

Remarried Empress

35
자매

이번에 알현 신청하러 온 사람. 기구한 사연이라도 있는 건가? 왜 왔는데 말을 안 하고 서 있기만 하지? 상대가 말을 하지 않으니 나 역시 뭘 해줄 수가 없다.

그렇게 5분 정도가 지났나. 먼발치에 선 다음 차례 사람이 여기서도 보일 정도로 불만스럽게 몸을 꼼지락거릴 즈음. 보다못해 부관이 나섰다.

"무엇이든 자유롭게 말하면 된다. 그게 헛소리라 해도 황후 폐하께서는 들어주실 터이니."

정해진 시간 안에 만나야 할 사람들이 한가득한데. 한 명이 시간을 다 잡아먹으니 초조한 듯했다.

다행히 그 말에 자극을 받았는지, 얼어붙어 있던 사람이 가까스로 입을 열었다.

"마, 마법을 배우고 싶어 왔습니다. 폐하께 도움을 청합니다."

예상하지 못한 말에 꼼짝도 하지 않던 근처의 기사가 움찔했다. 부관 역시 놀란 표정으로 되물었다.

"마법?"

"예."

"마법을 배우려면 아카데미로……."

가야 하지 않냐고 말하려다가, 부관은 내가 눈짓하자 입을 다물었다. 다행히 알현 신청자는 카펫만 쳐다보느라, 위에서 벌어진 일을 눈치채지 못한 채 준비해 온 듯한 말을 빠르게 이었다.

"사정이 있어 현재 신분이 없고, 이 때문에 아카데미에도 들어갈 수가 없습니다. 황후 폐하께서는 아카데미 출신이 아닌데도 뛰어난 마법사시라고, 익히 그 위명을 들었습니다. 부디 아량을 베푸시어 제가 가까스로 찾은 재능을 배우게 도와주십시오."

"성인이 되어 발현하였느냐?"

"예. 예!"

성인이 되어 발현하는 경우는 몹시 드물지. 나야 인위적으로 발현시킨 거지만 저쪽은 정말로 드문 케이스다.

"도와주신다면 이 재능은 꼭 황후 폐하를 위해 쓰겠습니다!"

"어느 계통인진 아느냐?"

발현 직후에는 자기가 어느 쪽에 재능이 있는지 잘 모르는 경우가 많다. 에벨리의 경우도 아카데미 입학 전까지는 몰랐고.

"치유 계통……으로 추정됩니다."

하지만 이 사람은 알고 왔구나. 게다가 굉장히 귀한 치유 계통 마법사.

알현 신청자가 '치유 계통'이란 말을 꺼내자마자 다시 사람들이 수군거렸다. 나는 손에 쥔 홀을 티 나지 않게 엄지로 문지르면서, 알현 신청자의 갈색 정수리를 빤히 바라보았다. 신청자는 아직도 고개를 안 들고 있어서, 제대로 보이는 게 정수리뿐이다.

"치유 마법사라. 탐이 나는구나."

있으면 좋지. 완전히 충성을 바치진 않더라도 은혜를 베풀 만할 가치가 있다. 계산적으로 굴지 않는다 한들, 우리나라 국민이라면 당연히 도와야 하고. 문제는…….

"신분이 없어도 자기가 누군진 알겠지."

"!"

"네 이름이 무엇이지?"

"다르타……입니다."

"어디서 살았느냐. 무얼 하고. 신분이 없는 그 사정은 무엇이지?"

그래. 문제는 이거지. 다르타라는 여자는 성인이다. 마법에 재능을 보이는 성인. 스파이로 쓰기엔 아까운 패이나 대단히 매력적인 미끼이지. 신분이 없단 건 핑계고, 누군가 이런 식으로 잠입시킨 건 아닐까? 혹은 도망친 범죄자라 신분이 없는 건 아닐까?

다르타가 대답을 쉬이 하지 못하고 어물거릴수록 점점 의심스러워진다.

"무술을 배운 흔적이 있습니다."

비슷한 생각을 했는지, 아르티나 경이 옆에서 작게 알려주었다.

"아직 대답이 준비되지 않았느냐."

"그게…… 그냥 외진 곳에서 살았습니다. 부모님을 따라다니면서……."

"너무 외진 곳에서 사느라 신분을 받지 못했다?"

"예, 출, 출생 등록을 안 해서……."

"여기까지 왔으니, 그래도 네가 산 곳이 어딘지는 알겠지. 위치를 말하거라. 네 말이 옳다면 확인 후, 마법을 배울 기회는 물론 신분까지 주겠으니."

"!"

다르타는 결국 자신이 깊은 산에서 왔단 말만 남기고 어물거리다 물러났다. 그냥 얼핏 들어도 거짓말이었다. 산에서 내려와도 근처 마을 이름 하나 못 대려고. 하지만 굳이 사람들 앞에서 추궁하는 대신, 나는 알현이 끝나자마자 기사를 불러 지시했다.

"그자를 뒤따라가 보고. 수상한 행적이 있거든 보고하라. 접촉하는 이를 모두 기록하되, 성문 밖으로 나가려 하면 붙잡거라."

그러고서 보고가 올라오길 기다리며 천천히 다시 생각을 정리하는 중이었다. 문이 달칵 열리더니 하인리가 들어오며 물었다.

"오늘 치유 마법사가 찾아왔다면서요, 퀸?"

대답을 하려 고개를 들다가, 나는 할 말을 잃었다. 뭐야 저 꼴은? 하인리…… 지금 라리를 머리에 얹고 있는 거야?

내가 입을 벌리고 그 광경을 쳐다보는데도, 하인리는 활짝 웃으면서 자랑했다.

"퀸, 우리 라리는 균형 감각이 좋아요!"

균형 감각은 무슨! 나는 달려가서 황급히 라리를 잡고 품 안에 끌어당기면서, 다른 한 손으로는 하인리의 엉덩이를 팡팡 두드렸다.

"나쁜 새! 나쁜 새!"

아무리 새 모습이라지만 위험하게 애를 머리에 얹고 다니다니! 조심성이 없어도 적당히 해야지, 애를 가지고 장난을 쳐?

하인리는 놀라서 벽에 달라붙더니 시무룩해서 변명했다.

"라리가 먼저 올라온 겁니다……."

"그게 말이……."

되는 소리냐고 하려는 순간. 라리가 뿔뿔뿔 작은 날개로 날갯짓하더니, 내 머리 위에 앉았다. 조그만 몸뚱이의 무게가 고스란히 전해져서 나는 잠시 굳어 있었다. 그걸 본 하인리는 억울한 목소리로 말했고.

"거봐요."

이런 상황엔 어떻게 해야 하나. 잠시 고민하다가 일단 라리를 내려서 한 팔에 안았다. 그리고 할 말을 골라보지만 할 말이 없었다. 그러니 얼른 방을 빠져나가는 수밖에. 뒤에서 들려오는 웃음소리에 얼굴이 터질 것처럼 달아올랐다.

"되게 무서운 분이네. 항상 그러시나?"

다르타는 침대에 엎드린 채 멍하니 중얼거렸다. 사람을 완전히 내려다보던 위압적인 모습이 아직도 눈앞에 선했다. 무슨 꿍꿍이로 온 건지, 전부 다 알고 있단 냉랭한 시선까지도.

"진짜 바늘로 찔러도 피 한 방울 안 나올 것 같아."

철의 황후, 얼음 황후, 이런 소리야 자주 듣긴 했지. 그래도 못된 황제 때문에 마음의 상처를 입고 옆 나라로 떠난 이야기를 들어서인가. 슬픈 이미지가 있을 줄 알았는데. 겉으로 보아서는, 남편이 바람이 나면 들고 있던 왕홀로 그냥 머리까지 퍽 같이 날릴 사람 같았다.

"어쩐지. 그 여우 같은 기사단장이 간만 보더라니."

하지만 기껏 여기까지 왔는데 이렇게 돌아가야 하는 게 아쉬워서, 다르타는 한숨을 내쉬었다. 평소엔 잘 열리던 입은 왜 하필 거기서 딱 굳어버린 건지.

"어쩌지."

다르타는 중얼거리고서 팔찌를 습관처럼 내려다보았다.

"동생도 못 찾고, 내 앞길도 못 찾고. 나온 보람이 없네."

어쩌면 한 달을 기다려야 하는데 일주일만 기다려서 효험이 없는 건지도. 말도 안 되는 상상을 하다가, 다르타는 다시 한숨을 내쉬고서 베개에 이마를 박았다.

이틀 뒤. 일단 다르타는 수도를 나가기로 결심했다. 여기 있어도

황후의 도움을 받을 수 없다면 다른 길을 찾는 게 나았다. 생각해 보니, 신분이 없다는 걸 꺼림칙하게 여긴 황후가 도움은커녕 오히려 체포하라 할지도 모르고. 상상 속의 나비에 황후라면 약간의 자비를 베풀어주겠지만…… 실제로 본 나비에 황후는 철저하게 원리원칙에 따를 사람. 충분히 그러고도 남을 것 같으니 말이다.

"에벨리에게……."

이 생각을 하고 나니 불안해져서, 다르타는 에벨리에게 편지를 쓴 후 봉투에 담아 여관 주인에게 맡기고 방을 뺐다.

"한 달 있겠다더니?"

"사정이 바뀌어서요."

"환불은 안 됩니다."

"첫인상대로 행동하시네요."

"뭐요?"

'도적 뜯어먹는 도적이라고.'

"편지는 꼭 전해주세요."

다르타는 속으로만 솔직하게 대답하고서 여관 밖으로 나갔다.

'어쩌겠어. 이렇게 된 이상 동생 찾으면서 다른 방법도 찾아봐야지. 포기하기엔 능력이 너무 아깝잖아.'

그런데 성문 중간 즈음까지 걸어갔으려나. 다그닥거리는 말발굽 소리가 빠르게 가까워졌다. 말발굽 소리를 듣고서도 다르타는 하품을 하면서 태연히 걸어갔다. 어련히 알아서 피해 가겠지. 그러나 말발굽 소리가 바로 근처에서 멈추자, 다르타는 호기심이 일어 고개만 돌렸다. 뜻밖에도 말을 타고 온 사람은 근위병이었다. 알현실에 서 있던 그 조각상들 같던 근위병들과 같은 복장.

혹시 나한테 온 건가? 날 잡으러 왔나? 역시 신분이 없는 게 수상해서, 체포하려고? 찔리는 게 많은 다르타는 황급히 돌아서서 냅다 뛰었다.

"잠시! 다르타 양!"

하지만 격식을 갖춘 호칭에 얼른 주춤 멈춰 섰다. 체포하러 오면서 이렇게 '다르타 양'이라고 부를 리는 없으니까.

'하긴 무슨 일인지 듣고 도망가도 안 늦어.'

게다가 이쪽에 온 근위병은 딱 하나. 충분히 제압하고 달아날 수 있다.

"다르타 양. 황후 폐하께서 다르타 양을 불러오라 하십니다."

그러나 근위병이 한 말은 애매했다.

"절 왜요?"

체포해놓고 마법사로 부려먹으려고? 아니면 막판에 자비를 베풀려고?

"데려오란 지시를 받았을 뿐입니다."

"네가 말한 산골 이야기. 믿지 않는다."

다시 데려오라 해놓고서 다짜고짜 못 믿는다 해서인가. 약간의 기대를 가지고 근위병의 뒤를 졸졸 쫓아온 다르타는 내가 한 말에 완전히 돌처럼 굳었다.

"하지만 기회를 주겠다."

"기회라면……."

"문제가 될 과거가 있다면 미리 이실직고하여라."

기회 이야기에 잠시 풀리는가 싶던 다르타의 어깨가 도로 빳빳하게 굳었다. 나는 그 반응을 샅샅이 살폈다. 단 하나도 놓치지 않도록.

이틀. 그 시간 동안 고민했다. 치유 마법사가 될지도 모를 인재. 하지만 배경을 알 수 없는 수상한 사람. 위험을 감수하고 받아들여 볼 것인지. 안전하게 내칠 것인지. 결국 위험을 감수하기로 했지만, 앞으로 주의 깊게 잘 살펴야 했다. 내부의 적은 외부의 적 이상으로 위험하니.

"당연합니다! 꼭 그럴게요!"

다르타는 내가 자기를 받아들일 줄 예상하지 못했나? 내 허락이 떨어지자마자, 흥분해서 몇 번이나 인사했다.

"감사합니다, 황후 폐하! 제가 꼭 훌륭한 마법사가 되어서 황후 폐하의 충복이 되겠습니다!"

다르타가 나간 뒤. 나는 다른 방, 창에서 성문이 내려다보이는 방을 찾아가 창가로 다가갔다. 얼마 지나지 않아 신이 나서 달려가는 뒷모습이 보였다. 그 뒤를 좇아가는 까마귀도.

'이렇게 보면 정말로 마법을 배울 수 있어서 기뻐하는 눈치인데.'

"괜찮겠습니까, 퀸?"

그러고 있자니 하인리가 다가와 내 허리를 뒤에서 끌어안으며 물었다.

"정체를 몰라 꺼려진다더니."

"그대 일족이 따라붙었으니 괜찮겠지요. 치유 마법사는 놓치긴 아깝고. 부탁을 들어줘서 고마워요. 내내 따라다녀야 하는 일이라 힘들 텐데."

"제가 따라다니는 거 아닌데요, 뭘."

"하인리."

꾸짖듯 이름을 부르자, 하인리는 나지막하게 웃음을 터트리며 허리를 감싼 손을 자연스럽게 위로 올렸다.

"퀸…… 난 그대가 이렇게 차갑게 머리를 굴릴 때마다 흥분돼요."

손등을 찰싹 두드리자 손은 다시 원위치로 돌아갔지만. 그렇지만 이번에는 귓가에 부드러운 머리카락이 닿더니 웃음 섞인 목소리가 날 놀려댔다.

"이젠 도망 안 갑니까? 어제는 얼굴도 안 보여주고."

그의 팔을 꽉 잡고서 홱 고개를 돌려 흘겨보다가, 나는 순간 그의 눈동자에서 발견했다. 그가 가끔 보여주는 불안한 눈동자, 갈증에 찬 눈동자를. 하지만 그것도 잠시. 곧 그 눈동자는 시선조차 달콤한, 내가 사랑하는 눈동자로 돌아왔다. 눈웃음을 짓느라 눈매가 휘어진 그를 보다가, 나는 말없이 그의 가슴에 머리를 기댔다.

좋아. 이 남자가 정말 좋다.

하지만 가끔은 궁금해진다. 내가 하인리에게 느끼는 감정과 하인리가 내게 느끼는 감정은 얼마만큼 닮아 있을까? 하인리는 왜 가끔 날 보며 이런 표정을 짓는 걸까?

제국 연합이 탄생한 후. 서대제국에는 마법 아카데미에 속한 학자 몇몇이 와서 지내고 있었다. 표면적으로 댄 이유는 두 나라의 교분을 위해서인데. 아마 속내는 다를 거다. 내가 월대륙 연합에서 한 말. 인위적으로 마법사를 만들 수 있다는 그 말이 진짜인가 확인하러 온 거겠지.

어쨌든 우리도 굳이 뿌리치진 않았고, 그 학자들에게는 실제 마력 감소 현상에 관해 연구한 기록을 넘겼다.

“이들에게 배우면 될 거다. 모두 다 실력 있는 학자들이고, 다 아카데미 출신이니.”

그리고 나는 짐을 싸서 찾아온 다르타 역시 그들에게 넘겨주었다.

“아카데미 분들인가요? 와! 아카데미 분들한테 배우는 건가요?”

다르타는 신이 나서 펄쩍펄쩍 뛰었다.

“황후 폐하? 이게 대체?”

학자들은 당황한 모양이지만.

“잘 가르쳐주게. 궁전 마법사 에벨리 뒤를 잇는 또 다른 인재일지 모르니.”

그렇게 다르타를 그들에게 맡긴 후, 집무실로 걸어가고 있을 때였다. 카프멘 대공과 샬렛 공주 일이 기억났다. 결혼할 거란 말은 들었는데. 이후로 통 소식이 없잖아?

결국 발걸음을 틀어서, 나는 카프멘 대공이 머무는 곳으로 갔다.

그가 샬렛 공주와 결혼하게 된다면 앞으로 교역 방향이 확 바뀔지도 모른다. 카프멘 대공이 아예 화이트 몬드에서 지내게 될지도 모르고. 결혼식 때문에 그가 륍트에 가야 할지도 모르고. 그러니 대략적으로라도 일정을 듣고 싶었다. 살짝 언질만 해줘도 나중에 대비하기 편할 테니.

"카프멘 대공. 들어가도 되나요?"

"예, 폐하. 괜찮습니다."

그런데 대공의 방에 들어가보니, 대공은 이상한 작업 중이었다. 각양각색의 작은 병들을 탁자 위에 늘어놓고, 그걸 포장하는 작업. 병 안에는 액체가 조금씩 담겨 있다.

"뭐 하는 건가요?"

왜 사람을 시키지 않고? 이상해서 묻자, 카프멘 대공은 주저하다가 털어놓았다.

"묘약입니다."

"이게 전부 다?"

"예."

"거의 다 먹은 줄 알았는데……."

"새로 만들었습니다."

뭐? 그걸 또? 왜? 묘약이 등장할 때마다 사건이 벌어졌던지라, 나는 당황해서 대공을 쳐다보았다. 그가 굳이 이런 걸 또 만든 이유가 짐작이 가지 않았다.

대공은 얼른 대답했다.

"제가 마실 겁니다. 염려하지 않아도 됩니다."

"대공이 그걸 왜……?"

도대체 무슨 이유인 거야? 앞으로 할 샬렛 공주와의 결혼식과 관련이 있나?

그러나 지난번처럼 대공은 대답하지 않았다. 커다란 손으로 다시 포장을 계속할 뿐.

그걸 보는데 문득 궁금해졌다.

"대공. 그거. 나도 한 병 줄 수 있나요?"

"!"

"아니 이름 좀 창의적으로 지으면 안 되나. 왜 다들 데이 뭐시기야?"

궁전에서 생활한 지 나흘째 되는 날. 이곳 생활에 익숙해진 다르타는 솔깃한 소식을 들었다. 다른 나라 고아원에 관해서도, 간략한 정보라면 이곳에서 구할 수 있다는 소식이었다. 다르타는 몹시 기뻐서 즉시 황궁 내에 비치된 도서관에 달려갔다. 하지만 그 결과는 기운이 빠지는 내용이었다. '데이'로 시작하는 고아원은 다른 나라에도 그 수가 어마어마하게 많았던 것이다.

"미치겠네."

다르타는 머리카락을 벅벅 긁다가 팔을 위로 쭉 뻗어 습관처럼 팔찌를 바라보았다.

"대체 난 정체가 뭐냐. 응?"

다르타는 팔찌에 새겨진 문양을 하나하나 뜯어보다가 한숨을 내쉬었다.

"넌 정체가 뭐고. 응?"

동생 찾는 일은 꽉 막혔는데. 생각이 막힐 때마다 내내 보아서인가. 팔찌에 새겨진 문양만 외워버렸다. 종이에 슬슬 그릴 수 있을 정도로.

'문양…… 문양!'

그러다 순간 퍼뜩 지나간 생각에 다르타는 의자에서 벌떡 일어났다.

'아까 얼핏 봤는데? 나라별 유명 귀족 가문 문양인가 그거!'

"여유 시간마다 책을 뒤진다고?"

"예, 황후 폐하."

"혹시 기밀 서가에 가던가요?"

"아닙니다. 평범한…… 평범한?"

다르타를 감시하는 역할을 맡은 하인리 일족 청년 크로우는, 말을 하다 말고서 잠시 눈을 굴렸다.

"생각해보니 아주 평범한 건 아닙니다. 하지만 수상하지도 않은 책?"

그게 뭔데?

"처음엔 사회복지 서가 쪽에 있다가. 그다음엔 사교계 서가로 갔다가. 그랬습니다."

"애매하군요."

"뭔가를 찾는 눈치였습니다."

다른 유학생이었더라면 그러려니 할 텐데. 신분도 정체도 알 수 없는 유학생이 그러고 있으니, 찾는 내용과 관계없이 이상하게 여겨졌다.

"어찌할까요?"

생각을 하느라 내가 말없이 의자만 손가락으로 두드리자, 크로우가 조심스럽게 물었다.

"우선 계속 지켜봐줘요."

"예, 폐하."

하지만 다르타의 이상 행동에 대한 대답은 오래지 않아 엉뚱한 사람이 알려주었다.

"동생을 찾는다고?"

다르타의 목적에 대해 알려준 건 뜻밖에도 에벨리였다. 둘이서 마주 앉아 식사를 하다가 나는 놀라서 나이프를 내려놓았다.

"네. 원래 자매인데, 언니, 그, 다르타 양이요. 그 언니만 입양이 됐대요. 동생은 고아원에 남아 있고. 그걸 안 지 얼마 안 됐나 봐요. 근데 단서라곤 여동생이란 거랑, 고아원에 맡겨진 시기, 자기가 차고 있던 팔찌 뭐 이런 거뿐이라. 쉽지 않은가 봐요."

말을 멈춘 에벨리는 잠시 포크를 물고서 내 눈치를 보았다.

“데이지 고아원에서 알게 됐단 친구가 다르타 양이었어?”

“네. 하지만 그 언닌 제가 마법사 에벨리란 걸 몰라요.”

“왜?”

“혹시 제가 ‘마법사 에벨리’란 걸 알면 불편해할까 안 알려줬어요……. 지금도 몰라요.”

에벨리는 자기가 말하고도 머쓱한지 어색하게 냅킨을 만지작거렸다. 그 모습이 귀여워서 조금 놀리고 싶지만. 그러면 민망해하겠지. 놀리지 말자.

대신 나는 진지한 표정으로 고개만 끄덕였다.

“그렇구나. 그럴 수 있지.”

“아, 맞다. 그 언니요. 처음엔 고아원 이름으로 동생을 찾으려 했는데, 수가 너무 많아서. 지금은 팔찌에 새겨진 문양을 조사하고 있대요.”

아아. 그래서 사회복지 쪽과 사교계 문양을 살폈구나. 이상하던 점이 이제야 하나씩 이해가 간다. 어쩌면 다르타는 본인이 범죄자가 아니라, 도망 범죄자나 도망 노예가 입양해 기른 건지도.

에벨리의 말이 신경 쓰여서, 결국 나는 다르타를 집무실로 직접 불렀다. 마법을 어찌 익히고 있는지 물어볼 겸, 동생 찾는 것도 좀 도와줄 겸.

"마법은? 잘 배우고 있느냐?"

하지만 이 아이는 내가 많이 불편한가? 들어올 때부터 얼어 있더니. 질문 하나를 던지자 아예 사색이 되어 외쳤다.

"열, 열심히, 최선을 다해서, 폐, 폐하의 충복이 되기 위해! 노력하고 있습니다!"

"내 충복이 될 필요는 없다."

"예?"

"배워서 널 위해, 네 인생을 위해 쓰거라."

"!"

"그 인생에, 날 배신할 계획만 없으면 되니."

"!"

눈이 두 단계에 걸쳐서 커졌어. 신기한걸. 왜 저렇게 커졌을까. 내 말에 기뻐서일까 찔리는 게 있어서일까. 아니면 둘 다일까.

"듣자 하니 가문 문양을 조사 중이라고?"

"예? 예. 한데 누구한테 들으신……?"

"사방이 내 귀란다."

에벨리 이름을 밝히기 어려워 둘러댔는데. 그냥 사서에게 들었다 할걸 그랬나. 일부러 농담처럼 말했는데, 다르타는 더욱 겁먹은 눈치로 떨었다.

"저, 혹, 혹시 감시당하고 있나요?"

"무서우냐."

"아니요! 전 당당하니까요!"

본성이 악한 아이는 아닌 듯한데…….

"문양을 보여주련?"

내가 손을 내밀자, 다르타는 이번엔 망설이지 않고 얼른 다가와서 팔찌를 빼내 두 손으로 건넸다. 동생을 열심히 찾고 있다더니. 이 부분은 진실해 보였다.

"저⋯⋯ 책에 나온 가문 문양을 다 살폈습니다, 황후 폐하. 하지만 그 안에는 이런 문양이 없었어요. 제 생각엔 그냥, 예뻐서 아무렇게나 그린 문양 같습니다. 가문 문양이 아니라요. 어쩌면 그냥 가게에서 산 팔찌일지도 몰라요."

시무룩해서 중얼거린 다르타는, 곧 두 손으로 자기 입을 찰싹 치며 눈을 질끈 감았다. 난 '문양을 조사하는 걸 안다'밖에 말 안 했는데. 말실수로 너무 많은 이야기를 털어놓았다 여기는 듯했다.

괜히 그 점을 짚는 대신, 나는 모른 척 중얼거렸다.

"모든 가문 문양이 책에 다 나오진 않는단다."

"아. 그렇군요."

하지만 나는 서대제국에 있는 대부분의 가문 문양을 외우고 있지. 동대제국 가문 문양은 전부 다 외우고 있고. 세세하게 다 그릴 정도는 아니지만 대략 구분은 할 수 있다. 나는 팔찌를 받아서 거기에 새겨진 문양을 꼼꼼하게 살폈다.

"⋯⋯."

"어, 어떤가요?"

모르는 문양이네.

"서대제국과 동대제국 가문은 아니야."

내 말에, 다르타는 반은 실망하고 반은 안심한 얼굴로 팔찌를 받아 들었다. 범위가 줄었으니 다행인데. 두 나라를 빼도 여전히 막막하니 걱정스러운 얼굴이었다.

하지만.

“얼핏 본 기억이 난다.”

“예?”

“동대제국 귀빈 중에 언니 친부모님이 있다고?”

에벨리가 눈을 동그랗게 뜨고 묻자 다르타는 황급히 손을 저었다.

“아니, 친부모님이 있는 건 아니고. 그 가문 사람이 있었을 수도 있대.”

“그게 친부모님일 수도 있잖아?”

“어? 그런가?”

“그렇지?”

다르타는 생각해보지 못한 가능성에 입을 벌리고 눈만 끔뻑였다. 동생 찾다가 친부모까지 찾는 건가?

나비에 황후는 동대제국에서 얼핏 이런 문양을 보았다고 했다. 하지만 동대제국 귀족이나 몰락 귀족 중엔 확실하게 없으니, 귀빈으로 다녀간 이들 중 이 문양 가문이 있을지도 모르겠다고.

“그럼 언니는 귀족 핏줄일 수도 있겠네?”

에벨리의 말에 다르타는 더욱 난처해졌다. 동생을 찾는 건, 동생이 힘든 상황에 처해 있을까 봐. 잘 사는지 확인하고 힘들면 도와주기 위해서인데. 갑자기 잘사는 귀족 부모가 나타나면 양엄마가 붕 뜨는 듯해서 싫었다.

"모르겠어. 근데 동대제국 귀족도 아니고, 동대제국에 방문했던 귀족이라니. 이걸로 어떻게 찾겠어. 막막하지."

다르타는 한숨을 내쉬면서 팔찌의 문양을 햇빛에 비추어보았다. 동대제국은 작은 나라가 아니다. 나비에 황후가 동대제국에 있을 적에는 유일한 제국이었고. 그곳을 방문한 귀빈이 하나둘일 리가 없었다. 적어도 '데이'란 이름의 고아원보다는 몇 배 많지 않을까. 게다가…….

"설령 찾을 수 있다 해도, 내가 거기 정보를 볼 수도 없잖아."

시무룩해진 다르타를 보다가, 에벨리는 손을 뻗어서 그녀의 손을 잡아주었다.

"포기하지 마. 혹시 모르잖아. 그런 정보를 열람할 수 있는 사람이랑 친해지게 될지도."

"가능할까?"

"그럼! 언니가 대단한 마법사가 되면 친해지고 싶어하는 사람이 하나둘이 아닐걸?"

"그럴듯하네!"

"이미 친한 사람이 있을 수도 있고……."

"에이, 그건 절대 아니야."

"왜? 있을 수도 있지."

"그런 게 어디 있어."

“신분을 감추고…….”

“그건 그냥 사람 놀리는 거지.”

“…….”

갑자기 에벨리가 표정이 시무룩해지자, 다르타는 그게 자기가 한 말 때문인 줄도 모르고 놀라서 물었다.

“왜 그래? 배 아파? 찬 거 너무 많이 먹었지?”

에벨리는 힘없이 고개를 젓고서 생각했다. 나중에 내가 저 문양에 관해 따로 조사한 다음, 결과를 주면서 정체를 밝히면…… 그러면 용서해줄까?

“왜 그래? 에벨리, 진짜 어디 아픈 거 아냐?”

“아니야. 그냥 뭐가 좀.”

“어디가 아파?”

“아니, 진짜 아니야.”

다르타가 귀신같이 캐묻자, 에벨리는 얼른 손을 젓고서 화제를 돌렸다.

“맞다. 언니. 마스타스 경이라고 알아?”

그러나 바꾼 화제에, 이번에는 다르타의 표정이 나빠졌다.

“모를 리가. 알아.”

엄마의 원수인데. 절대로 잊지 못한다.

“마스타스 경이 이번에 엄청 대단한 전공을 세웠대.”

다르타는 딱딱한 표정을 감추기 위해 일부러 푸딩 그릇에 얼굴을 가까이하다가, 에벨리의 말에 굳어버렸다.

“전공? 무슨 전공?”

"상시천 도적 중에 되게 골치 아픈 도적이 있는데, 생포했나 봐."

"!"

마스타스 이야기를 하자 에벨리는 반사적으로 표정과 목소리가 밝아졌다.

"기념으로 직접 끌고 올 거래. 황궁에서도 며칠 머물다 간다 하고."

반대로 다르타는 완전히 안색이 창백해져서 테이블 아래로 주먹을 꽉 틀어쥐었다. 마스타스. 그자가 여기 온다고?

게다가 생포했다니? 누구를?

"언니? 표정이 많이 안 좋아. 무슨 고민이라도 있어?"

"고민이라니. 없어요."

카프멘 대공에게 받아 온 사랑의 묘약. 그걸 가지고 내내 고민하던 게 표정에 드러났나. 함께 저녁 식사를 하던 하인리가 돌연 걱정스럽게 물었다. 나는 얼결에 부정하다가, 너무 거짓말 티가 날까 봐 그냥 에인젤 탓으로 돌려버렸다.

"사실 월대륙 연합이 좀. 신경 쓰이긴 해요."

에인젤도 쓸모가 있긴 하구나.

"아닌 것 같은데요."

……아니네. 이런 쓸모도 없어. 하인리. 예리하기도 하지. 이런 예리함을 가지고서 왜 내 파이는 못 맞췄을까.

"안 묻겠습니다, 퀸. 노려보지 말아요."

"내가 노려보면 좋다더니."

"네. 식사해야 하는데. 그렇게 바라보니 자꾸 흥분됩니다."

다시 째려보려다가 그냥 순순히 시선을 내렸다.

"어쨌든 정말로 별로. 심각한 고민을 하진 않았어요. 안심해요."

하인리에게 한 이 말은 진실이었다. 난 그냥 하인리가 가끔 보이는 갈증 난단 눈빛. 날 갈구하는 듯한 그 눈빛이 궁금할 뿐이니. 내가 옆에 있는데도, 하인리는 왜 그렇게 내가 고프다는 듯이 바라보는 건지. 그게 궁금할 뿐이니. 이건 분명 심각한 고민은 아니지.

하지만 카프멘 대공에게 충동적으로 묘약을 받아 온 건 이런 이유 때문이었다. 혹시 내 사랑은 하인리가 원하는 만큼 뜨겁지 않은 걸까, 궁금해져서. 나는 하인리를 정말 많이 사랑하는데. 그래도 하인리에겐 내 사랑이 부족하게만 보이나, 신경이 쓰여서.

'사랑의 묘약'은 사람이 흔히 사랑에 빠졌을 때 나타나는 특징을 비슷하게 구현해준다 했지. 그러니 카프멘 대공의 묘약을 마셔보면, 내 사랑에 열정이 부족한지 알 수 있을지도 몰랐다. 게다가 궁금하다. 하인리가 날 사랑하는 마음으로 내가 하인리를 사랑하면, 과연 어떤 느낌일까?

"하인리."

"퀸. 어떤 고민이든, 난 그대에게 힘이 될 겁니다. 그러니 혼자 고민하지 말아요."

"하인리. 식사. 다 했어요?"

내 질문에, 진지한 표정으로 날 위로하던 하인리가 "네?" 하고 허리를 세웠다. 그러더니 자기 앞의 그릇을 바라보았다.

"아직 좀 남았습니다."

반 개 남은 계란.

"배고파요?"

내가 다시 묻자, 하인리는 더욱 의아한 얼굴로 날 살폈다. 내가 왜 이런 질문을 계속하는지, 이해가 안 된다는 듯. 이어서 그의 시선은 내 앞에 놓인, 역시 반 정도 남은 그릇에 멈췄다.

"퀸. 음식이 입에 맞지 않으면 다른 걸 가져오라 할까요? 아니면 내가 만들어줄까요?"

"그런 게 아니에요."

"?"

"배 안 고프면…… 하인리."

슬쩍 눈으로 부부 침실 문을 가리키자, 하인리는 눈썹을 치켜올리더니 곧 입꼬리를 같이 올렸다.

오른쪽에는 카프멘 대공에게 받아 온 묘약 한 병. 왼쪽에는 만일을 대비한 해독제 세 병. 내 침실 안에는 아무도 없고, 부부 침실 안에는 하인리뿐. 부부 침실에 들어올 수 있는 사람도 하인리뿐.

'좋아. 완벽해.'

원래는 한 병을 다 마실 생각이었는데. 묘약을 달라는 내 말에, 카프멘 대공은 잠시 생각하다가 권했다. 줄 수는 있지만, 자기 같은 부작용이 일어날 수도 있으니 티스푼으로 아주 조금만 마시라고.

돌시나 하인리의 사례를 보면 괜찮을 것 같지만, 그래도 부작용은 어디서 나타날지 모르지. 충고를 따르자.

나는 숨을 깊게 들이쉬고서, 카프멘 대공의 조언대로 작은 티스푼으로 아주 약간만 묘약을 떠서 입에 넣었다.

'너무 조금만 마셨나?'

하지만 바짝 긴장한 것과 달리, 묘약을 먹었는데도 아무 일이 벌어지진 않았다. 내 방은 여전히 내 방이고, 나는 여전히 나이다. 심장이 빨리 뛰지도 갑자기 두근거리지도 않는다.

'아. 눈이 마주쳐야 효과가 있다 했지. 일단 하인리에게 가보자.'

다시 한번 깊게 심호흡을 하고서 나는 부부 침실 문을 열었다.

"퀸."

안으로 들어가자, 목욕 가운만 걸친 채 침대에 앉아 있는 하인리가 보였다. 무릎 위에 책을 펼쳐둔 채였는데, 그가 웃으면서 고개를 들려는 순간.

"눈 감아요."

나는 갈라지는 목소리로 그에게 말했다. 하인리는 왜 그러냐고 묻지도 않고 순순히 눈을 감았다. 입가에 미소가 도는 걸 보니, 좀 기대하는 것도 같고. 그사이. 나는 그의 앞으로 다가가 손가락으로 그의 턱을 들어 올렸다. 눈을 감고 있기 간지러운가. 꼭 감은 눈동자 위로 금빛 속눈썹이 파르르 떨렸다. 그 모습을 보다가, 나는 마른침을 삼키고서 속삭였다.

"눈. 떠봐요."

너무 긴장해서인가. 내 목소리는 내가 듣기에도 평소보다 좀 더 가라앉아 있었다.

그 순간. 천천히 눈꺼풀이 위로 올라가며 보라색 눈동자가 나타났다.

하인리는 자신이 꿈을 꾸고 있다고 생각했다. 원래 그는 나비에와 눈이 마주칠 때면 늘 눈웃음을 지었다. 사랑하는 이가 좋아 자연스럽게 늘 나오는 웃음을. 그리고 나비에는 이렇게 그가 웃으면, 어쩔 수 없다는 표정으로 희미하게 따라 웃었다. 새가 부리로 쪼듯 몇 번 가볍게 입맞춤을 하면 그 미소는 조금 더 깊어지고, 주문을 걸듯 몇 번이나 몇 번이나 키스를 퍼부으면, 다른 사람은 볼 수 없는, 그만이 볼 수 있는 미소가 나타났다.

그러나 오늘은 달랐다.

"퀸?"

돌아오는 미소가 짙고 아찔해, 하인리는 얼결에 눈을 커다랗게 떴다. 그러다 무어라 말하려는 순간. 나비에가 뒤로 몇 걸음 물러나더니 팔짱을 끼고 고개를 기웃했다.

"퀸?"

머리가 얼어버린 것 같아서, 하인리는 반복해 불렀다. 나비에는 여전히 팔짱을 끼고 있었다. 하인리를 유심히 바라보면서. 그 눈동자는 평소보다 빛났고, 저돌적이며 집요했다. 이 모든 게 하인리를 흥분시켰다.

“이런 느낌이구나.”

“뭐가 말입니까?”

“그대의 눈으로 그대를 보는 느낌.”

하지만 나비에가 뱉는 이해할 수 없는 말에 곧 좀 이상하다는 생각이 들었다.

“퀸?”

“퀸, 하고 부를 때. 여기가 움직이는 게.”

그러거나 말거나, 나비에는 손을 뻗어 하인리의 성대를 짚더니, 엄지로 목 위를 쓸었다.

“여기가.”

입술 끝이 저릿하게 올라갔다.

“섹시해.”

하인리는 한발 늦게 알아차렸다. 퀸이 계속…… 반말하는 거 같은데?

편하게 말해도 상관은 없었다. 하지만 안 그러던 사람이 갑자기 말투가 바뀌니, 괜히 걱정이 되었다. 하인리는 나비에의 입가에 코를 댔다. 술 마셨나? 술 냄새는 나지 않았다. 그가 좋아하는 장미향이 날 뿐. 하긴. 사랑하는 사람이 뿌린 향수이니, 무슨 향이라도 좋겠지만.

“하인리.”

“퀸…….”

“일어서봐.”

"이렇게요?"

"저쪽 앞으로."

오늘따라 좀 이상하네, 생각하면서도 하인리는 순순히 시키는 대로 침대에서 몇 발자국 떨어져 섰다. 나비에는 침대에 옆으로 기대어 누워 그 상태로 이쪽을 지그시 바라보았다. 몹시 만족스러운 표정으로.

그걸 보며 '역시 좀 이상한데……' 생각하고 있으려니, 이번에는 나비에가 가까이 다가와서 그의 머리카락 뒤쪽을 손바닥으로 감싸 확 끌어당겼다. 얼결에 고개가 아래로 내려가며 입과 입이 포개어졌다.

하인리는 눈을 휘둥그렇게 떴다. 숨결을 나누고 입술이 떨어지자, 나비에는 하인리의 목덜미를 물더니 잘근 씹으면서 중얼거렸다.

"맛있어. 나오나. 잼."

"퀸? 그게 무슨? ……아."

정말로 꽉 깨무는 바람에 하인리는 짧게 탄식했다.

"안 나오네. 잼."

진짜로 술에 취한 건 아닌가, 슬슬 하인리는 걱정이 되었다. 아까부터 잼은 왜 찾지?

"퀸. 혹시 술 마셨습니까?"

"그대라는 술에 취했냐면, 그래요. 취했어요."

"!"

"그대에게선 날 홀리는 맛이 나요."

혹시 진짜로 '그대'라는 이름의 술이 있나? 그게 아니라면 설명이 되지 않는데? 하인리는 혼란스러워졌다. 이게 꿈인가 슬쩍 팔을 꼬집어보지만, 꿈은 분명 아니었다.

"내 손등에 키스할 때. 그대가 날 보는 게 좋아, 하인리."

잠시 다른 생각에 빠진 사이. 그의 복근을 부드러운 손이 훑고 지나갔다. 대담한 손길에 놀라 바짝 근육이 조여들었다.

"내 손길에 반응할 때, 그대가 여길 찌푸리는 것도. 예뻐."

미간 사이에 입술이 내려앉자, 하인리는 영문을 모르면서도 착실하게 들떴다. 역시 전에 랩트 의상을 입고 기다렸던 게 마음에 들었나 봐. 거기에 대해 상을 주는 건가.

그때. 딸랑딸랑. 침대 끝에 매달아둔 종이 울렸다. 하인리는 이마에 손을 올리고서 탄식했다.

"하필."

이 종소리는 급한 일이 있으니 나와 달라는 신호였다. 웬만한 일로는 울리지 않는 신호.

"제가 두 분의 좋은 시간을 방해한 건 알지만요……. 꼭 그리 무섭게 노려보셔야 할까요?"

종을 울려서 불러낸 하인리의 얼굴에 서리가 내려앉은 것 같아 맥켄나는 괜히 움츠러들었다.

그런 맥켄나를 하인리는 차갑게 흘겨보았다. 마음 같아서야 멱살을 잡고서, 네가 뭘 망친 건지 아냐고 항의하고 싶었다. 하지만 그러기에는 팔을 잡은 채 어깨에 머리를 기댄 나비에가 신경 쓰였다. 맥켄나의 멱살을 잡으면 어깨가 흔들리겠지. 하인리는 애써 침착하게 맥켄나에게 물었다.

"무슨 일이야? 보통 일은 아니어야 할 거야."

"절대로 보통 일이 아니니 안심해도 됩니다."

"뭔데?"

"초국적 기사단이 동대제국 항구에 갔답니다."

"안심할 일이 아니잖아?"

하인리가 황당한 얼굴로 맥켄나를 쳐다보자, 맥켄나는 어깨를 으쓱했다.

"제가 안심한다고요. 아무 일로 폐하를 부른 게 아니니."

뚱하게 말한 맥켄나는 딱 달라붙어 있는 나비에와 하인리를 번갈아 살피다가 불만스럽게 항의했다.

"그런데 두 분은 이 와중에 꼭 붙어 계셔야겠습니까?"

그 순간. 갑자기 나비에가 하인리의 손을 놓더니 옆으로 떨어졌다. 맥켄나는 놀라서 손을 저었다.

"아니, 정말로 떨어지라고 드린 말씀은 아닙니다, 황후 폐하."

전에 그는 나비에가 카이가 나비에를 닮아서 떼쟁이라고 놀려댔다가 돌시에게 보내진 전적이 있었다. 혹시 비슷한 일이 생길까 봐 사전에 차단하는 것이다. 그러나 나비에는 굳은 얼굴로 곧장 돌아서서 나가버렸다. 맥켄나는 두 손으로 자기 얼굴을 감싸고, 울먹이며 하인리를 쳐다보았다. 황후 폐하가 저한테 화났나 봐요, 말하려고.

그러나 이미 하인리도 두 손으로 자기 얼굴을 감싸고 글썽이는 눈으로 맥켄나를 마주 쳐다보고 있었다.

"아니, 폐하는 왜 절 그리 보십니까?"

맥켄나가 놀라서 묻자, 하인리는 목소리까지 떨리게 해서 대답했다.

"네가 가엾어서."

"예?"

"내가 네게 어떤 화풀이를 할지, 나도 모르겠다 맥켄나."

"!"

한 모금만 마셔서 그런가. 다행히 묘약 기운은 빨리 떨어졌다. 묘약 자체는 그리 나쁜 느낌이 아니었다. 몸에 이상한 반응이 올까 조금 걱정했는데. 그런 쪽은 절대 아니고…… 뭐라고 해야 하지? 그걸 마시고 하인리를 보는 순간 갑자기 모든 게 행복한 느낌? 평소 하인리를 볼 때 생각했던 것들이 붕 떠올라서, 입 밖으로 팡팡 터져 나오는 느낌? 내가 묘약을 마신 게 아니라 하인리를 어디 매력 구덩이 같은 곳에 넣었다 빼낸 느낌이었다. 일단 내가 느끼기에는.

문제는…….

'수치스러워.'

내게 부족한 사랑의 열정에 관해 알고 싶었는데. 사랑의 열정이 아니라 카프멘의 수치심에 관해 알아버렸다. 카프멘이 내게 헛소리를 한 후 어떤 심정으로 괴로웠을지, 이제는 잘 알겠다. 그 부끄러운 마음은 다음 날까지 이어져서, 목욕을 하고 옷을 갈아입은 후에도 얼굴에서 열기가 가시지 않았다. 생각하면 거듭 부끄럽고 진정되면 다시 떠올라서.

'진정해. 시녀들이 이상하게 쳐다보잖아.'

다행이라면 오늘은 마스타스가 오는 날이라 다들 들떠 있다는 것. 덕택에 내가 좀 가려진다는 것.

"빨리 마스타스가 왔으면 좋겠어요."

특히 로라는 완전히 들떠서 내내 창문 밖으로 고개를 내밀었다 말기를 반복했다.

"그렇죠, 황후 폐하?"

"항구 건에 대한 문제가 심각해서……."

"네?"

"아니에요. 진지한 문제를 좀 생각하느라."

"아아. 그래서 열나시는구나. 얼굴에 홍조가 심해요."

"고민을 하면…… 얼굴에 열이 올라서……."

"의원을 불러올까요?"

고개를 젓고서, 나는 이마를 손으로 짚고 얼굴을 숙였다. 마스타스가 오기 전까지 빨리 이 부끄러운 마음을 눌러야 돼. 얼른.

세 시간 후. 마침내 기다리던 마스타스가 도착했다. 하지만 바로

개인적으로 만나지는 못했다. 연달아 전공을 세우고 오는 길인지라, 우선은 별의 방에서 마스타스와 다른 기사들을 맞이해야 했다.

"고생 많았다. 그대들이 나라의 보물이요, 가장 빼어난 검이로구나."

엄숙한 분위기에서 기사단을 치하하는 행사 뒤에야, 마스타스는 옷을 갈아입고 내 방 응접실로 찾아왔다.

"황후 폐하! 주베르 백작 부인! 로즈 선배님! 로라!"

방으로 오자마자 네 사람은 부둥켜안고서 간만에 만난 걸 기뻐했다. 거기에 끼지는 못하지만, 나도 흐뭇하게 그 광경을 바라보았다.

"정원에 음식 준비를 마쳤습니다, 황후 폐하."

한참이 지나서 하녀가 들어와 정원에 테이블을 마련했단 이야기를 하자, 우리는 그제야 진정하고서 밖으로 나갔다.

"이런 게 너무 그리웠습니다."

활짝 핀 꽃나무 아래에 하얀 테이블보를 깐 탁자를 두고, 그 위에는 열다섯 종류의 과자와 세 종류의 차를 두었다. 마스타스는 경치가 가장 좋은 자리에 앉아 과자를 먹으며 활짝 웃었다. 그리고 그게 마스타스가 지은 마지막 미소였다.

"아오, 답답해! 이게 무슨 말이래?"

"아니, 간 지가 언제인데 아직도 제자리걸음이야?"

"코샤르 경한테 문제가 있는 건가요, 후배님한테 문제가 있는 건가요?"

"코샤르 경은 뭐래요? 아무 말 없어요? 기다리라든가, 그런 말도 없어요?"

황후의 시녀들이 마구잡이로 추궁할 때마다, 기사들이 집에서 편하게 입을 법한 셔츠와 바지 차림을 한 여자가 쩔쩔매며 고개를 내저었다. 그 모습은 보는 사람들마저 웃음을 자아낼 정도로 다정하고 유쾌했다. 하지만 이를 숨어서 지켜보는 다르타는 어느 때보다 기분이 가라앉았다.

"아니, 분명히 뭔가 나아가고 있어. 뭔가 있긴 있어. 그렇죠, 마스타스 경?"

"아닙니다!"

"아무 일도 없으면 말을 하지, 저렇게 피하지 않아. 안 그렇습니까, 황후 폐하?"

엄마의 원수.

다르타는 순진한 얼굴로 시녀들과 투닥거리는 마스타스를 노려보다가, 몸을 돌려 그 자리를 빠져나왔다.

'내가 저 인간에게 여기서 복수할 수 있는 확률. 어느 정도일까.'

늦은 밤. 다르타는 어둠을 틈타 마스타스가 잡아 왔다는 상시천 도적을 보기 위해 방을 나서며 생각했다.

'여기서는 힘들겠지. 일대일로 붙어도…… 힘들겠지. 굉장히 강하다고 했어.'

"누구? 윽!"

어쨌건 잡힌 상시천 도적이 누군지는 확인해야 했기에, 다르타는 온 힘을 다해 안쪽으로 잠입했다. 미처 피하지 못한 간수는 아예 기절시켜 옆으로 치워두었다. 그렇게 옥사 안으로 들어가자, 독방 안. 한 사람이 등 뒤로 손이 묶인 채 허리를 꼿꼿이 세우고 앉아 있는 게 보였다.

"아저씨."

다르타는 그자를 알아보고 멍하니 중얼거렸다. 제일 걱정했던 엄마는 아니었다. 하지만 붙잡힌 도적도 엄마의 친구였다. 당연히 어린 시절부터 다르타도 여러 번 챙겨준 적이 있는 사람.

"다르타냐."

도적도 안대를 썼지만, 다르타의 목소리를 바로 알아듣고 불렀다.

"아저씨……."

창살을 붙잡고 다르타는 소리 없이 울먹였다.

"마법을 배우러 간다더니. 잘 도착했나 보네."

"아저씨, 왜 여기에……."

"잡혔지."

다르타는 구해보겠다 말도 못 하고서 입만 뻐끔거렸다. 구해준다고 말하고 싶지만, 솔직히 구할 자신이 없어서.

"배울 수 있는 건 모조리 배워, 다르타. 그게 복수다. 적들의 손으로 네 힘을 키우는 것. 그게 복수야."

도적도 그걸 알기에 구해달란 말은 하지 않았다. 다르타는 한참 동안 감옥 앞에 서성이다가 결국 빈손으로 빠져나갔다. 시무룩해져서 멀어지는 뒷모습을 까마귀가 내려다보고 있단 걸 알지 못한 채.

"감옥에 들렀다?"

"예, 황후 폐하."

"하지만 구해 간 사람은 없고……."

"예."

마법을 배우러 온 후. 가끔 나가서 에벨리를 만나고 동생 찾는 일만 하던 다르타가 드디어 수상한 행적을 보였다. 감옥에 들른 것. 이전에는 가지 않다가 이번에 갔다는 건…….

"최근 수감자와 연이 있을지도 모르겠군요. 최근 수감자라면 그 상시천 도적이고."

그렇다면 다르타는 다른 나라에서 보낸 스파이가 아니라 상시천 쪽일지도. 하지만 완전히 도적 쪽이라 보기엔, 구해 간 건 또 아니라…….

"어찌할까요, 황후 폐하?"

"일단 계속 지켜봐요."

크로우를 돌려보낸 뒤, 나는 마스타스를 불렀다. 그러고서 새롭게 손님으로 와 있는 수상한 유학생 다르타에 관해 얘기해주었다.

어제 감옥에 들렀단 이야기는 하지 않았다.

"아……. 치유 마법사. 에벨리 같은 사람인가요?"

마스타스는 입을 벌리고 듣다가, 내 이야기가 끝나자 찝찝해하며 물었다.

"하지만 신분이 없다면 좀 위험하지 않습니까?"

"그래서 말인데. 마스타스 경이 다르타를 한번 만나볼래요?"

"제가요?"

"마스타스 경은 사람 보는 눈이 좋으니까."

말을 하고 나니 마스타스가 오빠를 연약하다 믿고 있는 게 떠오르네. 사람 보는 눈이 좋은 게 맞나? 어쨌든 그렇게 둘러대고서, 나는 일부러 다르타를 불러서 마스타스와 대면하게 만들었다. 다르타를 도적들 틈에서 보았다면 마스타스가 무언가 반응을 보이겠지, 싶어서.

하지만 예상과 달리 마스타스는 다르타를 전혀 알아보지 못했다. 유심히 살피긴 했지만, 그냥 신분이 없다 하니 꼼꼼히 보는 것뿐. 어디서 봤다거나 그런 내색은 없었다. 다르타는 시선을 아래로 내린 채 의기소침해 있지만, 그것도 늘 저렇고. 상시천과 연이 있지만 도적은 아닌 건가?

'우선은 좀 더 지켜볼까…….'

원수를 코앞에서 볼 줄이야. 마스타스에게 인사를 하고 나온

뒤, 다르타는 심장이 쿵덕쿵덕 뛰어서 견디지 못하고 방으로 돌아왔다. 자신은 도적질에 참여한 적이 없으니 마스타스가 얼굴을 알리가 없는데. 혹시 이주할 때 멀리서라도 얼굴을 본 건 아닐까, 얼마나 무서웠는지 모른다. 하지만 마스타스는 이쪽을 모르는 눈치였다.

'그래도 얼굴을 외웠어. 그러니 됐어.'

이름도 얼굴도 기억했으니 언젠가 복수할 날이 오겠지.

"……."

그러나 마스타스를 보자, 이곳에서의 즐거운 나날들이 언젠가는 깨져버릴 환상이란 게 실감 나 시무룩해졌다. 책 향기로 가득한 도서관, 신기할 정도로 마음이 잘 맞는 에벨리, 투덜거리면서도 이것저것 물어보면 잘 알려주는 스승들, 피에 젖어 돌아다니는 사람이 없는 향기로운 정원과 푹신한 잠자리. 이 모든 게 평화로운데. 자신의 평화가 아니란 게 서글펐다.

'마법사가 되면. 그러면 나도 언젠가 이런 양지에서 살 수 있으려나. 들킬까 걱정 없이, 다칠까 걱정도 안 하고. 엄마랑 둘이서 예쁜 집에 살면서…….'

— 배워서 널 위해, 네 인생을 위해 쓰거라.

나비에 황후가 덤덤하게 건네던 말이 유독 귓가를 맴돌았다. 다르타는 힘없이 책상에서 책을 집어 펼쳤다. 그러자 한 번에 어떤 페이지가 펼쳐지고 그 안에 끼워진 낯선 책갈피가 보였다. 종이로 접어 만든 책갈피. 하지만 자신이 끼운 책갈피가 아니었다. 책에 원래 끼워져 있던 책갈피도 아니다.

'누가 둔 거지?'

다르타는 떨리는 손으로 책갈피를 펼쳐보았다. 흐르는 듯 화려한 글씨가 쓰여 있었다.

자리를 잘 잡은 듯하니 다행입니다, 내 눈과 귀.

눈과 귀. 이런 말을 할 사람은 한 사람뿐이다. 그 4기사단 단장. 예의 바르게 재수 없던 인간. 다르타는 쪽지를 떨어트렸다. 충격적이었다. 대체 어떻게 여기에 이걸 갖다 놨지?

'내가 이 방을 쓴다는 것까지 알고 있어.'

게다가 잠시 자리를 비운 그 짧은 사이에 이런 걸 끼워둘 정도라니. 이미 끄나풀이 이 안에 확실하게 들어와 있는 게 분명했다.

'소름 돋아.'

다르타는 괜히 주위를 둘러보다가, 자기 팔을 쓱쓱 문질렀다. 방 안에는 누군가 들어온 흔적이 없었다. 이 쪽지를 제외하고는.

"언니? 무슨 생각해?"

다르타는 멍하니 포크로 케이크를 뒤적거리다가 얼른 시선을 들었다. 에벨리가 맞은편에서 고개를 기울이고 있었다.

"아니. 아니야."

다르타는 웃으면서 손을 젓고 물었다.

"바쁘다더니. 일은 잘 해결했어?"

"해결하고 말고 할 일도 아니었는데 뭘. 언니는? 동생 찾는 데는 진전 좀 있어?"

"아니……."

다르타는 잠시 망설였다. 에벨리에게 좀 둘러 물어서 이 일에 관해 의견을 구해볼까? 원치 않게 누군가의 스파이 노릇을 하게 됐는데, 어떻게 하는 게 좋겠냐고?

"언니?"

"어. 먹자."

하지만 고민 끝에 다르타는 털어놓지 않았다. 아무리 친한 동생이라 해도 만난 지 얼마 안 된 남인데. 스파이 이야기는 너무 약점 같으니까.

그런데 식사를 마친 후. 오히려 에벨리가 뜻밖의 이야기를 꺼냈다.

"저기, 언니. 내가 전에 다른 나라 사람이라 그랬잖아. 여긴 여행 온 거고."

"어? 어어. 어. 왜?"

"곧 돌아가게 됐어."

다르타는 예상 못 한 이야기에 놀라서 눈을 커다랗게 떴다.

"언제?"

시간 날 때마다 틈틈이 에벨리와 놀았는데. 짧은 시간이지만 정이 가득 쌓였는데. 다른 나라로 간다니 괜히 섭섭하고 아쉬웠다.

"나흘 후에."

"그렇게 빨리?"

"언니 원래 주소는 어디야? 나중에 편지할게."

"없어. 그래도 당분간 여기 있을 거니까. 이쪽으로 해줘."

상시천 주소를 가르쳐줄 수는 없으니. 다르타는 시무룩해서 물었다.

"네 주소는 어디야?"

"어…… 까먹어서. 가자마자 편지할게. 그 주소일 거야."

"집 주소를 까먹어?"

에벨리는 어색하게 웃고서 빈 그릇에 포크질을 하다가, 민망한지 다시 웃었다.

방으로 돌아온 다르타는 또다시 그 책에 쪽지가 끼워져 있는 걸 발견하고 소스라치게 놀랐다.

'대체 어디로 들어온 거야?'

일부러 창문이며 방문까지 닫고 잠그고 갔는데.

'이 정도로 잘 침투하는 걸 보니 눈과 귀 충분한 것 같구만. 왜 날더러…….'

다르타는 쪽지를 펼쳐보았다.

내게 전하고 싶은 말을 여기에 끼워두십시오. 가져가도록 하지요.

욕 적어둬도 되나. 여우 새끼. 이렇게 적어두고 싶다. 다르타는 쪽지를 구겨서 던져버리고 침대에 풀썩 엎드렸다.

세 번째 쪽지는 다음 날 수업을 듣고 와보니 있었다. 일부러 방 안에 책을 남겨두지 않으려 도서관에 책을 반납하고 갔는데. 이번엔 친절하게 책까지 새로 추가되어 있었다. 심지어 어제 본 책의 2권이고.

'그 새끼, 쓸데없이 배려심 있네.'

다르타는 구시렁거리며 책을 펼쳐보았다.

마법사들에게 마법을 배울 때, 그들이 주고받은 이야기라든가 행동을 알려줘요.

"마법사?"

궁전 안을 돌아다니는 끄나풀은 있는데. 마법 연구 쪽에 들어간 끄나풀은 없는 건가. 이거 때문에 마법사란 얘기를 듣고 눈과 귀가 되어달라 한 건가?

다르타는 책 표면을 만지작거리다가 문득 생각했다. 궁전을 돌아다니는 월대륙 연합 첩자가 있다고, 나비에 황후에게 알려주면 어떨까.

"……아니야. 절대 아니야. 그거 알리는 순간 내 정체도 알려질 거야."

같은 이치로, 시키는 일을 하지 않으면 정체를 까발릴 거라고 협박할 게 분명하다. 다르타는 책을 내려두고 다시 침대에 어제처럼 풀썩 엎어져 얼굴을 묻었다.

다르타가 잘 배우고 있는지 물어볼 겸, 동대제국에서 연구차 와 있는 마법사들이 일을 잘하는지 확인할 겸. 나는 업무 도중 통보 없이 마법사들의 연구실을 찾아갔다.

"어서 오십시오, 황후 폐하."

하지만 이곳의 리더 역할을 하는 마법사는 나를 보자 놀라기는 커녕 오히려 기쁜 듯 눈을 빛내면서 인사했다. 저 사람은 늘 저렇다. 내가 인위적인 마법사라는 걸 알았을 때부터.

"이리 방문해주시다니. 참으로 좋습니다. 좀 더 자주 오셔도 좋습니다. 가끔 연구를 도와주셔도 좋고요."

저 말이 진심이라서 우습지. 못 들은 척하며 나는 주위를 살폈다. 그들을 위해 일부러 만들어준 연구실은 한편에는 비커와 사발, 작은 솥 등이 있고, 다른 한편에는 책상 위에 올릴 수 있을 만큼 작은 텃밭이 마련되어 있었다. 그 옆에는 약초 같은 게 종류별로 담겨 있고, 색색의 액체가 담긴 삼각 플라스크가 알콜 램프 위에서 끓고 있다. 하지만 다르타는 없네.

"감소 현상이 일어나는 원인은? 성과가 있나?"

"자연현상인걸요. 마법사가 어떻게 탄생하는지도 우리는 모르는데, 마법사가 어떻게 줄어드는지 어찌 알겠습니까."

"그래. 그래도 노력은 해보게."

"물론입니다."

"다르타는? 잘 배우나?"

다르타 이야기가 나오자 나를 귀한 연구 대상처럼 보던 마법사가 그제야 사람처럼 웃었다.

"치유 계통이 확실해 보입니다. 너무 늦게 발현해서 자기 힘을 잘 못 다루긴 하지만요. 본인도 열정적이고 성실하니, 곧 좋은 성과가 있을 겁니다."

애는 확실히 성실한 모양인데…….

"수고하게."

다르타가 만약 정말로 상시천 도적과 관련된 사람이라면. 그러면 대체 어떻게 해야 할까. 개인적으로는 다르타가 스스로 자신의 과거를 정리해주길 원한다. 상시천과 관련이 있더라도, 마스타스가 얼굴을 못 알아보는 걸 보면 본인이 도적은 아닌 듯하니.

하지만 단순히 도적들과 연이 있는 정도가 아니라 아예 가족이라거나 그러면? 큰 의지가 없는 한 과거를 정리할 수 있나? 아니, 의지가 있더라도 문제지. 제국 연합은 상시천 도적 소탕에 공을 들이는데. 다르타가 이곳에 올 수 있긴 한가? 왔다가도 상시천 소식을 들으면 박차고 나가지 않을까? 최악은 상시천으로 가 치유 마법사 노릇을 하는 경우지. 그 경우를 생각한다면 가르침을 주는 게 옳은 건지조차 모르겠는데.

"인위적인 마법사가 생긴다면, 아가씨 같은 출신들이 감히 궁전에는 발도 못 붙이겠지. 마법사도 귀족이나 하는 시대가 찾아온다 이거야."

'무슨 소리?'

그런데 생각에 잠겨 걸어가고 있자니 몹시 거슬리는 소리가 들려왔다. 나는 멈춰 서서 창가로 걸어갔다. 아래를 내려다보니, 기사들이 다르타를 막아서고서 낄낄거리고 있었다.

"하녀로 들어와도 감지덕지한 출신들이, 마법 하나 할 줄 안다고 나대는 꼴이라니."

"제발 좀 뒷길로 다니면 안 될까? 응?"

"비켜주세요."

다르타는 화가 난 얼굴이지만 충돌을 피하려는지 오른쪽으로 왼쪽으로 이동했고. 하지만 무슨 심보인지, 기사들은 다르타 앞을 자꾸 막아서면서 연신 못난 소리들을 하고 있었다.

"이 책은 뭐야? 이런 책을 하녀가 읽어서 뭐 해?"

"하녀 아닌데요!"

"이런 책 읽는다고 이해는 할 수 있어?"

"수업 시간에도 그냥 책 끌어안고 이해하는 척하는 거 아니야?"

하나도 안 웃긴 말을 뱉으며 기사들은 연신 자기들끼리 낄낄거렸다.

"물을 다오."

그 꼴을 보다가 곁에 선 호위에게 부탁했다. 호위들은 보통 비상용 물과 잔을 늘 가지고 다니기에, 기사는 얼른 물을 잔에 담아 내밀었다. 그걸 창문에 대고 기울이자, 물은 기사 중 한 명의 위로 쏟아졌다.

"누구냐!"

놀라서 고개를 든 기사는 나와 눈이 마주치자 황급히 한쪽 무릎을 꿇었다.

"황후 폐하!"

대답 없이 가만히 내려다보자, 그들은 쩔쩔매다가 다른 곳으로 가버렸다. 다르타는 커다란 책을 끌어안고 있다가 나를 멍하니 올려다보더니, 자기가 죄인인 듯 황급히 인사했다.

"아르티나 경."

"예, 황후 폐하."

"기강이 해이한 기사들이 있네요. 눈과 귀가 불쾌합니다. 내 사람을 모욕하고. 내 하녀들을 모욕하고. 다른 기사들도 이럴까요?"

"기사단장에게 전달하겠습니다. 염려 놓으십시오."

아까 본 그 기사 둘을 생각하면 마법사들의 연구 일지까지 죄다 훔쳐서 에인젤에게 전달하고 싶은데. 아까 도와준 황후 폐하를 생각하면, 초국적 기사단 끄나풀이 여기 있단 소식을 위험을 감수하고라도 전해주고 싶다. 다르타는 두 개의 충동 사이에서 끙끙 소리를 내다가, 서슬 퍼런 황후의 눈빛을 떠올리고서 괜히 히죽 웃었다.

"멋있다."

아직도 무서운 분 같긴 한데.

"그래도 멋있다."

다르타는 책에 코를 묻고서 히죽히죽 웃었다.

"내 사람이래."

기분이 좋으니 발이 춤을 췄다. 껑충거리면서 방으로 돌아간 다르타는 히히 웃으면서 뱅글뱅글 제자리에서 돌았다. 책에 끼워진 낯선 책갈피를 또 발견하기 전까지.

"아……."

다르타는 한탄하고서 안고 온 책을 내려놓고 책갈피를 빼냈다.

"진짜 기분 망치는 덴 뭐 있다니까."

그리고 잠시 생각에 잠겨 있다가 계획을 세웠다.

며칠 동안, 다르타는 일부러 쪽지에 가짜 정보를 적어서 책에 끼워두었다. 처음에는 조마조마했지만, 다행히 상대 쪽은 정보가 가짜인지 진짜인지 구분이 안 가는 듯 관련해서 아무 말이 없었다.

안심한 다르타는 그렇게 연구실과 도서관을 오가면서 평소처럼 지내다가, 상대가 확실하게 안심했다 싶을 즈음. 수업을 받으러 가는 척 연구실을 나간 다음 일부러 빙 둘러서 방으로 돌아왔다. 그리고 미리 덜 닫아둔 창문을 열고서 방 안에 들어가 침대 아래에 몸을 숨겼다.

'4기사단장의 끄나풀이 누구인지 알아내겠어.'

황후가 자신에게 친절을 베풀었으니, 자신도 보답을 하고 싶어서였다. 여기에 남진 못하지만, 그래도 떠나기 전에 좋은 정보라도 하나 남기고 가고 싶어서.

'안 오네.'

하지만 아무리 기다려도 다르타가 적은 쪽지를 회수하러 오는 사람이 없었다. 역시 한 달 정도는 낚싯대를 드리워야 하나? 2주 정도로는 부족한가? 다르타는 한숨을 내쉬면서 쥐가 난 다리를 풀기 위해 침대 밑에서 발목을 까딱였다.

그 순간. 달칵 소리가 나더니 누군가 창문을 열었다.

'창문을 잠갔는데? 어떻게 열었지?'

그래도 가만히 기다리자, 들어온 사람이 슬그머니 책 사이에서 다르타가 넣어둔 종이를 꺼냈다. 인기척이 밖으로 나가자마자 다르타는 숨을 죽이고서 창문으로 걸어갔다. 그리고 슬쩍 창문을 연 다음, 발소리를 죽여서 그자를 뒤쫓았다.

'눈치챘다!'

하지만 상대도 보통 사람은 아닌 듯, 처음에는 태연히 걸어가던 끄나풀은 미로 형식의 정원으로 가자 갑자기 속도를 확 높였다. 다르타는 그자를 뒤쫓기 위해 덩달아 속도를 높였다. 머리 위까지 올라온 식물벽 탓에 상대를 보는 것조차 쉽지 않지만, 귀로 소리를 쫓으며 추적을 이어갔다.

그리고 마침내 정원이 끝나는 순간. 다르타는 마지막 벽을 아예 훌쩍 뛰어넘고서 상대의 어깨를 잡고 앞으로 메다꽂았다. 그런데 뜻밖에도, 멱살을 잡아 상체만 일으켜 세우고 나서 보니, 상대는 며칠 전 이쪽을 무시하던 그 기사였다.

눈이 마주치자 기사는 경멸 어린 눈으로 다르타를 보며 "도둑 새끼." 하고 퉤 침을 뱉었다. 원래 다르타는 끄나풀이 누군지만 확인해두었다가 나중에 떠나면서 알릴 계획이었다. 하지만 며칠 전 일과 오늘 일이 겹쳐지자 분노해서 그자의 얼굴을 주먹으로 갈겼다. 그러자 기사는 다시 침을 뱉으며 욕을 했다.

"이래서 도적 같은 건 거두면 안 돼! 도적 같은 걸 거둬봤자 어디 쓴다고! 배우면서 뒤통수칠 준비나 하는데! 여기서 뒤통수친 게 다른 데서는 못 칠까!"

왜 계속 시비인가 했더니. 기사는 다르타가 상시천 출신이라는 게 마음에 들지 않는 눈치였다. 다르타는 더욱 화가 나서 주먹으로 상대를 펑펑펑 두드렸다. 그때. 바스락 소리가 나더니 차가운 목소리가 머리 위에서 들려왔다.

"무슨 짓이냐."

이어서 목 아래로 차가운 창끝이 들어왔다. 다르타는 황급히 고개를 들었다. 마스타스가 무서운 눈으로 내려다보고 있었다.

"궁전 안에서 폭행이라니. 제정신이냐."

그 시각. 급한 부름을 받고 동대제국에 도착한 에벨리는 환상을 보다가 계단에서 굴렀다는 소비에슈를 치료한 뒤, 스승을 찾아가 물어보았다.

"스승님. 스승님은 여기서 오래 지내셨죠?"

"네 나이보다 오래 지냈지."

"그럼 혹시 이런 문양 본 적 있으세요?"

궁정 마법사는 에벨리가 건넨 종이를 받았다.

"이게 뭐니?"

"외국 무슨 가문 문양일지도 모른다던데요. 여기에 귀빈으로 온 적 있는 가문이래요."

"그걸 왜 나한테 물어?"

"스승님이 똑똑하잖아요."

"말은."

스승은 혀를 차면서도 에벨리가 보여준 문양을 유심히 살폈다. 그러더니 '흐음 흐음' 소리를 냈다.

"아시겠어요?"

에벨리는 눈을 휘둥그렇게 뜨고 물었다.

"어디서 본 듯도 한데."

하지만 스승은 중얼거리다가 곧 고개를 저었다.

"뭐 문양이 거기서 거기여야지. 잘 모르겠는데."

"아아. 네."

에벨리는 시무룩해져서 종이를 챙겼다. 하긴. 이렇게 쉽게 찾을 수 있을 리가.

'방문 귀빈들을 하나하나 찾아보는 수밖에 없나. 그건 좀 귀찮은데.'

귀찮지만 다르타를 위해서 꼭 동생과 가족을 찾아주고 싶었기에, 에벨리는 기록 보관실을 뒤질 각오를 하고서 카를 후작을 찾아가 부탁했다.

"후작님. 동대제국에 손님으로 왔던 외국인 명단이요. 열람할 수 있을까요?"

"외국인 명단?"

에벨리가 솔직하게 사정을 설명하자 카를 후작은 흔쾌히 허락해 주었다.

"그래요. 허가증을 주지요."

카를 후작이 그 자리에서 허가증을 쓰는 동안, 에벨리는 문양이 그려진 종이를 만지작거리며 생각했다.

'다르타 언니…… 내가 마법사 에벨리라는 걸 안 후에도 예전처럼 대해줄까? 속였다고 화를 낼까?'

"자. 여기."

그사이. 카를 후작은 허가증을 만들어서 에벨리에게 건넸다. 그러다가 에벨리가 쥔 종이를 보더니 손을 내밀었다.

"나도 한번 봐도?"

"네. 여기요."

에벨리는 흔쾌히 종이를 내밀었다. 카를 후작이라면 소비에슈 황제 치세 이래 내내 높은 자리에 있었으니, 알 수도 있겠다 생각하고서.

"!"

그런데 예상외로 문양을 보자마자 카를 후작의 표정이 딱딱하게 굳었다.

"후작님? 아는…… 문양이에요?"

그 반응에 에벨리가 놀라 묻자, 카를 후작은 한숨을 내쉬면서 종이를 도로 내밀었다.

"운명의 장난도 아니고 참. 그렇게 찾던 친딸이."

"이 문양 가문 사람들. 혹시 아세요?"

"모를 리가. 라스타의 가짜 부모. 그 가문 문양이라 재판 기록을 정리하면서 실컷 봤는데."

"!"

"라스타의 가짜 부모?"

에벨리의 표정이 굳었다. 라스타의 가짜 부모. 온갖 모욕적인 말을 퍼부었던, 바로 그 부모 말인가?

"이스쿠아 자작 부부."

카를 후작은 에벨리의 표정을 보고서 혀를 찼다. 에벨리가 그 부부를 싫어했던 게 기억나서. 듣기로는 그 사람 좋아 보이던 부부가, 에벨리에게는 무던히 모진 소리를 했다지.

"어찌할 겁니까, 에벨리 님. 허가증은 도로 가져갈까요?"

에벨리는 카를 후작의 서명을 내려다보다가 힘없이 종이를 도로 내밀었다.

"네. 필요 없게 됐으니까요."

비서실을 나온 에벨리는 뒷짐을 지고서 복도를 천천히 걸어갔다. 마음이 무거우니 발걸음까지 무거웠다.

'언니가 그 부부 친딸이었다니. ……하긴. 그 부부도 딸이 둘이라 했지. 라스타의 가짜 부모가 된 후에도 둘째를 찾아다녔고. 가족 관계가 딱 맞긴 하네.'

에벨리는 한숨을 푹푹 내쉬며 걸어가다가 창틀을 짚고서 정원을 내려다보았다. 저 정원만 보면 이스쿠아 자작 부부가 자신에게 온갖 모욕을 퍼붓던 게 떠오르는데. 그 친딸은 자신과 언니 동생 하고 있고.

'성격이 그렇게 다르기도 어려울 텐데. 양엄마가 길러줬다더니. 언니는 양엄마 성격 따라간 건가?'

놀라긴 했지만, 사실 이스쿠아 자작 부부가 이미 죽은 이상 다르타와 자신이 안 좋게 대립할 일은 없었다. 이스쿠아 자작 부부와 사이가 나쁘던 것도 그쪽이 일방적으로 보내던 적의였으니, 다르타가 이스쿠아 자작 부부 죽은 소식을 알고서 여기에 원한을 보낼 일도 없고. 다만 걸리는 건…… 이 사실을 다르타가 알았을 때 충격받지 않을까, 하는 점.

'엄청 놀라겠지.'

귀족 핏줄이라 한들 중죄를 짓고 처형당한 부부였다. 자녀가 있어봤자 노예가 될 가능성이 높았다. 그런 부모라면 차라리 모르는 게 나을 수도 있었다.

'아닌가? 그래도 아는 게 나으려나? 모르겠어. 나도 부모님이 있던 적이 없으니.'

하루 종일을 고민한 끝에 결국 에벨리는 결심했다.

'내가 직접 언니한테 이 이야기를 해줘야겠어. 그나마 덜 충격받게.'

다르타가 찾는 대상은 그 부부가 아니라 동생이었다. 안 그래도 관련된 정보가 부족한데. 이런 중요한 사실까지 감출 수는 없었다. 하지만 생각하면 생각할수록 어이없었다.

'어떻게 일이 이렇게 꼬이냐.'

'젠장. 일이 꼬여도 이렇게 꼬이다니.'

다르타는 속으로 욕을 뱉었다. 끄나풀이 하필 기사인 것도, 그 기사가 상시천을 싫어하는 것도, 덕택에 둘 다 감정이 격해져 주먹다짐을 한 것도, 하필 그 광경을 마스타스가 본 것도. 전부 다 어이가 없었다.

'참았어야 했어.'

다르타는 뒤늦게 자책했으나 이미 상황은 바닥에 엎어진 물병 같았다. 마스타스는 차갑게 다르타를 보다가 창을 치우며 기사를 보았다.

"네가 말해. 무슨 일이지?"

명령이 떨어지자마자, 기사는 다르타를 밀어내고서 벌떡 일어나며 보고했다.

"제가 이 유학생 '출신'을 모욕하였습니다. 죄송합니다, 마스타스 경."

"출신? 모욕?"

마스타스가 눈썹을 찌푸렸다. 다르타는 눈을 커다랗게 뜨고 기사를 쳐다보았다. 저 새끼……? 얼핏 들으면 스스로 죄를 인정하는 듯 들리나, 저 말은 돌려 표현하는 협박이었다. 네가 함부로 말을 하면 출신에 대해 말해버릴 거라는 협박.

마스타스가 다르타에게 다시 물었다.

"사실이냐."

"그게……."

"뭐라고 한 거지? 말해라. 네 분노가 정당하다면 지금 일을 실수로 넘어가줄 수도 있으니."

기사가 건조한 눈으로 다르타를 보았다. 말해봐. 말할 수 있다면. 입꼬리가 고약하게 올라갔다.

'나쁜 놈!'

"모욕받았습니다. 출신으로. ……귀족이 아니라고."

결국 다르타는 이 정도밖에는 털어놓을 수 없었다. 마스타스는 기사에게 무뚝뚝하게 지시했다.

"근신하면서 가문 족보를 100번 써라. 위로 올라갈수록, 네가 남을 모욕하는 데 쓰는 혈통이 얼마나 맥없는지 알게 될 테니."

"예."

기사가 물러나자, 다르타는 움찔해서 마스타스의 눈치를 보았다.

"유학생."

"예. 네."

"그렇게 행동하고 다니면 어떤 출신이든 비웃음당할 거다."

"!"

예상과 달리 마스타스는 다르타에게는 따로 벌을 내리지 않았다. 하지만 다르타는 오히려 거기에 더 자존심이 상했다. 기사에게만 근신을 명령했으나, 마스타스가 자신을 편든 게 아니란 걸 알기에. 마스타스는 이쪽을 철저하게 타인으로 여기기에 처벌하지 않을 뿐이었다.

다르타는 알겠다고 들릴 듯 말 듯 중얼거리고서 몸을 돌려 달아났다. 저절로 눈물이 찔끔 나왔다. 그 뒷모습을 지켜보다가 마스타스는 한숨을 내쉬었다.

'주먹 쓰는 게 보통이 아냐. 역시 수상해. 황후 폐하는 왜 저런 사람을 곁에 두시는 거지?'

그러면서 보니, 두 사람이 싸우는 바람에 멀쩡한 꽃나무 하나가 꺾여 있었다.

"어쩌지."

마스타스는 부러진 꽃나무를 일으켜 세워보려다 잘되지 않자 결국 손을 뗐다. 그러다 쓰러진 꽃나무 옆에 놓인 종이쪽지. 잔디 사이에 끼워진 쪽지를 발견했다. 다르타가 책 사이에 끼워 넣고, 이후 기사가 챙겼던 쪽지였다.

'아까 둘이 싸울 때 떨어트린 건가?'

마스타스는 종이를 주워 펼쳤다. 남의 쪽지를 보는 건 실례지만, 누구 것인지 알아야 둘 중 하나에게 전달할 수 있으니.

그 순간. 마스타스의 표정이 싸늘하게 굳었다.

"다 봤어요. 마스타스 경. 역시 개구리는 올챙이 때 생각이 안 나나 봐요?"

주베르 백작 부인이 다가오면서 말을 걸어도 그 표정은 펴지지 않았다.

"마스타스 경?"

마스타스가 다르타의 욱하는 행동을 꾸짖는 게 웃겨서 다가온 주베르 백작 부인은, 심각한 표정을 보자 걱정이 되어 정색했다.

"괜찮아요?"

마스타스는 억지로 웃으면서 대답했다.

"그러네요. 안 납니다."

"……내가 뭐라 했는지 기억은 나요?"

"뭐라 했습니까?"

"뭐. 좋은 말은 아니었죠. 그런데 진짜 괜찮아요?"

다르타는 시무룩해서 연구실로 갔다. 배움에 몰입해 있으면 아까의 그 일들을 좀 잊을 수 있을까 싶어서. 그런데 와서 보니, 아카데미의 마법사 학자들이 짐을 싸고 있었다.

"어디 가세요?"

다르타는 학자들이 플라스크며 비커를 정리하는 걸 보고 놀라서 물었다.

"쫓겨나세요?"

"쫓겨나기는. 휴가다."

"갑자기요?"

"이때쯤 아카데미 행사가 있어서. 당장 가는 건 아냐. 우리가 없는 사이 건드리면 안 될 물품들을 미리 싸두는 거지."

다르타를 가르치는 일에 가장 열정적인 마법사는 책상 달력을 힐긋 살피더니 손가락으로 날짜를 가리켰다.

"그리고 가서도 이때쯤엔 돌아올 거다."

오가는 날짜는 제외한다면, 본인들 말처럼 정말로 오랫동안 떠나 있는 건 아니었다. 그래도 다르타가 눈에 띄게 실망하자, 마법사는 짐을 싸다 말고서 제안했다.

"왜? 할 일 없으면 같이 갔다 올까? 아카데미 안도 구경하고?"

그럴 수 있으면 진작 아카데미로 갔겠지요……. 솔깃한 제안이었으나 다르타는 시무룩하게 거절했다.

"괜찮아요. 다녀오세요. 기다리고 있을게요."

"심심하냐."

"친구도 다른 나라로 갔거든요."

"안 심심하게 숙제를 잔뜩 내주고 가야겠네."

"아니, 그건 좀. 괜찮은데요."

"마스타스 경은 다르타가 마음에 드나 봐요?"

요즘 들어 마스타스가 다르타 뒤를 졸졸 쫓아다닌다. 마스타스에게는 미안한 일이지만, 그 사실은 이미 다르타 뒤를 먼저 졸졸 쫓아다니는 까마귀가 알려주었다. 하지만 까마귀가 알려주지 않았더라도 마스타스의 행적을 모르진 않았을 거다. 눈에 띄도록 쫓아다니는 모양이고, 시녀들조차 아는 모양이니.

"네?"

그렇지만 본인은 몰랐나? 마스타스는 내 질문에 눈을 커다랗게 뜨더니 황급히 부정했다.

"아닙니다! 절대로! 누가 그런…… 수상한 사람을."

그러고는 치를 떨더니 갑자기 내 눈치를 살폈다.

"왜 그래요?"

할 말이 있어 보이는데? 그 모습이 이상해서 되묻자, 마스타스는 머뭇거리면서 입술을 빼끔거렸다. 하지만 그뿐. 고개를 저었다.

"아닙니다."

그러고는 벌떡 일어나더니 다른 일이 생각났다고 가버렸다.

'왜 저러지? 전에 마스타스와 다르타가 싸웠다더니. 그 때문인가?'

이상하네. 다르타를 불러서 물어볼까? 아무리 크로우라고 해도 하루 종일 다르타를 따라다니진 못하지. 혹시 그가 못 보는 사이에 둘 사이에 다른 일이 있었을지도.

그런데 두어 시간 후. 내가 다르타를 부르기 전, 다르타가 먼저 날 찾아와 청했다.

"저…… 황후 폐하. 괜찮으시다면 잠시 여행을 다녀오고 싶습니다."

"여행?"

"길게 가려는 건 절대 아니구요! 그, 스승님들도 동대제국에 가셨고 하니까. 돌아오실 때까지 좀 여기저기 다녀보고 싶어서요. 괜찮을까요?"

여행 가방을 챙긴 다르타는 자신이 몇 달간 머문 방을 바라보았다. 짧다면 짧은 시간이지만 그동안 여기에서 정말로 좋았다. 마스타스가 나타나기 전까지는.

'괜찮아. 어차피 다시 올 거잖아.'

아쉬운 마음을 누르고서 다르타는 밖으로 나갔다. 마음이 고달프자 엄마가 보고 싶었다. 자신이 자주 돌봐주던 천사 같은 옆집 아기도 보고 싶고, 친구들도 보고 싶었다. 기사를 때려눕힌 사건 이후 마스타스가 이쪽을 자꾸 예리하게 쳐다보는 것도 신경 쓰이고. 그래도 마스타스는 얼마 뒤 북왕국 쪽으로 돌아간다니, 그 기간 동안에 엇갈리듯 자리를 피하면 괜찮을 거다. 눈에서 멀어지면 신경도 덜 쓰겠지.

'안녕, 황후 폐하. 나중에 다시 뵈어요.'

다르타는 가방을 꼭 쥐고서 황후의 집무실 쪽을 향해 소리 없이 인사했다. 그리고 궁전 밖으로 나가 영업용 마차를 잡아서 탔다.

'유학용 임시 신분증이 있으니, 북왕국으로 돌아가는 건 쉽겠지.'

마차가 달칵거리며 밖으로 나가는 동안 다르타는 가방에서 스승이 내준 숙제를 꺼내 무릎 위에 펼쳤다.

그렇게 시간이 얼마나 지나갔을까. 밖이 어둑어둑해져서 글씨가 잘 안 보일 즈음. 눈을 비비며 창밖을 보고 있자니, 마부가 소리쳤다.

"도착했습니다!"

다르타는 마차 밖으로 나와 주위를 둘러보았다. 이곳은 국경 마을과 수도 중간 부분에 있는 영지의 검문소 앞이었다.

"여기요."

다르타는 마차 삯을 치르고서 가방을 끄집어냈다.

'하루 여기서 자고. 아. 그러고 보니 에벨리가 이쪽에 되게 맛있는 뭐 판다고 했는데. 뭐였더라. 하여튼 그것도 먹어보고…….'

그런데 가방을 들고서 검문소로 걸어가고 있자니, 말발굽 소리가 빠르게 가까워졌다. 돌아보자 흑색 말이 이쪽으로 달려오고 있었다. 당장 부딪칠 것 같지는 않지만, 혹시 싶어 다르타는 얼른 옆으로 몸을 피했다. 그러나 말은 다르타의 근처로 오더니 완전히 멈추었다.

'저 사람!'

왜 내 쪽으로 오나, 어리둥절해하던 다르타는 상대를 확인하고서 눈을 커다랗게 떴다. 말 위에 선 사람은 마스타스였다. 원수 마스타스.

'저 사람이 왜?'

놀라서 쳐다보고 있자니, 마스타스가 말에서 내렸다. 그러고는 가까이 다가와 다르타의 멱살을 잡아 얼굴을 가까이 붙였다. 놀란 다르타는 반사적으로 마스타스를 걷어차려 했으나 마스타스는 무릎을 들어 그 발길질까지 막더니 귀에 대고 윽박질렀다.

"4기사단장이 보낸 첩자."

"!"

"돌아오지 마라. 황후 폐하를 이용하지 마. 실망시키지도 마. 은혜가 뭔지 안다면, 이대로 떠나 평생 얼굴도 보이지 마라."

다르타는 주먹으로 마스타스를 치려다가 손에 힘이 빠졌다.

그걸 어떻게……?

"널 믿은 마음이 상하실까, 네가 한 짓은 알리지 않았다. 하지만 돌아온다면 바로 알릴 테니 그리 알아라. 황후 폐하께는 네 마음이 변해 떠난다 편지 올리고."

마스타스는 경멸 가득한 시선을 던지고는 더 설명하지 않고 말에 올라탔다.

"이랴!"

말발굽 소리가 다시 멀어지지만 다르타는 꼼짝할 수가 없었다. 제자리에 선 채 눈물만 뚝뚝 흘릴 뿐.

"하인리?"

똑똑 집무실 문을 노크하자 안에서 무언가 푸드덕푸드덕 요란한 소리가 난다. 뭐지? 확 문을 열어보고 싶은 마음을 누르고서, 나는 문 뒤에 선 채 소리가 사라지길 기다렸다. 잠시 뒤. 가장 윗단추를 잘못 잠근 하인리가 문을 빼꼼 열더니 부드럽게 웃었다.

"퀸. 이 시간엔 무슨 일로?"

이 시간엔 보통 내가 일하고 있지. 하인리도 일하고 있어야 할 시간이고. 하지만 뭘 하고 있었기에 윗단추가 풀어졌을까. 아까 푸드덕푸드덕 소리로 짐작건대, 분명 '퀸'의 모습으로 있었던 모양이

데. 추궁하고 싶은 마음이 굴뚝같다.

"퀸?"

그러나 충동을 꾹 누르고서 나는 본론을 꺼냈다.

"마스타스 경 못 봤어요?"

"마스타스 경이요?"

"며칠 전부터 보이질 않아서."

"하하, 코샤르 형님이 보고 싶어서 달려간 거 아닐까요?"

나는 가지고 온 편지 봉투를 손가락 사이에 끼워서 하인리의 앞에 대고 흔들었다.

"아닐걸요."

이건 오빠가 마스타스에게 보낸 편지였다. 정확히는 내게 보냈는데, 마스타스에게 쓴 편지. 전해달라고 봉투에 써 있다. 하인리는 고개를 기웃하더니 곧 태연히 말했다.

"뭐, 뭘 하든 하고 있을 겁니다."

전혀 신경 쓰지 않는 말투. 물론 마스타스는 어디 가서 위험에 처할 사람이 아니긴 하지만…… 왜 나는 하인리가 자꾸 신경 쓰일까.

"그런데 하인리?"

"네, 퀸."

"그대가 문을 가로막고 안을 안 보여주려 하는 듯한데."

"!"

"내 착각일까요?"

착각이 아니지. 하인리는 평소라면 안으로 들어오라면서 얼른 비켜섰을 텐데. 오늘은 문틈에 끼이기라도 한 듯 딱 가로막고 서서 내게 말을 걸잖아? 나도 키가 큰 편이지만 하이리는 나보다 키가 더 큰 데다, 어깨가 넓어서 이러고 서면 방 안을 볼 수가 없다.

"……."

하인리는 대답을 하지 못했다. 착각이 확실하게 아니란 거지.

나는 손을 들어서 그의 가슴을 노크했다.

"하인리? 들어가도 되나요?"

그러고서 째려보며 묻자, 하인리는 픽 웃더니 두 팔을 벌려서 나를 꽉 자기 가슴에 묻었다.

"네."

이게 아니잖아!

그의 몸에선 아찔한 향이 났고 뺨에 닿는 옷의 감촉마저 좋았지만, 나는 하인리의 팔을 내리고서 품에서 빠져나왔다. 그러고서 뒤꿈치를 들었다. 안쪽에서 뭘 하나 보기 위해서.

"이런. 퀸."

그게 우스운가. 하인리는 혼자 빵 터져서 웃어댔다. 뒤꿈치를 내리고서 그를 노려보자, 그는 입술을 꽉 깨물고서 나를 다시 끌어안았다.

"사랑스러워요. 그래도 못 들어가요."

단호하게 말하면서.

'대체 뭘 하고 있었는데 그래?'

"맥켄나. 그대는 입이 무거운가요?"

맥켄나는 라리를 안고서 얼러주다가 내 질문에 흠칫하더니 휙 빠른 속도로 날 쳐다보았다.

"예?"

"입이 무거운가요?"

맥켄나는 라리의 등을 두어 번 토닥이더니 몹시 꺼림칙한 목소리로 되물었다.

"갑자기 그건 왜 물으시는지……."

"하인리가 집무실에서 뭘 하고 있던데."

"폐하야 늘 뭔가를 하시지요."

"어제 낮에. 2시경."

"아아, 그때요."

맥켄나는 하인리가 뭘 했는지 아는구나. 그는 웃으면서 고개를 주억거리다가, 나와 눈이 마주치자 급히 정색했다.

"뭘 하고 계셨을까요?"

누가 봐도 뭔가 아는 얼굴인데 발뺌은. 새삼 저래 봐야 티 나지.

"뭘 하고 있었나요? 내가 가니까 못 보게 막던데."

어쨌든 나는 솔직하게 털어놓았다. 하인리는 그날, 결국 끝까지 집무실 안을 보여주지 않았다. 저녁 무렵에 보여주긴 했지만, 그때는 이미 집무실 안이 깨끗해진 후였고. 그러나 직접적으로 물었는데도 맥켄나는 또 발뺌했다.

"그냥 일하고 계셨습니다."

"단추가 덜 잠겼던데. 옷에."

"절, 절대로 망측한 일은 아닙니다!"

"그런 오해는 하지도 않아요."

내가 딱 잘라 말하자 맥켄나는 "그렇군요." 하고 감탄하다가 얼른 입을 다물었다. 방금 자기가 말실수를 했단 걸 깨달은 모양이었다.

"맥켄나."

거듭 이름을 부르고서 바라보자, 맥켄나는 흔들리는 눈동자로 날 보다가 결국 털어놓았다.

"모른 척해주셔야 합니다?"

북왕국으로 간 다르타는 미리 그곳에 나와 있던 빈셀과 만났다.

"여기로."

빈셀은 다르타를 처음 보는 집으로 데려갔다.

"여기 어디야, 엄마?"

"네 집."

"내 집?"

"우리 틈에 있다가 너까지 싸잡힐라. 이왕이면 따로 지내는 게 낫지."

어찌어찌해서 다르타가 서대제국에 자리를 잡았다고 하니, 뫼내

한 걸리는 요소를 다 치우기 위해서 빈셀이 큰돈을 들여 다른 사람의 이름으로 집을 사둔 것이었다. 하지만 이미 쓸모없어진 배려였다. 다르타는 참고 참았던 눈물을 터트렸다.

"아가, 왜 그래?"

빈셀은 깜짝 놀라서 다르타의 얼굴을 감쌌다.

"이젠 소용없게 됐어."

"무슨 소리야?"

이후 빈셀이 만들어준 따뜻한 코코아를 마시면서, 다르타는 모든 이야기를 다 털어놓았다. 에벨리, 스승님들, 문양, 나비에, 마스타스…… 그리고 초국적 기사단의 4기사단장 등등. 마스타스가 마지막으로 한 경고까지도.

"아니, 자기가 뭔데 너더러 하라 마라 제멋대로야?"

빈셀은 마스타스가 했단 말에 얼굴이 빨개지도록 화를 냈다. 다르타는 빈셀이 무조건 자신을 편들어주자 이번에도 엉엉 울었다.

"그러니까!"

"세상에. 어릴 때 바닥에 고꾸라져도 안 울던 애를. 대체 그 작자들이 널 얼마나 닦달한 거야?"

"나비에 님은 잘해주셨어. 스승님들도."

아이가 울자 속이 상해서, 빈셀은 다르타를 다독이며 제안했다.

"오늘 같이 있을까?"

"아니. 괜찮아."

다르타는 코를 풀고서 고개를 저었다. 사실은 엄마 옆에 있고 싶었지만, 그러면 정말로 하루 종일 약한 소리가 나올 것 같았다. 우는 모습도 더 보일 테고. 다르타는 빈셀까지 걱정하게 만들고 싶진 않았다.

"……."

빈셀은 그런 다르타를 보면서 더욱 애가 타고 화가 났다.

빈셀이 떠밀리듯 돌아간 뒤. 다르타는 책상 앞에 앉아 서대제국에 보낼 편지를 적었다. 스승에겐 죄송하다고, 에벨리에게는 사정이 있어서 북왕국 부근에 왔다고, 나비에 황후에게는…….

— 배워서 널 위해, 네 인생을 위해 쓰거라.

— 그 인생에 날 배신할 계획만 없으면 되니.

나비에 황후에게 보낼 편지도 몇 번이나 적었으나, 귓가에 떠오르는 목소리가 아팠다. 다르타는 편지를 구기고서 책상에 얼굴을 묻었다.

'연합에 들어오고 싶다고?'

집무실에 앉아 제국 연합에 관련된 일을 보는 도중이었다. 창문을 가볍게 두드리는 소리가 뒤에서 들려왔다. 돌아보자, 하인리가 창틀에 팔을 괴고 서 있었다.

예전에 창문으로만 다녀서 잔소리를 퍼부은 적이 있지. 그다음부터는 좀 고쳐지는가 싶더니. 오늘은 왜 또 창문으로 왔나? 일단 다가가 창문을 열어주자, 하인리는 내게 손을 내밀며 부탁했다.

"안으로 들어가게 잡아줘요, 부인."

"혼자 잘 들어올 수 있잖아요?"

"가끔은 연약한 하인리가 될 때가 있어서."

약한 소리인 게 분명하지만 귀여우니 넘어가줘야지. 나는 손을 뻗어서 하인리가 내민 손을 잡았다. 하지만 그의 손안에 무언가 까칠하고 날카로운 것들이 들어 있단 걸 발견하고서 다시 손을 뺐다.

"뭔가요?"

놀라서 묻자, 하인리는 씩 웃더니 약간 오그리고 있던 손을 펼쳤다. 그러자 손바닥에서 차르륵 긴 목걸이가 흘러나왔다.

"선물입니다."

"갑자기 선물을 주다니, 놀라워서 어떻게 해야 할지 모르겠어요. 무척 당황스럽고 놀라고 기뻐서. 무슨 일로 선물을 주는 건지 짐작도 가지 않아요. 깜짝이야. ……고마워요."

"?"

"고맙다고."

"걸어줄게요."

목을 내밀자 하인리는 내 목에 목걸이를 걸어주더니 흐뭇한 표정을 지었다. 그러고는 내가 펜던트를 잘 볼 수 있도록, 그 부분만 들어 올려 설명하기 시작했다.

"여기 이 섬세한 세공이 보입니까, 퀸? 여기 아주 작고 작아서 제대로 보이지도 않는 보석들이요. 이 보석을 여기에 어떻게 붙였는지 압니까? 내가……."

하지만 말을 하다 말고서 하인리는 돌연 입을 다물었다. 그러고는 나를 물끄러미 보더니, 한숨을 내쉬면서 물었다.

"맥켄나가 말해줬군요?"

"무슨 말인지."

"아까. 퀸, 부자연스러울 정도로 말이 많았습니다."

몰랐다고, 놀랐다고, 너무 많이 강조했나. 내가 어색하게 시선을 돌리자 하인리는 담담하게 웃으면서 펜던트를 내려놓았다. 그러고는 뒤를 돌아보며 꽥 소리 질렀다.

"맥켄나!"

맥켄나가 어디에 있다고 저러나, 생각하는 순간. 어디선가 파랑새가 뽀르르 날아오르더니 잽싸게 달아났다.

어쩌지. 맥켄나가 자기가 발설했단 걸 절대로 말하지 말라 했는데. 물론 내 입으로 말을 한 건 아니지만……. 미안한 기분에 괜히 하인리가 부리로 하나하나 보석을 붙여 만들었다는 펜던트를 만지작거리고 있으려니, 하인리가 내 눈치를 살피며 물었다.

"조만간 수룡의 새장에 들어갈 저 입 가벼운 새가 또 무슨 말을 했습니까?"

"맥켄나는 아무 말도 하지 않았어요."

"그럼요, 지저귄 건 파랑새죠. 뭐라 지저귀던가요?"

"지저귀지도 않았어요."

하인리는 후, 바람을 불어 자기 앞머리를 위로 올리더니 주위를 둘러보았다. 그러고는 아무도 없는 걸 확인하자, 그는 손을 옆구리에 붙인 채 다리를 교차로 움직이며 가볍게 스텝을 밟았다.

오른쪽으로 착착착. 왼쪽으로 착착착. 발이 아주 가볍게.

'어떡하지. 눈물이 나올 것 같아.'

그 뜬금없는 춤을 입술을 꽉 깨물고 보고 있자니, 하인리는 휙 날 향해 돌아서서 괴로워하며 물었다.

"이것도 말했습니까?"

본인은 아주 심각한 표정이었다. 나는 턱에 힘을 꽉 주고서 고개만 저었다. 하인리는 영 못 미더운 눈으로 날 보았지만, 내가 더 입을 열 것 같지 않자 빠르게 포기하고서 다시 뒤를 돌아보며 외쳤다.

"맥켄나!"

저쪽을 캐보기로 한 모양이네.

그가 성큼성큼 정원을 가로질러 멀어지는 걸 보다가 나는 쪼그려 앉아 무릎에 얼굴을 묻었다.

'저걸 왜 연습하는진 모르겠지만 귀여워.'

"황후 폐하. 마스타스 경이 돌아왔습니다."

그러고 있자니 문 너머에서 누군가 날 불렀다. 얼른 정색하고서 침실 밖으로 나가자, 마스타스가 로즈와 함께 서 있었다.

"잠시 일이 있어 다른 도시로 다녀왔습니다. 찾으셨다 들었습니다."

"전해줄 게 있어요. 잠깐만."

오빠가 보낸 편지를 찾아 마스타스에게 건네자, 마스타스는 편지를 받더니 순식간에 얼굴이 토마토색으로 변해서 시선을 떨구었다.

한 손에는 연모하는 이가 보낸 편지를, 다른 한 손에는 수상한

첩자가 보낸 쪽지를. 그렇게 전혀 다른 두 개의 서신을 품에 넣은 채, 마스타스는 케트런 후작을 찾아갔다.

"마스타스 경. 왔다 듣긴 했지만, 이리로 올 줄은 몰랐는데. 무슨 일이지?"

"여쭐 게 있어 왔습니다."

케트런 후작은 읽고 있던 신문을 내려놓았다. 아카데미에서 발행한 최근의 마법 학풍에 관련된 소식이었다.

"무엇인가."

마스타스는 다르타와 기사가 싸운 뒤 잔디에 떨어져 있던 쪽지를 내밀었다.

"이거. 많이 중요한 기밀입니까?"

케트런 후작은 뚱한 얼굴로 쪽지를 받아 들었다. 눈동자가 빠르게 내용을 훑었다. 그는 더 뚱해진 얼굴로 쪽지를 도로 건넸다.

"처음부터 끝까지 엉터리도 이런 엉터리가 없는데. 이렇게 쓰기도 힘들었겠구만."

마스타스는 어리둥절해져서 되물었다.

"엉터리라고요?"

유출된 게 심각한 기밀이라면 나비에가 상처를 받더라도 알려야 하지 않을까, 뒤늦게 떠오른 생각에 케트런 후작을 찾은 것인데. 엉터리라고?

"뭐. 용어 같은 건 전문적으로 써두었으니, 모르는 사람이 보기엔 그럴듯해 보이긴 하네만."

케트런 후작은 어깨를 으쓱하더니 다시 신문을 펼쳤다. 마스타스는 멍하니 쪽지를 내려다보다가 우그작 움켜쥐었다. 그 길로 마스타스는 곧장 마구간으로 달려가, 아무 말이나 잡아채고서 얼른 말 위에 올라탔다. 궁전을 빠져나가 수도를 벗어나 국경으로 달려갔다.

다르타가 어디로 새진 않는지, 제대로 국경 밖으로 나가는지, 혹시 다른 한패와 만나진 않는지 확인하기 위해서, 일부러 국경까지 몰래 뒤쫓아갔다가 돌아왔다. 그게 마스타스가 확인한 다르타의 마지막 행보였다. 이후로는 어디에 갔는지 몰랐다.

"젠장."

마스타스는 욕을 뱉고서 말고삐를 움켜잡았다. 멱살이 잡힌 채 이쪽을 바라보던 상처받은 눈동자가 떠올랐다. 만약 다르타가 나비에를 배신하지 않기 위해 일부러 가짜 정보를 작성했던 거라면……. 확인해야 했다. 자기가 오해를 한 건 아닌지.

"떠났다고?"

하지만 가장 마지막으로 확인한 국경 밖 마을에도 다르타는 없었다. 이미 떠났다고 했다. 마스타스는 머리카락을 마구 문지르다가 결국 궁전으로 돌아왔다.

'어디 출신이지?'

하지만 궁전에 돌아와서도 다르타가 어디로 갔는지 알 길이 없었다.

'그 기사는 아나?'

마스타스는 다르타가 기밀 유출 쪽지를 적었다고 의심했지만, 혹시 몰라 그 기사 쪽으로도 사람을 붙여 감시 중이었다. 마스타스는 그 기사에게 찾아갔다.

"모르겠습니다. 그런 걸 알고 지낼 사이가 아니어서요."

하지만 그쪽도 도움이 안 되긴 마찬가지. 다음으로 마스타스는 에벨리를 떠올렸다. 에벨리가 마법사란 걸 감추고 다르타와 친하게 지내지 않았나? 어쩌면 주소를 알지도…….

'젠장!'

하지만 그 에벨리도 지금은 동대제국에 간 상태였다. 서신을 주고받아도 시간이 걸릴 텐데. 그래도 다른 방도가 없는지라 마스타스는 에벨리에게 서신을 보내기로 했다.

그런데 우편을 담당하는 곳으로 가고 있자니, 담당 관리인이 마스타스를 보자마자 안심한 얼굴로 달려와 물었다.

"마스타스 경. 다르타 양이 동대제국 마법사에게 편지를 보냈는데, 이를 어디에 보관해두는 게 좋을까요? 그 사람들이 모두 동대제국에 돌아간 터라."

"내게 다오!"

"예?"

마스타스가 빼앗듯 편지를 가져가자 담당 관리인은 미심쩍은 표정을 지었다. 이래도 되나, 하는 얼굴. 그러거나 말거나 마스타스는 그 장소를 벗어나며 편지 발신 주소를 확인했다.

'북왕국.'

"에벨리? 벌써 왔어?"

에벨리가 서대제국으로 다시 돌아오자 로라가 어리둥절해서 물었다.

"너 돌아간 지 얼마 안 됐잖아? 왜 벌써 왔어?"

휴가를 와서 잘 놀다가 황제에게 일이 생겼다고 급히 돌아가더니. 돌아간 지 며칠이나 됐다고 다시 돌아왔다. 오가는 날짜를 제외하면 동대제국에 가자마자 도로 돌아온 것인지라, 로라로서는 황당할 수밖에 없었다.

"만날 사람이 있어서."

"나?"

"너도 좋은데. 이번은 다른 사람."

"치사해. 누군데?"

서운해하는 로라에게 사과하고서 에벨리는 다르타를 찾았다.

"찾는 사람이 다르타야? 넌 진짜 그 사람 좋아하네. 그 유학생이라면 여행 간다고 나갔는데."

그러나 다르타는 궁전 안에 없었다. 최소 몇 달은 여기 있으리라 여겼는데.

"마법사 학자들이 축제 때문에 아카데미로 잠시 돌아가서. 시기 맞춰서 여행한다고 떠났어."

로라가 설명해주자 에벨리는 자기 머리를 두드렸다. 그러고 보니 이 시기에 그런 행사가 있었다.

"급한 일이야?"

"아니, 급한 건 아닌데."

에벨리는 적당히 둘러대고서 혹시나 싶어 자신이 다르타에게 알려준 장소로 가보았다. 정확한 주소를 모를 때, 우편을 잠시 맡아주는 곳으로. 다행히 그곳으로 가자 다르타가 이쪽으로 보낸 서신이 도착해 있었다. 에벨리는 서신을 펼쳐보았다.

'북왕국.'

그런데 내용이 이상했다. 다르타는 그곳에 자리를 잡았다 말하며, 사정이 있어서 서대제국에 빠른 시일 내로 돌아올 수 없다고 써두었다. 그토록 마법사가 되고 싶어서 희망에 반짝이던 사람이.

'여행을 간 게 아닌가? 무슨 일이 있나?'

걱정이 된 에벨리는 서둘러 북왕국으로 갈 채비를 시작했다.

부천주가 모테를 안고 둥기둥기 어르는 걸 보면서, 빈셀은 어린 다르타를 떠올렸다. 물론 다르타를 만난 건 아이가 저 정도로 어릴 때는 아니었지만. 착한 아이였다. 순하고. 절대로 도적질을 시키고 싶지 않은 딸. 무사히 서대제국에 들어갔단 이야기를 듣고서 안심했는데. 그 애가 이 기회에 완전히 양지로 나가 살길 바랐는데.

"부천주."

"왜."

"돈 모아놔."

뜬금없는 빈셀의 말에 부천주가 모테를 토닥거리다가 "뭐?" 하고 쳐다보았다.

"걔가 커서 뭐가 될지 모르잖아. 신분 살 돈 좀 모아두라고."

부천주는 빈셀의 말에 혀를 찼다.

"돈이 없어서 못 사냐. 팔지를 않으니 못 사지."

"그건 그래."

빈셀이 한숨을 내쉬자 부천주는 모테를 고쳐 안으며 혀를 찼다.

"다르타 때문에 그래? 아직도 시무룩해 있어? 개가 오래 기죽어 있을 애는 아닌데."

그때. 문을 쾅쾅쾅쾅쾅 연달아 두드리는 소리가 나더니, 퍽 소리와 함께 닫혀 있던 문이 벌컥 열렸다. 문이 열리자, 켈드렉이 다리를 약간 들어 올린 채 서 있었다. 그가 문을 걷어찬 것이다.

"아 문 좀 손으로 열어요!"

부천주가 꽥 소리를 지르거나 말거나 켈드렉은 쾅쾅쾅 발소리까지 크게 내면서 식탁으로 오더니 의자를 거칠게 빼고 앉으며 화를 냈다.

"미친개 커플이 헤어진 거 아닌가 보다. 젠장. 헤어져서 한쪽이 꺼진 줄 알고 좋았는데."

부천주는 인상을 찡그리고 물었다.

"무슨 소리야?"

"마스타스. 지하 기사단 2단장, 그 여자. 엄청난 속도로 이쪽에 오고 있대."

켈드렉은 짧게 욕을 섞어 투덜거리고는 다시 말을 이었다.

"게다가 뭔 생각인지, 자기 부대로 가는 게 아니라 좀 엉뚱한 방향으로 가고 있나 봐. 젠장, 거기서 병력을 증강한다거나 그러진 않겠지?"

그 말을 듣자마자 빈셀이 다급히 물었다.

"어느 방향인데?"

"서쪽 방향."

서쪽 방향이라면, 빈셀이 일부러 상시천 마을과 좀 떨어진 곳에 잡아둔 다르타의 새 거처였다. 빈셀은 피가 싹 빠져나가는 느낌에 벌떡 일어나 도끼를 움켜잡았다.

"왜?"

켈드렉이 올려다보자, 빈셀은 옆에 놓아둔 도끼를 집어 쾅 식탁 위에 내려두었다. 놀란 모테가 울음을 터트렸다.

"야, 애 우는데!"

"그 기사. 다르타를 잡으러 가는 거야."

"뭐?"

"죽이자. 혼자 가고 있다며. 매복했다가 죽이자고."

상시천이 '벌집'이라 부르는 것들이 있다. 건드렸다가 괜히 손해만 보는 것들. 거슬리지만 가만히 두는 게 그나마 나은 것들. 건드렸다가는 단순히 기사단 하나둘 보내는 수준이 아니라 정말 전쟁 수준으로 번질 그런 것들. 이를테면 빌어먹을 코샤르의 목숨 같은 것 말이다.

"빈셀."

켈드렉은 툭툭 도끼 손잡이를 두드렸다.

“누구는 코샤르 그놈이 이뻐서 맨날 도망 다니는 줄 알아?”

“맨날 얻어맞으니 도망 다니는 거죠. 뭘 봐주는 것처럼 말한대.”

부천주가 옆에서 낄낄 웃자, 부천주의 아내가 옆에서 ‘농담할 때가 아닐 텐데’ 하고 신호를 보냈다. 켈드렉은 한숨을 내쉬고서 빈셀에게 진지하게 말했다.

“피의 손이 미친 기사보단 배경이 만만하긴 한데. 그래도 나비에 황후 최측근이잖아? 죽였다가 벌집 터뜨린 꼴 되면 어쩌려고?”

“수장이 안 나서면 혼자서라도 나설 겁니다.”

그러나 빈셀은 꿈쩍도 하지 않고 오히려 켈드렉을 설득했다.

“마스타스 그자는 다르타를 스파이로 오해하고 있어요. 그런데 북왕국까지 쫓아왔다? 우리와 얽혀 있단 것까지 알아차리고 오는 게 분명해요.”

켈드렉은 손을 깍지 끼고서 신중하게 고민했다. 확실히. 첩자에 스파이, 치유 마법사가 될 인재. 이런 것들이 겹치면 마스타스 그자가 직접 잡으러 올 만도 했다. 잡아다 죽일 수도 있고, 잡아서 유용한 노예로 부려먹을 수도 있으니.

“어쩐다.”

일단 그가 알기로 서쪽으로 빠진 기사는 마스타스 하나. 다른 이들은 그쪽으로 가지 않았다. 잘하면 몰래 없앨 수 있을지도 모르지만…….

“흠.”

켈드렉이 고개를 주억거리며 생각에 잠기자 빈셀은 도끼를 식탁에서 내려 챙겼다.

"좋아."

마침내 생각을 마친 켈드렉은 반쯤 감았던 눈을 뜨고 일어났다.

"해보지."

'신분이 없다더니. 멀리서도 왔군.'

마스타스는 다르타가 편지를 쓴 그 주소를 찾아가면서 속으로 혀를 내둘렀다. 마법을 익히고 싶다고 온 신분도 정체도 알 수 없는 여자. 당연히 근처 어디 사는 사람인 줄 알았더니, 의외로 먼 나라에서 온 모양이었다.

'차라리 자기 나라로 가는 게 빨랐을 것 같은데.'

그러면 수상한 취급을 받으면서 이렇게 일이 꼬이지도 않았을 게 아닌가. 한참을 그렇게 말을 타고 달리다가, 마스타스는 들판에 있는 작은 연못 앞에서 멈추어 섰다.

'이 부근이었지.'

마스타스는 다르타를 찾아가기 전에 우선 말이 물을 잔뜩 마실 수 있게 해주었다. 말이 물을 마실 동안에는 주머니에서 편지를 꺼내 펼쳤다. 주소를 확인하기 위해서. 그러나 발신인을 보자마자 마스타스는 깜짝 놀라 편지를 떨어뜨렸다.

'코샤르 경!'

꺼낸 건 코샤르가 보낸 편지였다. 워낙 급하게 여기까지 오느라, 며칠 전 나비에가 전해준 편지를 아직도 확인하지 못한 것이다. 주머니에 넣어두고 옷을 갈아입지 못했으니까.

'어쩌지?'

마스타스는 망설이다가 편지를 펼쳤다.

함께 말을 탈 사람이 없으니 허전합니다.

첫 줄을 본 마스타스는 얼굴이 벌겋게 달아올랐다.

바람이 불어서 야전 천막이 펄럭거리면, 그 너머에 그대가 있나 자꾸 보게 됩니다.

'나중에 아껴서 읽어야지.'

보나 마나 결론은 전력 보강을 위해 얼른 와라, 이 수준이겠지만. 그래도 마스타스는 들떠서 편지를 옷 안에 넣어두었다.

그 순간. 핑 하는 소리가 나는가 싶더니, 물을 마시던 말이 갑자기 놀라서 펄쩍 뛰었다. 마스타스가 말고삐를 잡아채자 작은 손도끼가 날아와 옆의 나무에 퍽 소리가 나게 꽂혔다.

"……."

마스타스는 창을 빼면서 화끈거리는 뺨을 손등으로 쓱 한번 닦았다. 손도끼가 스치듯 지나간 곳에서 빨간 피가 묻어 나왔다. 덤덤히 고개를 돌리자 한 무리의 사람들이 다가오고 있었다.

"오며 가며 자주 본 새끼들이네."

마스타스는 픽 웃고서 창을 쥐었다. 가벼운 말과 달리, 창을 쥔 손에는 힘이 꽉 들어가 있었다.

심한 강풍에 무서운 소리를 내면서 천막이 마구 흔들리자, 천막 안에 있던 사람들이 '아이구' 소리를 내면서 밖으로 튀어나왔다.

"안이 더 춥네. 안이 더 추워."

코샤르가 그 모습을 우두커니 바라보자 곁에 선 부관이 물었다.

"왜 그러십니까?"

"바람이……."

"많이 부네요."

부관은 하늘을 한번 쳐다보며 중얼거렸다.

"비가 내리려나. 주둔지를 좀 후방으로 뺄까요?"

코샤르는 사람들이 우르르 빠져나와 아무도 없는 텅 빈 천막을 힐긋 쳐다보았다. 제멋대로 펄럭거리는 천막 사이로 누군가와 눈을 마주칠 것만 같아서. 그러다 진짜로 눈이 마주치면 쑥스럽다는 듯 웃고는 괜히 창 닦는 시늉을 할 것만 같아서.

"그래라."

마구잡이로 불어오는 바람에 이상하게 심장까지도 같이 들썩였다. 코샤르는 찝찝한 마음을 누르고서 돌아서며 물었다.

"초국적 기사단은? 아직도 주위를 돌아다니나?"

"다른 방향으로 빠지고 있습니다."

"하이에나처럼 굴더니, 갑자기 왜?"

"그자들 이상행동이 어디 한두 번입니까. 또 그 여우가 뭐라 지시를 내린 거겠죠."

"왜 그러십니까?"

"바이올린 현이……."

송진으로 닦고 있는데, 갑자기 풀려버린다.

"제가 봐드리겠습니다."

주베르 백작 부인이 자기에게 맡기라며 바이올린째로 받아 갔다. 백작 부인이 끊어진 현을 빼내는 동안, 나는 송진을 보관함 안에 넣고 일어섰다.

"마스타스는 아직 안 돌아왔나요?"

다르타가 동대제국 마법사에게 쓴 편지를 중간에 받아서 어디로 갔다던데. 이후로 돌아오지 않고 있다. 무슨 일인지.

다르타에게 간 건가? 그렇다면 왜? 다르타는 잠시 여행을 간 거니, 조금만 기다리면 곧 돌아올 텐데?

크로우가 있다면 마스타스와 에벨리가 만난 건지, 둘이 또 싸운 건지, 관련해서 물어보겠는데. 그 역시도 지금은 보이지 않으니…….

어떻게 해야 다르타 언니가 놀라지 않도록 친부모 이야기를 할 수 있을까. 마차 안에서 에벨리는 여러 방향으로 머리를 굴렸다.

'근데 언니는 라스타 사건에 관해 알긴 하나? 모르면 오히려 덜

놀라려나?'

그런데 얼마나 그러고 갔을까.

"어이구야!"

마부가 꽥 고함을 질렀다.

"왜요?"

에벨리는 놀라서 창문 밖으로 고개를 삐죽 내밀었다.

"뭔 일 있어요?"

"시체! 말! 까마귀!"

"시체요?"

에벨리는 황급히 문을 열고 나가다가 마차에서 굴러떨어졌다.

"아니, 손님! 아직 마차 안 세웠어요!"

"진즉 말해야죠!"

에벨리는 씩씩거리면서도 마부석 쪽으로 달려갔다.

"세상에."

앞으로 가자 딱 마부의 말대로였다. 말이 터덜터덜 이쪽으로 오고 있는데, 그 위에 시체로 추정되는 게 짐짝처럼 걸쳐져 있었다. 특이한 건 말머리 위에 앉아 있는 새까만 까마귀 한 마리. 에벨리가 그쪽으로 달려가자, 까마귀는 마치 '그쪽이 왔으니 난 이만 가보겠어'라는 듯 훽 유유히 날아올랐다.

"워워. 그만, 그만."

에벨리는 어설프게 말을 세우고서 말에 매달린 사람을 낑낑 내리려 애썼다. 마차를 세운 마부도 얼른 달려와서 도왔다. 가까스로 그 사람을 내려놓은 에벨리는 이번에는 다른 의미로 놀랐다.

"마스타스 경!"

아는 얼굴이라서. 그것도 제법 친한 얼굴이라서.

"아는 사람이오?"

마부가 놀라서 물었다. 에벨리는 대답할 새도 없이 얼른 코에 손을 대어보고 안심했다. 시체처럼 보이지만 숨은 쉬고 있었다. 살아 있다.

"네."

다행이야. 정말 다행이야. 속으로 연거푸 기도하며, 에벨리는 얼른 마스타스를 치료하려 소매를 걷었다. 하지만 막상 치료하려고 보니, 옆에서 이 광경을 뚫어져라 쳐다보는 마부가 거슬렸다. 에벨리는 마부를 우선 떨어트려놓기로 했다.

"술 좀!"

"술?"

"상처가 심하잖아요! 술 좀!"

"의사가 아니라?"

"내가 의사예요! 술 좀 가져다줘요! 근처 마을 아무 데서나!"

"이 주변엔 마을이 없……."

"빨리요!"

에벨리가 꽥 소리 지르자 마부는 허둥지둥 일어나 마차에 올라탔다. 마차가 멀어지는 걸 확인하고서야 에벨리는 얼른 마스타스에게 온 힘을 다 퍼부었다.

잠시 뒤. 몇 번 몸을 살짝 들썩이던 마스타스가 번쩍 눈을 뜨더니 대번에 상체를 일으키며 에벨리의 멱살을 잡았다.

"나예요!"

에벨리가 소리치자, 마스타스는 얼른 손에서 힘을 빼고 사과했다.

"미안합니다. 싸우던 중이어서."

마스타스는 주위를 두리번거리더니 물었다.

"그자들은?"

"내가 발견했을 땐 마스타스 경이랑 말이랑 까마귀랑 셋밖에 없었어요. 까마귀는 날아갔고."

"상시천 도적들은?"

"안 보였어요. 그자들한테 당했어요? 내가 안 치료했으면 경은 죽었어요."

"다르타라는 그 예비 마법사."

마스타스의 입에서 나온 이름이 뜻밖이라, 에벨리는 손수건을 꺼내 물을 적시다가 휙 고개를 돌렸다.

"다르타?"

갑자기 여기서 그 이름이 왜 나와?

"상시천 도적들과 한패였습니다."

"그게 무슨……."

"내가 오해를 했다 생각했는데."

"무슨 소리예요?"

"오해는 오해였습니다. 월대륙 연합 쪽 스파인 줄 알았는데, 도적이었으니."

에벨리는 얼굴에서 피가 빠져나가는 기분을 느꼈다. 마스타스가 지금 무슨 말을 하는지 이해할 수가 없었다. 눈이 마주치자, 마스타스가 차갑게 전후 사정을 설명했다.

다르타를 월대륙 연합 첩자라 생각해 쫓아낸 일, 쪽지가 가짜였단 걸 알게 되어서 오해라 여긴 일, 오해가 있다면 풀기 위해 이곳으로 달려온 일, 이쪽엔 오지도 않는 상시천 도적들이 갑자기 매복을 해서 평소 이상으로 무리한 공격을 하던 일 등등.

"그럴 리가 없어요! 또 오해겠죠!"

에벨리는 고개를 젓고서 일어났다. 그리고 망설이다가 마스타스의 말을 잡고 그 위에 올라탔다. 말 위에 탄 에벨리는 엉성한 자세이지만 표정은 누구보다 심각했다.

"여기서 쉬고 있어요. 지나가던 치유 마법사가 구해줬다 하고요. 마부가 오면 그 마차 타고 가요."

"어디 갑니까?"

"다르타 언니한테요."

에벨리는 고삐를 꽉 틀어쥐었다.

"오해가 있을 거예요. 알아볼게요."

그러고서 출발하려는 에벨리를, 마스타스가 붙잡았다.

"그럼 잠시만."

— 어디서 나타난 건지, 벌거벗은 미친 남자가 갑자기 끼어들어서 놓쳤어.

다르타는 마스타스를 거의 죽일 뻔했단 말에 첫 번째로 놀라고,

거의 죽일 뻔한 마스타스를 놓쳤단 말에 두 번째로 놀랐다.

이후로는 내내 그 일이 신경 쓰여서 견디기 힘들 지경이었다. 아예 처음부터 안 건드리는 게 가장 좋았으나, 건드렸다면 반드시 죽여야 했다. 상시천이 한 짓이란 걸 모르게. 아니, 시체를 숨겨서 죽음조차 숨겨야 했다. 하지만 마스타스는 살아서 돌아갔으니, 곧 서대제국에서 상시천에 대대적으로 복수하려 들 것이었다.

'어쩌지.'

다르타는 초조하게 방 안을 서성였다. 그때 누군가 다가오는 소리가 나서, 다르타는 커튼 뒤에 숨어 밖을 보았다.

'적?'

그러나 나타난 사람은 에벨리였다.

'에벨리? 에벨리가 왜 여기에?'

놀라서 문을 열고 나가자 에벨리가 어색하게 마주 웃었다. 다르타는 반갑게 맞이하려다가 그 미묘한 표정을 보고 멈칫했다.

"에벨리? 여긴 웬일이야? 괜찮아?"

"언니가 보낸 편지 보고. 주소 보고 찾아왔어."

"이렇게 갑자기 올 줄 몰랐어."

"……보고 싶어서."

덤덤한 말이지만 다르타는 그 말에 저도 모르게 웃었다.

"들어와."

마스타스가 어떻게 됐나 신경이 쓰이면서도 다르타는 우선 에벨리를 챙겼다. 탁자 앞에 앉혀두고 차를 끓여서 가져다주었다.

에벨리는 초록빛 차를 물끄러미 바라보더니, 천천히 한 모금 한 모금 들이켰다. 다르타는 그동안 어떻게 지냈냐고 가볍게 질문을 던지다가, 어쩌면 에벨리가 오는 길에 마스타스를 보았을 수도 있겠다고 생각해 물었다.

"저기 다르타. 혹시 오는 길에 누구 못 봤어?"

그 질문에 에벨리는 차를 마시다 말고 굳었다. 하지만 찻잔에 얼굴이 가려져 다르타는 그 얼어붙은 표정을 발견하지 못했다.

그러나 표정보다 더 얼어붙은 건 에벨리의 마음이었다. 에벨리는 다르타가 상시천 도적들과 관련 있단 마스타스의 말에 절대로 아니라고 부정했다. 그런데 다르타가 이 이야기를 꺼내는 걸 보자, '진짜로 알고 있었구나' 생각이 든 것이다. 에벨리는 찻잔을 꽉 움켜쥐었다.

"봤어."

하지만 들끓는 속마음과 달리 나오는 목소리는 담담했다. 반면 그 대답에 다르타는 심장이 쿵 떨어졌다.

"어디에서? 발견한 사람은 상태가…… 어때?"

그 질문에 에벨리는 더욱 괴로워졌다. 부상을 입은 것까지 알고 있구나. 확실하게 모든 걸 알고 있어. 다르타 역시 마스타스를 습격한 데 일조한 게 확실했다. 그럼 지금까지 자신이 알고 있던 다르타는, 그 착하고 밝은 다르타는 대체 누구인 건지. 이제는 헷갈릴 지경이었다.

"에벨리?"

"이쪽으로 오는 길에 희한하게 생긴 나무 있잖아. 커다랗고. 연못이 있는. 그쪽에 있었어. 근데 시체였어."

"죽, 죽었다고?"

"어. 그래서 지금 기분이 좀 안 좋네."

에벨리는 찻잔 손잡이를 만지작거리다가 일어났다.

"속도 안 좋고. 돌아갈게."

"여기까지 왔는데 그냥 가려고? 하루 자고 가지. 마을 먼데."

"시체 봐서. 여러 가지로 다 안 좋아. 토할 거 같아."

에벨리의 표정이 너무 창백하고 아슬아슬해서 다르타는 더 붙잡지 못했다. 자신은 시체를 자주 보았지만 에벨리는 아니니까.

대신 에벨리가 완전히 멀어지는 걸 확인한 뒤, 다르타는 시체를 치우러 가기 위해 준비를 했다. 그러고 있자니 마스타스를 쫓아 숲으로 들어갔던 빈셀이 표정을 굳힌 채 다가왔다.

"아직 못 찾았어. 이미 국경을 넘진 않았을 텐데."

그러다가 다르타가 챙긴 삽을 보더니 놀라 물었다.

"삽은 왜?"

"거기 연못. 커다란 나무랑 같이 있는 연못. 거기에 죽어 있대. 마스타스."

"누가 그래?"

"내가 말한 그 친한 동생이 오면서 얘기해줬어. 시체 봤다고."

"걔는 지금 어디 있는데?"

"그거 보고 속이 안 좋아져서 빨리 돌아갔어."

"오면서 그런 애 못 봤는데."

"마을 쪽으로 갔으니까. 엄만 여기 있어. 내가 가서 시체 처리하고 올게. 마스타스가 죽었단 걸 알게 되면 서대제국에서, 제국 연합에서 어떻게 나올지 몰라. 치워야 해."

"죽은 게 확실해?"

"믿을 수 있는 동생이 말해줬어. 걘 거짓말 안 해."

다르타는 초조하게 숲길을 돌아보았다.

"빨리 갔다 올게."

그러고서 그쪽으로 달려가려는 걸 빈셀이 붙잡았다.

"내가 갈게. 치운 다음 다른 사람들이랑 합류해서 바로 돌아가면 돼. 친한 동생인지가 다시 이쪽으로 올지도 모르잖아. 넌 여기 있어."

맞는 말 같아서 다르타는 고개를 끄덕였다.

마을 쪽으로 빠져나가는 척하다가 에벨리는 빙 둘러서 마스타스가 죽은 척하고 있는 장소로 갔다. 하지만 바로 그쪽에 가진 않고, 그 장소를 내려다볼 수 있는 낮은 언덕에 올라갔다. 그리고 커다란 나무 뒤에 몸을 숨긴 채 에벨리는 상황을 지켜보았다.

'오지 마 언니.'

다르타가 마스타스를 습격한 이들과 한패란 확신이 생겼지만, 그래도 에벨리는 여전히 원했다. 마스타스가 죽었단 이야기에 다르타가 바로 달려오지 않기를. 마스타스가 죽었다고 거짓말한 건 일종의 시험이었다. 정말로 다르타가 상시천과 관련이 있는지 없는지 알아보기 위한 마지막 시험. 다르타가 마스타스를 죽이려 한 일에 관련이 있다면 상시천이나 다르타는 이쪽으로 올 것이고, 아니라면…….

'오지 마. 제발. 도적이랑 관련 있어도 돼. 근데 언니가 마스타스 경을 죽이려 한 건 아니었으면 좋겠어. 그러니까 오지 마. 제발.'

에벨리는 나무껍질 사이에 손톱이 파고들 정도로 힘을 주었다. 얼마나 그러고 있었을까. 누군가 나타났다. 등에 도끼를 맨, 처음 보는 사람이다. 에벨리는 눈을 질끈 감았다.

'언니가…… 도적을 부른 게 맞구나. 언니도 도적과 한패였어. 언니가 마스타스를 죽이려 한 거야.'

그 사람은 피를 묻힌 채 바닥에 누워 있는 마스타스를 보더니 바로 그쪽으로 걸어왔다. 도적들이 여럿 올 걸 예상한 마스타스가 주위에 함정을 파두었단 걸 모르고서. 그리고 그 사람이 함정을 밟는 순간. 눈 깜짝할 사이에 도적은 발목이 걸려 나무에 올라갔다.

죽은 척하던 마스타스는 감춰두었던 단도로, 망설이지 않고 도적의 심장을 대번에 찔렀다. 에벨리는 그 장면이 무서워서가 아니라, 다르타에게 실망해 돌아서서 흐느꼈다.

그 순간. "엄마!" 하는 비명이 뒤에서 터져 나왔다.

놀란 에벨리가 다시 몸을 돌려 나무 사이로 바라보자, 그 도적보다 좀 더 늦게 도착한 다르타가 그쪽으로 달려가고 있었다. 그러다 함정을 밟은 듯 몸이 아래로 푹 꺼져버렸다. 마스타스는 함정으로 다가가 그 아래를 빤히 내려다보았다. 하지만 죽이진 않고, 돌아서서 가버렸다.

에벨리는 인상을 찡그렸다. 구덩이 안에서 '엄마 엄마' 흐느끼는 소리가 이상할 정도로 심장을 헤집었다. 먼저 마스타스를 죽이려 한 건 저들인데도. 마스타스는 자신이 발견하지 못했더라면 죽었을지도 모를 큰 부상을 입고 있었는데도.

그 절규에 마음이 흔들린 에벨리는 나무에 거꾸로 매달린 도적을 쳐다보았다. 도적은 자기가 죽어가는 와중에도 오히려 구덩이를 향해 손을 내밀고 있었다.

'살려줄까?'

에벨리는 자신이라면, 지금이라면 그 도적을 살릴 수 있단 걸 알았다. 마스타스를 살렸듯. 하지만…….

'저자가 마스타스 경을 죽이려 했어.'

에벨리는 단호하게 돌아섰다. 다르타의 비명을 피해 도망치듯 근처 마을로 갔다. 하지만 그곳에 가서도 환청처럼 다르타의 목소리가 사라지지 않았다.

결국 에벨리는 망설이다가, 친부모가 이스쿠아 자작 부부라는 짧은 편지를 쓴 다음, 용병 하나를 사서 의뢰했다.

"여기 오는 길에요. 길이 나 있지 않은 곳인데, 작은 연못과 그 주변에 이상하게 생긴 나무가 같이 있는 곳이 있어요. 알아요?"

"알지. 거기 유령 나온다는 데잖아."

"함정이 있고 거기에 사람이 빠져 있을 거예요. 가서 구해줘요. 그리고 이거. 구한 다음 전해줘요. 그리고…… 내가 의뢰했단 말은 하지 말아요."

돈과 종이를 넘긴 에벨리는 차갑게 그 자리를 돌아섰다.

'이게 마지막이야. 이젠 그 사람하곤 끝이야. 두 번 다시 얼굴도

보기 싫어.'

동대제국 항구에 진을 쳤다는 초국적 기사단 기사들을, 무력을 동원해서라도 쫓아내야 한다고 아버지에게 편지를 쓰는 도중이었다. 창밖에서 날개로 유리창을 빠르게 두드리는 소리가 났다. 놀라 돌아보자, 다르타에게 붙여둔 까마귀가 날개로 유리창을 다급하게 때리고 있었다.

크로우? 무슨 일로 저렇게? 일단 문을 열고 고개를 내밀었다. 대체 무슨 일이 있었던 건지, 크로우가 새의 모습임에도 당황했다는 게 훤히 보였다.

"다르타에게 무슨 일이 생겼나요?"

크로우는 몇 번 새소리를 내더니, 황급히 소파로 날아갔다. 잠시 후. 소파 뒤쪽에서 목소리가 들려왔다.

"그 수상한 유학생이요. 상시천 도적들과 한패가 맞았습니다."

"이런."

"마스타스 경이 이 사실을 알게 돼서, 상시천 도적들이 마스타스 경을 죽이려 했습니다."

뭐라고?

"그땐 혹시나 싶어 도적들을 따라다니고 있던 터라, 다행히 제가 중간에 끼어들어 마스타스 경을 위험에서 구할 수 있었습니다."

"다행이군요."

"마법사 에벨리가 마침 근처에 있기에 마스타스 경을 데려다주었더니 치료했습니다. 지금은 멀쩡합니다."

이것도 다행이긴 한데.

"에벨리는 왜 거기에?"

"다르타를 찾아간 모양이었습니다. 하지만 마스타스 경을 먼저 만나면서, 다르타가 상시천 무리란 걸 알게 되었습니다."

이후로도 크로우는 놀라운 이야기를 들려주었다. 에벨리가 알게 된 진실, 이후의 행동, 그리고…… 에벨리가 한 오해와 다르타를 기른 도적의 죽음까지.

이야기를 다 듣고 나니 심란해졌다. 에벨리가 한 오해는 진실과 뒤섞여 있어서, 두 개를 구분해내기가 힘들었다. 다르타는 상시천 무리에 속해 있지만 본인이 도적은 아니고. 마스타스와 얽힌 일에 관여하진 않았지만 계기가 된 건 맞고.

"어찌할까요?"

크로우도 상황이 복잡해지니 어떻게 해야 할지 혼란스러운 모양이구나. 목소리만 들어도 까마귀가 고민하는 걸 알 수 있었다.

"글쎄요. 일단 에벨리는…… 오해였다는 걸 알아도 몰라도 충격받을 것 같군요."

진실을 모른다면 다르타가 자신을 속였단 분노에 괴로울 테고, 진실을 알게 된다면 자신이 언니처럼 따르던 다르타의 양모를 죽였다는 게 괴로울 테니.

게다가 다르타. 다르타는 어떻게 해야 할까.

눈을 감고서 관자놀이를 문질렀다. 도적들이 기른 아이. 도적은 아니지만 도적들과 친한 아이. 마스타스를 죽이려 들진 않지만, 도적들을 위해 시체를 감추려 하는 아이. 그러나 대단한 재능을 가진 아이.

하지만 내가 과연 그 아이를 품을 수 있을까?

"황후 폐하?"

"……생각을 좀 해보아야겠습니다."

"계속 쫓아다닐까요?"

"그동안 고생했는데, 좀 쉬도록 해요."

무덤 앞에서 다르타는 아무 생각이 들지 않았다. 전에 아무것도 모를 때. 자신이 마법사란 것조차 모를 때는 엄마를 고쳤는데. 훈련을 한 달이 넘게 받은 지금은 오히려 아무것도 하지 못했다. 엄마가 자신의 심장에 박힌 칼을 빼 밧줄을 자르고, 자신을 구하기 위해 생명을 흘리며 기어오는 동안 다르타는 비명만 질렀다.

먹구름이 몰려들면서 거센 바람이 불고 비가 내리기 시작했으나, 다르타는 무덤 앞에서 떠나지 못했다. 흙투성이가 된 손으로, 자신을 구해준 용병이 준 쪽지를 움켜쥔 채 무덤만 하염없이 바라보았다.

'에벨리는 왜 마스타스가 죽었다고 한 거지?'

이 생각이 머리를 차지하고서 자리를 비키지 않았다. 에벨리가 그런 말을 하지 않았다면…… 빈셀은 여기로 오지 않았을 거다.

'아니, 마스타스 그자가 계속 죽은 척하고 있었을 수도 있어.'

그러면 에벨리도 마스타스가 죽었다 생각했을 수도 있지. 다르타는 애써 그렇게 생각을 해보지만, 그러다가도 불쑥 치솟는 안 좋은 생각에 입술을 계속 깨물었다.

그때.

"엉망이군."

누군가 혀를 찼다. 폭우 때문에 발소리를 듣지 못했던 다르타는 벌떡 일어났다. 나타난 이는 하얀 제복 차림의 남자였다. 자신의 눈과 귀가 되라며 스파이 노릇을 시키던, 초국적 기사단의 그 여우 같은 기사단장.

"뭐야. 여긴 왜 왔어."

다르타가 이를 드러냈으나 기사단장은 말없이 다가왔다. 한쪽 무릎을 바닥에 대고 앉더니, 다르타가 계속 깨무느라 피가 나는 입술을 빼게 했다.

"왜 그걸 괴롭히는지. 그쪽 입술엔 죄가 없습니다."

다르타는 기사단장의 옷이 축축하게 젖어 있단 걸 발견했다. 저쪽도 계속 비를 맞은 게 틀림없었다.

"계속 보고 있었어?"

다르타가 묻자 기사단장은 눈썹을 치켜올렸다.

"입술 다음엔 내게 화풀이입니까?"

"꺼져!"

다르타는 기사단장을 밀쳐냈다. 위험한 자란 건 알지만, 지금은 이자의 눈치를 보면서 실실 억지로 웃을 그런 기분이 아니었다. 죽일 거라면 죽이든가. 분노가 공포를 눌렀다. 그러나 기사단장은 화를 내는 대신 슬픈 표정을 지었다.

"하긴. 내게도 책임이 있습니다."

"책임이라니?"

혹시 이쪽 기사단장도 마스타스와 한패란 건가? 다르타는 이를 드러냈다. 듣기론 두 연합은 사이가 나쁘다지만, 그래도 혹시 모르지 않나.

"그쪽 '친구'가 마스타스 경과 대화 나누는 걸 보았습니다. 그쪽과 친한 사람이니, 당연히 중간에서 중재를 하려는 건 줄 알았지요. 그래서 나서지 않았는데."

"!"

"이럴 줄 알았다면 내가 나설 걸 그랬군요."

기사단장이 시무룩하게 중얼거리자 빗물이 눈가를 타고 그의 뺨으로 흘러내렸다. 마치 그가 우는 것처럼 보여서 다르타는 멍해졌다.

"얘기를…… 나누어? 누구랑 누가?"

"마스타스 경하고 그쪽 친구가."

"거짓말!"

다르타는 기사단장의 멱살을 잡았으나 곧 스스로 멱살을 놓았다. 사실 계속 의심은 하고 있었다. 에벨리는 왜 '시체를 보았다'고 말했을까. 애써 에벨리도 속았던 거라 생각했는데. 이자가 억지로 감춰둔 진실을 찌르니 몹시 고통스러웠다. 그래도 다르타는 고개를 저었다.

"그럴 리 없어. 걘 그럴 사람이 아니야."

반면 기사단장은 믿을 수 없는 사람이다.

"그럼 어떤 사람입니까?"

"에벨리는……."

다르타는 말을 하다가 끝을 맺지 못하고 멍해졌다. 모른다. 자신은 에벨리에 대해 아는 게 없었다. 동대제국 사람이란 걸 제외한다면 아무것도 몰랐다. 다르타는 황급히 용병이 주고 간 쪽지를 펼쳤다. 용병은 그냥 '신원을 밝힐 수 없는 의뢰인'이 준 쪽지라고만 했으나, 다르타는 그 의뢰인이 에벨리는 아닐까 계속 생각했다. 에벨리가 아니라면 굳이 그곳에 정체를 감추고 용병을 보낼 사람이 없으니까.

다르타는 이 안에 에벨리의 주소가 있을 수도 있다고 생각했다. 그러나 아니었다. 쪽지 안에는 전혀 예상하지 못한, 이 상황에는 어울리지 않는 진실이 한 조각 들어 있었다.

이스쿠아 자작 부부. 네 부모.

멍하니 그 쪽지를 내려다보다가 다르타는 천천히 일어섰다. 내내 무릎을 꿇고 있어서 다리가 저리지만, 다르타는 후들거리는 다리로 꼿꼿하게 일어섰다.

"동대제국에. 거기에 가봐야겠어요. 에벨리를 만나야겠어."

악물린 목소리가 흘러나왔다. 다르타는 이 와중에도 에벨리가 거짓말을 했단 걸 믿기가 힘들었다. 어쩌면 믿고 싶지 않은 걸 수도 있었다. 에벨리의 말을 빈셀에게 전한 게 자신이기에. 자신이 에벨리의 말을 빈셀에게 전하지 않았다면, 빈셀이 이곳에 올 일도, 마스타스에게 속을 일도, 죽을 일도 없었기에.

그 모습을 가만히 바라보던 에인젤이 따라 일어서더니 한 손을 다르타에게 내밀었다. 에스코트를 해주겠단 것처럼.

"동대제국에 입국할 수 있도록 도와주겠습니다."

다르타는 인상을 찡그렸다. 에스코트를 해주겠단 것보다 방금 말이 더 이상했다. 다르타는 그의 팔을 잡는 대신 뒤로 물러나며 경계했다.

"그쪽이 왜요? 내가 보낸 쪽지가 유용해서? 또 스파이 노릇 시키려고? 이번엔 동대제국에서 눈과 귀를 해줬음 해서요?"

"스파이 노릇을 하기엔 보내오는 정보가 다 엉터리던데."

알고…… 있었어? 다르타는 눈을 부릅떴다. 언제부터?

"솔직히 말하지요. 스파이는 이미 많으니, 엉터리 눈과 귀까진 필요 없답니다. 하지만 치유 마법사는 가지고 싶군요."

"누가 돕는대요?"

"내가 돕다 보면 돕겠지. 언젠가는. 그리고……."

무언가 말을 하려다가 에인젤은 잠시 눈살을 찌푸리더니 다르타를 살폈다. 하고 싶은 말이 있는데, 이 말을 해도 될지 모르겠단 얼굴로. 잠시 그 상태로 있다가 에인젤은 빙그레 웃었다.

"이건 직접 확인해보는 게 낫겠군요."

에인젤과 함께 가니 동대제국으로 가는 건 전혀 어렵지 않았다.

"연합끼리 사이가 나쁘니까, 동대제국에 들어가기 어려울 거라 생각했어요."

다르타는 마차에 넋을 놓고 있다가, 의외로 성벽 앞 경비병이 별다른 제지 없이 마차를 들여보내주자 중얼거렸다. 에인젤은 맞은편에 앉아 사과를 깎으며 웃었다.

"그랬다간 큰일 나지요. 얽힌 나라가 몇인데."

"아. 그런가."

"감시하는 눈은 다닥다닥 붙겠지만."

다르타는 감시란 말에 깜짝 놀랐으나 곧 그러려니 수긍했다. 어쩔 수 없이 들여보내기는 하지만, 반대쪽 연합 사람이 마음대로 활개 치게 놔두면 그게 더 이상하긴 하지.

"그래서 저더러 같이 이 마차 타고 가자 한 거예요? 감시하는 눈에 우리가 같은 편으로 보이게?"

"어디에 내려줄까요?"

"대답 피하시는 거 같은데."

에인젤은 다 깎은 사과를 상자에 담고서 내밀었다.

"알아도 모른 척해주는 게 예의입니다. 이건 선물."

다르타는 얼떨결에 에인젤이 건넨 사과 상자를 받으며 대답했다.

"청사. 청사에 내려주세요."

"청사에서 뭘 하려고요?"

“찾을 사람이 있어서요.”

“배신한 친구분?”

“……신경 쓰지 마세요.”

다르타는 딱 잘라 말하고서 마차 밖으로 나갔다.

이스쿠아 자작 부부. 에벨리의 말에 따르면 자신의 부모라는 그 부부. 그들에 관해 알아볼 생각이었다. 자신에게 거짓말을 한 에벨리가 왜 굳이 이런 쪽지를 보낸 건지도.

“네, 무슨 일로 오셨습니까?”

청사 안으로 들어가자 가장 앞에 커다란 창구가 있고, 거기에 관리가 앉아 있다가 기계적으로 물었다.

“이스쿠아 가문에 관해 알고 싶은데요.”

에벨리는 관리에게 말을 하다가 문득 나비에 황후가 해준 말을 떠올렸다. 이 팔찌 속 문양 가문. 동대제국 귀족 가문은 아니라고 했지. 그러면 동대제국으로 오는 게 아니라 다른 데 갔어야 하는 건가? 하지만 동대제국 사람인 에벨리가 이런 걸 이야기해줄 정도면 여기서 정보를 모으는 게 가능하단 뜻 아닌가?

“이스쿠아 가문?”

그런데 잠시 혼란스러워하고 있자니, 덤덤하던 관리의 입가에 비린 생선 같은 미소가 떠올랐다. 심지어 옆에 있는 사람조차 비슷한 표정을 지으며 여기를 곁눈질했다.

왜 저런 표정이지? 의아한 생각과 함께 다르타는 불안해졌다. 모르는 가문이면 모른다고 할 텐데. 바로 저렇게 나온다는 건…….

“그 가문은 왜?”

“뭐 좀 조사하느라.”

관리는 낄낄 웃더니 잠시만 기다려보라면서 어딘가로 걸어갔다. 그리고 정말로 오래 지나지 않아서 다시 나타났다.

다르타는 관리가 내민 서류 봉투를 받아서 가장 가까운 식당으로 들어갔다. 식당 구석 자리에 앉아 음식이 나오기를 기다리며 봉투 안에서 서류를 꺼내 빠르게 훑었다.

잠시 뒤. 식당 주인은 먹을거리를 들고서 다르타의 자리로 왔다. 하지만 다르타가 아는 척도 하지 않자, ‘집중력이 강한 손님이구나’ 생각하고서 음식만 내려놓고 갔다. 그러나 다르타는 집중력이 강한 게 아니라 다른 데 쏟을 정신이 남지 않은 상황이었다.

‘이게 진짜야?’

그 서류 안에는 신문이 들어 있었다. 비교적 오래되지 않은 신문. 그리고 신문 안에는 이스쿠아 자작 부부의 사기극에 관해 실려 있었다. 다르타는 당황해서 신문을 읽어 내려갔다.

‘우리 친부모님이 전 황후 신분 세탁에 연루되어 돌아가셨다고?’

다르타는 다른 봉투를 뒤져 다른 서류를 꺼냈다. 이번에는 이스쿠아 자작 부부의 간단한 신상에 관해 나온 서류였다. 많은 정보가 있지는 않지만 거기에 그 가문의 문양이 나와 있었다. 다르타는 팔찌를 내려다보았다. 그 문양은 팔찌에 나온 문양과 비슷했다.

그리고 마지막으로 들어 있는 건, 어떤 기자가 이스쿠아 자작 부부에 관해 가십거리로 적은 기사. 재산을 탕진할 때까지 잃어버린 두 딸을 찾아다녔던 내용, 많은 사기꾼들이 그렇듯 이 부부도 사교계 안에서 평판이 좋았단 내용, 특이하게도 ‘치유 마법사 에벨리’

를 몹시 구박했다는 내용 등등.

다르타는 묻고 물어서 수도 밖, 낮에도 잘 햇볕이 들지 않는 음지에 비루하게 만들어진 무덤을 찾아갔다. 그곳에 최근에 처형당한 사람들의 시체가 묻혀 있다고 했다. 하지만 비슷한 무덤이 여러 개여서, 다르타는 그중 어떤 게 자작 부부의 무덤인지 구분하지 못했다. 처형당한 이들은 다 비슷비슷하게 묻혀 있었다.

다르타는 그중 한 곳. 가장 최근에 만들어진 듯한 무덤 앞에 서서 훌쩍였다. 부모를 찾는 건 애초에 생각지도 않은 문제였다. 오히려 찾을까 봐 걱정했다. 빈셀이 있는데 다른 부모가 나타나는 게 싫어서. 그러나 이렇게 되고 보니 이상하게 마음이 허하고 아팠다. 친부모가 잘 살다가 평화롭게 떠났다면 그나마 나았을까?

그때. 마차 바퀴가 자갈을 짓밟는 소리가 가까워졌다. 다르타는 에인젤이 말한 '다닥다닥 붙은 감시들'을 떠올리고서 얼른 몸을 숨겼다. 그 사람들일까 봐. 커다란 덩굴 뒤에 몸을 숨긴 다르타는 쪼그리고 앉아 무릎에 얼굴을 묻었다. 이곳을 찾은 사람이 떠날 때까지 이러고 있을 생각이었다.

얼마나 그러고 있었을까.

"그만 돌아가셔야 합니다, 에벨리 님."

누군가의 목소리가 들려왔다. 그리고 낯익은 이름도.

에벨리 님? 다르타는 고개를 번쩍 들었다. 동시에 두 사람의 에벨리가 떠올랐다. 친한 동생으로 다가와 거짓과 진실을 남기고 간 에벨리. 한 번도 본 적 없지만 치유 마법사로서 존경하고 부러워하는 에벨리.

동대제국 내에서 '에벨리 님'이라고 불리는 에벨리라면 그 마법사 아닌가? 다르타는 저도 모르게 슬쩍 덩굴 너머로 고개를 내밀었다. 그리고 근위병 다섯 명과 함께 선 여자를 보는 순간. 심장이 쨍 소리를 내며 얼어붙었다.

'에벨리…… 에벨리!'

복도 가장 끝. 나비에의 침실과 가장 먼 방. 사람이 사용하는 가구는 거의 없는 그 방 안에는 온갖 화초와 새장 하나만이 있었다. 사람들은 우스갯소리로 그 방을 '유폐된 방'이라 불렀다. 새장의 주인인 독수리 '퀸퀸'을 하인리 황제가 몹시 싫어해 그쪽으로 쫓아낸 일화 때문이었다. 나비에는 그 소문을 듣고 몹시 부끄러워했지만, 하인리는 정말로 퀸퀸이 싫었다. 자신과 닮은 외모도 자신과 닮은 이름도, 심지어 퀸퀸을 선물한 이조차. 하지만 그 '유폐된 방' 안. 오늘 하인리는 그곳을 홀로 찾았다.

"가짜."

하인리는 새장 안에서 꾸벅꾸벅 조는 퀸퀸을 낮은 목소리로 부르고서, 새장을 들어 올렸다. 자신을 여기에 유폐시킨 게 누구인지 안다는 듯, 퀸퀸이 눈을 뜨고서 하인리를 노려보았다.

“가짜. 네게 기회를 주겠다.”

— …….

“잘해야 한다, 가짜. 이 일에 네 자유가 걸려 있으니.”

하인리는 날카롭게 말하고서 새장을 챙겨 은밀히 그 방을 벗어났다. 가짜에게 기회를 주기도 싫었지만, 어쩔 수 없었다. 요 며칠 나비에가 마법사 둘 때문에 우울해하고 있으니.

36

편 가르기

침실에 들어갔더니 창문 두드리는 소리가 들려왔다. 크로우? 쉬라고 했는데 또 왔나? 하지만 아니었다. 창문을 두드린 건 맥켄나였다. 정확히는 새 모습을 한 맥켄나. 게다가 표정은 왜 저렇게 떨떠름하지? 일단 가까이 다가가 창문을 열어주었다.

"맥켄나. 무슨 일이에요?"

심각한 일은 아닌 듯한데. 그런 거라면 사람 몸으로 왔거나 사람을 보냈거나 했을 테니.

— 짹!

맥켄나는 알아들을 수 없는 대답을 하고서, 체념 어린 얼굴로 목을 내밀었다. 작은 목에 무언가 걸려 있었다. 종이? 종이를 꿰어 만든 엉성한 목걸이 같은데. 내가 목걸이를 빼내 종이를 펼치자, 맥켄나는 꽁지를 털고서 얼른 자리를 피했다.

'정말로 급한 일은 아닌가 보네.'

이게 뭔지 설명도 안 해주고 가다니. 멀어지는 뒷모습을 보다가 나는 종이를 확인했다. 이게 대체 뭐기에?

안에 짧은 글이 들어 있었다.

아가방으로.

하인리 글씨? 또 무슨 일을 하는 거야? ……전에 혼자 열심히 연습했다던 춤이 생각나는데. 설마 그 춤을 춰 주려는 건가? 생각만으로도 웃음이 나온다. 하지만 입술을 꾹 다물어 웃음을 막았다. 혼자서 웃어대면 체통이 없어 보일 테니.

하지만 하인리가 뭘 하는지 궁금해 견디기 힘들어서, 얼른 가벼운 망토를 걸치고서 침실 밖으로 나갔다. 따라붙으려는 랑드레 자작을 말리고서 아가방 안으로 들어가자, 안은 불을 켜지 않아 어두웠다. 얼른 불을 켜자, 아가들이 요람에 어설프게 기대 있는 게 보였다. 하인리는? 하인리는 어디 있지?

'아. 저기 있구나.'

창문 앞. 달빛을 받아 '퀸'의 까만 실루엣이 보인다. 그런데 가까이 다가가자니 퀸이 갑자기 둘로 늘어났다.

'어?'

나는 놀라서 멈춰 섰다. 이게 무슨 일이야?

오른쪽 퀸과 왼쪽 퀸을 번갈아 보고 있자니, 세상에. 이번엔 둘이 된 퀸이 갑자기 양 날개를 동시에 위로 올리는 게 아닌가.

빰!

그 동작이 얼마나 절도 있던지 타악기 소리가 같이 나는 착각이

들 정도였다.

'어어?'

놀랄 새도 없이 이번에는 동시에 한쪽 무릎을 굽혀 앞으로 내밀었다.

빰!

아냐, 착각이 아니야. 정말로 동작에 맞춰 타악기 소리가 났다. 소리가 어디서 났나 고개를 돌리려는 순간, 둘은 동시에 덩실덩실 춤을 추기 시작했다. 다리가 앞으로 짠. 목이 옆으로 쫙. 어깨가 위로 올라갔다 내려갔다, 날개로 웨이브를 타면서.

박자가…… 둘이 미묘하게 다르긴 한데. 그래도 춤추는 모양새는 많이 비슷했다. 나는 현란하게 흔들리는 꼬리깃에 홀려서, 요란하게 움직이는 날개를 넋을 놓고 바라보았다. 간신히 정신을 차리고 보니 요람에 있는 아가 둘도 혼이 반쯤 빠져나가 있는 듯했다.

꿀렁거리고 파닥거리는 춤이 마침내 끝날 때쯤. 나는 퀸이 둘인 이유를 뒤늦게 알아차렸다.

'퀸퀸이랑 같이 췄구나.'

아니, 근데 어떻게? 하인리는 퀸퀸과 대화가 되나? 아니면 하인리가 퀸퀸이 춘 춤을 따라 했나? 한쪽이 미묘하게 박자가 느렸으니, 그랬을 수도 있……긴 한데. 아니, 그래도 어떻게 퀸퀸이 춤을 추게 만들었대?

하지만 춤을 다 춘 하인리는 그저 뿌듯한 듯, 허리에 손을 짚은 채 숨을 색색 고르며 날 바라보았다. 성취감으로 가득 찬 눈으로. 눈으로 '어때?' 하고 묻는 것 같았다.

'귀여워.'

나는 말없이 다가가서 퀸을 끌어안았다. 작은 몸뚱이에서 심장이 콩콩 뛰는 게 생생하게 느껴지는데, 그게 또 너무 사랑스러워 견디기 힘들었다. 그러고 있자니 뒤에서 '우엉우엉' 하는 소리가 났다. 얼른 돌아보자 새가 된 카이가 허겁지겁 요람의 작은 틈 사이로 빠져나오며 내지르는 비명이었다.

"카이!"

배가 걸렸잖아!

얼른 하인리를 내려놓고서 그쪽으로 달려가 요람에 낀 배를 뒤로 밀고 밖으로 빼내주자, 카이는 신이 나서 한 바퀴를 돌더니 하인리에게로 달려갔다.

"아빠가 춤추는 걸 보고 좋았나 봐요."

다정한 부자간의 모습이 너무 사랑스러워서 나는 라리를 꺼내 안고서 흐뭇하게 말했다. 하인리도 감동했는지 카이를 향해 두 날개를 펼쳤다. 그러나 그 순간. 카이는 하인리의 옆으로 가더니 퀸퀸의 품 안에 쏙 들어갔다.

—!

하인리는 굳고 나도 덩달아 굳었다. 숨어서 타악기를 연주하던 누군가도 놀랐는지 상황에 맞지 않게 구석에서 빰! 하는 소리가 또 났다. 그쪽을 쳐다보자, 잠시 뒤 서랍장 뒤에서 조그만 새가 게처럼 기어 나왔다. 연신 하인리 쪽 눈치를 살피면서. 그러다 하인리가 눈을 부리부리하게 뜨자 작은 다리를 열심히 움직여 달아나는데……. 안타깝게도 그럴 때마다 새가 자기 다리에 줄로 연결해둔

작은 타악기가 바닥에 부딪치면서 빰! 빰! 빰! 빰! 빰! 소리가 계속 났다.

'하인리를 놀리는 소리 같아.'

전혀 그런 의도는 아니겠지만.

웃겨서 라리를 끌어안고 라리의 머리카락에 코를 묻고 있자니, 사람으로 변한 하인리가 참지 못하고 카이를 들어 올리고서 혼을 냈다.

"아빠 얼굴도 못 알아보고! 아빠 얼굴도 못 알아보고!"

그게 카이에겐 충격이었나. 카이는 눈이 평소보다 두 배로 커지더니 기겁한 눈으로 퀸퀸과 하인리를 번갈아 쳐다보았다. 사람 아빠와 새아빠가 왜 동시에 나와 있지? 이걸 받아들이지 못하는 눈으로.

"아빠 못 알아보면 맴매야! 예쁜 아가라도 맴매야!"

이렇게 됐는데도 퀸퀸이 아빠라 생각하는 카이의 모습에, 하인리는 서운했는지 다시 새로 변하더니 아기새를 잡고서 날개로 찰싹찰싹 두드렸다. 그 모습을 보다가 나는 더 참지 못하고 바닥에 주저앉았다. 웃음이 멈추지 않아서 배가 찢어질 것 같았다.

한참을 그렇게 웃고 나니, 며칠 내내 머리를 복잡하게 하던 고민이 이제야 좀 옆으로 밀려난 것 같다.

나는 라리를 챙겨서 다시 일어났다. 카이는 내가 이렇게 웃는 걸 처음 보는지 이번에는 멍하니 부리를 벌린 채 날 바라보고 있었다.

"퀸."

내가 부르자 퀸과 퀸퀸이 동시에 앞으로 달려왔다. '퀸'은 발을 들어 퀸퀸을 걷어차고는 요람 위로 날아올라 나와 최대한 눈높이를 맞추었다. 방금 퀸퀸을 걷어찬 걸 봤는데. 새삼스럽게 이렇게 착하게 반짝거리는 눈을 하고. 그 모습을 보다가 부리 위에 살짝 입을 맞추자 그제야 기분이 풀리나. 눈이 풀어지더니 부리가 약간 벌어진다.

— 구!

"고마워, 퀸. 퀸퀸을 그렇게 싫어하면서 데리고 춤도 추고."

— 구!

그 순간. 머릿속에 퍼뜩 생각 하나가 빠르게 지나갔다. 날 위해서 싫어하는 퀸퀸을 데리고 춤까지 춘 하인리. 포용. 적을 안다. 타협.

— 구?

다르타를 데려오고 싶어. 하지만 다르타는 자기를 길러준 상시천을 포기하기 어려울 거야. 그렇다면 상시천을…… 내가 통째로 데려오면 어떨까.

다르타는 멍하니 '에벨리 님'을 쳐다보았다. 고급스러운 망토를 입은 '에벨리 님'은 근위병들의 호위를 받고서 궁전 표시가 달린 마차에 오르고 있었다. 잠시 뒤 마차가 닫히자 바퀴와 자갈이 맞물리는 소리가 멀어졌다. 그때까지도 다르타는 여전히 입을 벌린 채 멀어지는 마차의 꽁무니만 쳐다보았다.

마차가 완전히 보이지 않게 되자, 다르타는 황급히 아까 자신이 받은 이스쿠아 자작 부부 관련 서류를 보았다. 가십거리로 나온 그 기사. 기사 마지막 부분에 에벨리 관련한 내용이 있었다. 다르타는 그 부분을 멍하니 바라보다가 와그작 종이를 구겼다.

어디에 있던 건지 에인젤이 이쪽으로 다가왔다.

"조사는 다 했습니까?"

다르타는 종이를 꽉 쥔 채 손을 후들후들 떨다가 고개를 들었다. 눈이 마주치자 에인젤의 가느다란 눈이 더욱 가늘어졌다.

"많이 한 모양입니다."

"알고…… 있었어요?"

다르타는 떨리는 목소리로 물었다.

"그쪽이 내 친구라 부르던 친구가. 마법사 에벨리라는 거?"

"모를 수가 없지요."

"그런데 왜 말을!"

"내 말은 안 믿을 거 같아서."

다르타는 입술을 깨물고서 눈물을 뚝뚝 흘렸다. 빈셀에게 에벨리는 절대로 거짓말하지 않는다고, 에벨리의 말은 믿어도 된다고 말한 과거의 자신을 죽여버리고 싶었다.

"나한테 그런 거짓말을 해놓고, 왜 이런 쪽지를 전해줬나 궁금했어요. 그래서, 내가 뭔가 오해를 했을 수도 있다고 생각했어요. 근데 아니었네요. 그 사람은 날 속여놓고. 내가 이스쿠아 자작 부부 친딸이란 게 싫어서 일부러 진실도 알려준 거네요?"

다르타는 기가 차서 헛웃음을 터트렸다.

"언제부터 날 속인 건지 짐작도 안 가요."

그 모습을 바라보다가 에인젤은 팔을 벌렸다. 그는 다르타를 자신의 품 안에 넣고서 등을 토닥였다. 다르타는 '흐으으으' 소리를 내면서 흐느꼈다. 자신이, 에벨리가 너무나 원망스러워서 견딜 길이 없었다. 당장 원수를 죽여서 두 부모의 무덤 앞에 그 시체를 가져다 두지 않으면 이 분노가 풀리지 않을 것 같았다.

"복수하고 싶어요. 그 마법사한테 복수하고 싶어요."

에인젤은 다르타를 약간 밀어낸 다음 눈을 똑바로 마주했다. 그 표정이 자신과 똑같이 슬퍼 보여서 다르타는 의아해졌다. 왜 이 사람은 나랑 같이 슬퍼하지?

"다르타. 내가 당신을 도와주겠습니다."

"뭘 믿고……."

"믿을 만한 사람은 나비에 황후이지요. 하지만 다르타. 나비에 황후는 마법사 에벨리와 마스타스 경에게도 믿을 만한 사람입니다."

"!"

"그분은 좋은 사람이지만, 그렇기에 당신의 복수를 이루어줄 수는 없어요. 다르타. 나는 믿을 수 없는 사람이지만, 그렇기에 당신의 검이 되어줄 수 있습니다."

다시 다르타를 자신의 품에 넣은 에인젤이 미소를 띤 채 슬픈 목소리를 냈다.

"내 마법사가 되어줘요. 난 그대의 검이 되어주겠습니다. 원수를 갚읍시다."

"4기사단 행방은. 아직도인가."

높은 지대 위에 올라선 코샤르는 저 아래로 훤히 드러난 빈터를 바라보며 물었다. 그곳은 상시천 도적들과 몇 번이나 치열한 전투를 벌인 곳이었으나, 웬일인지 오늘은 이곳에 나와 있는 이들이 없었다.

"동대제국 쪽으로 갔단 말이 있긴 한데. 그 방향에 블루 보헤안도 있다 보니, 정확히 어느 방향으로 간 건지 애매합니다."

"그래."

코샤르가 입술을 달싹이자 부관이 그 모습을 뚫어져라 쳐다보았다. 부관은 코샤르가 지금 뭘 물어보고 싶은지 알고 있었다. 하지만 코샤르는 입만 뻐끔거리다가 "그래." 다시 중얼거리고는 몸을 돌렸다.

부관은 자기가 다 답답해서 주먹으로 가슴을 팡팡 두드렸다. 마스타스 경은 언제 오는지 그걸 물어보고 싶은 거 아닌가? 그거 묻는 데 얼마나 어렵다고 저렇게 사람 답답하게.

부관이 어떤 생각을 하고 있는지 코샤르는 꿈에도 몰랐다. 그는 그저 갑갑한 마음이 무거워, 근처의 호수로 걸어가 갑옷을 내려놓고 거추장스러운 망토를 옆에 펼쳐두었다. 무기 역시도 옆에 내려놓았다. 그리고 물에 바로 들어가려다가, 코샤르는 생각을 바꾸어서 무기와 옷가지를 바위틈에 숨겨두고 물 안으로 들어갔다.

몸이 수면 아래로 가라앉자 그리운 이가 '코샤르 경! 그리 있으면 감기 걸립니다!' 황급히 외치며 달려오는 모습이 코앞에 나타날 것 같았다. 코샤르는 호수 안에서 혼자 웃다가, 물이 코안에 들어가자 다시 물 위로 올라왔다.

그 순간. 코앞에 그리워하던 이의 얼굴이 나타났다. 코샤르는 위를 쳐다본 채, 마스타스는 아래를 내려다본 채 두 사람은 그 상태로 잠시 굳었다.

"마스타스 경?"

코샤르가 이름을 부르자 마스타스는 뒤늦게 허겁지겁 뒤로 물러났다.

"으악!"

"……왜 비명을."

"코, 코샤르 경 목욕하는 거 보러 온 거 아닙니다! 말, 말한테 물 마시게 하려고! 근데 코샤르 경이 물 안에서 요정처럼!"

마스타스는 말에게 물을 먹이러 왔는데 갑자기 코샤르가 나타나자, 이게 꿈인가 생시인가 구별이 안 갈 지경이었다. 코샤르는 마스타스가 허우적거리는 모습을 팔을 괴고서 구경하다가 픽 웃었다.

"믿습니다. 그렇게 필사적으로 변명 안 해도 됩니다."

그러다가 코샤르는 마스타스의 옷이 피투성이란 걸 발견하고서 표정이 굳었다.

"그거. 누구 피입니까."

마스타스는 자기 옷을 내려다보고서 황급히 돌아섰다.

"제 피는 아닙니다."

사실 자신의 피였다. 하지만 에벨리 덕에 깨끗하게 치료했으니, 발뺌해도 코샤르는 모를 것이다.

"경의 피 냄새입니다."

하지만 코샤르는 넘어가지 않았다. 저벅저벅 풀 밟는 소리가 나더니, 코샤르가 어깨에 코를 대고 냄새를 맡자 마스타스는 빳빳하게 굳어버렸다.

"코, 코샤르 경? 그게 구분이 갑니까?"

"다쳤습니까?"

"아니요."

"다친 거 같은데."

"안 다쳤, 아니, 근데 코샤르 경 진짜 피 냄새 구분이 갑니까?"

마스타스는 당황해서 고개를 돌렸다가, 코샤르가 망토로 하체만 가리고 있자 "와!" 탄성을 뱉더니 그대로 기절했다. 코샤르는 어딜 다친 거냐고 추궁하려다가, 마스타스가 쓰러지자 황급히 받아안았다.

"마스타스 경?"

치유 마법으로 치료를 받는다 해서 금세 몸 상태가 완벽해지진 않는다. 나비에 황후 역시 이 때문에 치료를 받은 후에도 몇 주간 푹 요양을 했다. 그런데 마스타스는 치료를 하자마자 계속 여기저기 바삐 돌아다녔기에 체력이 완전히 고갈되어버린 것이었다. 하지만 이걸 모르는 사람들이 보기에는…….

"마스타스 경은 코샤르 경이 정말 좋은가 봅니다."

마스타스가 코샤르의 벗은 몸을 보고 감탄하며 기절한 걸로만 보였다. 코샤르는 마스타스를 안은 채 고개를 돌렸다. 지하 기사단 소속 기사가 히죽히죽 웃는 얼굴로 서 있었다. 눈이 마주치자 그가 엄지를 내밀었다.

"기절할 만큼 아름다운 몸인 거겠죠."

그 말에 코샤르는 마스타스를 내려다보았고, 기절했다가 바로 깨어났던 마스타스가 황급히 눈을 질끈 감는 걸 보고야 말았다.

'눈치 없는 새끼.'

마스타스는 속으로 욕을 하면서 몸에 힘을 뺐다. 그 바람에 코샤르가 꿈틀거리는 자신의 이마와 눈꺼풀을 보며 웃고 있는 걸 보지 못했다.

에르기는 휠체어를 여기저기 밀고 다녔다. 그러다 어머니가 손을 들어 올리면, 거기에 휠체어를 놓고 손끝이 향하는 데 있는 걸 모두 가져다주었다. 꽃, 풀, 희한한 모양의 돌멩이, 담벼락 위의 고양이까지.

얼마나 그렇게 놀고 있었을까. 짤랑거리는 종소리가 들려왔다. 에르기는 숙였던 허리를 펴고서 이곳으로 들어오는 아치문을 바라보았다. 아치문 앞에 집사가 두 손을 모으고 서 있었다.

"무슨 일이지?"

에르기는 어머니를 집 안에 바래다주자마자 집사 쪽으로 다가가며 물었다. 하지만 질문을 던지면서도, 그는 멈추지 않고 넝쿨로 된 아치 통로를 지나갔다. 집사는 익숙한 듯 그 뒤를 바로 쫓아가며 보고했다.

"전하께서 도련님을 부르십니다."

에르기의 입꼬리가 비틀려 올라갔다.

"이번엔 또 왜."

"손님이 찾아온 듯했습니다."

"손님?"

완전히 넝쿨을 빠져나가자 하얀 햇빛이 눈이 부시게 쏟아졌다. 이쪽은 유달리 볕이 강한 탓이다. 에르기는 손으로 눈 위에 차양을 만들며 집사를 돌아보았다.

"무슨 손님?"

그러나 집사는 대답 대신 엉뚱한 방향을 쳐다보고 있었다. 에르기는 그 방향으로 덩달아 시선을 던지다가 굳었다.

에인젤. 그곳에 에인젤이 서 있었던 것이다. 눈이 마주치자, 에인젤은 오랜 친구라도 만난 것처럼 몹시 반가운 척 인사했다.

"마법처럼 제게 다가오시는군요."

에르기는 눈살을 찌푸렸다. 저자가 왜 여기에?

에인젤은 그런 반응을 모른 척 흘려 넘기며 한 손을 정원 산책로로 내밀었다.

"걸으면서 얘기할까요?"

산책로는 흐드러지게 핀 꽃들로 아름다웠다. 에인젤은 허리께까지 올라온 꽃들이 바람이 불 때마다 흔들리는 모습을 마음에 드는 듯 바라보았다.

"이 연약한 꽃들이 마치 그대 같습니다, 에르기 경."

"자주 듣는 얘기라 새롭지 않습니다. 이런 얘길 하러 온 거라면 감흥이 안 나는군요."

능글맞은 농담에 에르기가 무표정하게 맞춰주자, 에인젤은 웃음을 터트렸다.

"제안을 하러 왔습니다. 이 제안엔 감흥이 들 겁니다."

"제안?"

에인젤은 바로 옆에서 반쯤 꺾인 채 혼자 다른 방향으로 흐늘거리는 꽃을 완전히 꺾어 에르기에게 내밀었다.

"별원에 지내는 '진짜 모친'이 블루 보헤안 밖으로 나가는 걸 돕지요. 그 일에 치유 마법사가 필요하다지요?"

"!"

에르기는 꽃을 받아 들지 않았다. 서늘한 눈으로 에인젤을 쳐다보기만 할 뿐.

"물론 이건 거래입니다. 조건이 있습니다."

“그게 뭡니까.”

“인위적인 마법사 배양. 마력 감소 현상. 뭐, 어느 쪽이든 좋으니 알려줄 수 있을까요?”

에르기는 여전히 꽃을 받아 들지 않았으나, 에인젤은 빙그레 웃고서 꽃봉오리만 뜯어 에르기의 주머니에 꽂아주었다.

“하인리 폐하와 친우인 건 알지만, 우리가 한배를 탈 수 있습니다. 잘 생각해보시길.”

“심각한 일일까요?”

에르기 공작과 제복 차림의 남자가 사라지자, 바닥에 거의 붙을 듯 몸을 웅크렸던 시녀가 일어나며 물었다. 알레이시아는 팔짱을 끼고서 고개를 기웃했다.

“글쎄. 어쩔까.”

“그 기사단장이요. 뭘 아는 것 같던데…… 괜찮을까요?”

“괜찮지. 그 부분은 신경 쓸 게 없어.”

알레이시아는 눈을 가느스름하게 뜨고서 근처의 긴 의자에 앉았다. 방금 전 두 사람이 나눈 대화가 머릿속에서 차례로 반복되었다.

에르기는 여전히 자기 어머니를 밖으로 빼내려 드는구나. 이 사실이 씁쓸하지만 지금은 그런 개인감정이 문제가 아니었다.

“어느 쪽이 나을까.”

알레이시아는 의자 손잡이 나무를 손톱 끝으로 벗기며 중얼거렸다.

"데리고 밖으로 떠나게 두는 게 나을까. 여기에 계속 있도록 잡는 게 나을까."

시녀는 펄쩍 뛰었다.

"당연히 못 가게 해야지요!"

"왜?"

"왜냐니요, 왕제비께서 밖으로 나갔다가 혹시라도 비밀이 새어 나가면……."

그러다 알레이시아와 눈이 마주치자, 시녀는 얼른 입을 다물고 두 손으로 자기 입을 막았다. 알레이시아는 빙그레 웃었다.

"그래. 다른 사람 입을 조심하기보다 자기 입부터 조심해야 해. 빠르게 깨달았다니 다행이다."

"……죄송합니다."

알레이시아는 벗겨낸 의자의 나무껍질을 손안에서 바삭바삭 부수다가 부스러기를 후 불어서 바닥에 떨어트렸다.

"이거 꼭 살껍질 같구나."

"!"

"내 아들은 입이 무거워. 은혜를 아는 착한 아이니 내 눈치를 안 볼 수 없지. 하지만 그 기사단장은…… 딱 보기에도 가볍게 생겼으니 대처를 해야겠다."

내게 온 모든 편지를 전부 다 순서대로 읽진 않는다. 우선순위로 보는 편지들이 있고, 그 외의 편지들은 도착한 순서대로 읽는다. 오늘도 우선순위대로 놓인 편지들을 읽고 그에 맞는 답장을 쓰거나 표시를 해둘 때였다.

'클로디아 대공비?'

희한하게도 편지 중 에르기 공작의 어머니에게서 온 편지가 있었다. 무슨 내용이지? 이 사람은 평소에 전혀 왕래가 없던 사람인데? 이상하지만 일단 내용을 확인하자, 더욱 놀라운 내용이 나타났다. 뭐지 이건?

에르기가 초국적 기사단 4기사단장과 접촉했습니다. (생략) 4기사단장은 에르기에게 서대제국의 비밀에 관해 듣고 싶다며, 조건을 내밀었어요. (생략) 에르기는 그 조건에 흔들리고 있습니다. (생략) 아셔야 할 듯해 보냅니다.

내가 블루 보헤안에 심은 첩자가 이런 편지를 보낸다면 아주 뿌듯하겠는데. 보낸 이가 에르기의 모친이다 보니 영……?

물론 다른 연합에 속해 있지만 완전히 멀어지곤 싶지 않다든가, 서대제국와 척을 지는 게 나라에 도움이 안 된다 여긴다든가, 이런 식으로 편지를 쓴 이유도 적긴 했다. 안 믿겨서 그렇지.

'일단 하인리에게 물어보자. 나보단 하인리가 공작과 더 가까우니.'

대공비에게서 온 편지를 보여주자, 하인리는 읽는 내내 심각한 표정이었다. 사실 '클로디아 대공비' 이름을 듣는 순간부터 이미 표정이 좋진 않았지만.

"어떻게 생각해요?"

그가 다 읽은 것 같기에 나는 기다리기를 멈추고 물었다.

"퀸은 어떻게 생각합니까?"

하인리는 한숨을 내쉬고서 편지를 접어 옆에 내려놓았다. 옆에는 그가 오늘 처리해야 할 다른 서류들이 이미 한가득 쌓여 있었다.

"에르기 공작이 흔들린단 조건. 그게 무엇인지 짐작이 안 가서."

"난 짐작이 갑니다."

"개인적인 일이라 말할 수 없다는, 그 일인가요?"

"네."

하인리는 턱을 괴고서 다시 한숨을 내쉬었다.

"그래서 걱정이네요. 그걸 두고 헤집는다면, 글쎄요. 나라도 솔깃할 것 같은데."

그 정도로 심각한 일인가?

"일단 에르기와 직접 얘기해봐야겠습니다."

중얼거린 하인리의 눈빛이 찰나에 아주 차가워졌다. 몹시 불쾌해하는 눈. 그러다가 하인리는 슬쩍 내 쪽을 보더니 찬란하게 웃으면서 시치미를 뗐다.

"왜 그렇게 봅니까, 퀸?"

아까 표정 때문에.

하지만 솔직하게 대답하는 대신 고개를 젓자, 하인리는 시무룩해서 털어놓았다.

"이 편지가 지금 우리에게 도움이 된 건 맞지만, 에르기의 친구로서 이 편지를 보낸 사람이 누구인지, 에인젤이 약점으로 뭘 내밀었는지 짐작이 가서 화가 납니다. 그래서 표정 관리가 잘 안 돼요."

난 표정 가지고 뭐라 안 했는데.

"화가 나면 화난 표정을 지어도 돼요, 하인리."

"퀸 앞에선 그런 표정은 하고 싶지 않아요."

"……하인리. 그대 역시도 웃을 때도 화를 낼 때도 있는 걸 알아요."

"그대 앞에선 완벽하고 싶습니다, 퀸."

그러면 지칠 텐데. 입 밖으로 나오려는 말을 나도 도로 주워 담았다.

"에르기에게는 제가 와달라고 급보를 보내겠습니다."

커다란 배가 선착장에 들어서며 물보라를 만들어냈다. 항구와 배 사이에 다리가 이어지자 사람들이 줄지어 그 위를 지나갔다. 에르기 공작도 그중 하나였다. 그러나 배에서 내리자마자 뿔뿔이 흩어지는 이들과 달리, 에르기 공작은 근처에 선 채 자신이 가지고 온 물건을 인부들이 내려주길 기다렸다.

잠시 뒤. 인부 두 명이 달라붙어서 커다란 조각상을 끙끙대며 옮겨왔다. 지나다니던 사람들이 모두 다 쳐다볼 정도로 화려한 조각상이었다.

조각상은 파란 보석 덩어리였다. 보석으로 만든 파란색 새의 형상. 일전에 나비에 황후에게 인사 없이 돌아간 것도 걸리고, 그 후에 바다에서 스치듯 마주쳤지만 아는 척하지 못한 것도 걸려서 선물하기 위해 가져온 것이다.

하지만 아름다운 만큼 무게도 장난이 아니어서, 인부들은 가까스로 조각상을 에르기 공작의 앞까지 옮기고서 물었다.

"이걸 어디에 둘깝쇼?"

"아, 그건……."

여기에 두면 따로 사람이 올 거라고 말하려는 순간.

"우와악!"

"사람 살려!"

바다 쪽에서 뜬금없이 어마어마하게 높은 파도가 몰아쳤다. 사람들이 놀라서 비명을 지르고 달아나고 엎드렸다. 인부들도 깜짝 놀라 다른 곳으로 달려갔다. 하지만 에르기는 우두커니 선 채 머리 위에 쏟아지는 파도를 바라보기만 했다. 그러나 물줄기가 그에게 닿는 순간.

'환상?'

에르기는 파도가 가짜란 걸 깨닫고 인상을 찡그렸다. 정신을 차리자마자 에르기는 자신의 키보다 커다란 금색 눈과 마주쳤다.

"!"

이것도 환상인가, 생각하기엔 존재감이 무시무시한 눈이었다. 하지만 눈 깜짝할 사이 파도도 눈동자도 사라졌다. 사람들만이 항구에서 동동 달아나고 있을 뿐.

그게 뭐였지? 에르기는 주위를 둘러보다가 퍼뜩 놀라 굳었다. 바로 앞에 있던 보석 조각. 보석 조각이 사라져 있었다.

'도둑?'

어떻게 하면 상시천을 내 것으로 만들 수 있을지, 그에 대한 반발과 현실적인 가능성이 있는지, 당근을 써야 할지 채찍을 써야 할지, 클로디아 대공비와 에르기 공작은 또 뭔지, 에인젤 그 여우는 무슨 머리를 굴려대고 있을지, 이것저것 고민하는 도중이었다.

"자."

갑자기 쿵 소리가 나더니 눈앞에 커다랗고 파랗고 화려한 새 모양 조각상이 나타났다. 그리고 옆에 선 이는…… 돌시?

"이게 뭐지?"

놀라서 묻자 돌시는 덤덤히 대답했다.

"뇌물이다. 감격해라."

"뇌물?"

"이름 이상한 인간아, 아무리 생각해도 너는 내 파랑새 위치를 알고 있거든."

"!"

"이걸 뇌물로 줄 테니, 하루에 세 번씩 보면서 파랑새 위치를 떠올리도록."

때마침 이쪽으로 콧노래를 부르면서 걸어오던 맥켄나가 돌시를 발견하고 우뚝 멈춰 섰다. 돌시가 한 말도 다 들어버린 듯했다. 돌시는 발소리를 듣고 고개를 돌렸지만, 맥켄나를 보더니 관심 없는 표정으로 도로 훅 사라져버렸다. 맥켄나는 잠시 얼빠진 채 가만히 있다가 가슴에 손을 얹고서 중얼거렸다.

"용이 멍청해서 다행이네요. 저렇게 눈치가 없어서야."

당황스럽긴 하지만 파란색 새 조각상이 마음에 들어서, 하인들을 불러서 응접실에 옮겨두었다. 아이들이 좋아할 것 같아서. 카이와 라리는 맥켄나 때문인지 파랑새를 유독 좋아하니까.

예상대로 카이와 라리를 새 조각상을 보여주자, 두 손으로 만세를 부르고 박수를 치면서 좋아했다. 라리는 허겁지겁 조각상으로 기어가더니 조각상 배를 꼭 끌어안기까지 했다.

"어쩜. 보석 좋아하는 것까지 꼭 황제 폐하를 닮으셨네요."

그 모습을 보며 주베르 백작 부인이 웃음을 터트렸다. 다음 날에도 마찬가지로 카이와 라리는 새 조각상을 가지고 노느라 몹시 분주해졌다. 당분간은 전혀 질리지 않을 것처럼 보였다.

에르기 공작이 찾아온 건 저녁 식사를 하기 전. 그렇게 즐겁게 시간을 보내고 있을 때였다.

"에르기 공작이? 들어와도 좋다고 해요."

방문을 허락하자 잠시 뒤 응접실 문이 열리고 에르기 공작이 들어왔다.

"오래간만에 뵙습니다, 황후 폐하."

늘 그렇듯 거친 느낌의 복장을 하고 나타난 에르기 공작은 오만하게 들리는 목소리로 내게 인사했다. 그런데…… 인사를 하자마자 그의 시선이 어딘가에 고정되었다.

어딜 쳐다보지? 그의 시선을 따라가보니, 조각상? 돌시가 주고 간 조각상을 보고 있는데?

"왜 그러나요?"

표정이 좀 허망해 보이기에 묻자 에르기 공작은 입술을 깨물더니 고개를 저었다.

"발이 달렸나…… 생각하는 중이었습니다."

"발?"

"올 곳에 제대로 온 것 같긴 한데."

"?"

아이들은 시녀들에게 맡긴 뒤. 나는 하인리, 에르기 공작과 함께 저녁 식사를 하면서 대공비가 보낸 편지에 관해 이야기했다. 도중에 에르기 공작은 덤덤한 목소리로 자기 이야기를 들려주었다.

"제게 아주 소중한 사람이 있습니다. 그 사람은 몸이 너무 약해서, 휠체어를 타고서도 정원 한 바퀴를 다 돌지 못할 때가 많지요."

소중한 사람? 저 에르기 공작이? 모든 사람을 장난으로 대할 것 같은 사람인데?

"그분을 저택에서 나와 물 좋고 경치 좋은 곳으로 모시고 싶은데. 그러려면 옆에서 며칠간 붙어서 돌봐줄 치유 마법사가 필요합니다."

"치유 마법사를 며칠 동안 하루 종일…… 쉽지 않은 조건이군요."

"예. 에인젤은 그 조건을 맞추어주겠다고 제안했습니다."

현재 그럴 수 있는 마법사가 에벨리 외에 또 있나?

의구심을 가지자마자 다르타가 떠오른다. 아직은 그럴 능력이 안 되지만, 잘 다듬으면 그럴 수 있는 원석이.

설마 에인젤이 다르타를 끌어들인 건가? 아니면 제3의 마법사가 또 있는 건가?

"넘어갈 건가?"

하인리가 묻자 에르기 공작의 입꼬리가 뒤틀려 올라갔다.

"솔깃하지 않는다면 거짓이지. 넘어간다면 말릴 건가, 너그럽게 이해해줄 건가."

"자네 처지를 아는데 내가 어떻게 말리겠나."

웬일로, 하고 생각하자마자 하인리가 생글 웃으면서 공작의 입꼬리를 직접 내려주었다.

"이해는 해주지. 너그럽지 못할 뿐."

두 사람이 투닥거리는 걸 보다가, 나는 유리잔을 둘 사이에 내려놓았다. 유리와 유리가 부딪치면서 쨍 하는 소리가 나자 두 사람은 말다툼하던 걸 멈추고 내 쪽을 보았다.

"왜 그러십니까, 황후 폐하?"

"내가 같은 조건을 내민다면. 입을 다물 건가요?"

"!"

소비에슈 황제 앞으로 간 에벨리는 두 손을 모으고서 공손하게 청했다.

"폐하. 휴가에서 오자마자 다시 이런 말씀을 드려 죄송하지만……."

"다녀오라."

하지만 에벨리가 말을 다 마치기도 전에 소비에슈는 대답부터 했다.

"저 아직 아무 말씀을 안 드렸는데요……."

에벨리가 떨떠름해서 중얼거리자, 소비에슈는 책상 위에 놓인 봉투를 집더니 에벨리 쪽으로 겉봉을 보여주었다. 서대제국에서 나비에 황후가 보낸 서신이었다.

"아!"

에벨리는 탄식했다.

"폐하께서도 받으셨군요."

조금 전, 에벨리는 나비에 황후가 보낸 급보를 받았다. 이런이런 사정 때문에 치유 마법사가 꼭 필요한데, 혹시 도와줄 수 없겠냐는 내용이었다. 힘든 일이기에 원치 않으면 도와주지 않아도 괜찮다고 쓰여 있지만, 막상 내용은 사적인 감정을 떠나서도 꼭 도와야 할 사안이었다. 동대제국과 서대제국이 손을 잡은 지금. 서대제국의 비밀이 유출되는 건 월대륙 연합에게만 좋은 일이 될 테니.

"정말 다녀와도 괜찮을지요? 시간이 좀 걸릴지도 모릅니다."

"다녀오라. 계단 근처엔 안 가고 있을 테니."

소비에슈가 무표정하게 뱉은 농담인지 진담인지 모를 말에, 에벨리는 방심하고 있다가 웃음을 터트렸다.

"예."

에벨리는 얼른 대답하고서 옆에 선 카를 후작에게 부탁했다.

"후작님, 폐하께서 계단이나 난간에 서 계시면 손 좀 잘 잡아주세요."

"예?"

"나랑 손잡는 거 싫습니까?"

계단 난간을 잡고서 멍하니 내려가고 있는데. 뒤에서 울적한 목소리가 들려왔다. 고개를 돌리자 하인리가 시무룩하게 서 있었다. 손을 어색하게 허공에 둔 채.

이런. 생각하느라 손을 못 봤어.

옆에서는 에르기 공작이 즐겁게 웃고 있다가 나와 눈이 마주치자, 간신처럼 하인리에게 속삭였다.

“싫은 거야. 눈치껏 알아들어야지.”

하인리가 째려보자, 에르기 공작은 뒷짐을 지고서는 웃으면서 혼자 훌쩍훌쩍 계단을 내려갔다. 하인리는 어색하게 손을 내리고서 빠른 걸음으로 곁에 다가오며 물었다.

“진짜 싫은 건 아니지요?”

“못 들었어요. 생각 좀 하느라.”

“에벨리 양이 부탁을 들어줄까 들어주지 않을까, 이 생각?”

“아니요.”

에벨리는 아마 부탁을 들어줄 거다. 같은 연합이기도 하지만, 동대제국 입장에서도 하인리가 움켜쥔 ‘인위적인 마법사’에 관한 비밀을 에인젤이 캐는 건 싫을 테니.

“그럼 뭘 그렇게 곰곰이 생각한 겁니까?”

“상시천 쪽으로 보낸 사절이요.”

“아아. 그러고 보니 슬슬 도착했겠네요.”

하인리는 고개를 끄덕였다. 나는 의미 없이 덩달아 고개를 끄덕이고서 다시 난간을 잡고 계단을 내려갔다.

다르타가 에인젤에게 포섭되었지만, 아직 그 아이를 포기하고 싶진 않다. 다르타는 자기를 길러준 도적들에게 우호적이지. 에인젤이 상시천을 통째로 끌어안는 게 아니라면, 당장 다르타가 에인젤에게 넘어갔다고 한들 상황은 또 변할 수 있어.

상시천의 천주 켈드렉은 이름 없는 무덤 앞에 우두커니 선 채 파이프를 입에 물었다. 인상을 찡그린 채 연기를 뿜으며 속을 태웠다. 밑에 딸린 부하가 늘어날수록, 누군가의 무덤을 만드는 횟수도 같이 늘어난다. 이런 일이 드물지도 않다. 하지만 몇 번을 해도 익숙해지지 않았다. 특히 죽은 이가 비교적 오랫동안 함께 행동한 부하일 경우에는 더욱.

"수장."

뒤에서 부천주가 그를 부를 때에도 켈드렉은 돌아보지조차 않고 귀찮다는 투로 대답했다.

"뭐냐."

무슨 용무로 불렀든, 알아서 처리하라고 적당히 대답할 생각이었다.

"서대제국 황후가 서신을 보냈다는데."

하지만 이 용무는 멋대로 처리하라고 할 수 없는 내용이었다. 켈드렉은 파이프를 꽉 깨물고서 서늘하게 돌아섰다.

"누가 뭘 보내?"

켈드렉은 성큼성큼 걸어가다가 서대제국 황후의 심부름꾼이 와 있는 천막 앞에 도착하자 천막을 확 두 손으로 쳐내며 들어갔다.

두꺼운 천막이 펄럭거리며 요란스러운 소리를 내자, 탁자 앞에 서 있던 황후의 사자가 천천히 돌아섰다. 이쪽에 와 있는 연합 쪽 기사는 아닌 듯 켈드렉에게는 낯선 얼굴이었다. 그렇다고 해서 이 사자가 반가운 얼굴이 되는 것도 아니지만.

"무슨 일로 왔든 돌아가라."

켈드렉은 사자 옆을 지나가며 눈길조차 주지 않고 말했다. 분노한 짐승이 이를 드러내고 경고하는 듯한 어조였다. 그러나 황후의 사자는 눈 하나 깜빡이지 않고 태연하게 자기 할 말을 했다.

"수장님께서 이걸 전하라 하셨소."

황후의 사자가 부천주에게 황후의 서신을 전하자, 부천주는 멀뚱히 서 있다가 얼결에 서신을 받아서 켈드렉에게 건냈다. 켈드렉은 서신을 읽지도 않고서 확 옆으로 쳐버렸다.

"그쪽의 잘난 기사가 내 부하를 죽였다. 무덤에 흙이 마르지도 않았는데, 감히 얼굴을 들이밀어? 죽고 싶은가 보지?"

그런데 희한하게도 서신을 떨어트렸는데, 바닥에서 '따닥, 딱' 하는 소리가 났다. 작은 돌멩이들이 떨어진 듯한 소리가. 켈드렉은 얼결에 그쪽을 쳐다보았다.

"뭐냐, 저건."

"나는 심부름을 할 뿐, 안에 든 게 무엇인지는 모르오."

황후의 사자가 덤덤히 대답하자, 켈드렉은 부하에게 눈짓했다. 시선을 받은 부하가 얼른 떨어진 봉투를 챙겨 켈드렉에게 내밀었다.

켈드렉은 손을 퍽퍽 거칠게 움직이면서 봉투를 뜯었다. 뭐야. 뭘 넣었기에 이딴 소리가 나?

"!"

뜻밖에도 뜯긴 종이 사이로 작은 반지들이 주르륵 떨어졌다. 문양 하나씩을 단 반지들이. 그리고 그 사이에 끼워진 하얀 종이 한 장. 켈드렉은 말없이 편지를 읽었다. 그러기를 3분여가량. 켈드렉은 어이가 없어서 헛웃음을 터트렸다.

"아까 한 말 한 번 더 해야 하나. 그쪽 부하가 내 부하를 죽인 지 얼마나 됐다고, 누가 누구 밑으로 들어와? 장난하시나?"

"그 반지들."

"뇌물이라고는 하지 말지. 딱 봐도 돈 안 될 거 보이니."

"상시천 때문에 죽거나 큰 부상을 당한 이들이 속한 가문 반지다."

"……아깐 안에 든 게 뭔지 모른다며."

"큼. 흠. 하여튼. 수장님께서도 너희가 예뻐서 제안하는 게 아니니, 앞뒤 이득 잘 살피고 답하라 하셨다."

"기대하던 답은 아니군요."

하얀 문가에 하얀 제복 차림으로 선 에인젤은 전서조가 떨어트리고 간 쪽지를 줍더니 씁쓸하게 중얼거렸다.

"안타깝네요."

다르타는 어색하고 빳빳하게 근처 책상에 앉아 있다가 "예?" 하고 그쪽으로 고개를 돌렸다. 에인젤은 다르타 쪽을 쳐다도 보지 않고서 손만 저었다.

"혼잣말이니 계속 공부하세요."

"……네에."

다르타는 시무룩하게 대답하고서 꼬불꼬불 어려운 단어로 가득한 책을 쳐다보았다. 자기 사람이 되었으니 가장 먼저 해야 할 게 있다 해서 뭔가 했는데. 가장 먼저 하라고 준 게 예법 책이었다. 하지만 봐도 봐도 이쪽으로는 전혀 관심이 가지 않아서, 다르타는 힘없이 건성으로 책을 팔랑 넘겼다.

뒤에서는 여전히 에인젤이 그 혼잣말을 하고 있었다.

"날 이렇게 몰아붙이다니. 나의 나비. 최고입니다. 흥분돼."

쪽지는 에르기가 보낸 것으로, 에인젤의 제안을 거절하겠단 내용이 전부였다. 하지만 에르기의 행적과 나비에, 에벨리의 관계성을 떠올린 에인젤은 그것만으로도 중간에 누가 나선 건지 바로 파악한 것이다. 하지만 이를 모르는 다르타는 에인젤이 좀 변태 같다고 생각했다.

'저 사람은 말은 왜 저렇게 하지?'

그때. 뒤에서 종이 구기는 소리가 났다. 이어서 무언가를 박박 찢는 소리가 계속되자, 다르타는 슬그머니 안 보는 척 뒤를 돌아보았다. 감탄은 다 끝났는지, 에인젤이 종이를 구겨서 찢고 있었다. 그러다가 완전히 종이 하나를 다 처리하자 흐뭇하게 웃으면서 다르타 쪽을 보았다.

다르타는 안 보고 있던 척 고개를 돌렸으나, 에인젤은 저벅저벅 다가오더니 다르타가 파묻은 책상 옆으로 팔을 올렸다. 길쭉한 팔이 옆에, 하얀 제복이 얼굴 근처로 오자 다르타는 괜히 놀라서 굳었다.

“다르타. 같은 보석은 둘일 필요가 없습니다.”

이어진 의미심장한 말에 다르타는 더 놀라서 눈을 휘둥그렇게 떴다.

“그게 무슨…….”

“가짜 보석은 깨야죠. 원수를 갚을 시기가 다가왔습니다.”

“!”

‘뭘 어떻게 한단 건지 모르겠어.’

동대제국 수도 안. 다르타는 멍한 기분으로 마차에서 내렸다.

며칠 전, 에르기 공작이 보낸 편지를 본 에인젤이 무어라 무어라 혼자 열심히 말하긴 했는데. 앞뒤 설명이 거의 없어서 이해하기가 어려웠다. 에인젤의 부하에게 슬쩍 ‘평소에도 저렇게 말하시냐’ 물었더니, 원래 혼자 말하고 혼자 생각하고 혼자 대답하고 혼자 설명한다고.

일단 확실한 건, 처음에는 에르기 공작에게서 정보를 받아내려 했던 에인젤이 그 건이 엎어지자 계획을 바꾸었다는 것. 그 계획은 에르기 공작을 자기도 모르는 새 이용해 에벨리에게 해코지하려는 것이다. 함정을 판다던데, 함정이 뭔지는 헛소리로도 알려주지 않았다.

"여기요."

요금을 내고 마차 밖으로 내린 다르타는 에인젤에 대한 건 뒤로 하고 잠시 먹먹한 기분에 젖었다.

이제 내일이면 여기서 떠날 거다. 이후에는 동대제국에 못 오게 될지도 모른다. 에인젤이 에벨리에게 해코지를 하고 나면, 그리고 배후에 월대륙 연합이 있단 게 알려지면 아마 큰일이 벌어질 테니.

'벌써 함정을 팠을까? 되게 자신만만하던데.'

다르타는 후 한숨을 내쉬었다. 동대제국에 올 수 없게 되면 이제 어떻게 해야 하나. 블루 보헤안으로 가서 이스쿠아 자작 부부에 관해 더 조사해야 하나. 그러면 동생을 찾을 수 있을까?

'그건 나중에. 일단 그 사람부터 찾아가자.'

다르타는 복잡한 생각을 머리에서 억지로 털어내고서 주머니에서 쪽지를 꺼내 주소를 확인했다. 이스쿠아 자작 부부의 재산관리인이 여기 어디에 있다고 들었다.

딸랑. 문을 열자 맑은 방울 소리가 났다. 하지만 귀여운 소리와 달리 방 안은 흑백으로 가득한 차가운 공간이었다. 주위를 두리번거리자 가장 끝 커다란 책상에 앉아 있던 여자가 쳐다보지도 않고서 물었다.

"무슨 일로 오셨죠?"

다르타는 문을 닫지 않은 채 문고리를 잡고서 대답했다.

"오늘 약속을 잡았는데요. 이스쿠아 자작 부부……."

그 말을 듣고서야 여자가 고개를 들었다.

"들어오세요."

다르타는 그제야 문고리에서 떨어져서 주춤주춤 그쪽으로 다가갔다. 여자는 중앙에 놓인 소파를 가리키며 자기를 소개했다.

"제가 이스쿠아 자작 가문의 재산관리인이었습니다. 정확히는 임시 재산관리인이었죠."

"차이가……?"

"이스쿠아 가문은 한 번 몰락했습니다. 이후 여기에 정착하고 다시 자리를 잡았지요. 그때 절 새로 고용한 거구요."

"아아. 예."

재산관리인은 자기 책상에 그대로 앉은 채 다르타를 위아래로 쳐다보았다.

"관련해서 뭘 물어보고 싶으신 건지?"

"조금이라도 좋으니 정보라든가. 그런 게 없을까요?"

"정보요?"

"남긴 거라든가……."

"먼 친척인가요? 남은 재산은 없습니다."

재산관리인의 단호한 말에 다르타는 기겁해서 손을 저었다.

"아니, 재산 얘기가 아니라. 흔적 같은."

하지만 말을 하다 말고서, 다르타는 기분이 상해서 벌떡 일어났다. 뭔 말을 하기도 전에 다짜고짜 유산을 노리고 찾아온 사람 취급을 하니 몹시 기분이 나빴다.

"됐어요. 아무것도 모른다니 갈게요. 시간 내줘서 고맙습니다. 3분도 안 지났지만."

다르타는 성큼성큼 걸어가 문을 열었다. 그러나 밖으로 몇 걸음 정도 나갔을 때, 뒤에서 "이스쿠아 양?" 하고 부르자 얼결에 멈춰 서고 말았다.

이스쿠아 양? 다르타가 움찔해서 돌아서 보니, 재산관리인이 문가에 기대선 채 안경 너머로 이쪽을 쳐다보고 있었다. 눈이 마주치자 재산관리인은 "아." 하고 탄식하더니 다시 문을 열어주었다.

"도로 들어와요."

날 부른 거 맞나? 방금 날 이스쿠아 양이라 부른 건가? 그럼 내가 이스쿠아 자작 부부 친딸인 걸 알고서 저런 건가? 아니면 친척이라 생각해서 저러나?

다르타는 머뭇거렸으나 일단 도로 들어갔다. 그래도 한번 화를 내고 나니 재산관리인이 덜 무서워 보였다. 다르타가 쭈뼛거리고 서 있자, 재산관리인은 문을 닫고서 작은 목소리로 물었다.

"이스쿠아 자작님의 딸인가요? 손에 팔찌. 그 가문 문양 같은데."

"……."

"괜찮습니다. 제게는 좋은 고객이었고, 신고해봤자 마음만 불편할 뿐, 이쪽엔 아무 이득도 없으니까요. 이스쿠아 부부가 잃어버린 딸을 내내 찾은 이야기는 유명하죠."

재산관리인은 딱딱한 외모로 무정한 말을 뱉었지만, 오히려 그렇기에 거짓말처럼 들리지 않았다.

"맞는데요……."

어차피 여길 떠날 생각이기에 다르타는 모험하는 기분으로 맞다고 수긍했다. 그러자 재산관리인은 인상을 찌푸리더니 한숨을 내쉬었다. 무언가 갑갑한 얼굴.

"왜요?"

할 말이 있어 보이는데 말을 못 하는 듯해서 다르타가 대놓고 묻자, 재산관리인은 팔짱을 꼈다.

"사실 자작 부부가 남긴 유산이 있긴 했습니다. 하지만 다른 사람이 받아 갔죠."

아까는 유산 없다며, 생각하다가 다르타는 '다른 사람'이란 부분에 놀랐다.

"누구요? 친척이요? 친척이 있나요?"

재산관리인은 인상을 더욱 찌푸렸다. 다르타는 괜히 초조해져서 재산관리인을 재촉했다.

"왜 불러놓고 말을 안 하세요. 왜요? 친척이 있어요?"

"……."

"제가, 유산을 찾으려는 게 아니라 동생을 찾고 있어요. 제가 그 사람들 장녀였단 걸 얼마 전에 알아서요. 전 잘 컸는데 동생이 잘 크는지 궁금해서 그러니까, 말해주시면 안 될까요? 누가 유산을 받아 갔든 찾으러 가서 싸우고 안 그럴게요. 절대 입장이 곤란하게 안 할 테니까……."

"입장 때문이 아니라 유언 때문에 그럽니다."

"유언?"

"하지만 고인이 유언을 남길 당시와 지금 상황이 달라서."

'무슨 소리지?'

"자작님과 자작 부인께서는 돌아가시기 전에 막내따님을 먼저 찾았습니다."

"내 동생!"

다르타는 놀라서 재산관리인을 붙잡았다.

"유산을 받아 간 사람이 동생이에요? 동생은 잘 지내요? 어디 있어요?"

"동생분은 잘 지내요. 하지만 자기가 이스쿠아 자작 부부의 딸이란 걸 모르고 있습니다."

"왜……."

"안 좋은 일에 연루되어 돌아가셨으니, 평생 모르길 바라셨거든요."

"아아."

"하지만 다르타 양에 관한 이야기는 없어서. 말을 해야 할지 말아야 할지 좀 애매했습니다. 그리고 지금도 좀 애매하네요. 다르타 양이 동생분을 찾으면 결국 유언을 못 지킨 게 되니까요."

다르타는 멍하니 눈을 깜빡였다.

"그럼 저도 동생을 찾으면 안 되는 걸까요?"

"그렇다고 확실히 말씀드리긴 힘든 게, 당시 이스쿠아 자작님과 부인께선 다르타 양의 존재를 몰랐으니까요. 알았다면 상황이 달라졌을 수도 있어서……."

설마 여기서 바로 동생 얘기가 나올 줄이야. 다르타는 혼란스러운 마음을 누르며 물었다.

"동생은 어디에 있는데요? 여기서 찾았다는 건, 여기 사람이에요? 여기서 살아요? 잘 지내고요? 건강해요? 걔는 제 존재를, 아. 모르겠구나."

"동생분은 잘 지내고 있습니다. 그 부분은 안심해도 좋아요. 아주 잘 지내니까."

재산관리인의 입가에 서글픈 미소가 떠올랐다.

"치유 마법사로 유명한 에벨리 님이죠."

다르타는 들고 있던 가방을 뚝 떨어트렸다.

"누구……요?"

"사실대로 얘기할지 말지는 다르타 양에게 맡기겠습니다."

밖으로 나온 후 다르타는 근처 화단에 힘없이 주저앉았다. 머리가 멍멍했다. 에벨리가 내 동생이라고? 이스쿠아 자작 부부의 둘째였어? 심지어 본인은 그걸 몰라?

다르타는 고개를 젓다가 두 손으로 머리를 감쌌다. 절대 아니라고 생각하기엔 분명 걸리는 부분이 있었다. 처음 만났을 때부터 이상하게 편하던 것, 성격이 비슷하지도 않은데 말이 잘 통하던 것, 이유 없이 끌리던 마음…….

그 애도 고아원 출신이라 했지. 게다가 그 애도 자신도 희귀한 치유 마법사이다. 마법사로 발현하는 게 핏줄로 이어진단 말은 못 들었지만, 어쨌든.

'그럼 내 동생이 내 양엄마가 죽도록 한 거야?'

눈물이 뿌옇게 차올랐다. 기가 막혔다. 일이 이렇게 꼬일 수가 있나? 동생을 찾으라 한 건 빈셀인데, 빈셀을 죽게 한 게 그 동생이라니.

'됐어. 안 찾아.'

다르타는 일어서서 옷에 묻은 흙을 털었다. 잘 사니 됐다. 진실을 알아봐야 그 애도 충격만 받겠지. 지금 이 복잡한 충격을 굳이 둘 다 느낄 필요는 없었다.

'내가 묻고 가자.'

이스쿠아 자작 부부가 에벨리에게 진실을 감추었듯 자신도 그냥 감추고 사라지면 될 것이었다. 그러다 다르타는 눈을 부릅뜨고 성문을 쳐다보았다.

'에인젤!'

에인젤이 에벨리를 없앨 거라 했는데!

'제발 아직 떠나지 마라. 떠나지 마.'

다르타는 자신이 발이 빠르다는 점에 태어나서 처음으로 감사했다. 체력이 좋다는 점도.

"에, 에벨리. 마법사 에벨리를 만나고 싶은데요."

다르타는 궁전 앞에 도착하자마자 궁전 방문객들을 관리하는 관리에게 달려가 부탁했다. 관리는 시큰둥하게 무언가를 내밀었다.

딱딱한 판에 고정시킨 종이로, 글자가 빼곡한 목록이었다.

"여기 이름이랑 연락할 장소 적어놓고 가십쇼."

다르타는 입을 벌리고 목록을 쳐다보았다. 목록에 적힌 대기 인원은 얼핏 보기에도 숫자가 어마어마하게 많았다.

"지금 당장 봐야 돼요!"

다르타가 급히 외쳤지만, 관리는 "예. 예." 하고 여전히 시큰둥했다.

"그래도 적고 가요. 다른 사람들도 다 급해서 온 사람들이니."

"급해서 왔다고요?"

"아픈 사람이 하나둘입니까."

다르타는 목록에 사람 이름이 이토록 많은 이유를 깨달았다. 에벨리가 귀한 치유 마법사이기 때문에 기적을 바라고 찾은 이들이 많은 것이다.

다르타는 펜을 쥐었다가 이름을 적지 못하고 도로 내려놓았다. 여기 이름을 적어도 몇 달을 기다려야 할 텐데. 당장 함정에 빠지냐 아니냐 하는 상황에 여기 이름을 남기는 건 의미가 없었다.

'정말 대단한 사람이구나. 내 동생.'

다르타는 복잡한 기분에 주먹을 쥐고 눈물을 뚝뚝 흘렸다. 그 모습이 안되어 보였던지, 무뚝뚝하던 관리가 혀를 찼다.

"정말로 한시가 바쁜가 보군."

"사람이…… 죽기 직전이라서요."

"그렇겠지. 여기에 이름 적은 이들은 다 그래요."

"……."

"미안하지만 아가씨한테만 사정을 봐줄 순 없습니다. 다들 사정이 딱하니까요. 게다가 어차피 지금은 마법사님을 볼 수도 없어요."

관리는 목록을 다시 옆으로 밀어내며 툴툴댔다.

"여행 갔거든. 짐을 바리바리 싸 들고 가셨으니, 하루 이틀 만에 돌아오진 않을 겁니다."

"여행? 어디로요? 어디로요?"

다르타는 놀라서 관리의 멱살을 잡을 뻔했다. 그 여행은 놀러 가는 길이 아니었다. 죽으러 가는 길이지. 그 끝엔 분명 에인젤이 함정을 파고 기다리고 있을 텐데!

"거 나야 모르지."

다르타는 발을 구르다가 돈을 꺼내 관리에게 내밀었다.

"펜 좀 빌려줘요! 빈 종이랑! 빨리!"

상시천 도적들이 지내는 마을 안에 있는 훈련장 안. 나무와 목각인형 부딪치는 소리가 연신 들려왔다. 그 소리를 내는 건 상시천의 천주 켈드렉이었다. 하지만 몇 번이나 목각인형을 내리쳤을까. 켈드렉은 검을 확 집어 던지더니 짜증스럽게 외쳤다.

"다시 생각해도 열 받네. 우릴 대체 어떻게 보고!"

대답을 원한 고함은 아니었으나, 근처에 의자를 두고 앉아 딸에게 우유를 먹이던 부천주가 바로 대답했다.

"어떻게 보긴. 나쁜 놈이라 보겠죠. 다르타를 좋게 봐서 그런 제안을 한 거고. 딱 보면 모릅니까?"

"나도 알아!"

켈드렉은 더욱 인상을 구기고서 차갑게 말했다.

"편지에 대놓고 그렇게 써놨어! 다르타 때문에 이런 제안을 하는 거라고."

"아, 그래요? 또 뭐라던데요?"

"이런 상황이 또 나오지 않는다 확신할 수 있냐고."

"아하."

"이게 우리가 사회로 돌아올 수 있는 유일한 다리일 거라고."

"!"

부천주는 눈을 커다랗게 뜨고 떨떠름하게 물었다.

"협박…… 같은데요? 이 다리 안 건너오면 고립시켜 죽일 거다, 이런 거 아닙니까?"

켈드렉은 대답 대신 목각인형을 뻥 걷어찼다.

부천주는 심각한 얼굴로 모테를 내려다보았다. 하루하루 날이 지나갈수록, 그의 딸은 정말 사람이 아니라 천사인가 싶을 정도로 눈송이처럼 변해갔다. 그냥 딸이라서 그런 게 아니라 사감을 제외하고도 너무 사랑스러웠다. 그래서인가.

"제안이 좀 끌리긴 하네요."

부천주는 한숨을 내쉬며 중얼거렸다. 켈드렉은 목각인형을 뻥뻥 걷어차다가 "뭐?" 하고 휙 고개를 돌렸다.

"자식아, 빈셀을 생각해!"

"빈셀을 생각하니 흔들리는 거죠."

"!"

"빈셀이 살아 있었으면 제안을 받아들이자 했을걸요. 다르타를 위해서."

켈드렉은 다리를 내리고서 부천주를 건조한 눈으로 바라보았다. '진심으로 그렇게 생각해?' 묻는 눈으로. 부천주는 모테를 고쳐 안으면서 진지하게 고개를 끄덕였다.

"수장님은 미혼이고 애도 없으니 모르겠지만요. 애가 있으면 애 미래도 생각할 수밖에 없어요."

"……."

"우리 모테 좀 보십쇼. 수장. 얼굴에 '영리하다, 귀하다, 찬란하다, 잘났다' 써놨잖아요. 애가 나라를 세울 운명일지도 모른다고. 근데 그게 나 때문에 막히면 어떡해요?"

켈드렉은 황당해서 부천주를 쳐다보았다. 저 새끼가 저거 진담으로 하는 말인가?

하지만 부천주는 누구보다 진지한 얼굴이었다. 모테가 칭얼거리자 부천주는 아기를 얼른 고쳐 안으며 조언했다.

"바로 거절하진 말고 회의라도 해봐요."

"상시천 도적들이 제안을 받아들일까요?"

집무실에 앉아 당장 급하진 않은 서류를 찬찬히 훑어보며 마음을 정리할 때였다. 부관이 맞은편에 서서 정리를 돕다가 걱정스럽게 물었다.

"상시천?"

내가 되묻자 부관은 어두운 얼굴로 가장 윗장 종이를 옆에 놓인 낮은 상자에 담았다.

"예. 제멋대로 살아온 자들이 이제 와서 법의 테두리에 들어오려고 할지 모르겠습니다."

"그렇지. 하지만 그만두고 싶어도 상시천 소속이란 것 때문에 그만두지 못하고 머물러 있는 이들도 있겠지. 다르타 같은 케이스가 있을 수도 있고."

도둑이 되기 위해 도둑이 된 이들도 있겠지만, 다르타 같은 아이들도 있겠지. 상시천이 주워서 기르거나 낳아서 기른 아이들 같은 경우.

다르타야 마법사로 발현을 했으니 다른 길을 찾아볼 시도라도 하겠지만, 상시천이 거두어들인 다른 아이들은 그런 기회를 잡을 시도조차 할 수 없을 거다. 신분이 없으니까. 자유롭게 살다가 노예가 되기보단 무리에 파묻혀 지내는 게 나을 거라 여길 테고. 그러다 그 아이들이 커서 다른 사람들을 괴롭히게 되면, 그야말로 악순환 아닌가.

"다르타 건을 봤으니 그들 사이에서도 불안감이 솟아났을 거다. 지금은 다 같이 우르르 몰려다니며 잘 지내지만, 본인들 혹은 본인의 아이들 중에서 다르타 같은 케이스가 나올 수 있단 걸 이미 봐버렸으니."

이런 건 원래 처음이 어렵지.

"최소한 내분이라도 일어나겠지."

안주하고 싶은 이들과 변화하고 싶은 이들 사이에서.

문제는 그들이 아니라, 그들을 끌어들이는 과정에서 생길 반발이 아닐까 싶은데…….

생각에 잠긴 채 나는 오늘 내게 도착한 편지들을 확인했다. 두 개는 연합 관련된 사안이고, 세 개는 외국의 친구에게서 온 것, 그리고 어머니가 보낸 것과…….

'다르타?'

다르타가 보낸 편지가 여기에 있어? 놀라서 부관을 쳐다보자, 부관이 우물거리며 설명했다.

"어떻게 처리할지 아직 말씀하지 않으셨지만, 계속 신경 쓰시는 것 같아서…… 중요한 편지 사이에 넣었습니다."

"잘했다."

나는 얼른 편지 봉투를 뜯었다.

에벨리, 마스타스와 엮인 사건 이후. 다르타는 약속한 기한이 넘었는데도 이곳에 돌아오지 않고 있었다. 에르기 공작 사건을 보면 에인젤 쪽에 넘어간 것도 같고. 그런데 내게 무슨 일로 편지를 보냈지?

"!"

이건…….

"왜 그러십니까 황후 폐하?"

"에벨리가."

"예?"

설명할 시간도 없어서 나는 그 자리에서 일어나며 지시했다.

"크로우를 불러와라."

잠시 뒤. 어리둥절한 얼굴로 크로우가 달려왔다.

"무슨 일이십니까?"

"쉬는 도중 불러서 미안해요."

설명하는 대신 나는 그에게 다르타가 보낸 편지를 보여주었다. 그게 더 빠를 것 같아서. 크로우는 편지를 쓱 훑고는 눈이 커다래져서 입을 벌렸다.

"이건……!"

하지만 곧 그는 편지를 내리고서 불안한 목소리로 물었다.

"사실일까요? 혹시 함정이라면……."

"다 믿기도 어렵지만 무시하기도 힘듭니다. 게다가 급한 일입니다. 그래서 그대를 불렀어요. 에벨리는 블루 보헤안으로 갔을 겁니다. 그대도 그쪽으로 날아가 상황을 살펴줘요."

"예."

크로우는 대답을 하자마자 내게 편지를 도로 건넨 후 바로 밖으로 나갔다. 이후 까마귀의 모습으로 변해 블루 보헤안으로 날아가겠지.

나는 다르타가 보낸 편지를 다시 살폈다. 종이를 찢어 급하게 쓴 편지에는 에인젤이 에벨리를 해치기 위해 함정을 팠는데, 에벨리는 이미 궁전을 떠났단 내용이 적혀 있었다.

'진실일까?'

에벨리와 다르타가 몹시 친한 건 알지만, 빈셀이 죽었는데. 이

상황에 다르타가 과연 에벨리를 살리려 들까? 하지만 다르타가 에벨리에게 복수하려 든다면 굳이 내게 이런 편지를 보낼 이유도 없으니……. 일단 하인리에게도 알리자. 대비해서 나쁠 건 없어.

"도련님께서 웬 여자분과 함께 오셨대요!"

알레이시아는 새로 구입한 책을 읽다가 뜻밖에 하녀가 전한 소식을 듣고 환하게 웃었다.

"아들이 여자와 함께 왔어? 애인일까?"

하녀는 덩달아 웃음을 터트렸다.

"기분 좋아 보이시네요."

"바람둥이라고 안 좋은 이야기만 들려오잖아. 한 사람하고 진지하게 만나면 좋지."

알레이시아는 얼른 자리에서 일어나 옷장 문을 열었다.

"가보시려구요?"

"가봐야지. 인사하고 싶어. 어떻게 입어야 하지? 점잖게 입고 갈까?"

준비를 마친 알레이시아는 얼른 계단을 내려갔다. 마침 집사가 근처에 있기에 알레이시아는 환한 얼굴로 그에게 다가가 물었다.

"아들은? 영애도 데려왔다던데. 어디 있어?"

그러나 집사는 알레이시아의 질문에 시선을 피했다.

"그게……."

그 난처한 표정에 알레이시아는 눈썹을 치켜올렸다.

"설마. 그 여자가 이미 결혼한 여자이기라도 한 거야?"

집사는 얼른 손을 저었다.

"아닙니다, 절대 아닙니다."

"그런데 왜?"

질문을 던지고 보니 몇몇 하인들이 커다란 여행 가방을 챙겨 밖으로 나가고 있었다. 알레이시아는 그들을 쳐다보다가 집사에게 물었다.

"저건 뭐야? 짐을 왜 옮겨?"

집사가 입을 빼끔거렸다. 알레이시아는 대답 듣기를 포기하고 얼른 별원으로 달려갔다. 원래 그녀는 그곳이 없는 구역인 것처럼, 거기에 아무도 살지 않는 것처럼, 발길조차 시선조차 주지 않은 채 살았다. 그러나 오늘은 불안한 느낌이 턱 끝까지 올라왔다.

알레이시아는 덩쿨 아치 사이에 서서 별원을 쳐다보았다. 그곳에서도 하인들이 짐을 옮기고 있고 에르기 공작이 한 여자와 나란히 서 있었다. 여자는 진지한 얼굴로 무언가를 설명하고 있었는데, 그럴 때마다 에르기 공작은 신중한 얼굴로 고개를 끄덕였다.

그때. 여자의 말을 듣던 에르기 공작이 시선을 느낀 건지 이쪽을 쳐다보았다. 눈이 마주치자마자 공작의 눈에서 불꽃이 튀었다. 그러더니 성큼성큼 다가와 차갑게 말했다.

"이곳은 당신이 올 곳이 아닙니다."

"아들, 저 여자는 누구야?"

여자는 어리둥절해서 이쪽을 쳐다보다가 몇 걸음 다가오더니 인사했다.

“동대제국 마법사 에벨리입니다. 반갑습니다…… 부인.”

“마법사?”

게다가 에벨리? 그 유명한 치유 마법사? 알레이시아는 표정이 서늘하게 굳었다. 애인이 아니라 마법사? 왕제비를 밖으로 빼돌리려는 건가?

알레이시아는 에르기에게 슬픈 얼굴로 물었다.

“아들. 꼭 이렇게 해야겠어?”

상황을 자세히 모르기에 에벨리는 두 사람의 눈치를 살피다가 어색하게 자리를 비켰다. 에르기 공작이 휠체어를 탄 여자에게 ‘어머니’라고 불렀는데, 다른 여자가 에르기 공작을 보며 ‘아들’이라고 불러댄다. 딱 보기에도 사정이 가득해 보였다.

“같이 갑시다.”

그러나 에르기 공작은 에벨리를 붙잡고는, 알레이시아에게는 아무 말도 하지 않고서 휙 몸을 돌렸다. 에벨리는 뻣뻣하게 삐그덕거리면서 얼른 별원 안에 들어갔다.

알레이시아는 허망하게 에르기 공작의 뒷모습을 보다가 주먹을 꽉 쥐고서 별원을 빠져나왔다.

‘여기서 나간다고?’

에르기 공작은 목숨을 빚졌단 죄책감과 자신의 어머니 이름에 대한 평판, 어머니의 건강 등 여러 가지 다양한 이유가 얽혀서 여기에서 빠져나가지 못하고 있었다. 하지만 여기서 나가면? 이후 어떻게 나올지 확신하기 어려웠다. 설령 에르기가 목숨 빚 때문에 계속 입을 다물더라도. 왕제비는? 치료를 받아 건강해진 왕제비는 어떻게 나오지? 왕제비는 결혼한 이래 친척들과 교류 없이 살았지만, 나서서 찾자면 찾을 수도 있을 것이다. 신분이 높아졌으니, 이전에 냉대한 게 걸려 먼저 다가오지 못하는 이들도 왕제비가 손을 내밀면 다가와 도울지도 몰랐다.

알레이시아는 얼른 대공을 찾아갔다.

"이미 들었다."

치유 마법사 이야기를 하려 했으나, 대공은 집사에게 사정을 다 들은 후였다. 알레이시아는 대공의 팔을 흔들었다.

"어떻게 할 거예요? 이대로 보낼 거예요?"

집사가 조심스럽게 제안했다.

"주인님께서 도련님과 대화해보시는 게 어떨까요?"

대공은 고개를 저었다.

"그 애는 내 말을 듣지 않아. '그 일' 이후로 단 한 번도."

한참 동안 세 사람 모두 자기 생각에 잠겨 말을 하지 못했다.

얼마나 그러고 있었을까. 말없이 생각에 잠겨 있던 대공이 천천히 입을 열었다.

"아들은…… 다시 낳으면 되겠지."

의미심장한 말이었다. 알레이시아는 눈을 커다랗게 뜨고 대공을 쳐다보았다. 이윽고 그녀는 대공의 말을 이해하고 짧게 비명은 질렸다.

"죽이다니! 안 돼요!"

하지만 대공은 감흥 없는 목소리로 딱딱하게 말했다.

"네가 에르기를 얼마나 좋아하는진 알고 있다, 알레이시아. 굳이 이런 식으로 티를 내지 않아도 돼."

알레이시아는 속으로 '아니야!' 하고 대답했다.

안다고? 대공은 하나도 모르고 있다. 그러나 알레이시아는 알았다. 대공은 자신을 사랑하지 않는단 걸. 에르기의 죽음. 그건 대공과 자신 사이의 미묘한 끈이 끊어진단 뜻이었다. 자신의 입장이 애매해진다는 뜻이었다. 아들을 제 손으로 죽이는 와중에 아들의 은인이 무슨 소용이겠나.

'에르기와 대공비가 죽으면 대공은 분명 다른 여자와 재혼할 거야. 날 죽이려 들지도 몰라.'

알레이시아는 순순히 돌아서며 눈을 무섭게 빛냈다.

'그렇게는 둘 수 없지.'

반면, 알레이시아가 나가자 대공의 굳은 표정은 힘없는 미역 줄기처럼 변했다. 툭 치면 흐느적 넘어질 것 같은 그런 얼굴로, 대공은 집사에게 지시했다.

"에르기는 분명 자기 소유의 그 섬으로 갈 거다. 뱃길로 가겠지. 에르기와 에벨리 마법사가 탄 배를 바다 한가운데에서 가라앉혀라. 내 아내만 구출해서 다시 데려오고."

알레이시아와 클로디아 대공이 어떤 꿍꿍이인지 모르기에 에르기 공작과 진짜 대공비는 이 상황이 그저 꿈만 같았다. 특히 대공비는 연신 미소를 띠고서 들뜬 마음을 감추지 못했다. 몸이 좋지 않을 때마다 에벨리가 옆에서 바로바로 치유 마법을 걸어주는 덕에, 어느 때보다 몸 상태 역시 좋았다.

"그래도 외투는 입고 있어야지요."

대공비가 오랜만에 보는 바깥 경치에 들떠 자꾸 몸을 움직여대고, 그럴 때마다 어깨에 걸친 외투가 계속 흘러내렸지만, 에르기는 귀찮지도 않은지 꼬박꼬박 외투를 다시 들어 올려 어머니의 어깨에 걸쳐주었다.

'신기하네. 되게 기분 나쁜 사람이라 생각했는데.'

에벨리에게는 낯선 모습이었다. 에벨리가 기억하는 에르기는 처음엔 라스타 황후의 못된 최측근이었고, 그다음으로는 라스타 황후를 뒤통수친 배신자였다. 적이 아닐 때에도 그에게서는 어둡고 음울한 그림자가 보였는데. 머리 위에 내려앉는 바다의 빛 때문인가. 지금은 그런 게 덜했다.

"마법사님. 날 재밌는 구경거리 보듯 하는데."

"예? 아니요! 아닌데요?"

"마음대로 해. 난 지금은 마법사님한테 꼼짝도 못할 입장이니."

그 말에 대공비가 웃음을 터트리고 에르기가 따라 웃었다. 에벨리는 입을 벌리고서 이유 없이 덩달아 웃었다.

뭔 집안 사정이 저리 꼬였는지는 모르겠지만, 두 여인 중 누가 에르기의 진짜 어머니인지는 이 미소만 보아도 알 수 있었다.

항해는 평화로웠다. 바닷새가 끼룩거리는 소리와 이따금 멀지 않은 곳에서 찰박찰박 튀어 오르는 물보라 소리마저 듣기 좋았다. 여기에서는 모든 게 잔잔했다. 에벨리는 하품을 하면서도 대공비의 곁에서 떨어지지 않고 치유 마법을 주기적으로 걸어주며 자신의 몫을 톡톡히 했다.

"에르기 공작님. 딸기 좀 가져다주세요."

이 핑계로 에르기에게 이것저것 심부름시키는 것도 재미있었다. 대공비는 에벨리가 에르기에게 심부름을 시킬 때마다 그조차 즐거운지 맑게 웃었고, 두 여자는 연신 장난스러운 눈빛을 교환했다.

"자. 분부대로 가져왔습니다, 마법사님."

"고마워요. 살다 보니 공작님한테 심부름시키는 날이 다 오네요."

"다른 건?"

"블루베리……."

"……."

"농담이에요."

그런데 한창 항해하는 도중. 갑자기 어디선가 굉음이 들려왔다. 그 바람에 배가 일시적으로 흔들리면서 에벨리가 넘어지려 하자, 에르기가 얼른 잡아주었다.

"고마워요."

에르기는 한 손에는 에벨리를, 한 손에는 어머니가 탄 휠체어 손잡이를 잡고서 선실 계단을 쳐다보았다. 방금 뭐였지? 자주 배를 타고 다니기에, 에르기는 이런 잠깐의 충동이나 큰 흔들림을 절대로 그냥 넘어가지 않았다.

"어머니, 마법사님, 잠시."

에르기는 두 사람을 두고 밖으로 나왔다. 갑판에 있는 사람들도 아까의 소란에 놀랐던지, 다들 눈을 동그랗게 뜬 채 웃으면서 "깜짝 놀랐네." 같은 말을 하고 있었다.

에르기는 조타실 쪽으로도 가보았다.

"무슨 일 없나?"

에르기가 문을 열고 묻자 조타수는 휘파람을 불면서 타륜을 돌리다가 자신만만하게 대답했다.

"아무렴요. 잘 가고 있습니다."

에르기는 그제야 안심하고서 선실로 돌아갔다.

어머니와 에벨리를 나란히 침대에 누이고 자신은 근처의 의자에서 불편하게 자다가, 새벽 즈음. 에르기는 잠에서 깨 아래층으로 내려갔다. 갑판에서 바람을 쐴 생각이었다. 그런데 갑판 바닥이 축축하고 미끄러웠다. 어두워서 바닥에 고인 물을 보지 못하고 발을 삐끗한 에르기는 완전히 잠이 달아나서 아래를 내려다보았다. 여기저기 고인 물들이 달빛을 받아 반짝이고 있었다. 아래층으로 간 그는 이윽고 욕을 뱉으며 쾅 문을 열었다. 물이 차오르고 있었다.

"어머니! 마법사!"

선실로 돌아온 에르기가 다급하게 외치자, 두 사람은 놀라서 일어났다.

"왜요?"

에벨리는 하품을 하고서 창밖을 보았다. 그러고는 깜깜한 걸 확인하고서 다시 하품을 했다.

"아직 밤인데."

"배에 물이 차고 있어. 나가야 돼."

"물이요?"

그 말을 듣고서야 에벨리는 기겁해서 벌떡 일어났다. 에르기는 접어둔 휠체어를 펼치려다가, 결국 휠체어를 팽개치고 어머니를 등에 업었다.

"이쪽으로."

에르기가 어머니를 챙겨 밖으로 나오자, 때마침 바람을 쐬러 밖으로 나오던 특등석 옆 칸의 귀족이 물었다.

"무슨 일 있어요? 왜 단체로 우르르?"

그러나 에르기가 대답하기 전.

"일어나세요! 다들 일어나세요!"

선원이 이쪽으로 급하게 달려오며 외쳤다. 귀족은 놀라서 눈을 휘둥그렇게 떴다.

"진짜 무슨 일이 있나 본데?"

"배에 물이 차고 있어요! 일어나세요!"

선원이 문을 두드리고 다니며 외치자, 귀족은 어리둥절해 있다가 뒤늦게 기겁해서 호통쳤다.

"아니 상황이 이 지경이 되어서야 깨우다니 미친 거 아니냐!"

선원은 울 것 같은 얼굴로 변명했다.

"누가 선원들이 마시는 물에 뭘 탔어요! 게다가 아래층 바닥을 고의로 뜯었다고요!"

귀족이 무어라 더 말하려 하지만, 선원은 다시 "일어나세요!" 하고 외치면서 복도를 달려갔다.

"이봐! 거기! 이봐! 저런 고약한……."

옆 칸의 귀족이 툴툴대는 걸 모른 척하고, 에르기는 에벨리 쪽을 보며 당부했다.

"균형 잃지 말고. 벽을 짚어, 마법사님. 그래도 어려우면 내 옷을 잡아."

"어, 어디로 가요?"

"갑판에. 구조선을 타야지."

뒤에서 귀족이 "구조선!" 하고 외치더니 뒤를 쫓아왔다. 무슨 일인가 싶어서 하나둘 머리를 내밀고 나온 이들도 얼결에 같이 계단을 내려갔다. 아래층에서도 뒤늦게 난리가 났는지 점점 소란스러워지기 시작했다.

밤바람에 거세게 돛이 펄럭거리자 에벨리는 눈물이 찔끔 나왔다. 아직도 정신이 없지만 일단 무서웠다. 하필 밤이라서 더더욱.

"바다 도료를 바르고 탔으니까, 물에 빠져도 가라앉진 않아. 혹시 구조선에 못 타게 되더라도 최대한 커다란…… 하여튼 커다란 물건에 붙어 있어."

에르기는 아래로 내려가면서 에벨리에게 작은 목소리로 당부했다. 그런데 그렇게 줄지어 계단을 내려가고 있자니, 앞에서 꾸물거리는 게 답답했는지 승객 중 한 명이 뒤에서 "아 좀 빨리빨리 가요!" 하고 외쳤다. 하지만 에르기는 무시하고서 어머니와 에벨리를 챙겨서 최대한 안전하게 조심해서 내려갔다. 그는 이럴 때일수록 신중해야 한단 걸 알고 있었기에, 누가 뭐라 하건 흔들리지 않았다.

그 순간. 배가 갑자기 한 번 크게 기우뚱하자 줄지어 내려가던 사람들이 비명을 질렀다. 배는 다시 균형을 찾았지만, 뒤에서 고함을 지른 승객은 완전히 겁에 질렸는지 "빨리 가라고!"라고 외치면서 에벨리를 뒤에서 밀쳐버렸다.

"!"

한 손은 난간을 잡았지만, 다른 손으로는 에르기의 어머니에게 수시로 치유 마법을 걸던 에벨리는 그 바람에 균형을 잃고 아래로 쿵 넘어졌다.

"마법사!"

에르기는 황급히 손을 뻗어 에벨리를 잡았지만, 에벨리는 계단에서 넘어지면서 벽에 머리를 부딪치는 바람에 바로 기절해버렸다.

"아 비켜! 빨리! 빨리빨리!"

뒤에서 소리 지른 승객은, 자기 때문에 누가 기절했거나 말거나 에벨리와 에르기를 마구 밀치면서 자기가 그 자리로 끼어들었다. 에르기는 그 승객의 옆모습을 눈에 똑똑히 담아두면서도, 에벨리가 밟힐까 봐 일단 한 손으로 에벨리를 품에 안았다. 가까스로 옆의 복도로 빠진 그는, 사람들이 우르르 내려가는 동안 기절한 에벨리를 곤혹스럽게 내려다보았다.

'곤란한데.'

등 뒤에는 어머니가 업혀 있고 앞에는 에벨리가 기절해 있다. 어떻게든 계단을 내려가 구조선에 올라타야 하는데, 제힘으로 걸을 수 없는 사람이 둘이나 되다 보니 막막했다. 에르기는 초조하게 아랫입술을 씹었다.

에벨리를 먼저 구하고 모친을 두고 가는 것? 절대로 안 될 일이다. 멀쩡히 선 사람도 밀쳐대고 도망가는 와중에, 제 몸도 잘 못 가누는 사람이 바닥에 있으면 분명 밟고 가는 이들이 많을 거다. 그렇다고 도움을 주려 찾아온 에벨리를 여기 놔두고 갈 수도 없었다. 같은 이유였다. 기절한 사람이 있으면 분명 밟고 가는 새끼들이 나올 테니까.

'미치겠군.'

결국 에르기는 등에 어머니를 업고, 한 손으로는 에벨리를 품고서 밖으로 나왔다. 비효율적이지만 둘 중 누구를 버리고 갈 수는 없으니 다른 방법이 없었다.

"아 비켜요!"

"비키라고!"

"이 민폐 새끼! 쓰러진 사람은 두고 와!"

사람들이 항의했지만 에르기는 꿋꿋하게 둘을 업고 안고서 계단을 신중하게 내려갔다.

"도와줄게요."

그러고 있자니 누군가 옆으로 다가오면서 뒤에서 어머니를 같이 들어주었다.

"고맙소."

에르기는 그 사람의 도움을 받아서 가까스로 갑판으로 내려왔다. 그 때문에 느리게 내려온 이들이 욕을 하거나 침을 뱉고 갔지만, 에르기는 어떻게든 둘을 데려왔다는 데 안도했다.

"여기요! 여깁니다!"

일단 갑판에 와 있자, 특등실 선원이 에르기를 알아보고서 허겁지겁 다가왔다.

"이쪽에 타세요! 얼른요!"

내려오느라 너무 시간을 끈 탓에 이미 갑판 바닥에는 물이 고여 있었다.

"여기요!"

이에 덩달아 급해진 선원은 에르기를 잡고서 어딘가로 데려가려 했다.

"잠시."

그러나 선원은 수상쩍은 구석이 있었다. 너무 거칠게 잡아끄는 통에 어머니와 에벨리를 떨어트릴까 봐 에르기가 몇 번이나 잠깐 기다리라 했지만, 그래도 미친 듯이 잡아당기기만 했던 것이다. 선원은 에벨리와 어머니를 전혀 신경 쓰지 않는 것처럼 보였다. 그 모습을 수상쩍게 여긴 에르기는 그 선원을 뿌리치며 낮은 목소리로 물었다.

"누구냐."

선원은 알레이시아의 명령으로 에르기만을 구하기 위해 승선한 사람이었다. 아무 일이 없으면 그냥 선원으로서 할 일을 하고, 혹시 일이 터지면 에르기 공작을 구해내라. 정확히는 이런 명령을 받은 사람이었다. 돈을 받으려면 선원은 에르기를 무사히 육지에 데려다 두어야 했다.

"저는……."

당신을 구하러 온 거라고 선원이 외치려는 순간.

"!"

아까 에르기가 계단을 내려오게 도와준 승객이 갑자기 에르기의 어머니를 빼앗으려 들었다. 놀란 에르기가 얼굴을 팔꿈치로 내려찍었지만, 승객은 비틀거리면서도 에르기의 어머니를 놓지 않았다.

업힌 사람을 빼앗기지 않는 건 어려운 일이었다. 한 손으로는 다른 사람을 안아 들고 있다면 더욱. 결국 에르기의 어머니를 빼앗는 데 성공한 승객은 뒤도 돌아보지 않고 달아났다. 덕택에 한 손이 자유로워지자, 분노한 에르기는 허리에 찬 무기를 꺼내 그 승객의 등에 던졌다. 휙 날아간 칼이 등에 꽂히자 승객은 비명을 지르며 넘어졌다.

에르기는 이 틈에 또 자신을 잡으려는 선원을 발로 걷어차고서, 그쪽으로 달려가 어머니를 남은 손으로 안아 들었다.

그 순간. 배가 다시 한번 거세게 흔들리면서, 두 사람을 챙기던 에르기는 결국 균형을 잃고서 미끄러졌다. 평소라면 균형을 잘 잡았겠지만, 두 손 모두 다른 이들을 챙기느라 미끄러지고 만 것이다.

눈 깜짝할 사이 갑판 끝으로 미끄러진 에르기는 곧장 바다로 빠지고 말았다.

'아이고 이걸 어째!'

그 위에서 까마귀 한 마리가 애가 타 하늘을 빙글빙글 돌았다. 막 도착한 크로우였다. 그러나 이미 에벨리와 에르기 공작, 대공비는 바다에 빠져 있었다. 게다가 바다 도료를 바른 덕에 셋 다 물에 가라앉진 않았지만, 갑판 위 물건들이 아래로 뚝뚝 떨어지는 터라 얼른 건져내지 않으면 위험한 상황이었다.

'이걸 어째!'

빠진 사람은 셋인데 구할 수 있는 건 자신뿐. 크로우는 깍깍 소리를 내며 날개를 퍼덕거렸다.

에르기 공작이 자기 얘기를 해도 된다고 말한 건가. 크로우가 떠난 뒤, 자기 일족들을 추가로 블루 보헤안에 보낸 하인리는 식사를 하면서 공작의 개인적인 이야기를 들려주었다. 비극적인 이야기였다.

"안타깝네요. 그냥 천성이 못돼먹은 인간이라 생각했는데. 그런 사연이 있었다니."

"욕을 무척 자연스럽게 하는군요, 퀸. 얼핏 들으면 감상 같습니다."

"그건 중요하지 않아요."

"……물론 욕은 하는 입장에선 중요하지 않겠지요."

"그보다 다른 신경 쓰이는 게 있는데. 알레이시아란 이름이요."

하인리는 날 놀려대다가, 알레이시아 이름을 듣자 얼른 표정을 굳히며 물었다.

"왜요? 무슨 특이한 점이 있습니까?"

"그 사람은 어떤 사람인가요?"

"저는 어릴 때 몇 번 본 게 전부입니다. 금발에 파란 눈이죠."

"그 외에는?"

"모르겠습니다. 에르기가 그 사람에 관해 얘기하는 건 별로 안 좋아해서요."

이름이나 외모도 그렇고 해적에게 구출된 사람이란 것도 그렇고……. 구출된 시기도 좀. 물론 '알레이시아'란 이름이 독특한 이름이 아니긴 하지만.

그래도 예전에 니안이 연 티파티에서 에르기 공작이 알레이시아를 언급한 적도 있지 않나? 그 사람은 황제의 정부이긴 했지만, 너무 짧게 머물다 간 터라 잘 알려지지 않은 사람이었는데도? 좀 찝찝한 구석이 있는데…….

"세상에, 저게 뭐야?"

다르타는 눈을 커다랗게 뜨고 눈앞의 상황을 놀라 쳐다봤다. 다르타가 이 배에 탄 건, 에벨리를 함정에서 구하기 위해서였다. 귀족이 아니면 특실을 사용할 수 없단 재수 없는 말 때문에 같은 층에 머물진 못했지만.

그래도 배에서는 무사할 줄 알았다. 그런데 뜬금없이 배에 물이 들어오다니? 게다가 에벨리에겐 일행이 둘이나 있는데, 웬 이상한 놈들이 그 일행을 각자 다른 방향으로 끌고 가려고 하지 않나. 당황해서 나서지 못하는 사이, 에벨리는 일행 둘과 함께 바다에 떨어졌다. 그야말로 모든 게 황당하기 짝이 없었다.

"거기 아가씨! 뭐 해요? 빨리 구조선에 올라타요!"

기둥을 붙잡고 입을 벌리고 있는 꼴이 불안해 보였나. 다르타가 멍해진 사이, 한 선원이 이쪽을 향해 외치며 황급히 손을 저었다.

"얼른! 여기!"

다르타는 그제야 정신을 차리고서 붙들고 있던 기둥을 놓았다.

"빨리 와요! 조심해서!"

선원은 주위의 비명을 뚫고 크게 고함을 질렀다. 하지만 다르타는 그쪽에 가는 대신 칼을 꺼내서 기둥에 묶여 있는 밧줄을 잘랐다. 선원은 뭐 하는가 싶어 눈을 휘둥그렇게 떴다.

"그걸 왜 끊어!"

왜 끊기는. 다르타는 그렇게 자른 밧줄을 자기 허리에 매고서 갑판으로 나아갔다. 그리고 갑판 난간에 밧줄의 다른 끝을 묶었다. 배가 휘청이면서 잠시 넘어질 뻔했지만, 다르타는 난간을 움켜잡고 균형을 잡았다. 그러고는 아슬아슬하게 난간으로 걸어가 아래를 살폈다.

바다 도료를 바르고 탔는지, 에벨리는 가라앉지 않고 바로 근처에 둥둥 떠 있었다. 하지만 탈출 승객들이 가져온 짐이 그녀 주변으로 풍덩 풍덩 떨어지는 게 몹시 위험해 보였다. 아까는 기절한 것 같더니. 그나마 물에 빠지면서 정신을 차린 게 다행일까.

호화로운 배는 높이가 높다 보니 바다와 갑판 사이의 거리가 꽤 길었다. 게다가 밤의 바다는 까맣게 보여서 더욱 무서웠다. 하지만 다르타는 용기를 가지고서 밧줄을 타고 아래로 내려가기 시작했다.

"아가씨! 구조선은 그쪽 아냐!"

놀란 선원이 위에서 외쳤지만, 다르타는 에벨리를 향해서만 나아갔다.

'언니가 구해줄게.'

빈셀 때 일을 생각하면 진짜 머리를 몇 번 쥐어박아도 모자라지만, 에벨리는 자신이 그토록 찾던 동생이었다. 헤어지지 않았더라면 품에 끼고 키웠을 그런 동생. 물론 끼고 사는 게 아니라 매일 싸워대느라 바빴을 가능성도 있지만.

'아니야. 사이좋았을 거야.'

동생인 걸 모를 때에도 마음에 성큼 들어온 애니까.

다르타는 눈물을 글썽이면서 쭉쭉 내려갔다. 에벨리는 허우적거리면서 헤엄을 치려 했지만 배가 철썩거릴 때마다 거기에 휘말려서 이쪽으로도 저쪽으로도 나아가지 못하고 있었다. 그러다가 다르타가 밧줄을 타고 내려오는 걸 보자, 놀라서 눈을 커다랗게 떴다.

"당신이 왜 여기……."

"시끄러워. 사고뭉치야."

"!"

“빨리 잡아. 얼른!”

다르타가 소리 지르자, 에벨리는 정신을 차리고 일단 손을 마구 휘저었다. 가까스로 손과 손이 닿자, 다르타는 힘을 주어 에벨리를 끌어당기며 당부했다.

“난 두 손으로 밧줄 타고 올라가야 돼. 네가 알아서 나한테 매달려.”

“응, 응!”

“놓지 마! 다음엔 안 내려올 거야!”

“응!”

에벨리가 다르타의 목에 매달리자 다르타는 말없이 인상을 찌푸렸다. 입고 있는 옷이 물에 흠뻑 젖은 탓에 에벨리가 몹시 무겁게 느껴진 탓이었다. 하지만 다르타는 투덜대지 않고, 밧줄을 쥐고 조금씩 조금씩 위로 올라가기 시작했다.

‘힘들어.’

물에 흠뻑 젖은 두 사람의 무게를 감당하는 건 몹시 괴로운 일이었다. 손가락이 덜덜 떨렸고, 나중에는 손바닥이 거친 밧줄에 쓸려서 너무 쓰라렸다. 내려올 때 조금 까진 상처가 더욱 벌어져서, 밧줄에 피가 묻어나오기까지 했다. 하지만 다르타는 아프단 소리조차 않고 꿋꿋하게 위로 올라갔다. 엉엉 울면서 힘들게 무술을 익힌 덕에 그래도 조금씩 조금씩 두 사람은 위로 올라갈 수 있었다.

그렇게 중간쯤 왔을까.

“힘 빼지 말고 꽉 잡고만 있어요!”

아까 구조선으로 오라며 손을 흔들던 선원이 난간 너머로 고개를 내밀더니 외쳤다. 그러고는 위쪽에서 끌어당기기 시작했다.

"여기 좀 도와줘!"

혼자서는 안 되겠다 싶은지 뒤를 향해서 누군가에게 외치기도 했다.

에벨리는 다르타의 어깨에 머리를 묻고서 코를 훌쩍였다. 이 사람이 왜 날 구해주지? 바다에 빠졌던 공포가 가시자 혼란스러운 마음이 가득했다. 하지만 미워해야 하는 사람인데도 이러고 있으니 이상하게 안심이 되어서, 다르타에게 더욱 꼭 붙었다.

"누굴 끌어올리는 거야?"

그러고 있자니 위에서 다른 사람의 목소리가 또 들려왔다.

"여자 둘! 도와줘! 우리 둘이면 돼!"

"갈게!"

잠시 뒤. 떨어지지 않고 대롱대롱 흔들리기만 하던 밧줄이 쑥쑥 위로 올라가기 시작했다. 다르타는 두 손으로 꼭 밧줄을 쥐고서 안심했다. 살았어. 내가 에벨리를 구했어. 내가 동생을 구해냈어!

"으악! 저기 홀딱 벗은 남자가 있어요!"

"변태야!"

"변태 아닙니다! 옷이 없는 것뿐이에요!"

위에서 들려오는 소란도 다르타와 에벨리에게는 들리지 않았다.

그 사이. 갑판에서 일어난 소란의 주범 크로우는, 다르타처럼 밧줄을 이용해 에르기와 에르기의 어머니를 구하고 있었다. 다르타가 에벨리를 구하는 걸 보고는, 자신은 에르기와 다른 쪽 여자를 구하기로 한 것이다. 까마귀의 모습으로 밧줄을 두 사람 사이에 던진 다음 갑판에 올라가 슬쩍 사람으로 변해 밧줄을 잡아당기는 식으로.

새 일족에 대해 아는 에르기는 까마귀가 새대가리라는 걸 바로 알아차리고서, 밧줄을 받자마자 한 손으로 그걸 자기 손에 칭칭 감고 다른 한 손으로 어머니를 품에 안았다. 이윽고 두 사람 역시 조금씩 조금씩 갑판 위로 올라가기 시작했다. 그렇게 조금 떨어진 곳에서 바다에 빠진 세 사람이 무사히 갑판에 거의 도착했을 즈음.

"잠시만 버텨요!"

다르타와 에벨리를 도와준 선원은 끌어올린 밧줄을 새로 난간에 묶으면서 말했다.

"애부터요!"

다르타가 외치자, 뒤늦게 둘을 도와준 선원이 다가와서 에벨리를 훅 들어 올렸다. 그리고 에벨리가 갑판 위로 올려지자, 먼저 도와주기 시작한 선원은 이번에는 다르타를 끌어올리기 시작했다.

그러나 두 번째로 나타난 선원이 다르타를 들어올리는 데는 도움을 주지 않자, 선원은 다르타를 끌어 올리는 게 쉽지 않아 오만상을 구기고 끙끙거렸다. 그래도 어찌어찌 막 위로 올리는 순간. 다르타는 무언가 허리에서 흘러내리는 느낌을 받았다. 아래를 내려다보자 허리에 묶어둔 밧줄이 툭 옆으로 떨어지고 있었다.

"?"

그걸 보며 불안해지는 찰나. 누군가 선원을 뒤에서 확 밀어버렸다.

"으악!"

선원이 아래로 뚝 떨어지자 그를 잡고 있던 다르타도 덩달아 바다로 떨어졌다. 곧 풍덩 풍덩 연달아 소리가 들려오자, 에벨리는 기침을 하다 말고서 눈을 커다랗게 뜨고 난간을 돌아보았다. 그러나 난간에는 선원도 다르타도 없었다.

"당신 미쳤어?"

에벨리는 놀라서 선원에게 날카롭게 외쳤다. 그러자 뜻밖에도 그 미친 짓을 한 선원이 "뭐야." 하고 욕을 뱉었다. 그러더니 에벨리의 머리카락을 한 손으로 치워보고는 황당한 표정으로 중얼거렸다.

"대공비가 아니잖아?"

"뭐?"

"젠장, 헷갈리게 왜 같은 옷을!"

승선한 후, 에르기는 에벨리와 어머니에게 무난하고 비슷해 보이는 까만 망토를 덮어주었다. 바닷바람은 차갑고 거세서, 감기 걸리기 딱 좋다고. 아무래도 그 탓에 이 사람은 대공비와 에벨리를 착각하고 구한 듯했다.

"젠장, 쓸모없는 것!"

화가 난 선원은 욕을 뱉더니 에벨리에게 마구 화를 냈다. 에벨리는 선원에게 덩달아 욕을 퍼붓다가, 다르타가 떨어진 걸 떠올리고서 황급히 난간으로 기어갔다. 후들후들 떨리는 손으로 난간을 붙잡고 내려다보았다.

그러나 선원은 떠 있는 반면 다르타는 옷 비슷한 것조차 보이지 않았다. 다르타는 바다 도료를 바르지 않고 승선했던 것이다.

"다르타아아아아아!"

놀란 에벨리가 비명을 지르려는데, 근처 바다에서 갑자기 환한 빛이 떠올랐다. 덩달아 어둠에 잠겨 있던 갑판에도 빛이 나누어졌다. 에벨리가 놀라 쳐다보자, 언제 근처로 온 건지 커다랗고 하얀 배가 가까이 접근하고 있었다. 그리고 그 배의 갑판 위에는 하얀 제복 차림의 기사가 몹시 미묘한 미소를 띤 채 서 있었다.

중간에 나타난 배는 월대륙 연합 소속 초국적 기사단의 배로, 나타난 사람은 4기사단장 에인젤이었다. 에인젤은 조타수를 회유해서 배를 다른 쪽으로 빼내려 했는데, 뜬금없이 사고가 터져서 몹시 분노했다.

"다 건져. 구조자들은 이쪽으로 태우고."

일단 이 배는 연합 소속인 블루 보헤안의 선박이고, 초국적 기사단은 구조도 임무인지라, 에인젤은 어쩔 수 없이 배에 탄 사람들을 모두 구출했다. 하지만 육지로 가는 내내 에인젤은 기분이 상해서 팔짱을 풀지 않았다. 그 와중에 그는 더욱 기가 막힌 이야기를 듣게 되었다.

"못 건진 사람이 누구라고?"

"다르타……라는데요."

"누가 그래?"

"저기 치유 마법사가요."

에인젤이 그쪽을 보자마자, 저만치에서 난동을 부리고 있던 에벨리가 얼른 달려오면서 물었다.

"물에 빠졌다가 구출된 사람 중에 없는 사람이 있어요!"

에벨리는 목이 다 쉬어 있었다. 도착해서 처음 얘기하는 게 아니라, 오는 내내 얘기한 내용이기 때문이다. 하지만 에인젤에게 물어도 돌아오는 대답은 다른 초국적 기사들과 다르지 않았다.

"잠수 전문가들이 근처를 다 뒤졌지만 없었습니다, 에벨리 님."

"하지만 그 사람은……."

"없었습니다."

다르타가 사라진 것 때문에 에벨리만큼 기분이 좋지 않은 에인젤은 단호하게 딱 잘라 대답했다.

에벨리는 터덜터덜 에르기 쪽으로 걸어갔다. 에르기는 어머니의 머리카락을 커다란 수건으로 말려주다가, 살아났는데도 힘이 다 빠진 에벨리를 보자 인상을 찡그렸다.

"마법사 님. 괜찮나?"

"왜 구해준 건지 모르겠어요."

"마법사 님을 구해준 그 여자?"

에벨리는 고개를 끄덕이고서 입술을 깨물었다.

"날 증오할 거라 생각했는데. 대체 왜……."

에벨리가 멀어지자, 부하는 목소리를 낮춰서 에인젤에게 물었다.

"에벨리 마법사는 어쩔까요. 몰래 없앨까요?"

"이 와중에?"

"힘들까요?"

"다르타가 사라진 와중에, 제일 강한 치유 마법사를 없애서 어쩌자고."

"아."

"빚으로나 달아둬."

"예."

그러나 침착한 명령과 달리 에인젤은 속이 부글부글 끓었다. 그는 분노를 가라앉히기 위해 숨을 고르다가, 차가운 눈으로 한곳에 붙잡아둔 선원들을 쳐다보았다.

"누군가 고의로 배에 구멍을 내고 선원들을 재웠다 했지."

"예. 누굴까요?"

"글쎄. 하지만 그게 누구든……."

뒷말을 생략한 에인젤은 빙그레 웃고서 들고 있던 물컵을 '콰득' 하고 부쉈다.

초국적 기사단의 잠수 전문가들이 다르타를 찾지 못한 이유가 있었다. 그 시각. 다르타는 생판 다른 섬에서 콜록콜록 기침을 하고 있었던 것이다. 다르타는 무의식중에 기침을 하다가, 정신이 들자 따끔거리는 가슴팍을 거세게 퍽퍽 두드렸다. 그러다 뒤늦게 놀라 주위를 둘러보았다. 하얀 모래사장이 펼쳐진 섬이었다. 그리고 주위에…….

"으아아아아악!"

벌거벗은 사람들이 가득한 섬.

"댁들 뭐야!"

그들은 하인리의 명령으로 크로우를 도우러 가다가, 물에 빠진 다르타를 구해낸 새대가리 일족들이었다. 이를 모르는 다르타가 꽥꽥 비명을 지르며 뒤로 물러나자, 이들 중 가장 리더 격인 사람이 앞으로 나서며 우아하게 웃었다.

"무서워하지 말아요, 다르타 양. 우리는 위험한 사람들이 아닙니다."

위험해 보이진 않았다. 변태 같아 보일 뿐.

"그럼 옷 좀 입어요!"

"괜찮습니다. 우리는 하인리 폐하의 사람들이거든요."

"아 그게 옷이랑 무슨 상관인데요!"

"그렇게 보기 곤혹스러운가요?"

"네!"

"그러면 다르타 양."

"그만 부르고 옷 좀 입으라니까!"

"다르타 양의 옷을 빌려주겠습니까?"

"!"

"급하게 오느라 옷이 없어서요."

이런 미친 사람들이 있나……. 저 꼴을 하고 여기까지 왔단 건가? 급하게 오면 옷을 벗고 온단 건가?

다르타가 황당해 쳐다보자, 리더가 온화하고 친절하게 설명했다.

"다르타 양. 우리는 다르타 양이 벗고 있어도 곤혹스럽지 않으니 안심하세요."

"그래서 바꿔 벗자고? 미쳤어요?"

며칠 뒤. 다르타가 하인리의 수상쩍은 벌거숭이 부하들에게 옷을 구해다 입히고 서대제국으로 가는 동안, 에르기 공작은 다른 배를 구해 타고서 어머니, 에벨리와 함께 다시 항구를 떠났다. 이번 여행길은 처음부터 끝까지 평화로웠고, 덕택에 에르기는 원래 가려던 도시에 무사히 도착할 수 있었다.

그동안 에인젤은 블루 보헤안에 남았다. 감히 누가 자신의 계획과 배에 이따위 구멍을 냈나 철저하게 조사하기 위해서.

"클로디아 대공이라. 거기에 가짜 대공비께서 조미료를 치셨고."

그리고 샅샅이 사정을 뒤진 끝에, 마침내 에인젤은 대공이 배를 침몰시켰다는 걸 알아냈다. 그 과정에서 대공은 대공비만 구하라 명령했고, 가짜 대공비는 에르기만 구하라 지시했고, 그 바람에 오히려 에르기와 에벨리, 대공비가 셋 다 위험해졌단 것도. 뜬금없이 나타난 다르타가 여기에 끼여서 실종되었단 것까지.

"남의 그릇을 엎었으면 자기 그릇도 엎어져봐야겠지."

침착한 척하고 있지만 다르타가 실종된 데 몹시 분노한 에인젤은, 싸늘하게 웃고서 부하에게 지시했다.

"딸이 자결한 후 내내 슬픔에 빠져 지낸단 크롬 공국의 부부를 모셔 와라. 대공비의 진짜 친척도. 핑계는 아무거나 적당히 대. 돈이든 권력이든."

"예."

"그리고 블루 보헤안의 왕에게 전해. 에르기 공작을 구해줬으니, 보답으로 성대한 파티라도 열어달라고."

"예."

"이번엔 클로디아 대공이 빠져볼 차례지."

에르기는 구출되자마자 어머니를 데리고 다른 곳으로 가버렸다. 마법사도 무사히 구출되었고, 오히려 바다에 빠져 사라진 건 누군지도 모를 사람 한 명뿐이라고 한다. 에르기가 살아난 건 다행이지만, 결국 어머니를 데리고 떠난 건 절대로 다행한 일이 아니기에 며칠 내내 알레이시아는 골머리가 아팠다. 그런데 이 속상한 상황에…….

"연회요? 이 와중에?"

클로디아 대공은 알레이시아에게 연회에 갈 채비를 하라고 지시했다. 알레이시아는 황당해서 무릎 위에 덮어둔 담요를 움켜쥐었다.

"대공님은 이럴 때 하하 호호 웃고 싶으세요?"

미쳤나?

"가고 싶어서 가는 게 아니다."

"그럼요?"

"이 연회 자체가, 에르기와 블루 보헤안 사람들을 구해준 걸 초국적 기사단 단장에게 보답하는 자리다."

"그럼 대공님만 가세요."

"상관없지. 하지만 참석하지 않으면 말이 나올 텐데. 네가 밀어온 대공비 이미지와 다를 테니."

"!"

클로디아 대공이 나가며 탁 문 닫히는 소리가 작게 울리자, 알레이시아는 담요를 옆으로 던져버렸다.

"참석하실 건가요, 마님?"

조용히 상황을 지켜보던 시녀는, 알레이시아가 좀 진정된 것 같자 담요를 집어 들며 물었다.

"그래."

알레이시아는 힘없이 대답하고서 의자에서 일어났다.

"밝은 분위기에 가면 좀 머리가 트이겠지. 앞으로의 일을 고민해 보아야겠다."

하프와 바이올린 소리가 섞이고, 사방에서는 온갖 좋은 향이 흘러나왔다. 수십 가지 간식들이 사방에 차려진 연회장은 어느 때보다도 분위기가 밝았다. 선박 사고가 났는데, 에인젤이 중간에 나타나 구조 활동을 벌인 덕에 거의 피해가 없는 덕이었다. 거기에다 에르기 공작까지 도움을 받았다니 다들 기뻐할 수밖에 없었다.

평소 이상으로 많은 사람이 몰린 터라 분위기는 몹시 밝고 활기찼지만, 알레이시아는 거기에 어울리는 대신 사람들을 헤치고 돌아다니면서 4기사단장을 찾았다. 그에게 아들을 구해주어서 고맙단 인사를 하려는 생각이었다.

'대체 어디 있는 거야?'

하지만 딱 보기에도 눈에 확 띈다는 4기사단장은 보이질 않고, 에르기 공작 일로 인사하러 오는 이들만 많았다.

"참 다행이지요?"

"외국인이라던가? 하여튼 그 사람 한 명을 제외하곤 다 무사하단 이야기를 듣고 얼마나 안심했는지 모릅니다."

"우리 집사의 친척도 그 배에 탔다던데, 안전하다니 참 다행이지요."

"듣자 하니 에르기 공작도 다른 사람들을 여럿 도왔다던데."

그 '다른 사람들'에 진짜 대공비가 포함되어 있단 걸 알기에 알레이시아는 억지 미소를 지을 수밖에 없었다. 그렇게 몇 시간을 버티고 버텼나. 알레이시아는 제풀에 지쳐서 저택에 돌아가기로 했다.

'사람들한텐 너무 놀랐다가 긴장이 풀리니 힘이 빠진다고 하면 되겠지.'

힘없이 돌아서는 알레이시아에게 누군가 다가왔지만 쳐다볼 겨를도 없었다. 제발 말 좀 걸지 마. 지금 너무 피곤해. 속으로만 말할 뿐.

그러나 옆으로 온 이가 말을 거는 대신 헉 숨을 들이켜자, 알레이시아는 반사적으로 그쪽을 보았다. 곧 알레이시아도 놀라서 숨을 멈추었다.

"너……."

다가온 이들은 크롬 공국에 있어야 할 자신의 부모님들이었다. 진짜 부모님. 그러면서도 약을 먹여 자식을 바다에 버린 부모님. 기억보다 훨씬 나이 든 모습이지만, 분명 그들이었다.

"네가 여길……."

알레이시아의 부모는 멍하게 굳어 있다가 가까스로 입을 열었다. 알레이시아는 심장이 두근거려서 확 돌아섰다.

"알레이시아?"

그러나 아버지가 확 팔을 잡고 몸을 돌려세웠다.

"너니?"

그 질문을 듣고 알레이시아는 속으로 욕을 마구 퍼부었다. 눈치 없는 부부 같으니라고! 못돼처먹었으면 눈치라도 있어야지!

하지만 이 부부는 자기들이 버린 딸이 남의 이름으로 살고 있단 걸 몰랐기에, 알레이시아가 대공비가 되었다고만 생각했다. 그렇기에 놀라서 붙잡은 것이다.

"무슨 말이지요?"

알레이시아는 아버지의 팔을 뿌리쳤다.

"잠깐만, 알레이시아!"

"그런 사람 아니에요."

알레이시아는 재차 붙잡는 아버지를 뿌리쳤다. 하지만 이미 너무 큰 소리가 나버려서, 몇몇 사람들이 이쪽을 쳐다보았다. 에인젤은 얼굴을 덮는 모자를 쓰고서 그 모습을 먼발치에서 바라보다가 부하에게 눈짓했다.

"다음."

그러자 미리 대기하고 있던 부하가 대공비의 진짜 친척 옆으로 가 은근슬쩍 분위기를 몰아갔다.

"아니, 저 사람들은 왜 대공비를 이상한 이름으로 부르지? 대공비 이름이 알레이시아던가?"

여기에 온 대공비의 친척들은 대공비와 먼 혈연관계인 건 맞지만, 대공비가 요양차 다른 별장에서 지내게 된 후 교류가 거의 없었던지라 어색하게 자기들끼리만 모여 있었다. 그런데 대공비를 엉뚱한 이름으로 부르는 사람이 나타나자 무슨 일인가 싶어서 그쪽으로 가보았다. 이참에 대공비와 말을 잘 섞어서, 이전의 어색한 분위기를 털고 싶단 욕망도 있었다. 그런데…….

가서 보니 대공비라고 서 있는 이는 대공비가 아니지 않은가. 대공비의 친척은 황당해서 물었다.

"이분이 대공비 전하라고요? 내 친척과 많이 닮긴 했지만 전혀 다른 사람인데요?"

그 말에 알레이시아의 부모가 새롭게 다가온 친척들을 쳐다보았다.

"그쪽은 누굽니까."

"대공비 전하의 친척입니다."

친척? 대공비는 친척들과 교류가 전혀 없다고 하지 않았나? 결혼식 이전에도 안 만났다면서? 알레이시아는 눈이 커다래져서 대공을 찾았다. 이 인간은 이럴 때 어딜 간 거야!

그러나 대공은 왕과 대화할 게 있어 다른 방으로 간 터라 아예 연회장 안에 없었다.

"당신 누구야?"

짧은 사이, 무언가 이상하단 걸 느낀 대공비의 친척이 날카롭게 물었다.

"당신 누군데 대공비 전하인 척하고 있어?"

그 목소리가 너무 높고 커서, 주위 사람들이 다 조용해졌다. 평소 알레이시아와 친하게 지냈던 한 귀족은 놀라서 이쪽으로 다가왔다.

"무슨 소리예요? 이분이 대공비 전하인데."

알레이시아는 얼른 끼어들면서 억지 미소를 지었다.

"이상한 사람들이야. 무시해요."

그러나 대공비의 친척은 그 말에 자기들이 진짜 희한하게 취급되자, 더욱 발끈해서 다가온 귀족에게 물었다.

"대공비 전하의 존함이 로코레드 말로노 아닌가요?"

그 귀족은 움찔해서 대답했다.

"맞을걸요."

대공비의 친척은 코웃음을 치면서 가문 문양이 새겨진 패를 꺼내 보여주었다.

"우리가 말로노 가문 사람들입니다. 대공비 전하께선 우리 가문의 방계셨고, 나와도 먼 친척 사이이지요."

상황을 지켜보던 이들이 웅성거렸다. 대공비의 다른 친척도 화가 나서 알레이시아에게 항의했다.

"대공비 전하가 결혼한 후에는 왕래가 많지 않았지만, 성장할 때까지 함께 지내서 얼굴은 똑똑히 기억합니다. 당신은 전하와 많이 닮았지만 다른 사람이야!"

사람들의 시선이 알레이시아에게 모였다. 알레이시아의 부모 역시 무언가 이상하단 걸 알고서 알레이시아를 붙잡았던 손을 내렸다.

알레이시아는 등골이 쭈뼛해지고 목덜미가 서늘해졌다. 갑작스럽게 정체가 들키게 되자 혼란스럽기만 했다. 아직 에르기건 진짜 대공비건 입을 열 틈도 없었을 텐데 대체 어떻게……?

상황을 지켜보던 블루 보헤안의 귀족, 정확히는 에인젤의 명령을 받고서 대기 중이던 귀족 하나가 이때다 싶어 알레이시아의 부모에게 물었다.

"어떻게 된 겁니까? 아까 당신들이 대공비를 보면서 '알레이시아'라고 부르지 않았소? 당신들은 이 사람이 누군지 알아요?"

알레이시아의 부모는 흠칫했다. 그들은 자기들 명예를 위해 딸을 바다에 버리고 죽었다 거짓말할 정도로 체면을 중하게 여기는 이들이었다. 그런데 무언가 심상치 않은 사건에 버린 딸이 엮여 있는 듯하자 미칠 것 같았다.

에인젤의 또 다른 부하가 연이어 바람을 넣었다.

"무척 친한 척 말을 걸던데."

그 소리를 듣자마자 알레이시아의 아버지는 안 되겠다 싶어서 얼른 거짓말했다.

"그러니까! 바다에 몸을 던진 내 딸이 왜 여기에 있는 건지 모르겠습니다. 게다가 우리 얼굴도 못 알아보다니."

알레이시아의 어머니도 재빨리 말을 받았다.

"우리를 못 알아보는 걸 보니 기억을 잃은 것 같은데, 왜 자신을 대공비라고 알고 있을까요?"

알레이시아의 아버지도 틈을 놓치지 않고 얼른 중얼거렸다.

"아이가 기억을 잃었나? 그렇더라도 당신들 중 하나라도 내 딸에게 대공비가 아니라 말해주었다면, 자신이 대공비라 알진 않았을 텐데?"

부모가 맞추기라도 한 듯 주고받는 이야기에, 알레이시아는 여기서 자기 탈출구를 찾았다. 그녀는 두 손으로 팔을 감싸고서, 혼란에 가득 찬 두려운 얼굴로 외치기 시작했다.

"아들. 내 아들은 어디 있어요?"

알레이시아가 얼굴에 난 화상 자국을 보이자, 사람들은 알레이시아가 에르기를 구하기 위해 화재가 난 집에까지 뛰어들었단 걸 떠올렸다.

"세상에. 미쳐서 자기가 대공비라 생각하나 봐."

이를 본 귀족 하나가 멍하니 혼잣말을 했다. 혼잣말이라지만 제법 큰 소리였고, 이 어이없는 상황에서 가장 그럴듯하게 들렸다.

다른 귀족들이 '그런 건가?' 혹하기 시작할 즈음, 다른 귀족 한 명이 예리하게 외쳤다.

"아니, 이 사람은 불나기 전에도 자기가 대공비라 했잖아? 그래 지금은 미쳐서 그렇다지만 대공은? 대공은 자기 아내 얼굴도 몰라? 이 여잘 처음 여기 데려온 것도 대공 아니었어?"

웅성거리는 소리가 파도를 탄 듯 여기저기서 작아졌다 커지길 반복했다. 에인젤이 사람들을 구해준 일을 축하하기 위해 연 파티지만, 이 소란에 다들 원래의 목적을 잊어버린 지 오래였다.

그때. 왕과 에르기와 대공비에 대한 일을 의논한 대공이 연회장 안으로 막 들어섰다. 평소처럼 무심한 얼굴로 안에 들어온 대공은 사람들의 시선이 자기에게 우르르 쏠리자 흠칫해 멈춰 섰다.

대공은 자신에게 쏠린 시선에 소름이 돋았다. 까만 배경에 눈만 뚫린 가면을 쓴 배우들이 연극 중 동시에 눈동자만 돌렸을 때 같은 시선이 수십 개였다. 그리고 저 앞쪽으로, 홀로 조명을 받으며 비극 속 주인공이 된 그의 가짜 아내가 두 손으로 얼굴을 가린 채 하염없이 에르기를 찾고 있었다.

대공은 직감적으로 눈치챘다. 무언가…… 잘못됐다.

"정말 여기까지만 바래다 드리면 되는 거예요?"

공기 좋고 경치 좋고 물 좋은 적당한 크기의 별장 앞에서, 에벨리는 걱정스럽게 물었다.

"서대제국으로 바로 갈 거라 생각했는데."

"푹 쉬면서 건강부터 좀 회복하고."

"며칠 같이 있어드릴까요?"

"괜찮아, 마법사님. 며칠간 고생했잖아. 위험한 상황도 겪었고. ……우리 말고도 마법사님을 찾는 사람들도 많을 텐데."

"그래도……."

물론 쉬지 않고 마법을 불어넣는 건 몹시 고생스러운 일이었다. 하지만 에벨리는 지나가는 사람 한 명, 날아가는 새 한 마리, 바닥에 피어난 들풀까지 그저 기쁜 얼굴로 두리번거리는 대공비가 영 마음이 쓰였다.

에벨리가 대공비의 손을 잡고서 놓지 못하자, 대공비는 활짝 웃고서 두 팔을 벌려 에벨리를 끌어안았다. 등을 토닥이는 손길에 에벨리는 괜히 울컥했다. 가족의 정을 받은 적이 한 번도 없다 보니, 서로를 귀하게 여기고 서로를 걱정하고 서로를 염려하는 대공비와 에르기를 볼 때마다 괜히 눈시울이 뜨거워졌다. 하지만 에르기의 말처럼, 자신의 도움을 기다리는 이들이 하나둘이 아니어서 시간을 더 길게 내기도 힘들었다.

"나중에 또 올게요."

결국 에벨리는 대공비를 한 번 끌어안았다 놓고, 에르기와는 악수를 하며 다짐했다.

"우리 셋은 위험을 같이 헤쳐 나온 동료잖아요!"

에벨리의 말에 대공비가 또 환한 얼굴로 웃었다. 에르기도 가볍게 웃으면서 인사했다.

"고마워, 마법사님."

"저도 재수 없다고 해서 죄송해요."

"……그런 말을 했던가."

이런. 다른 사람한테 했던 말인가 보다. 아니면 속으로 했던가? 기억이 꼬인 에벨리가 얼굴이 벌게져서 우물쭈물하자 에르기도 웃음을 터트렸다.

"괜찮아. 내 친구는 눈앞에서 대놓고 말하는 데 뭘."

"그 친구분 진짜 못됐네요."

"그 말 마음에 드는데. 전해줘도 괜찮을까?"

"그럼요. 못된 호루라기 멍청이라고 전해줘요."

"아주 마음에 들어. 꼭 전하지."

"근데 친구분이 누구예요?"

"하인리."

"악! 전하지 마세요!"

그 후로도 계속 미적거리며 곁에 있다가, 에벨리는 뒤늦게 마차를 타고 그들 곁을 떠났다. 멀어져 가는 마차를 바라보다 에르기는 어머니의 망토를 다시 추슬러주었다.

'나도 가족이 있으면 좋겠다.'

동대제국으로 가는 마차 안에서 에벨리는 멍하니 생각했다. 이유 없이 서로를 사랑할 수 있는 사람들이라니.

'결혼하면 가족이 생기긴 하겠지만…….'

가족이 가지고 싶단 이유만으로 결혼을 하고 싶진 않았다. 그건 자신에게도 결혼할 상대에게도 실례일 테니.

'고양이나 개를 길러볼까. 소비에슈 폐하는 새 기르던데. 아, 나비에 님도 새 기르지 않나? 요즘 새 기르는 게 유행인가? 하지만

난 새는 별로……. 앵무새라면 재밌을지도.'

그러나 반은 진지한, 반은 희망찬 생각을 하다가도, 이따금 자신을 구해주고 사라진 다르타를 생각하면 심장이 욱신거렸다. 하지만 그게 너무 괴로워서, 에벨리는 억지로 그 생각은 하지 않으려 노력했다.

그러기를 며칠 후. 마침내 마차는 동대제국 수도에 도착했다. 하루를 푹 쉰 에벨리는 다음 날부터 원래의 일상으로 돌아갔다. 소비에슈가 괜찮은지 확인해보고, 스승님을 찾아가 마법 이론을 배우고 연구하고, 자신의 도움을 원하는 이들을 치료해주는, 단조롭지만 알찬 생활로.

그런데 나흘이 지나 뜻밖에도 재산관리인이 찾아왔다.

"어? 무슨 일이에요?"

친부모의 유산과 유언을 전해준 재산관리인은, 지금은 에벨리가 고용해서 자신의 재산 관리를 맡기고 있었다. 주기적으로 만나긴 하지만 이번에는 만날 시기가 아닌데. 뜬금없이 찾아오니 의아했다.

"어디 아픈가요?"

"그게 아니라, 전해드릴 게 있어서 왔습니다."

"전해줄 거요?"

뭘 전해준단 거지? 멀뚱히 선 에벨리에게 재산관리인이 애매한 얼굴로 입을 열었다.

"친언니분께서 에벨리 양을 찾고 있었습니다."

"친언니……요?"

에벨리는 관리사가 종이든 뭐든 전해줄 거라 생각해서, 손을 내밀까 말까 고민하고 있다가 눈을 커다랗게 떴다.

"제 친언니요? 아니, 저한테 친언니가 있어요?"

"예. ……얘길 해야 하나 고민했는데, 아무래도 그쪽에서 에벨리 님을 만나려면 힘들 것 같아서요. 에벨리 님의 신분이 있다 보니. 혹시 찾아오더라도 마음의 준비를 해야 할 것 같고."

에벨리는 잠시 멍해져서 책상을 짚은 채 입만 벌리고 있었다. 갑자기 나타난 가족이란 존재가 당황스러웠다. 물론 요 며칠 내내 가족이 있으면 좋겠단 생각을 했지만.

'좋은 일인가? 좋은 거겠지?'

혼란스러워하면서도 에벨리는 일부러 밝게 물었다.

"누군데요?"

"머리 색이나 눈 색은 같은데, 분위기는 많이 다른 분이어서 저도 처음엔 전혀 예상하지 못했습니다. 나이 차이는 많이 안 났고…… 이름이 '다르타'라고 했죠. 에벨리 양 얘길 해주었더니 몹시 놀라서 나갔는데."

쿵!

심장이 무너지는 소리가 들려왔다. 에벨리는 눈꺼풀을 파르르 떨었다. 머리가 방금 들은 말을 이해하기 전에, 눈물이 먼저 한 방울 뚝 아래로 흘러내렸다. 눈물이 발에 닿아 부서지는 순간. 에벨리는 가까스로 입을 열었다.

"누구……요?"

"제가 혹시 말실수를……."

재산관리인은 에벨리의 절망적인 표정을 보고 당황해서 물었다. 에벨리의 표정에 드러난 고통이 너무 선명해서. 혹시 전해서는 안 될 말인가 싶어서.

에벨리는 고개를 저었다.

"관리인님 실수가 아니라……."

눈물이 이번에는 연달아 솟아 나왔다. 목이 꽉 막혀서, 에벨리는 책상에 얼굴을 묻었다.

재산관리인이 떠난 후에도 에벨리는 침착할 수가 없었다. 스승이 내준 과제가 있지만, 그것조차 손에 잡히지 않았다. 마법 공부를 하는 건 가장 좋아하는 일인데도. 밖으로 나와 정원을 거닐어도 마찬가지. 생각의 갈래가 조금만 흩어져도 꼭 잡으라 말하고서 밧줄을 올라가던, 믿음직스러운 등이 생각났다. 차가운 밤, 거센 밤바람을 맞으면서 자신을 감싸고 올라가던…… 끝까지 자신부터 챙겼던 사람이.

'언니였구나. 먼저 우리가 자매란 걸 알고서 그랬어.'

에벨리는 두 손으로 얼굴을 감싸고 흐느꼈다.

"언니. 언니."

이럴 줄 알았으면 빈셀을 살려줄걸. 못된 도적이지만, 언니가 사랑하는 사람이라면 살려줄걸. 울부짖는 목소리를 뒤로하고 가버리지 말걸. 아니, 그냥 거짓말을 하지 말고 도망가라고 할걸. 게다가 다르타가 언니라는 건, 그 이스쿠아 자작 부부가…….

"에벨리."

껵껵 숨도 제대로 못 쉬고 울고 있자니 누군가 머리 위에서 이름을 불렀다. 에벨리는 고개를 들었다. 언제 온 건가. 소비에슈 황제가 서 있었다. 만만치 않게 고통스러워하는 얼굴로 내려다보면서.

에벨리는 입을 달싹이다가 주먹으로 자기 가슴을 퍽 퍽 내려치면서 물었다.

"여기가. 심장 아래가 너무 아파요. 비수로 찌르는 거 같아요."

"……."

"폐하는 어떻게, 어떻게 견디셨어요?"

소비에슈는 씁쓸하게 웃었다. 그는 그저 에벨리가 서럽게 울고 있기에 온 것뿐인데. 뜬금없이 저렇게 말하니 알아듣기 힘들었다. 하지만 대충 무슨 맥락으로 하는 말인지, 그건 짐작이 갔다. 아마 소중한 누군가를 잃어버린 모양이지. 거기에 자기의 선택이 나쁘게 개입한 듯하고.

소비에슈는 에벨리에게 손수건을 건네며 생각했다. 그러게. 어떻게 견뎠더라. 어떻게 견디고 있는 거지.

"감히 이럴 수가 있나!"

대공은 화를 내면서 저택으로 돌아왔다. 명예와 평판을 중시하는 그에게, 오늘 일은 너무 괴롭고 힘들었다.

“왜 그러십니까, 주인님?”

대공의 표정을 본 집사가 얼른 달려왔다.

“알레이시아가 배신했다.”

“예?”

“자기가 내 아내인 척 행세한 게 내 독단적인 행동처럼 말했다.”

집사는 깜짝 놀라 펄쩍 뛰었다.

“가짜란 걸 들켰습니까?”

“그 친부모가 이쪽으로 온 모양이다.”

“아니 어쩌다가…….”

“그게 중요하진 않지.”

대공은 이를 갈며 주먹을 쥐었다.

“셋이서 날 팔아먹었단 게 중요할 뿐.”

“대공님께서도 반박을 하시지요!”

“뭐라고?”

“그쪽이 먼저 상황을 몰아갔다고요!”

“하지만 체면 때문에 입을 다물고 있었지. 사람들이 이 말에 수긍할 것 같으냐?”

“그래도 사람들 앞에서 자기가 대공비라고 해버린 건 그분 아닙니까.”

“그분?”

“그 사람…….”

집사가 얼버무리자 대공은 차갑게 혀를 찼다.

“소용없을 거다. 누가 먼저 했느냐를 중히 여기는 건 당사자들뿐이니."

"선왕께서 눈감아주셨단 이야기는……."

"제 아버지를 끌어들였다고 지금 왕이 가만히 있겠느냐. 난리가 나겠지. 오히려 일이 커지면 커지지 작아지진 않을 거다."

"하면 어쩌지요?"

"외국으로 가자."

대공은 벽에 걸린 세계지도 태피스트리를 바라보며 주먹을 꽉 쥐었다.

"모국을 떠나긴 싫지만 여기서 망신당하며 사는 것보단 낫겠지."

"함께 가자."

연회장 근처에 준비된 휴게실에서 알레이시아가 부채질을 하며 흥분을 가라앉히고 있을 때였다. 부모가 알레이시아를 찾아와 제안했다. 알레이시아는 부채를 내려놓고서, 한때 너무나 소중했던, 하지만 자신 혼자만 소중히 여겼던 부모님을 쳐다보았다. 바다에 버려졌을 때는 그저 무섭고 슬펐는데, 지금 두 사람을 보자 몹시 화가 났다.

"네 기억이 멀쩡한 걸 알고 있다. 여기서 더 망신당하지 말고 돌아가자."

"부족함 없이 컸는데. 넌 항상 남의 것만 탐내는구나."

"우리를 부끄럽게 하다니."

두 사람이 번갈아 말할수록 분노는 더욱 커졌다.

“동대제국에서 있던 일은 내 잘못이라 쳐요.”

“뭐?”

“하지만 공국에선 아니지.”

알레이시아의 부모는 동대제국의 일로 혼을 낸 뒤 그녀를 받아 주어야 했다. 받아주지 않더라도 그냥 떠나게 두어야지, 자살을 위장해 버리지 말았어야 했다. 그러면 더 이상의 비극은 없었다.

생각을 마친 알레이시아는, 이번엔 자신이 부모를 버리기로 했다. 그리고 결심을 하자마자 두 손으로 머리를 마구 헝클면서 외쳤다.

“날 또 물에 떠밀려는 거야? 하지 마! 그러지 마! 난 내 아들을 지켜야 해!”

공포에 질린 목소리로 마구 외쳐대자, 사람들은 놀라서 대기실로 들어왔다. 사람들은 얼른 알레이시아의 부모와 알레이시아를 떨어트렸다. 이에 놀란 부모가 도망치듯 달아나자 알레이시아는 우선 안심했다.

‘됐어. 여기까지 다시 쳐들어오진 않겠지.’

크롬 공국에 가는 순간 저들은 또 자신을 죽이려 들고도 남았다. 절대로 따라갈 수는 없지. 체면을 중시하는 이들이니, 아마 오늘 이후 이쪽으로는 고개도 돌리지 않고 살 거다. 문제는…….

‘클로디아 대공 때문이야.’

그 인간이 에르기를 죽이려 하지만 않았다면! 그러면 이런 일이 벌어지진 않았을 텐데!

알레이시아는 필사적으로 미친 시늉을 하다가 아침이 되어서야 집으로 돌아왔다. 얼른 자신의 방으로 돌아가 침대에 엎드려 쉬고 싶고, 아로마 향을 뿌린 욕조에 들어가 스트레스를 풀고 싶었다.

"여기 왜 이래?"

하지만 저택 분위기가 평소와 달랐다.

"왜 문을 안 열어?"

평소라면 알레이시아가 타고 간 마차를 보자마자 미리 대문을 열어둘 호위들이, 오늘은 문을 열지 않고 버티고 있었다. 집 역시 이상하긴 마찬가지. 원래 대공의 저택에는 밤에도 여기저기 불을 환하게 켜두는데, 오늘은 등을 거의 다 꺼두었다.

"문을 열어라!"

알레이시아와 함께 파티에 참석했던 시녀가 명령하자, 문 앞을 지키고 선 호위가 딱딱하게 말했다.

"대공 전하께서는 외국으로 떠나셨습니다."

"뭐? 언제?"

"밤에 떠나셨습니다."

"그런……!"

혼자 도망치다니! 알레이시아는 속으로는 이를 갈면서도 차분하게 지시했다.

"알았으니 열어라. 피곤해."

그러나 호위는 이번에도 딱딱한 소리로 거절했다.

"대공 전하께서 '가짜'가 찾아와도 절대 열지 말라 하셨습니다."

"뭐?"

기가 막혀서 무어라 말을 하기도 전에 한 하녀가 척척척 다가오더니 알레이시아의 여행 가방을 문 앞에 내놓고 갔다. 호위는 그 가방을 가져다 알레이시아에게 건냈다.

"이런……."

알레이시아는 입 밖으로 욕이 나오려는 걸 참고서 가방 안을 열어보았다. 안에는 아무것도 들어 있지 않았다. 돈도 옷도 보석도 그 어떤 것도.

"하. 하하. 와."

알레이시아는 기가 막혀서 뚝뚝 끊어지는 웃음을 흘리다가 가방을 움켜쥐었다. 이 개새끼. 이렇게 나오겠다 이거지?

알레이시아가 확 돌아서자 시녀가 걱정스럽게 물었다.

"어쩌지요?"

시녀 역시 당혹스럽긴 마찬가지였다. 그녀는 귀족이라고는 하지만 영지 없는 자작의 여섯째로, 부유하지도 않고 세습권도 가지고 있지 않았다. 이 와중에 알레이시아의 최측근으로 여겨져 완전히 같이 쫓겨난 것 같자, 앞길이 막막했다.

"어쩌긴. 도망간 놈 멱살을 잡고 도로 끌어와야지."

"예?"

“하인리 폐하 부하들은 다 이상해요!”

오랜만에 만난 다르타가 내게 한 이야기는 이것이었다. 사실 나는 에르기 공작이 탄 배가 바다에 빠진 일, 거기에서 다르타를 구출한 일, 지금 이쪽으로 오고 있단 일 등은 이미 슬쩍 빠져서 혼자 날아온 새 일족에게 들어서 알고 있었다. 그래서 애가 참 많이 고생했겠다, 생각하고서 맞이하러 나왔는데. 다르타는 보자마자 퀭한 얼굴로 이런 말부터 하는 거다.

“이상하다니?”

“막 벌거벗고 다녀요.”

“아아.”

“분명 옷을 입힌다고 입히는데, 다음 날 보면 하나나 둘은 또 벌거벗고 있어요.”

밤이 되면 새의 모습으로 여기저기 오가느라 그런가 보구나. 정찰도 다녀야 하고, 빨리 날아와 이쪽에 상황도 얘기해야 하고 그러니까. 하지만 다르타에겐 많이 놀라웠겠는걸. 나만 해도 하인리가 처음에 계속 벗고 있는 게 많이 부끄러웠으니.

“변태예요, 변태.”

……맞장구쳐주자니 내 남편도 변태가 되는 것 같고. 아니라고 하자니 누가 들어도 변태 같고. 난감하네.

“안 그런가요, 황후 폐하?”

대답이 궁해서, 결국 나는 말없이 다르타를 품에 안고 등을 토닥거렸다.

"고생했다. 이렇게 건강히 돌아와서 기쁘단다."

이미 다르타가 겪은 일에 관해 대부분 다 알고 있다 생각했는데. 다르타가 씻고 휴식을 취한 후 함께 식사를 하면서 얘기를 들어보니, 내가 모르는 일들도 많았다. 그중 가장 충격적인 건 다르타와 에벨리가 자매라는 것. 다르타는 에벨리 이야기를 하면서 시무룩해졌다가, 그래도 살아나서 다행이라고 힘없이 웃었다.

이야기를 끊지 않고 다 듣고 나서야 나는 다르타에게 내내 묻고 싶었던 걸 물었다.

"다르타. 앞으로 어떻게 하고 싶지?"

"에인젤 경에겐 가고 싶지 않아요. 내가 그 사람 옆에 있으면 그 사람은 에벨리를 죽이려 할 테니까요. 게다가 그 사람은 너무 무서워요."

"에벨리에게 가는 건?"

"에벨리에게 상처가 될 거예요. 아직도 에벨리를 생각하면 복잡하지만…… 에벨리가 힘들어하는 건 보고 싶지 않아요. 에벨리는 아마 제 얼굴을 보기도 싫을걸요. 진실을 알리면, 알리는 대로 상처받을 테고요."

"상시천으로 돌아가는 일은?"

다르타는 포크를 내려놓더니 한참을 우물쭈물했다. 하고 싶은 말이 있는 것 같은데 용기가 안 나는 듯. 나는 끼어들지 않고 다르타가 먼저 말하기를 기다렸다. 다르타는 한참을 고민하다가 가까스로 입을 열었다.

"다른 사람으로 살고 싶어요. 에인젤 경이 절 못 찾게요. 하지만 도적이 되고 싶진 않아요. 거긴 이제 엄마도 없고……."

다르타는 내 눈치를 보더니, 기어들어가는 목소리로 물었다.

"황후 폐하 옆에 있으면 안 될까요? 에인젤 경이 절 찾기 쉬울까요? 이름 바꾸고 얼굴 가리고 있으면 못 찾지 않을까요? 에벨리가 여기에 놀러 오면 얼굴을 늘 가리고 있거나 다른 데 자리를 피할게요. 그러면 저인 줄 모를 거예요. 그러니까…… 황후 폐하께서는 절 받아줄 마음이…… 있으세요?"

나는 손을 뻗어서 다르타의 손을 잡고 웃었다.

"다르타. 네가 내게 오길, 언제나 기다리고 있었단다."

"!"

"드디어 내 것이 되었구나."

'다르타샤 빈셀 이스쿠아.'

상시천으로 가는 말 위에서, 다르타는 어색하게 자신의 이름을 곱씹어보았다. 새로운 사람으로 살고 싶단 말에, 나비에 황후는 이름과 성을 새로 만들어 오면 그걸로 신분을 만들어주겠다고 했다. 다르타는 고민하다가 그냥 자기 이름과 부모님의 이름을 죄다 합쳐서 성을 만들었다.

'이스쿠아'라는 성을 그대로 사용하는 일은 좀 고민이 되었지만, 어차피 몰락한 가문이란 이야기에, 그냥 발음이 같도록 철자만 바꾸어서 사용하기로 한 것이다. '다르타샤'란 이름도 다르타란 애칭이 나오도록 한 글자를 덧붙인 것뿐.

'너무 대충 지었나.'

다르타는 어색해서 머리를 긁적이지만, 곧 고개를 저어 그 생각을 털어냈다.

'이런 식으로라도 부모님들을 되찾았으면 됐지 뭘.'

그래. 지금 중요한 건 이미 서대제국에 새로이 등록한 이름이 아니라, 상시천 사람들이 자기 선택을 어떻게 받아들일지. 이 문제이다.

— 원래는 상시천을 설득하려 했는데.

— 예? 왜요?

— 그래야 네가 내게 돌아올 거라 생각했거든.

나비에 황후의 이 말에 금빽 넘어가서, 자신이 설득해보겠다고 자원해 나서긴 했는데…….

'과연 내 말을 들을까?'

자신감이 갑자기 확 사라진다. 다르타는 상시천을 설득하기 위해 이것저것 조사해 온 자료집 껍데기를 괜히 슬슬 만지면서 용기를 북돋웠다.

'지하 기사단 얘길 하고, 그 사람들 수입이랑 지금 위치, 음지에서 활동할 때 얼마큼 자유로웠는지도 홍보하고…….'

빈셀 일이 걸리긴 하지만, 상시천 안에 있으면 적이 죽는 일과 이쪽이 죽는 일이 한없이 많았다. '동료를 죽인 이들과 한패가 될 수는 없다!'라고 버틴다면, 상시천은 한패가 될 수 있는 나라 자체가 없는 수준으로. 물론 나비에 황후의 사람이 되어도 마스타스와 친해질 일은 절대 없겠지만.

'수장이 이런 걸 잘 헤아려주길 바랄 수밖에.'

그사이, 마침내 말은 상시천 마을에 도착했다. 다르타는 얼른 말에서 내렸다.

"이게 누구야? 다르타 아냐!"

말고삐를 쥐고서 은밀하게 숨겨진 마을 안쪽으로 들어가자, 곧장 한 청년이 다르타에게 인사하며 다가왔다. 자신처럼 상시천이 주워서 길러준 청년이었다. 청년은 반가운지 다르타의 바로 앞까지 다가오지만, 빈셀 일이 떠오른 듯 슬픈 표정으로 다르타를 안아주었다.

"괜찮아."

다르타는 덩달아 청년의 등을 두드려주고서 물었다.

"수장은?"

"나갔어."

"언제쯤 와? 오래 자리 비워?"

"한 두세 시간이면 올걸. 말 이리 줘. 마구간엔 내가 가져다 둘게."

다르타가 고삐를 넘기자 청년이 말머리를 쓰다듬으면서 공용 마구간으로 말을 가져갔다.

'좋은 말이라고 누가 그사이에 가져가진 않겠지?'

다르타는 약간 걱정이 되어서 멀어지는 말을 바라보다가, 모테 생각이 떠올라 얼른 그쪽 집으로 가보았다.

"세상에! 다르타!"

부천주의 아내도 다르타를 보자 눈물을 글썽이면서 꼭 끌어안았다.

"내가 소식 듣고 얼마나……."

한참이나 다정하게 위로를 해준 부천주의 아내는, 잠시 뒤 다르타가 평소 좋아하던 음식을 해주겠다며 부엌으로 갔다.

"우리 모테 좀 보고 있어줄래?"

"안 해주셔도 괜찮은데요."

"어차피 식사 시간 다 되어가는걸."

부천주의 아내가 주렴 너머로 사라지자, 다르타는 "진짜 괜찮은데." 하고 쭈뼛거리다가 활짝 열린 창문을 보았다. 아직 켈드렉은 오지 않은 듯했다.

그리고 그 너머로 보이는, 빈셀과 자신이 살던 집…….

'못 들어가겠어.'

차마 거기에 들어갈 용기가 나지 않아서, 다르타는 그쪽을 외면하고 요람으로 갔다.

"와, 넌 못 보던 새 더 귀여워졌잖아?"

얼굴을 잊지 않은 건지 아니면 원래 겁이 없는 건지, 모테는 다르타를 보자 웃으면서 손을 내밀었다. 다르타는 덩달아 웃으면서 모테를 안아 들었다. 아니, 안아 들려고 했다. 그러나 아이의 미소를 보자 돌연 초상화 하나가 떠올라 손이 흠칫 굳었다. 다르타는 손을 도로 치우고서 모테의 얼굴을 뚫어져라 보았다.

'그러고 보니 우리 모테…… 그 사람이랑 좀 닮지 않았나?'

이스쿠아 자작 부부 사건을 추가로 조사할 때. 다들 찝찝해서 없애버린 탓에 이제는 몇 장 남지 않았다는 라스타 황후의 초상화를 본 적이 있었는데. 그 얼굴하고 좀……?

'어?'

다르타는 눈을 커다랗게 떴다.

'조금 닮은 수준이 아닌데?'

37
아이들

시녀는 알레이시아가 대체 무슨 수로 대공을 잡아올 거란 건지 궁금했다. 물론 지금 알레이시아가 한 치장을 팔아도 당분간 먹고 사는 데는 지장이 없을 것이다. 겹겹이 붙인 레이스며 소매를 감싼 값비싼 줄, 진주와 온갖 영롱한 보석들을 엮어 만든 목장식 등. 하지만 그 돈으로 어디에 갔을지 모를 대공을 찾아올 수 있을까?

"어? 여기는……."

그런데 뜻밖에도 알레이시아가 찾아간 곳은 평범한 민가 중 한 곳이었다. 게다가 그중 한곳의 문을 두드렸다.

'여긴 왜 온 거지?'

의아해하는 사이. 알레이시아가 두드린 문이 열렸다. 안에서 나온 인물은 처음 보는 사람으로, 평범해 보였다. 하지만 그쪽 역시 알레이시아가 누군지 모르는 듯 의아해하면서도 경계하는 시선을 보냈다.

"누구쇼?"

"릭. 어디에 있지?"

'릭?'

혹시 심부름꾼이나 용병 같은 사람인가? 궁금해하고 있자니, 뒤에서 주춤주춤 인기척이 났다. 그러더니 잠시 후 키가 크고 얼굴이 햇볕에 그을린 사람이 나타났다.

"지금 배가 가라앉은 일에 대해 조사 중인 걸 알지?"

집 안으로 들어가는 데 성공한 알레이시아는 문이 닫히자마자 '릭'이란 자에게 물었다.

"예."

릭은 떨떠름하게 대답했다. 시녀는 벽에 걸린 선원복과 배 모양 조형들을 발견했다. 저 남자가 선원이구나. 그 배의 선원인가.

"조사받을 때, 내가 네게 에르기를 구해달라 의뢰한 걸 솔직히 말해라."

방 안을 살피다가 시녀는 놀란 눈으로 알레이시아를 쳐다보았다. 도대체 저게 무슨 말이야. 그런 명령을 내렸었다고?

하지만 선원은 표정이 좋지 않았다.

"최대한 입을 다무는 게 좋지 않을까요? 지금 선원 서너 명이 배를 가라앉히고 다른 선원들을 일부러 재운 주범으로 몰리고 있는데요. 이 와중에 대공비……님 얘기를 꺼냈다가 그들과 한패로 몰리면……."

선원은 알레이시아가 가짜라는 이야기를 이미 들은 건지 '대공비'라 부르려다가 얼버무렸다. 알레이시아는 잠시 손가락을 움찔했지만, 그에 대해 반응하는 대신 최대한 이성적으로 설득했다.

"네가 아무것도 모른다 주장하는데, 오히려 수상한 돈을 받은 정황만 나온다면 더 의심받지 않을까?"

"제가 돈 받은 걸 누가 어떻게 알겠습니까."

"모를 수가. 내가 네게 선수금으로 준 보석이 대공의 집에서 나온 보석인데."

"!"

"그리고 배를 가라앉힌 건 그 선원들이 맞을 거다. 대공이 배를 가라앉히라 지시한 게 맞으니까."

시녀와 선원이 놀라서 동시에 알레이시아를 쳐다보았으나, 알레이시아는 침착하게 웃으면서 지시했다.

"넌 그냥 솔직하게 말해. 내가 이상한 기미를 눈치채고서, 내 아들을 구하기 위해 네게 부탁했다고. 전부 진실이지. 그렇지 않으냐?"

왕족이 배를 가라앉히라 지시했다. 자신의 치부를 가리기 위해서. 심지어 배를 가라앉혀서 묻으려 한 건 아들의 목숨이란다. 이 일이 알려지자 나라가 발칵 뒤집혔다. 왕족이 묻으려 했던 진실과, 그의 아내가 가짜란 사실이 드러나자 사람들은 더욱 경악했다.

여기에 한층 더 블루 보헤안의 사람들을 부끄럽게 한 건, 이걸 밝혀낸 게 블루 보헤안의 수사관들이 아니라 월대륙 연합에서 온 기사단장이라는 사실이었다. 가라앉을 뻔한 배를 구출해주고 그 배에 탑승한 사람들 대부분을 구해준 기사단장.

"당장 클로디아 대공과 가짜 대공비를 잡아 와!"

이 일이 알려지자 왕은 분노해 외쳤다. 안 그래도 그 집안의 아들 때문에 동대제국과 사이가 틀어져 이가 갈리는데. 이젠 그 아버지까지 왕실을 수치스럽게 만들자, 친척이고 뭐고 화가 나 견딜 길이 없었다.

왕의 명령이 떨어지자마자 수도에 머무르고 있던 알레이시아는 바로 투옥되었다. 하지만 클로디아 대공이 외국으로 달아난 상황에서 알레이시아만 체포되자, 여론은 이를 두고서 비난을 퍼부었다.

"대공이 주범인데 주범은 어디로 가고 만만한 사람만 잡아넣어?"

"그러니까! 그 여잔 해적 포로였다며! 상식적으로 힘도 권력도 없는 사람이 자기가 나서서 가짜 대공비 노릇을 한다 했겠어? 대공이 권력을 이용해 억지로 시킨 거지!"

"하여튼 권력 가진 놈들이란. 왕도 똑같아. 클로디아 대공이 왕족이니까 어떻게 해서든 가짜 대공비한테 덮어씌우려는 거야."

"게다가 그 여잔 대공 아들을 구하려다가 얼굴에 화상까지 입었다며."

"착한 사람이 이용당한 거지. 그 바람에 미치기까지 했다던데."

알레이시아에 대한 동정과 왕실에 대한 비난 여론이 커지자, 결국 왕은 알레이시아는 감옥에서 빼내주었다. 그런데도 여전히 비난 여론이 가라앉지 않자, 상황을 지켜보던 시림 왕제는 보다 못해 왕을 찾아가 권유했다.

"사람들이 원하는 건 가짜를 용서해주는 게 아니라 클로디아 대공을 벌주는 겁니다, 전하."

"안다. 그걸 몰라 이러고 있을까."

"알면 행동하세요. 뭐 합니까?"

"그래도 삼촌이니 이러지!"

"군주에게 필요한 건 결단력입니다, 전하. 인정이 아니라."

시림 왕제가 딱 잘라 말하자 왕은 한숨을 내쉬고서 머리를 감싸 쥐었다.

"말이야 쉽지. 넌 에르기와 가깝게 지냈으니까. 하지만 난 달라. 내가 삼촌을 버리면, 사람들이 기뻐하는 건 잠깐일 뿐이다. 시간이 지나 이 열기가 가라앉으면, 이후엔 어떨까. 삼촌을 버린 박정한 패륜이라고 또 날 비난할 거다. 알지 않으냐. 언제나 불만을 가진 사람의 목소리가 더 크다는 걸."

"대신 에르기를 끌어안아요."

"자기 바람기에 미쳐서 나라에 패를 끼친 그 가벼운 놈을 끌어안아? 누이, 미쳤어?"

흥분한 왕이 즉위하기 전처럼 말을 내뱉자, 시림 왕제는 주위를 살피더니 뚱한 얼굴로 왕의 발목을 퍽 아프지 않게 찼다.

"사람들은 지금 에르기를 가엾어하고 있어."

"네가 가엾은 건 아니고?"

"지금 귀족들 사이에서, 에르기가 어린 시절에 자기를 구해준 사람은 가짜라면서 울고불고한 일이 떠돌고 있어. 곧 평민들 귀에도 들어갈 거야."

"……."

"대공을 추방하거나 유폐하고, 에르기를 감싸 안아. 그러면 네가 혈육의 정이 없다 말하는 이도 줄어들 거고, 여론도 달랠 수 있어."

"가짜 대공비는?"

"대공비를 가엾다 말하는 사람 중에, 자기 돈 내가며 대공비를 챙길 사람이 있을 것 같아? 말만 그러는 거야. 그냥 둬. 풀어줘도 어차피 귀족으론 돌아올 수 없을 테니."

블루 보헤안의 왕이 이 일을 어떻게 처리하나 고민에 빠진 사이. 다르타 역시 만만치 않게 심각한 고민에 빠져 있었다.

'어쩌지? 말을 해야 하나 말아야 하나.'

아무리 봐도 라스타 황후와 똑 닮은 아기 때문이다. 그냥 닮은 얼굴이겠지, 하고 넘어가기에는, 라스타 황후에게도 분명 모테 또래의 딸이 있다고 들었고. 역사상 가장 짧은 시간 동안 공주 자리에 머물렀던 비운의 공주가.

"넌 우리를 설득하러 와서 뭘 혼자 끙끙 앓고 있어?"

"설득이란 걸 좀 해봐라. 네가 말을 안 하고 있으니, 서대제국에 갔을 때의 장점까지 우리가 계산하고 있잖냐."

고민에 잠긴 다르타가 상시천을 설득하는 일마저 등한시하자, 어이가 없어진 도적들이 타박할 정도였다. 결국 며칠을 끙끙 앓다가 다르타는 부천주와 부천주의 아내, 켈드렉 이렇게 셋만 불러서 털어놓았다.

"이 이야기는 절대로 다른 사람들한텐 하지 마세요. 혹시 모르니까."

"무슨 일인데 그래?"

"며칠 동안 말도 잘 안 하더니. 지금 말하려는 일 때문이야?"

"뭔데?"

"모테요."

딸 이름이 나오자 낄낄 웃으면서 '너 귀족 놈팡이 중에 짝사랑하는 상대라도 생긴 거 아니냐'고 놀려대던 부천주가 얼른 자세를 바로 했다.

"우리 모테가 왜?"

"동대제국 황후 딸일지도 몰라요. 두 번째 황후 있잖아요. 신분 사칭이랑 후계자 조작 사건에 연루되어서 죽은……."

"뭐?"

부천주는 눈이 튀어나올 정도로 커졌다. 켈드렉도 깜짝 놀라 물었다.

"그럼 우린 동대제국이랑 얽히면 완전히 좆 되는 거 아냐? 그 황제가 그 일로 엄청 화나서 공주도 폐위하고 황후도 탑에 가뒀다던가 막 그랬잖아?"

부천주의 아내는 입으로 손을 막고서 중얼거렸다.

"좇만 되겠어요?"

켈드렉은 입을 빼끔거리다가 당황해서 벌떡 일어났다. 하지만 다시 도로 앉으면서 빠르게 말했다.

"아니, 그러면 나비에 황후한테 가도 마찬가지 아냐? 나비에 황후는 모테를 싫어할 거 아냐. 얼굴 보는 순간 집어던지라 할 거 같은데?"

"우리 황후 폐하는 그런 사람 아니거든요!"

이에 다르타가 발끈해 반박하자, 켈드렉은 손가락으로 어딘가를 가리키며 이를 드러냈다.

"코샤르 개새끼 성정을 봐라, 그 동생 성격이야 안 봐도 뻔하지."

"우리 황후 폐하는 진짜 안 그렇거든요!"

"코샤르도 남들 앞에선 훈련받은 개처럼 굴어! 내 앞에서만 미친개처럼 구는 거지!"

발을 동동거리던 부천주가 얼른 끼어들었다.

"아예 반대인 월대륙 연합에 가면 어떨까요?"

다르타는 대번에 "안 돼요!" 하고 반대했다.

"그 사람은 완전 여우예요! 사람을 막 체스판의 말처럼 이용해. 모테 존재를 알게 되면 뼈까지 쪽쪽 이용해먹을 인간이에요. 게다가 나비에 님 관심을 끌려고 온갖 짓을 다 하는 이상한 변태라구요!"

부천주 아내는 세상 모르게 잠들어 있는 딸을 내려다보다가 조심스럽게 입을 열었다.

"지금 월대륙은 두 연합이 완전히 나누어 먹고 있어서, 어느 쪽으로 숨든 둘 중 하나에겐 걸리게 되어 있어요. 그러면 차라리 촛불 아래 몸을 숨기듯 제국 연합 아래에 들어가는 게 나아요."

켈드렉도 곰곰이 고민해보다가 고개를 끄덕였다.

"그래, 굳이 아기 얼굴 하나하나 꼼꼼히 보진 않겠지."

"맞아요. 거기 그림자에 모테를 숨겨요. 식구들 얼굴까지 하나하나 보진 않을 테니, 잘 숨길 수 있어요."

부천주는 이를 드러내며 주먹을 꽉 쥐었다.

"우리 모테를 건드리려 들면 동대제국 황제라도 가만히 안 둘 겁니다!"

네가 가만히 안 두면 뭘 어쩔 건데. 켈드렉은 혀를 차면서, 너무할 정도로 눈에 띄는 아기의 얼굴을 내려다보았다.

"크면 클수록 눈에 띌 텐데……."

그 걱정스러운 목소리조차 불안하게 여겨져, 부천주의 아내는 아기를 들어 올려 자신의 품 안에 보호하듯 넣었다.

"남장을 해서 여자란 걸 숨기고, 나이가 좀 차면 머리를 염색시키면 돼요. 나이도 가짜로 하고. 그러면 아무도 공주란 생각은 못할 거예요."

그 시각. 에벨리가 펑펑 울던 모습을 떠올린 소비에슈는 덩달아 가슴이 가라앉아 뒷짐을 지고 정원을 내려다보았다. 한때 자신과 나비에가 손을 잡고 뛰어다니던 정원에서는 아직도 그 시절의 향

기가 날 것만 같았다. 그 풍경을 보다가 소비에슈는 무거운 목소리로 입을 열었다.

"트로비 공작. 난 아마 자식을 보긴 힘들 거네."

카를 후작은 놀라서 자기가 끼어들었다.

"아직 젊으신데, 왜 그런 말씀을 하십니까."

"나 때문에 두 황후가 울면서 떠나갔지. 같은 일을 또 반복하고 싶진 않아. 게다가 수시로 환각까지 보지 않나."

"그래도 단정하기엔 너무 젊으십니다, 폐하."

"……아이를 낳는다 해도 글로리엠이 눈에 밟혀서 견딜 자신이 없어."

"!"

카를 후작은 흔들리는 눈으로 소비에슈를 보다가 고개를 숙이고 눈시울을 붉혔다. 반면 트로비 공작은 이 화제에는 무어라 말을 할 수 없는 입장이라, 그저 가만히 있었다. 소비에슈는 천천히 고개를 돌려서 트로비 공작의 팔 위에 가볍게 손을 올렸다.

"아마 다음 황위는 자네 손녀와 손자 중 한 명이 오를 가능성이 높겠지."

"폐하!"

이번에는 트로비 공작도 놀라서 무어라 말하려 했으나, 소비에슈는 고개를 저어 말렸다.

"공식적인 발표는 아니니 벌써 소란 부리지 말게. 남들에게 말하지도 마. 사람 일은 모르니…… 이것도 확신할 수는 없는 일이지. 그 아이들이 거부할 수도 있고."

"하지만 폐하……."

"서대제국 황제의 후계자가 되지 않을 쪽에게도 제왕학 공부를 시켜두게. 이 때문에 미리 말해두는 거네."

"!"

비슷한 시각. 서대제국 궁전에서는 난리가 났다. 요람에서 잘 자고 있던 황녀가 사라진 것이다. 방 안에 들어간 사람은 아무도 없었는데도. 사람들은 납치다 뭐다 난리가 나지만, 하인리는 창문이 열려 있는 걸 발견하고 대번에 정황을 깨달았다.

'이 사고뭉치. 또 날아갔군.'

요즘 들어 부쩍 날개에 힘이 생기는지, 라리는 여기저기 온갖 곳을 날아다니려 했다. 오늘도 그런 게 분명했다.

'이래서 부황이 날 볼 때마다 한숨을 내쉬었나 보다.'

하인리는 아버지가 자기를 볼 때마다 "더도 말고 덜도 말고 너랑 똑같은 새끼 낳거라." 하고 인자하게 말하던 걸 떠올리고서 우울해졌다. 덕담이라 생각했는데. 저주였구나.

그래도 다행히 하인리는 두 시간 만에 아이를 찾아냈다. 라리는 옥좌 위에 앉아 있었다. 머리를 당당히 들고 목을 빳빳하게 한 채, 무척이나 위풍당당한 척. 그래봐야 조그만 새끼 새의 모습이라, 남들이 보기엔 그저 귀여울 뿐이지만 본인은 사뭇 진지한 모습이었다.

"사고뭉치."

하인리가 한숨을 내쉬면서 다가가 들어 올리려 하자, 라리는 날개를 푸드덕대면서 반항을 시작했다.

"라리…… 몇 살 됐다고 벌써 반항이야?"

이에 상처받은 하인리가 시무룩해서 묻자, 그제야 라리는 날갯짓을 멈추더니 고개를 기웃했다. 아빠, 화났어? 물어보듯이. 하지만 여전히 고집스럽게 왕좌에 엉덩이를 붙이고 떨어지려 들지 않았다. 그 모습을 보던 하인리는 아기들이 태어나기 전 자기가 꾼 꿈을 떠올리고서 한숨을 내쉬었다.

"예지몽이었나."

하지만 곧 하인리는 기분이 좋아졌다. 옥좌에 이렇게 일찍 집착하는 걸 보니 얘는 분명 그릇이 큰 애란 생각이 들어서.

"그새 자?"

하지만 뿌듯해하자마자, 라리는 이 긴 탈출이 힘들었는지 의젓한 척하던 모습은 어디로 가고 부리를 벌린 채 졸기 시작했다. 하인리는 어이가 없어서 그 모습을 보다가, 웃으면서 아이를 안아 들었다. 아기는 하인리의 품에 안기자, 새의 모습은 불편한지 바로 사람의 모습으로 변했다.

하인리는 망토로 아기를 싸고 밖으로 나가면서 뿌듯하게 웃었다. 사고뭉치이긴 하지만, 그래도 딱 옥좌에 앉는 모습을 보자 괜히 아이의 미래가 기대되었다.

"널 위해 황권을 강하게 해둘게. 넌 네가 하고 싶은 걸 다 하면서 살아라, 라리."

"와. 나비에 님은 다른 나라에 간 후로 더 잘나가시네요. 서쪽이랑 더 잘 맞으신가."

시중을 드는 하녀가 감탄하자, 베르디 자작 부인은 뜨개질을 하다 말고 고개를 들었다. 그 모습은 병든 사람처럼 힘이 없었으나, 입술에는 희미하게 미소가 어려 있었다.

"황족으로 태어나셨더라면 더 훨훨 날아가셨을 분이니. 어디서든 잘하시겠지."

"부인께선 나비에 님이랑 잠시 알고 지내셨다 하셨죠?"

베르디 자작 부인은 대답 대신 쓸쓸하게 고개를 숙였다. 손이 갑자기 바쁘게 뜨개질거리 위를 움직이기 시작했다.

1년. 사실 따지고 보면 하루하루 불안하고 위태로웠던 그 시기는 고작 1년일 뿐이었다. 하지만 생활이 안정된 지금도 그녀는 제대로 잘 수가 없었다. 눈을 감으면 나비에 황후를 배신하던 자신의 모습과, 뒤에서 울음을 터트리던 라스타 황후의 목소리가 떠올라서. 그리고 아기……. 갓 태어났을 때부터 자신이 길러온 소중한 공주님. 누가 무어라 해도 글로리엠은 그녀에게는 공주였다. 세상 모든 더러운 것들로부터 보호해주고 싶었는데.

"그래도 상시천이 고개를 숙이고 들어가다니. 진짜 대단해요. 완전 야생 들개 같은 놈들이라 아무도 밑에 두지 못했잖아요."

하지만 하녀는 베르디 자작 부인이 저렇게 우울해하는 게 하루이틀 일이 아닌지라, 위로하는 대신 계속 혼자서 신문을 보며 말을 이었다.

"근데 상시천 도적놈들도 애들한텐 약했나 봐요."

"설마. 그놈들이 그러려구."

"정말이에요. 상시천 도적들이 애들을 몇몇 주워서 길렀는데, 그 중 한 명이 치유 마법사로 발현했다는걸요? 상시천이 나비에 님 밑에 들어간 것도 그 치유 마법사가 나비에 님에게 충성을 맹세한 게 계기가 되어서라는데요?"

신경질적으로 움직이던 손이 우뚝 멈추었다. 베르디 자작 부인은 뜨개질 거리를 내려놓고서 고개를 돌렸다. 그러나 하녀는 여전히 신문 보는 데만 몰두했다.

'버린 아이.'

베르디 자작 부인은 눈을 깜빡이다가 입을 벌렸다. 그 도적놈들. 분명 아이를 죽이라 한 게 아니라, 내다 버리라고 했지.

상처가 조금 치유되자마자 자작 부인은 근처의 고아원이나 민가를 죄다 뒤지고 다녔지만, 글로리엠을 찾지 못했다. 오히려 소비에슈 황제에게서 피가 잔뜩 묻어 찢어진 아기 옷을 발견했으니 괜한 짓은 그만두란 말만 들었을 뿐.

이후 베르디 자작 부인은 몸과 마음이 완전히 지쳐서 쓰러졌고, 지금은 집 안에만 틀어박혀서 하루하루를 간신히 견뎌내고만 있었다. 하지만 하녀의 말을 듣자 '혹시' 하는 생각이 들었다. 혹시, 혹시 그놈들이…… 그놈들이 우리 공주님을 데려가진 않았을까?

어떻게 만든 건지 신기할 정도로 높은 원형의 금색 천장 아래에는, 끝없이 넓은 실내 연무장이 펼쳐져 있었다. 하지만 더욱 놀라운 건, 그 연무장을 빼곡히 채운 수많은 병사와 기사들이었다.

각기 다른 세 종류의 제복을 입고 세 가지 색깔의 망토를 걸친 이들은, 치열할 정도로 힘주어 대련 중이었다. 만약 그들이 목검을 든 게 아니라면 실제 전투라 착각할 정도로 열기가 대단했다.

그들 중 붉은 망토를 두른 이들은 공식 근위기사단, 푸른 망토를 두른 이들은 하인리 황제의 개인 기사단인 지하기사단, 금색 망토를 두른 이들은 나비에 황후의 개인 기사단인 상시천이었다.

이중 상시천 기사단은 구성이 유달리 특이했는데, 옛날에 실제로 도적이었던 '상시천' 소속 도적들과 동대제국 귀족 출신인 아르티나 경을 양 축으로 귀족 출신과 평민 출신 기사들이 뒤섞여 있었다. 하지만 아무리 기사가 되어도 상시천 도적 출신 기사들에게서는 가끔 옛날 모습이 보였다.

"진짜 옛날 생각하면 아주. 캬! 우리 아주 용 됐습니다. 안 그렇습니까? 서대제국 궁전에서 근위기사단들이랑 비등비등하게 대련도 뛰고."

바로 지금 같은 말투였다. 다른 기사들이 이따금 눈살을 찌푸리게 하는 거침없는 말투. 단상 위에 서서 대련 모습을 지켜보던 켈드렉은, 부하의 커다란 목소리를 듣고는 거의 입술을 움직이지 않고서 당부했다.

"목소리 좀 낮추지? 덩달아 창피해지는데?"

"아니 저기가 시끄러워서 내 목소린 들리지도 않아요, 뭘."

"내가 듣잖아. 내가."

"수장은 내가 부끄럽소?"

안 부끄럽겠냐? 켈드렉은 발끈해서 부하의 입을 틀어막으려다가, 뒤쪽에서 걸어오는 싫은 얼굴을 발견하고 도로 손을 거두어들였다.

"뭐야. 네가 왜 여기 있어."

다가온 사람은 같은 주군을 모시게 된 뒤에도 여전히 싫은 사람. 코샤르였다. 켈드렉이 이를 갈며 말하자 코샤르는 눈을 찡긋하면서 가까이 다가왔다.

"반가우면 웃어. 그댄 일부러 까칠하게 안 굴어도 귀여워."

부하가 한 손으로 입을 막고 뒤로 물러나자, 켈드렉은 "넌 왜 또 뒤로 가!" 하고 버럭 소리 지르고서 부하를 방패막이 삼아 코샤르와의 사이에 두었다. 코샤르는 픽 웃고서 연무장 쪽으로 고개를 돌렸다.

켈드렉은 속으로 욕을 150개 정도 뱉었지만, 더 말을 섞어봐야 자기 손해란 생각에 굳이 표현하진 않았다. 대신 인상을 험악하게 구기고서 자신도 연무장 쪽을 쳐다보았다. 저놈을 피해 이 자리를 뜨고 싶지만, 한때 도적놈들이었던 부하들이 사고를 치진 않나 잘 감시해야 하기에 완전히 피할 수는 없었다.

그때.

"저쪽."

기사들이 치열하게 대련하는 걸 지켜보던 코샤르가 한곳을 손가락으로 가리키며 물었다.

"누구지?"

코샤르가 가리킨 곳에는 까만 머리 소년이 압도적일 정도로 상대를 빠르게 제압하고 있었다. 표범 가면으로 얼굴의 반을 가리고 있지만, 아래로 드러난 턱선과 입술만 보아도 굉장히 아름답다는 걸 알 수 있는 소년이.

그러나 질문을 던졌는데 돌아오는 대답이 없었다. 보통 코샤르가 상시천 소속 기사에게 관심을 보이면, 켈드렉은 두 가지 반응을 보인다. 거들먹거리거나 탐내지 말라고 이를 갈거나. 그런데 이번에는 왜 아무 말이 없지? 코샤르는 의아해서 고개를 돌렸다.

뜬금없게도 켈드렉은 귀찮은 표정을 짓고 있었다. 그러다 눈이 마주치자 "아, 그냥 뭐." 하고서 툴툴거렸다.

"신입이지."

"저런 실력자인데?"

"내가 가르쳤거든."

켈드렉은 여전히 심드렁하게 말했으나 목소리에 자랑스러워하는 티가 났다. 코샤르는 켈드렉이 진짜로 귀찮아서 귀찮은 표정을 짓는 게 아니라, 자신이 저 소년에게 관심 보이는 게 싫어서 일부러 저런다는 걸 눈치챘다. 하지만…….

"네가 가르쳤다면 후계자겠고. 곧 나비에에게 인사를 올리러 올 수도 있겠군?"

코샤르는 켈드렉이 귀찮아할수록 그 자리만 콕콕 후비고 싶어졌기에, 일부러 더 집요하게 파고들었다.

켈드렉은 인상을 구기고 속으로 욕을 했다. 이쪽이 저 화제로 얘기를 안 꺼내고 싶어 하면 좀 넘어가라, 이 성질 고약한 놈아.

하지만 아무리 도발해도 넘어갈 수 없는 화제란 것도 있었기에, 켈드렉은 일부러 정색을 하고서 딱 잘라 말했다.

"아니. 걔는 절대로 내 후계자가 안 돼. 기사단에도 정식으론 안 들어와. 기사 서임도 안 받을 거고. 그러니 관심 꺼."

"기사가 안 될 거라고? 그러기엔 아까운 실력인데."

"아 관심 끄라고! 본인이 이런 데 관심이 없어서 그래!"

사실 켈드렉이 한 말 중 반은 거짓말이었다. 소년은 켈드렉이 손수 가르친 실력자가 맞았다. 하지만 '이런 데' 관심이 없단 이야기는 전부 거짓이었다.

"나 어땠어요?"

켈드렉이 근처로 오자마자 표범 가면을 쓴 소년은 얼른 달려오면서 물었다. 그 목소리는 오히려 열정으로 가득 차 있었다.

"아까 제국 연합 기사단 단장님이랑 얘기했죠? 그분이 손가락으로 내 쪽 가리키지 않았어요? 나더러 뭐래요?"

켈드렉은 대답 대신 소년의 가면을 벗기고, 그걸로 소년의 머리통을 통통통 두드리고 가면을 돌려주었다.

"아, 씨! 왜요!"

"눈에 너무 띄지 말라니까."

"내가 잘나서 그런 걸 어떡하라고!"

"내가 준비해준 건 분명 까만 가면일 텐데. 왜 갑자기 표범 가면이 됐지? 응?"

켈드렉은 씩씩거렸으나, 소년의 가면이 벗겨진 순간. 근처에 있던 다른 기사들은 놀란 표정으로 이쪽을 쳐다보았다. 시선을 눈치챈 켈드렉은 얼른 소년에게 다시 가면을 씌워주고서 등을 떠밀었다.

"자, 연무장 구경 끝. 이제 돌아가."

"내가 언제 구경했어요, 대련만 했지!"

"대련하면서 코샤르 그놈까지 확인할 정도로 눈알 잘 굴렸을 거 아냐. 돌아가."

소년이 반박하거나 말거나 켈드렉은 어림없었다. 소년은 툴툴거렸지만, 결국 순순히 목검을 반납하고 대기실 밖으로 나갔다. 이후 궁전 밖으로 완전히 나와서야 소년은 가면을 벗고서 마음껏 툴툴거렸다.

"치사하다 치사해. 이것도 못 해. 저것도 못 해. 이래서 모테라 이름 지은 거 아냐?"

"들었어?"

텅 비어 있는 방 안. 문이 열리면서 쩌렁쩌렁한 소년의 목소리가 울렸다. 하지만 질문을 던지는 사람은 있는데 대답하는 사람은 없었다.

"밖에 아무도 없어."

소년이 문을 닫으며 말하고 나서야 천장 어딘가에서 대답하는 소리가 들려왔다.

— 끼아! 끼아! 끼아!

"라리? 어디 있어?"

소년이 인상을 찡그리고서 묻자 잠시 뒤. 천장에 달린 커다란 조각상 뒤에서 조그만 머리 하나가 튀어나왔다.

"여기 있어."

그걸 본 소년은 깜짝 놀라서 펄쩍 뛰었다.

"너 거기 있으면 어떡해! 어마마마가 높은 데 올라가지 말랬잖아!"

소년은 말을 꺼낸 것만으로도 불안한 듯 주위를 휙휙 둘러보았다. 그러나 라리는 코웃음을 치더니 빙그레 웃으면서 경고했다.

"내가 여기 있는 걸 본 건 너밖에 없어. 너만 입을 다물면 어마마마는 몰라, 오빠."

"혹시라도 말이 새어 나가면……."

"오빠가 발설했단 거지."

카이는 시무룩해져서 얼굴만 천사 같은 동생을 쳐다보았다. 웃으면서 하는 말 같지만 저게 농담이 아니란 걸 알았다.

반면, 라리는 시무룩한 카이의 표정을 보면서 코웃음을 쳤다. 겁먹은 척하기는. 카이는 늘 저런다. 협박하면 겁먹은 척하지만, 순간

일 뿐이다. 막상 중요한 순간이 되면 정색하면서 어머니나 아버지에게 고자질을 한단 걸 몇 번이나 당해서 알고 있었다.

'역시 널 위해 말해야겠어.'

이따위 핑계를 대고서.

"넌 너무 위험한 행동을 많이 해, 라리."

"겁먹으면 할 수 있는 행동도 못 해."

"신중한 게 최고잖아."

"부황은 신중하게 굴다가 나라를 잃었어."

"……무슨 소리야. 잃은 적 없어."

"부황이 나섰으면 지배할 수 있던 나라가 몇 갠데! 그걸 못 차지했으니 잃은 거나 다름없어!"

"그게 무슨 논리야?"

"괜찮아. 곧 내가 하나하나 다시 회수할 거니까."

"……."

카이가 입을 벌리고 말을 잇지 못하자 라리는 다시 머리를 조각상 뒤로 감추며 물었다.

"근데 여긴 왜 온 거야? 아까 들어오면서 '들었어?'라고 물었잖아."

"상시천 기사 중에 엄청난 실력자가 들어왔대."

"들어온 건 아니라던데?"

"들었나 보네?"

"레이디 로라가 말해줬어."

카이는 짓궂게 웃으면서 바닥에 쪼그리고 앉았다.

"엄청 잘생겼단 말도 들었어?"

"들었어. 근데 관심 없어."

"왜?"

"난 용용이 말고 남자는 다 관심 없어."

동생의 단호한 말에 카이는 안쓰럽단 표정을 지었다. 라리가 '용용'이라 부르는 이는 맥켄나 삼촌과 수룡 사이에서 태어난, 사실 태어난 건지 아닌지도 모를 정체불명의 새끼 용이었다. 그리고 라리는 용용이의 존재를 알게 된 후부터 결혼할 거라고 딱 잘라 찍어 두었다. 문제는…….

"삼촌이 너랑 용용이는 세상이 223번 뒤집어져도 안 된다는데."

맥켄나가 라리를 예뻐하면서도 절대로 며느리로 삼고 싶어 하지 않는 데 있었다. 본인은 정확한 이유를 밝히지 않았지만, 카이는 아마 라리가 부황의 성격을 쏙 빼닮아서 그럴 거라 확신했다.

"그럼 224번을 뒤집을 거야."

카이는 라리의 단호한 말에 한숨을 내쉬고서 시무룩해서 밖으로 나갔다.

"알았어. 나 나갈게. 옷 입고 나와. 어마마마한테 들키지 말고."

그러나 충고를 하고서 문을 딱 닫는 순간, 바로 앞에 드리워진 커다란 그림자에 카이는 놀라서 눈을 동그랗게 떴다. 천천히 고개를 든 카이는 커다래진 눈으로 그림자의 주인을 바라보았다.

"어, 어마마마."

"나한테 뭘 들키면 안 된단 걸까?"

"!"

“날 들키면 큰일이라도 나?”

저녁 시간, 말없이 식사하던 모테가 던진 질문에 맞은편에 앉은 켈드렉과 부천주는 물론 옆자리에 앉은 부천주의 아내까지도 덩달아 기침을 하고 난리가 났다.

“뭐가 나긴 나는구나.”

모테는 시무룩해서 중얼거리고서 다시 힘없이 포크질을 시작했다. 하지만 포크를 움직여도 거기에 찍히는 음식이 없었다. 부천주는 헛기침을 하면서 그 모습을 안쓰럽게 지켜보았다.

식사 후. 부천주의 아내 역시 그 모습이 안되어 보였던지, 조심스럽게 물었다.

“여보. 모테한테 사실대로 말해주는 게 어떨까?”

“뭐라고. 네가 나라를 뒤흔든 중죄인의 친딸이라고?”

“어차피 우리 친딸이 아닌 건 모테도 알잖아.”

“그래도 그렇지. 애한테 그런 말을 어떻게 해?”

“이유 없이 출세를 막으니 애가 기가 죽잖아.”

부천주는 한숨을 내쉬고서 외투를 벗어 무릎에 덮어두었다. 착하고 순한 데다 훈련을 시키면 시키는 족족 다 흡수할 정도로 영리한 아이인데. 아무래도 머리가 굵어지고 나니, 요즘은 이런저런 생각이 많아지는 듯했다. 그중 대부분은 자신보다 실력이 덜한 또래 친구들은 수습 기사가 되거나 궁전에 가끔 초대받아 가는데, 자기는 수습 기사도 되지 못하고 임무 도중 수시로 얼굴을 가려야 한단 점이었지만.

사실 모테가 아니라 누구라도 답답해할 상황이긴 했기에, 그 마음이 이해가 안 가는 건 아니었지만…….

그때.

“부천주! 부천주!”

누군가 막사 밖에서 작은 목소리로 그를 불렀다. 부천주는 얼른 천막 문을 열고 나갔다. 그곳에는 상시천이 도적 집단일 때부터 데리고 다녔던 발 빠른 부하가 초조한 얼굴로 서 있었다.

“왜?”

부천주가 묻자 부하가 목소리를 낮추어 말했다.

“또 그 여자가 찾아왔습니다. 어떡할까요?”

나도 벌써 열여섯 살이나 됐는데, 아버지랑 어머니는 항상 비밀투성이야.

모테는 침대 위에 엎드린 채 시무룩하게 늘어져서 툴툴거렸다. 남장을 하고 지내는 것도, 주기적으로 머리카락을 독한 염색약으로 물들이는 것도 불편하지만, 그래도 참을 만했다. 하지만 이따금 나비에 황후가 상시천 아이들을 모아놓고서 연극도 보여주고 진수성찬도 주고 작은 무도회도 열어주면서 놀 때, 혼자 참석하지 못하는 건 섭섭했다.

‘아빠랑 엄마는 내가 부끄러운가. 아니면 내가 어려서? ……근데

황녀님이랑 황자님도 내 또래잖아. 그래도 폐하들은 순방 갈 때도 데려가고 회의 때도 참석하게 해준다던데.'

모테는 울적해서 혼자 끙끙거렸다. 반년 뒤. 새로이 수습 기사를 들이게 된다. 수습 기사는 열네 살에서 열여섯 살 사이로 뽑으니, 이때를 놓치면 남들보다 뒤처지게 되는 건데. 그건 싫었다. 모테는 자신의 검으로 황제에게 인정을 받고, 언젠가는 기사단장도 되고 싶었다. 하지만 이대로 가다가는…….

결국 모테는 벌떡 일어나며 다짐했다.

'안 되겠어. 이번엔 제대로 물어봐야겠어. 왜 맨날 나만 숨기는 건지 알아야겠어!'

막사 밖으로 나온 모테는 간이 전등을 손에 들고서 부모님 막사가 있는 곳으로 달려갔다. 그런데 얼마나 갔을까. 입구 부근에서 실랑이 소리가 났다.

"아 저리로 가시라고요!"

"그런 애 없다니까?"

"아니, 그쪽 딸을 왜 여기서 찾느냐고!"

무슨 일이지? 모테는 전등불을 훅 불어서 끄고 발소리를 죽인 채 그곳으로 가보았다. 귀족 같은 차림이지만 안쓰러울 정도로 낯빛이 안 좋은 여자가 상시천 마을 입구를 지키는 병사들에게 울면서 사정하고 있었다.

"한번 둘러보게만 해 줘요! 우리 딸이 여기 있을지도 몰라요!"

"아니, 그러니까 그 얘길 몇 년째 하냐고요!"

"부인, 부인 딸을 찾으려면 고아원을 둘러보거나, 아니면 다른 데를 가보라고요!"

"여기 있어요! 내 딸은 여기 있어요!"

"아, 전에도 몇 번이나 봤잖아!"

저게 무슨 소리야? 딸이 여기에 있어? 의아해서 쳐다보고 있자니, 여자가 날카롭게 비명을 지르며 흐느꼈다.

"은발이에요! 내 딸은 은발이에요!"

은발? 모테는 눈을 동그랗게 뜨고서 짧게 자른 머리카락을 매만져보았다. 염색하지 않으면 자신도 은발이긴 했다. 아주 어릴 때부터 내내 염색해온 터라 자신도 은발인 모습을 제대로 본 적이 없긴 했지만.

'혹시 저거 내 얘기 아냐?'

"내 딸은 열네 살이에요!"

그러나 여자가 이어서 외친 소리에, 모테는 픽 웃고서 손을 내렸다. 나이가 달랐다. 하지만 곧 모테는 누군가를 떠올리고서 "어." 하고 눈썹을 치켜떴다. 딸. 열네 살. 은발. 누구 한 명 있지 않나?

'시시가 열네 살인데. 은발이고.'

예전에 부천주가 출생의 비밀이라며 알려줄 때, 술을 마시고서 농담조로 말한 적이 있었다. 모테가 너무 귀여우니까, 그걸 보고 홀딱 빠진 시시네 부모님이 일부러 비슷한 애를 데려왔다고.

'어쩌지?'

모테는 그 귀부인이 쫓겨나는 걸 보다가, 일단 원래 가려던 대로 부모님을 찾아갔다.

"아빠. 엄마."

그런데 무슨 일인지, 막사 입구 천막을 두드리며 부르자마자 부천주의 아내가 몹시 놀란 얼굴로 튀어나왔다. 무슨 안 좋은 말이라도 하고 있었던 것처럼.

"어, 모테야."

"엄마? 무슨 일 있어요?"

"어?"

모테가 묻자 부천주의 아내는 괜히 허둥거리면서 어색하게 웃었다.

"일은 무슨."

'엄청나게 많은 일이 있는 얼굴인데.'

"그런데 넌 안 자고 여긴 왜?"

"밖에 어떤 귀부인이 와서 이상하게 떠들던데. 혹시 그거 때문에 그래요?"

모테가 묻자 부천주 아내는 표정이 어두워졌다. 모테는 혀를 찼다. 그거 때문이 맞구나. 하지만 그 사람이야 그 사람이고. 모테는 자신의 볼일을 마쳐야 했다.

"아, 맞다. 저 할 말 있어요!"

모테가 갑자기 외치자. 부천주의 아내는 긴장해서 모테를 내려다보다가 손으로 천막을 들추었다.

"들어와."

잠시 뒤. 부천주의 아내는 욕실에 있던 부천주까지 데리고 나왔다.

아니, 내가 무슨 말을 할 줄 알고 저렇게 긴장하셔? 모테는 따뜻한 자스민 차를 마시다가 부모님 표정을 보고 황당해졌다.

'진짜로 무슨 일 있나?'

부모님 표정을 보자 걱정이 되었다. 무슨 일이 있는 거라면 나중에 올까?

하지만 모테는 마음을 바꾸었다. 나중에 와도 마찬가지지. 이런 건 미루기 시작하면 계속 밀리게 된다. 바쁜 일이 있어도 일단 말을 해놓는 게 나을 것 같았다. 결심한 모테는 주먹을 무릎 위에 올려놓고서 표정을 단단히 지었다. 부천주와 아내는 그런 모테를 덩달아 긴장해서 바라보며 물었다.

"그래, 무슨 일이니?"

"나도 견습 기사가 되고 싶어요."

그런데 이건 또 왜 이러나. 나름대로 단단히 각오하고서 한 말인데. 의외로 모테의 말에 부천주와 아내는 어깨에서 힘을 뺐다. 마치 '아, 그거였어?'라는 표정으로. 모테는 그 모습에 용기를 얻었다. 어, 생각보다 별거 아닌 일인가 봐. 그러면 허락해주실 수도 있겠는데?

"그리고 가면도 벗고 싶고, 제대로 승진 루트를 타고 싶어요. 나보다 훨씬 검술 실력 떨어지는 애들도 벌써 쭉쭉 위로 올라가는데, 나만 제자리에 있잖아요."

하지만 방금 전 안심한 표정을 지었으면서. 부천주와 아내는 다시 얼굴이 굳었다. 두 사람은 서로를 걱정스럽게 쳐다보았다. 딱 표정에서부터 반대하는 티가 났다. 그래도 모테는 어떻게 해서든 오늘 답을 들을 각오로 물러서지 않았다.

"반년 후가 마지막이에요. 반년이 지나면 견습 기사로도 못 들어가는 나이잖아요. 그건 싫어요."

"모테, 울어?"

수풀 앞에 무릎을 끌어안고 있다가 모테는 얼른 표정을 관리하고 고개를 들었다. 머리 위로 그림자가 지는가 싶더니. 어느새 시시가 다가와 있었다.

"안 울어."

모테는 딱 잘라 말하고서 옆으로 약간 엉덩이를 옮겼다. 시시는 모테의 옆으로 와 앉다가 발치에 놓인 간이 등불을 발견하고서 혀를 찼다.

"밤새 여기 있었어?"

"……."

"있었네."

시시는 다시 어른스럽게 혀를 찼다.

"너네 부모님도 너무해. 잘난 얼굴은 맨날 가리게 하고. 잘난 실력도 맨날 감추게 하고. 네 실력의 반의반도 못 따라오는 새끼들은 훨훨 날아다니는데, 진짜 짜증 나."

"이유가 있겠지."

"있음 말을 해줘야지. 안 말해주니까 네가 맨날 숨어서 짜잖아."

시시가 짜증을 내자, 모테는 더욱 시무룩해져서 무릎에 이마를 묻었다.

어젯밤. 부모님에게 용기를 내서 제안을 했는데. 처음에는 이해해주는가 싶더니, 두 분은 결국 안 된다고 딱 잘라 말했다. 말은 늘 '널 위해서'라고 하지만, 정확한 이유를 말해주질 않으니 모테로서는 도무지 이해할 수가 없었다.

"그니까 빨리 나한테 장가오라고. 내가 너한테 날개를 달아주겠다고."

그런 모테를 안쓰럽게 보다가 시시가 호탕하게 말하자, 모테는 히죽 웃으면서 시시의 볼을 꼬집었다.

"넌 내가 싫어? 아닌 거 같은데. 왜 맨날 튕겨? 누구야. 누굴 마음에 담고서 맨날 그래? 말만 해. 내가 꺼내서 저리 팽개쳐버릴 테니."

'아무도 마음에 없어. 사실은 내가 여자니까. 그래서 그렇지.'

모테는 속으로만 솔직하게 대답하고서 일부러 화제를 돌렸다.

"맞다. 나 어젯밤에 이상한 귀부인 봤어."

시시는 모테가 말을 돌리자 차갑게 흘겨보았지만, 흥미는 가는지 모른 척 되물었다.

"귀부인?"

"응. 근데 그 귀부인이 은발에 열네 살짜리 딸이 여기에 있다면서 막 소리 지르더라고."

"!"

"듣자마자 네 생각이 났어. 딱 너잖아."

시시는 눈을 커다랗게 떴다.

"그러네. 나잖아?"

시시 역시도 부모가 자신을 어디에서 주워다 길렀단 걸 알았다. 게다가 시시는 자신이 귀족의 딸이었던 것 역시도 알았다.

모테는 양부모를 사랑했고 검술도 사랑했기에 자신의 원래 출신이 궁금하지 않았다. 하지만 검술에 관심이 없는 시시는 양부모가 자신을 주워 온 걸 늘 불만스럽게 생각했다. 모테가 시시에게 굳이 그 귀부인 이야기를 한 것도 이런 점 때문이었다. 검술 실력이 뛰어난데도 펼칠 기회가 없는 모테도 모테지만, 시시 역시 다른 의미에서 이곳에 머무는 걸 싫어해서.

지금은 황후의 개인 기사단에 편입되었지만, 상시천의 반이 도적 출신이라는 건 이미 유명한 일이었다. 검술 실력이 뛰어나면 기사 서임을 받고 출세할 수 있는 건 물론 아무에게도 무시당하지 않지만, 그럴 수 없는 상시천 출신들은 이 출신 때문에 평민이면서도 늘 사람들에게 백안시당했다.

'재능이 검술 외 다른 데 있는 사람들은 너무 손해 보는 구조'라고, 시시는 이 점을 두고서 늘 씩씩거렸다. 그래서일까. 모테가 귀부인 이야기를 해주자 시시는 희망에 차서 눈을 반짝였다.

"내 친엄마가 날 찾으러 온 걸지도 몰라."

"얘기를 들어보니까 한두 번 온 게 아닌 것 같았어."

"어느 쪽으로 왔어?"

"마을 입구에. 근데 못 들어오고 돌아갔어."

시시는 주먹을 불끈 쥐었다.

“만나봐야겠어. 열네 살, 은발, 여자애, 이 조건에 맞는 건 나밖에 없잖아.”

“네 엄마가 맞으면 여기서 나갈 거야?”

“당연하지!”

시시는 주먹으로 자기 무릎을 퍽퍽 두드리다가 활짝 웃었다.

“드디어 여기서 나갈 방법이 생겼어! 무슨 수를 써서든 나갈 거야!”

시시가 몹시 좋아하자 모테는 좀 걱정이 되었다.

“그런데 그 귀부인, 좀 제정신이 아닌 것 같기도 했는데……. 네가 친딸이 아닐 수도 있어.”

“무슨 상관이야? 그 귀부인은 딸이 필요하고 나는 도적이 아닌 부모가 필요해. 그러면 내가 진짜든 가짜든 둘 다에게 좋잖아?”

‘진짜로 시시가 그 귀부인하고 만날까?’

모테는 시시에게 정확히 어떻게 그 귀부인을 만날 건지 물어보지만, 시시는 자세한 이야기는 해주지 않았다.

“미안. 네가 너네 부모님한테 말할 수도 있잖아.”

“알았어. 근데 너네 부모님한테 안 말씀드려도 돼?”

“우리 부모님은 너네 부모님이랑 다르잖아. 어차피 나한테 별 관심도 없는데 뭘.”

시시가 퉁명스럽게 하는 말에 모테는 울적해져서 고개만 끄덕였다. 시시의 말이 사실이란 걸 알기에, 어떻게 반응해주어야 할지 알 수 없어서.

시시의 양부모는 시시가 어릴 때에는 무척 아이를 예뻐했지만, 이후 친자식이 태어나게 되자 점차 시시에게 소홀해졌다. 다른 상시천 아이들과 달리 시시가 검술에도 관심을 보이지 않자 완전히 관심이 떨어져서, 지금은 그냥 의식주만 해결해주는 정도였다.

이후 켈드렉과 사냥을 떠나게 되면서, 모테는 시시 일을 잠시 잊고 지냈다. 하지만 시시는 그 귀부인 이야기를 들은 후부터 밤마다 입구 부근에 쪼그리고 앉아 다시 그 귀부인이 오나 안 오나 기다리기 시작했다.

'우리 엄마일 거야.'

시시는 차가운 밤바람에 덜덜 떨면서도 그 생각을 하면서 버텼다.

'친엄마는 동생이 생겼다고 나한테 무심해지지는 않을 거야.'

그러다 한 번씩 걱정이 되긴 했다. 그래도 내가 갑자기 귀족으로 돌아가서 떠나면 양엄마랑 양아빠가 슬퍼하진 않을까? 하지만 추위가 살갗을 파고들고 입술이 파들파들 떨리면, 시시는 그럴 일은 없다고 확신했다.

'내가 밤중에 들어오지 않는데도 걱정 안 하는 부모인데 뭘.'

그러기를 며칠. 늦은 밤, 정말로 한 마차가 마을 입구에 다가왔다. 낯선 마차였다. 본 적도 없는 마차. 하지만 시시가 모테에게 이야기를 들은 후 내내 꿈꾸던 마차였다. 시시는 담요를 벗어 꽉 품에 안고서 수풀 사이로 눈을 내밀었다. 모테의 말처럼, 정말로 마차에서 안색이 나쁜 귀부인이 내리더니, 경비병을 붙잡고서 애원하기 시작했다.

"한번 안만 살피게 해줘요. 아이들 얼굴만 보게 해줘요. 내 딸이 여기 있을지도 몰라서 그래요!"

상시천의 경비병들은 냉담하게 거절했다. 그 실랑이를 보다가 시시는 하나로 묶어둔 머리카락을 풀었다. 그리고 담요를 보호막처럼 몸에 두르고서, 숲 안쪽으로 조심조심 들어갔다. 개구멍처럼 난 길을 통해 곧장 밖으로 기어 나온 시시는 흙과 나뭇잎으로 꼴이 엉망이 되어 있었다. 하지만 시시는 마차가 돌아가는 길목에 우두커니 선 채 담요를 벗어 안고서 덜덜 떨며 그 마차를 기다렸다. 상시천 마을로 가는 길은 외길이기에 여기에 서 있으면 아까 그 마차와 마주칠 수밖에 없다. 그러니 여기에 버티고 있다가 그 귀부인을 만날 생각이었다.

잠시 뒤, 마침내 마차가 다가왔다. 하지만 마차는 시시를 그대로 스쳐 지나갔다.

'아.'

시시는 상심해서 멀어지는 마차 뒷모습을 쳐다보았다.

'날 못 본 건가? 어두워서 은발이 잘 안 보였나?'

시시는 흔들리는 눈으로 마차 뒷모습을 보다가 결국 자신이 직접 그쪽으로 뛰어가기 시작했다. 그러다가 돌부리에 걸려서 털썩 넘어졌다. 무릎이 진창에 닿으면서 피가 나고 손바닥이 까지자, 시시는 결국 꾹 참았던 눈물을 터뜨렸다.

그 순간. 매정하게 앞서가던 마차가 멈추어 서더니 안에서 한 여인이 내렸다. 아까의 그 귀부인이.

"괜찮니?"

귀부인은 다정하게 물어보며 다가오다가 시시를 보더니 조금 놀란 눈을 했다.

이 기회를 놓치면 안 돼! 시시는 담요를 꽉 끌어안고서 귀부인의 품으로 달려가 안겼다.

"엄마! 날 찾으러 온 거죠?"

전체적으로 녹색 톤인 화려한 온실 안에는 실제 나무와 풀, 꽃 등을 옮겨 심어두어서, 얼핏 보아서는 실내인지 실외인지 잘 구분이 가지 않는다. 그리고 그 안에서 활짝 날아다니는 금색 새.

'즐거워 보이네.'

새의 자유로운 비행을 지켜보다가, 새가 잠시 근처 나무에 앉았을 즈음. 나는 그쪽으로 다가가 딱딱한 목소리로 불렀다.

"하인리. 나랑 말 좀 해요."

그 순간 뒤돌아 서 있던 새가 휙 고개를 돌리는데…….

"퀸퀸?"

눈 색을 보고 당황해 이름을 부르자마자, 뒤에서 시무룩한 목소리가 들려왔다.

"퀸. 나 여기 있어요……. 이젠 구분 좀 해줘요."

얼른 돌아보자 하인리가 풀 죽은 모습으로 서 있었다. 그걸 보니 미안해져서 나는 얼른 그의 어깨를 두드렸다.

'어쩌지. 하인리에게 쓴소리를 하러 온 건데. 이렇게 되어버렸으니.'

하인리는 '속이 보이는데' 하는 시선으로 날 보지만, 결국 표정을 풀고서 물었다.

"무슨 일입니까?"

"애들 일로 당부할 게 있어서 왔어요."

"라리가 또 사고를 쳤습니까?"

"사고의 문제가 아니라……."

"?"

"너무 애들을 예뻐하지만 말고 좀 엄하게도 대해요."

내가 허리에 손을 올리고서 딱딱하게 당부하자, 하인리는 내 눈치를 살피더니 배시시 웃으면서 두 손으로 내 허리를 안았다.

"하지만 퀸. 라리는 그대와 얼굴이 닮아서, 카이는 말하는 게 그대 같아서, 혼내기가 쉽지 않아요."

"그렇다고 늘 풀어주기만 하면 안 돼요, 하인리."

"역시 라리가 또 사고를 친 거죠?"

"사고를 치진 않았어요. 천장에 올라갔을 뿐이니."

하인리는 의기소침해져서 눈을 내리깔고 내 머리에 자기 머리를 기댔다. 하지만 그러면서도 꼭 제대로 혼내겠단 말을 하지 않는다. 하여튼 늘 이런다니까.

물론 나도 하인리가 어떤 기분인지는 안다. 나도 라리가 사고를

칠 때마다 기가 막히고 화가 나지만, '어린 하인리다' 생각하면서 참고 있으니. 게다가 내숭 부리는 것까지 제 아빠를 쏙 닮아서, 라리는 남들 앞에서는 성격을 드러내다가도 나를 보면 눈을 동그랗게 뜨고 순진한 척 웃었다.

"역시 그대가 근원이야."

"퀸? 화 푸는 것 같더니 또 왜……."

허리를 콱 쥐자 하인리는 간지러운지 몸을 비틀면서도 내게 더 달라붙었다. 그 귓가를 몇 번 아프지 않게 씹다가, 나는 이럴 때가 아니란 걸 깨달았다. 놀러 온 게 아닌데.

"이 말 말고도 할 얘기가 더 있었는데."

"뭔가요?"

"이거. 소비에슈 황제가 친서를 보냈어요."

내가 편지를 건네자 하인리는 눈썹을 치켜떴다.

"그자가 또 퀸에게……."

"후계자 문제 때문이에요."

하인리는 내 말에 그제야 진중한 표정으로 편지를 받아 봉투를 열었다. 그리고 그가 편지를 읽는 동안 나는 안에 쓰여 있던 내용을 다시 떠올렸다. 라리와 카이에게 동대제국 후계자 자리에 관심이 있는지 의사를 물어봐달라는 내용이 들어가 있었지.

이전에도 소비에슈는 몇 번 아버지나 어머니 쪽을 통해서 의사를 전달한 적이 있긴 했다. 하지만 자기가 본격적으로 내게 그 얘기를 직접 꺼낸 건 이번이 처음이었다. 각오했던 일이긴 하지만, 확실히 편지로 받고 나니 좀 놀랍다.

"올 게 왔네요."

하인리는 한숨을 내쉬고서 편지를 접었다.

"아이들에게 물어보아야겠지요?"

내가 묻자 하인리는 "그렇지 않을까요?"라고 대답하더니, 걱정스러운 얼굴로 퀸퀸의 꽁지깃을 바라보았다.

그날 저녁. 함께 식사를 하잔 핑계로 아이 둘을 부른 후. 식사를 반쯤 마쳤을 즈음, 나는 미리 준비한 대로 라리와 카이에게 대놓고 질문했다.

"소비에슈 황제는 너희 둘 중 한 명을 후계자로 삼고 싶어 하던데."

"정말요?"

"와!"

"그래. 너희는 어떻게 생각하니?"

라리는 서대제국 황위에 관심이 많으니 아마 카이가 손을 들지 않을까, 생각했는데.

"나!"

뜻밖에도 손을 먼저 든 건 라리였다. 카이는 손가락을 달싹였다가 도로 내렸고. 하인리도 카이가 손을 들 거라 여겼나. 흐뭇하게 웃고 있다가, 충격받은 듯 눈이 커다래져서 얼른 라리의 손을 잡고 아래로 내렸다.

"나!"

그러나 라리는 하인리에게 잡히지 않은 반대쪽 손을 올리면서 해맑게 웃었다.

"라리!"

하인리가 섭섭하다든가, 그런 말을 하려는 눈치여서, 나는 그를 향해 작게 고개를 저었다. 놔둬봐. 일단 애가 무슨 말을 하는지는 들어봐야지.

하인리가 방해하지 않자, 라리는 작은 손을 꼭 모아 쥐었다. 그러고는 눈을 막 만든 푸딩처럼 반짝거리며 나와 하인리를 번갈아 보았다.

"넌 서대제국 황위를 잇고 싶어 하지 않았어? 여긴 어쩌고 동대제국에 가려는 거니?"

그러다 내가 묻자 아이는 발랄하게 설명했다.

"소비에슈 아저씬 몸이 약하잖아요. 그러니 양위도 먼저 해주지 않을까요?"

"글쎄."

"분명 그럴 거예요. 근데 아바마마는 튼튼하잖아요!"

"?"

"그러니까 먼저 동대제국 후계자가 되어서 거기를 먹고, 나중에 아바마마한테 서대제국을 이어받을 거예요."

……우리 라리. 야망이 엄청나구나. 전에 스치듯 맥켄나가 말하기로는, 하인리도 그 사고 전까진 딱 이랬다던데. 맥켄나가 말할 때는 그래도 귀엽게 여겨졌던 하인리의 과거 행동을, 실제로 보자 혀가 내둘러진다. 라리와 카이는 그나마 쌍둥이기라도 하지. 하인리는 형이 공식적인 황태자였는데 이랬다면…….

"퀸. 우리 라리는 천재인가 봅니다."

하인리는 자기를 닮은 딸이 그저 이쁜가 보지만. 그가 라리를 끌어안고서 기특해하는 동안, 나는 팔짱을 끼고서 인상을 너무 찌푸리지 않으려 애썼다. 하지만 예전에 예언가가 한 말이 떠올라서 자꾸 이마가 구겨졌다.

그러다가 한숨을 내쉬고서 카이 쪽을 쳐다보았다. 일단 카이도 어떻게 생각하는지 들어야 하니까.

하지만 시무룩한 카이의 표정을 보는 순간, 괜히 더 불길해졌다. 카이도…… 황제 자리에 마음이 있는 것 같은데. 그렇지만 아무 말도 못 하고 고기만 썰고 있기에, 결국 내가 먼저 나서서 중재를 시도했다.

"라리."

"네, 어마마마."

"한 곳만 고르는 게 낫지 않을까?"

"왜요?"

"라리는 똑똑하지. 하지만 오빠도 너만큼 똑똑하잖니. 둘이서 동대제국과 서대제국 한 곳씩 다스려도 괜찮지 않을까? 어려운 일이 있으면 서로 도울 수도 있고."

"어마마마는 전 세계의 반을 쥐고 있으면서."

"!"

"나는 제국 하나만 다스려야 해요?"

"언젠간 나도 수장 자리에서 은퇴하겠지. 이 자리는 물려주는 자리는 아니란다. 하지만 네가 연합 소속 왕들에게 인망을 받으면, 수장 자리는 차지할 수 있어."

그러나 라리는 여전히 불만스러운 얼굴로 입술을 내밀었다.

"서로 도우라니. 말도 안 돼요. 오빠가 동쪽을 차지하건 서쪽을 차지하건, 내가 할 일에 방해가 될 텐데. 어떻게 도와요?"

"왜 오빠가 방해가 된다 생각하니?"

"오빤 착하잖아요."

라리는 딱 잘라 말하고서 포크를 꽉 쥐고 시무룩이 눈을 내리깔았다.

"난 천하를 통일하고 싶단 말이에요."

"!"

"천하를 통일하려면 오빠한테 준 영토도 도로 받아와야 하는데. 어차피 나한테 뺏길 거, 그냥 미리 내가 가져가면 안 돼요?"

그제야 '내 새끼 최고다 내 새끼 이쁘다' 하는 표정으로 라리를 보던 하인리도 조금 난처한 기색이 되었다.

식사를 마친 후. 나는 하인리를 뚫어져라 쳐다보았다. 라리의 야망이 큰 게 하인리의 잘못이 아니긴 한데. 아무래도 맥켄나에게 하인리의 과거에 대해 들어서 그런가. 왜 저 새의 과실이 80퍼센트는 되는 것 같지?

하인리는 내 시선을 눈치채고는 얼른 새로 변해서 테이블 아래로 들어갔다.

— 구!

"귀여운 척해도 소용없어요, 하인리."

— 구!

"나와."

— !

패기 있게 말은 했지만 라리는 아직 열세 살. 자신이 던진 말이 부모에게 어떤 충격을 줄지 제대로 이해하기 힘든 나이였다.

라리는 그저 커다란 야망에 부푼 채 신이 나서 복도를 달려갔다. 태어날 때부터 모든 것을 쥐고 태어났고, 남들보다 좋은 머리를 가지고 태어났고, 모두가 감탄하는 아름다움까지 가지고 태어난 아이에게는 그저 세상이 쉽게만 여겨졌다.

게다가 라리는 소비에슈 황제가 오빠보다 자신을 더 예뻐한단 것도 알고 있었다. 자신이 무슨 부탁을 하건 절대 거절하지 못한단 것도. 라리는 동대제국의 황제 자리에 오른 자신의 모습이 당장에라도 잡힐 듯 코앞에 어른거렸다.

"용용아!"

그때. 라리는 저만치 걸어가는 낯익은 소년을 발견하고서 펄쩍 뛰면서 그쪽으로 달려갔다.

"용용아!"

야망에 찬 자신만만한 입가가 소년을 발견하자 설탕 가루처럼 변했다.

"용용아!"

소년도 라리를 발견하자 걸어가던 걸 멈추었다. 라리는 소년에게 다가가 허리를 꽉 끌어안았다. 거의 몸통 박치기 수준으로 안기는 바람에 소년의 파란 머리카락이 잠시 흔들렸다.

"용용아, 맥 삼촌 만나러 왔어?"

라리는 소년의 허리를 안은 채 고개를 들다가 소년과 눈이 마주쳤다. 소년의 금색 눈동자는 아름답지만, 실제 보석 같아서 무서울 정도였다. 생명력조차 느껴지지 않았다. 이 때문에 사람들은 소년의 얼굴에 감탄하다가도 눈이 마주치면 괜히 오싹해하고 꺼려하지만, 라리는 전혀 개의치 않았다.

"아버지한테 전할 게 있어서."

용용은 라리가 이러는 게 한두 번이 아니기에, 조용히 웃으면서 머리를 토닥거렸다.

"그럼 얼른 심부름하고 나랑 놀아. 시간 괜찮아?"

"그럴까?"

"응!"

라리가 얼른 심부름을 해치우자고 손을 잡아끌자, 용용은 순순히 그 뒤를 따라갔다.

"어유, 귀여우셔라."

우연히 그 모습을 발견한 귀족 두 명은 키득키득 웃어댔다.

"황녀님과 드라코 님은 같이 있기만 해도 어울리시네요."

"정말 사랑스러운 분들이에요."

"두 분이 결혼한다면 나라에도 큰 도움이 되겠죠?"

"그럼요. 용을 국서로 둔 나라가 되는 건데."

그때까지는 분위기가 좋았다. 하지만 심부름을 마친 후, 둘이서 조랑말을 타고 놀 즈음 분위기가 급격히 나빠졌다.

"우리 약혼식은 언제 올려?"

라리가 한 질문에 용용이 딱 잘라서 한 거절 때문이었다.

"안 올려."

라리는 용용의 파란 머리카락을 만지작거리다가 순간 놀라서 머리카락을 뽑아버릴 뻔했다.

"왜? 넌 내가 좋지 않아?"

"좋아."

"근데 왜?"

"넌 날 좋아하지 않잖아."

용용이 딱 잘라 말하자, 라리는 얼른 조랑말 고삐를 잡아당겨서 멈춰 세우고 반박했다.

"아니야! 난 네가 어마마마 아바마마 오빠 다음으로 좋아! 세상에서 네 번째로 좋은 건데!"

표정만 보아도 진심이 뚝뚝 묻어 나오지만 용용은 여전히 차갑게 부정했다.

"넌 날 좋아하는 게 아니라, 인외 존재인 내 힘을 좋아하는 거잖아."

"!"

"내가 용이 아니어도 나랑 결혼하고 싶겠어?"

"용이란 점까지 포함해서 넌데 그런 게 어디 있어. 그런 식으로 따지면 너도 마찬가지잖아. 내가 황녀도 아니고 맥 삼촌이랑도 모르는 사이면 나랑 놀지도 않았을 거면서!"

라리는 화가 나서 말 위에서 펄쩍 뛰어내렸다. 용용은 반사적으로 라리를 받아 들려 했지만, 라리는 몸을 피하고서 울먹거리는 눈으로 용용을 쏘아보았다. 그 매서운 시선에 용용은 작게 한숨을 내쉬었다.

"난 정말로 널 좋아해, 내 작은 폐하."

"근데 왜 결혼은 안 돼?"

용용은 팔짱을 끼고 눈살을 찌푸렸다. 안 그래도 차가운 얼굴이 인상을 쓰자 더욱 얼음장처럼 변했지만, 라리는 꿈쩍도 하지 않았다.

용용은 다시 한숨을 내쉬었다. 이건 설명하기 어려운 부분이었다. 용들은 평화주의자는 아니나 전쟁이나 정쟁을 싫어한다. 인간들의 일에 최대한 관여하지 않으려는 건, 그들이 타고난 본능이었고. 꽤 포악한 축에 속했던 수룡 돌시 역시도 자기 성질이 날 때 패악이나 부릴 뿐, 인간들의 일에 관여하지 않았다. 하지만 용도 아닌데다 나이까지 어린 라리가 이걸 이해할 수 있을지.

"너희 아버지는 너희 어머니를 위해서 전쟁을 포기했단 거 알아?"

"알아."

"너도 그럴 수 있어? 그러면 약혼할게."

"……."

"거봐."

차갑게 돌아선 용용은 미련 없이 멀어졌지만, 라리는 조롱말 두 마리 사이에 우두커니 서서, 멀어지는 뒷모습을 입술을 꽉 깨물고 쳐다보기만 했다.

그 시각. 베르디 자작 부인은 침대에 누워 달달 떨고 있는 아이를 걱정스럽게 바라보았다. 자신을 '엄마'라고 부르며 달려온 아이는 발견했을 때부터 이미 고열에 시달리고 있었다. 이런 상태로 쫓아온 게 신기할 정도로. 바로 의원을 불러 진료를 하고 약을 먹였지만, 열은 쉽게 떨어지지 않았다.

"엄마."

하지만 그런 상태로도, 아이는 자작 부인이 자리를 비키려 할 때마다 손을 뻗으며 애처롭게 불렀다.

"얼음주머니를 다시 가져오려 그래."

자작 부인은 아이의 손등을 토닥거리고서 밖으로 나가 하녀에게 지시했다.

"얼음주머니를 새로 가져오고. 조금 뜨거운 수프를 가져오거라."

"저…… 마님."

"왜?"

"저 애가, 아니, 아가씨가 정말 마님의 따님이신가요?"

"……."

하녀의 질문에 자작 부인은 대답 대신 힘없이 웃기만 했다.

하녀가 주머니를 가지러 간 후. 자작 부인은 다시 방 안으로 들어왔다. 아이는 쌕쌕 숨을 몰아쉬면서도 자작 부인이 오자 다시 손을 뻗었다. 자작 부인은 의자를 끌어다 근처에 놓고서 아이의 손을 잡아주었다. 하녀의 질문이 다시 머리를 울렸다. 저 아가씨가 정말 마님의 따님이신가요?

'그러게. 이 아이가 정말 공주님일까?'

이곳으로 오는 마차 안에서 아이는 자신의 이름이 '시시'이며, 아주 어린 시절 상시천에 납치당했다고 말했다. 원래 귀족이었는데, 습격받은 마차에서 지금 부모가 아기였던 자신만 데려다 길렀다고.

'전후 사정이나 나이는 맞긴 한데…….'

게다가 아이는 은발인 데다 얼굴 역시 라스타와 닮은 부분이 있었다. 문제는, 아이에게는 제 어머니의 천사 같은 분위기가 없었다. 사적인 감정을 빼고 외모만 볼 때, 라스타는 정말 모든 사람이 인정할 정도로 아름다웠다. 라스타의 두 아기는 모두 다 라스타와 놀랄 정도로 닮았고. 하지만 시시는…….

'하긴. 안도 시간이 갈수록 알렌과 더 많이 닮았지.'

자작 부인은 혹시나 싶어 림웰 영지에 갔다가 최근에 본 안을 떠올리고서, 글로리엠도 얼굴이 좀 변했을지 모른다고 생각했다.

"늘 친엄마를 찾고 싶었어요."

그때. 시시가 힘없이 중얼거렸다.

"우리 엄마인 거죠? 날 찾으러 온 게 맞죠?"

간절한 눈빛을 본 자작 부인은 자신의 두 손으로 아이의 한 손을 꼭 잡고 고개를 끄덕였다.

그 귀부인을 따라가서 내가 딸이라고 말씀드릴 거야. 네가 돌아왔을 때 이 편지만 있고 내가 없다면 아마 그분을 따라간 후일걸. 나중에 자리를 잡으면 청혼하러 올게. 결혼하자.

시시가 떠나고서도 며칠 후에 마을로 돌아온 모테는, 베개 밑에서 시시가 남긴 편지를 발견하고 웃음을 터트렸다. 시시는 늘 친부모를 찾고 싶어 했다. 그러니 이건 잘된 일이겠지.

"잘살아 시시. 거기선 사랑만 받고 행복해."

모테는 시시가 남긴 편지 봉투 위에 입을 맞춘 후, 편지를 서랍 안에 넣어두었다.

새벽같이 일어난 모테는 다른 사람들보다 먼저 연무장으로 가 검을 휘둘렀다. 모테는 자리를 비웠기에, 시시가 정확히 언제 마을을 뜬 건지는 몰랐다. 하지만 모테가 시시를 못 본 지도 벌써 일주일째. 가장 친했던 친구 없이 시간을 흘려보낼수록, 모테는 점점 초조해졌다. 미친 듯이 검을 휘두르면서 답답한 마음을 날리려 해도 소용없었다. 시시는 자신의 길을 찾아서 인생을 걸고 먼 길을 떠났는데. 자신은 오도 가도 못하고 여기 묶여서 시간만 허비할까 봐 갑갑해졌다.

"모테!"

그런데 해가 떠오를 즈음. 잠시 검 휘두르는 걸 멈추고 땀을 닦는데, 시시의 어머니가 다가오며 물었다.

"혹시 우리 시시 못 봤니?"

모테는 순간 황당했다. 시시를 이제 찾는다고? 저기, 시시가 떠난 지 아마 열흘은 됐을 건데요. 솔직하게 말해주고 싶을 정도였다.

"몰라요."

하지만 시시가 한 말을 떠올리고서 모테는 덤덤하게 대답했다.

"그래."

시시의 어머니는 걱정하는 얼굴로 다른 곳으로 걸어갔다.

'저런 걸 보면 아예 관심이 없는 건 아닌 거 같은데.'

모테는 그 뒷모습을 잠시 복잡한 눈으로 쳐다보다가, 어깨를 으쓱하고서 다시 검을 쥐었다. 모테는 그걸로 이 일이 끝이라 생각했다. 지금은 잠시 찾고 있지만 한때겠지. 저 부부는 시시에게 관심이 거의 없으니까, 아마 애가 없어져도 나중에는 그러려니 할 거라고.

하지만 두어 시간 후. 훈련을 끝낸 모테가 연무장 밖으로 나가는데, 갑자기 시시의 아버지가 달려오더니 커다란 주먹으로 모테의 머리를 내리쳤다.

"망할 새끼 같으니!"

퍽 소리가 날 정도로 머리를 강하게 맞고서 모테는 휘청 넘어졌다. 모테는 잠시 무슨 일이 일어난 건가 판단하지 못했다. 가까스로 정신을 차린 모테가 머리를 감싸 쥐고 올려다보자, 시시의 아버지는 무언가를 바닥에 패대기치며 고함쳤다.

"시시를 어디로 빼돌린 거야? 어디야?"

팔랑거리면서 무언가 모테의 앞에 툭 떨어졌다. 시시가 남기고 간 편지였다.

'내 방을 뒤졌구나!'

모테가 발끈해서 노려보자, 시시의 아버지는 발로 모테의 배를 걷어차며 미친 듯 소리 질렀다.

"이 망할 새끼! 은혜도 모르는 새끼! 네가 죽을 자리에 감히 내 딸을 대신 보내?"

모테는 흙을 움켜쥐고서 시시의 아버지를 향해 확 뿌렸다.

"윽."

그리고 시시의 아버지가 비틀하는 사이. 모테는 얼른 일어나며 외쳤다.

"아저씨가 시시를 무시하니까 시시가 떠난 거잖아요! 왜 나한테 지랄이야!"

그러나 그렇게 외치자마자, 덜덜 떨면서 이쪽을 노려보고만 있던 시시의 어머니가 달려오더니, 모테의 머리카락을 움켜쥐고서 확 잡아당기며 울부짖었다.

"넌 귀족 딸이 아니라 처형당할 중범죄자 딸이야! 넌 정체가 발각되면 당장 죽거나 갇힌다고! 그런 걸 입 다물고 키워줬더니, 그

자리에 내 딸을 보내? 일부러 그랬지? 일부러 그런 거지? 이 미친 놈, 나가 죽어! 당장 나가 죽으라고! 내 딸 찾아오란 말이야!"

"!"

시시의 아버지가 합류해 등이며 옆구리, 머리를 계속 때려댈 때마다 모테는 이리 휘청, 저리 휘청였다. 하지만 얻어맞는 충격보다 더욱 모테를 정신없게 만드는 건, 시시의 어머니가 뱉은 악담이었다.

"뭐 하는 거야!"

모테는 넋이 빠져서 두 사람에게 휩쓸리다가, 이를 발견한 부천주의 아내가 시시의 어머니에게 주먹을 휘두르자, 그제야 풀려나 바닥에 털썩 주저앉았다.

"이 개새끼!"

무슨 일인가 싶어 덩달아 따라 나온 부천주도, 눈이 희번덕 돌아가서 시시의 아버지를 걷어차고 두드려 패기 시작했다. 주위가 그야말로 난장판이 되었지만, 모테는 그 어떤 것도 눈에 들어오지 않았다. 모테는 그저 넋을 놓고 바닥에 구겨진 편지만 내려다보았다. 머리가 울렸다. 이게 무슨 소리야. 시시가…… 날 대신해 죽을지도 모른다고? 시시가 간 자리가 죽을 자리라고? 시시한테 그 귀부인 얘기를 해준 건 나잖아?

"일어나."

제정신을 차리지 못하고서 마을 사람들 간에 벌어진 패싸움을 보고 있자니, 누군가 팔을 잡아당겼다. 강한 힘에 이끌려 모테는 억지로 일어났다. 하지만 다리에 힘이 들어가지 않았다.

"정신 차려."

휘청이고 있자니 이번에는 낮은 목소리가 모테를 붙들었다. 그제야 눈물이 한 방울 툭 떨어졌다. 모테는 입술을 깨물고 옆을 보았다. 자신이 넘어지지 않도록 켈드렉이 팔을 단단히 붙잡아주고 있었다.

"방금 시시네 엄마가 이상한 말을……."

"가자."

켈드렉은 이상한 말이 무언지 듣지 않았다. 모테는 켈드렉에게 잡혀서 소란 구덩이를 빠져나왔다.

비틀비틀 걸어가기를 얼마나 했을까. 모테는 마침내 정신을 차리고서 다리에 힘을 주었다. 휘청이던 몸이 균형을 잡자, 켈드렉은 그제야 걸음을 멈추고서 팔을 놓아주었다.

"이제 좀 정신이 드냐."

"수장. 나 시시 구하러 갈래요."

"아직 안 들었구나. 더 걷자."

켈드렉은 한숨을 내쉬고서 모테를 쭉쭉 잡아당겼다. 모테는 몇 걸음 터덜터덜 따라가다가, 다시 다리에 힘을 주고서 버텼다.

"자, 다시 하자. 이제 좀 정신이 드냐."

"시시……."

"걷자."

한숨을 내쉰 켈드렉이 다시 모테의 등을 툭툭 두드리자, 모테는 걷는 대신 고개를 빠르게 저었다.

"제정신이에요."

아이가 다부진 표정을 짓자 켈드렉은 다시 한숨을 내쉬며 물었다.

"네가 거기가 어딘 줄 알고 구하러 간단 거야? 너 걔 어디 갔는진 알아?"

"몰라요. 수장은 알아요? 어떻게 알았어요?"

"나도 모르니까. 나도 모르는 걸 네가 어떻게 알아?"

"……."

모테는 입술을 잘근잘근 깨물다가 힘없이 쪼그리고 앉았다. 사람이 너무 놀라면 눈물도 안 나온다더니. 조약돌 같은 눈물이 이제야 펑펑 쏟아지기 시작했다.

"시시가 나 때문에 죽으면 어떡해요?"

"걔가 검은 못 써도 머리는 잘 써. 너랑 딱 반대라고. 죽을 자리 찾아가는 애 아냐."

"하지만 시시 아저씨가 그랬잖아요. 난 중죄인이 어쩌구라고."

중죄인 소리에, 켈드렉은 입을 빼끔거리다가 머리를 벅벅 긁으면서 신경질을 부렸다.

"에이, 이걸 왜 내가 설명하고 있나 몰라."

모테는 슬픈 와중에도 어이가 없어서 반박했다.

"수장은 아직 아무 말도 안 했는데요?"

그건 그랬다. 켈드렉은 앞으로 설명해야 할 일들이 생각만으로도 번거롭고 마음이 좋지 않아서, 미리 신경질을 냈을 뿐이었다. 켈드렉은 모테를 일으켜 세우고서 근처의 커다란 나무 아래로 데려갔다. 그러고는 아이가 나무 아래 바위에 앉도록 하더니, 주머니에서 사탕을 꺼내 모테에게 건네주었다.

"내 건데, 딱 하나만 준다. 아껴 먹어."

"보통은 술 주던데."

"뭐야? 누가?"

"……."

"네 나이는 사탕 먹을 나이야, 인마. 누가 술 건네면 술병으로 대가리 까고서 사탕 내놓으라 해. 난 스무 살 때까지 사탕만 먹고 컸어. 그래야 박력이란 게 생겨!"

모테가 픽 웃으면서 눈가를 손으로 벅벅 문질러 닦자, 켈드렉은 "어휴 지저분해. 어휴 지저분해." 하고 툴툴거리면서 손수건을 아이의 무릎에 툭 던졌다.

"손 다 까져서 그걸로 눈 닦는 거 봐라. 이걸로 닦아."

"수장은 지랄 맞은데 착해서 좋아요."

모테는 손수건에 코를 흥 풀고서 억지로 눈물을 삼켰다. 아까는 너무 놀라서 울어버렸는데. 뒤늦게 부끄러웠다. 모테는 남 앞에서 엉엉 울고 싶지 않았다. 열여섯 살 아닌가. 열여섯이면 눈물을 아낄 나이지. 모테는 '히끅 히끅' 줄기차게 딸꾹질하면서도 눈물을 억지로 참았다.

켈드렉은 한숨을 내쉬고서 아이 앞에 같이 쪼그렸다. 속으로는 부천주 이 새끼 저 새끼 욕을 하면서. 모테에게 뭐든 설명을 해주려고 보니, 왜 자기가 이 얘길 애한테 해줘야 하는지 짜증이 나서였다. 그렇지만 친구가 자기 때문에 죽을까 봐 겁먹은 애를 그냥 툭툭 치고서 돌려보낼 수는 없었다.

"자. 모테야. 들어봐. 네가 중범죄자 딸인 건 맞아."

"우리 마을 사람 반은 다 중범죄자 출신……이지만 일단 그렇다 치고 들을게요."

"정확히 누구 딸인진 내가 말 안 할게. 넌 내 딸이 아니라서, 어디부터 어디까지 말해줘야 될지 모르겠거든?"

"누구 딸인지 알아요?"

"아는데 묻지 마. 네 아빠한테 물어. 엄마한테 묻든가."

"계속 말해봐요."

"제일 중요한 거만 말할게. 시시가 따라간 그 귀부인은 네 엄마 아냐. 친엄마 말이야."

모테는 손수건을 꼼지락꼼지락 접다 말고서 눈을 휘둥그렇게 떴다.

"진짜? 그럼 시시는……."

"정확히는 나도 몰라. 근데 네가 중범죄자 딸인 걸 알면서도 몰래 챙기려던 사람이었을 거야."

"!"

"그러니까 시시가 죽을 자리로 간 건 아냐. 시시 아빠 말은 듣지

마. 그 새끼 등신인 거 너도 알고 나도 알고 시시도 알잖아."

모테는 눈을 끔뻑거렸다. 일단 아까보다는 안심이 되었다. 따라갔다고 해서 무조건 죽진 않겠구나. 하지만…….

"들키면요?"

"뭐?"

"들키면 어떡해요?"

"시시가 가짠 거?"

"아니, 그거 말고요. 그 귀부인이 나를, 시시를, 나를? 하여튼 몰래 챙기려 했다면서요. 근데 그게 발각되면 어떡하냐고요."

"위험하겠지. 그래서 네 신분을 알았을 때, 결국 못 내보냈잖아."

모테는 입을 뻥긋거리다가 벌떡 일어났다.

"역시 내가 구하러 가야……."

켈드렉은 모테의 발을 잡았다.

"앉아. 말 안 끝났어, 망아지야."

모테가 도로 쪼그리고 앉자 켈드렉은 한숨을 내쉬었다. 그러고는 영 어색한지 자기 머리를 연신 긁다가, 모테의 어깨를 툭 가볍게 한번 쳤다.

"이건 꼬맹이가 나설 일 아냐. 위험한 건 어른들이 하는 거야. 그니까…… 날 믿고 기다려. 내가 알아봐줄게."

"!"

"너 귀부인 따라가고 싶어?"

모테는 머뭇거리다가 고개를 설레설레 저었다. 시시가 없는 상태에서 이 사실을 알았더라면, 아마 그 사람과 대화는 나누어보고 싶었겠지만. 시시가 그 귀부인을 따라갔는데, 자신이 나서서 시시가 상처받는 건 원하지 않았다.

"그럼 그 귀족 여자가 시시 데리고 어디 갔는지, 시시가 그 여자 따라가서 어떻게 살지, 내가 확인해줄게. 그러면 안심할 수 있겠어?"

모테는 얼른 고개를 끄덕였다.

애 달래는 게 쉽지 않네. 근데 이렇게 해도 되는 거 맞긴 한가. 켈드렉은 속으로 툴툴거리면서도 우선 모테의 어깨를 두드리고 일어났다.

"가자. 네 부모님이 시시 부모님 죽일라."

모테는 아까보다는 한결 가벼워진 마음으로 켈드렉에게 뒤처지지 않게 열심히 걸어갔다. 하지만 그래도 마음이 싱숭생숭했다. 중범죄자의 딸……. 대체 누구의 딸이기에 시시 부모님이 그런 반응을 보일까? 시시 부모님은 시시한테 관심이 없는데. 그런데도 펄쩍 뛸 정도면, 진짜 어마어마한 악당의 딸인 건가?

마음이 무거워지니 덩달아 발걸음도 무거워졌다. 켈드렉은 옆에서 열심히 따라오던 모테가 점점 걸음이 느려지자, 이걸 눈치채고서 속으로 끙끙 앓았다.

부천주 이 새끼, 진작 애한테 말을 했어야지. 아니면 아예 못 알게 철저히 막든가. 대체 이 상황이 뭐냐고! 켈드렉은 다시 한번 더 속으로 부천주의 멱살을 잡고 흔들다가 애써 평소보다 온순한 목소리를 꾸며냈다.

"야. 동대제국 수도에 갈 일 있는데, 같이 갈래?"

"그래도 돼요? 내가 수도 가는 거 안 좋아하잖아요."

"근데 넌 좋아하잖아. 거기 빛시장."

"빛의 야시장."

"그거나 그거나. 보고 올래?"

밤을 낮처럼 밝히는 환한 야시장은 동대제국 수도의 명물이었다. 다른 곳도 야시장이 많지만, 동대제국의 야시장은 특히 마법을 이용한 빛이 사방에서 뿜어져서 몹시 아름다웠다. 모테가 가장 좋아하는 장관이기도 했다.

"갈래요!"

모테가 웃으면서 외치자 켈드렉은 가까스로 안심했다.

"대신 가면."

"얌전히 있을게요."

"가면 쓰라고."

"가면도 쓰고 얌전히 있을게요."

"좋아."

모테는 켈드렉이 자신을 걱정하는 걸 알기에 억지로 밝은 척 건다가 물었다.

"근데 동대제국 수도엔 왜 가요?"

"어, 서대제국 황자랑 황녀 생일 때문에."

"서대제국 황자랑 황녀 생일인데 왜 동대제국에 가는데요?"

"걔네 생일 파티 두 번 열잖아. 동대제국에서 한 번 서대제국에서 한 번."

"그건 아는데, 우리가 동대제국 가는 거랑 그게 무슨 상관이에요? 우리 생일 아니잖아요?"

"세계에서 제일 비싼 보석이 한 쌍 있는데, 소비에슈 황제가 그걸 걔네 준다고 선물로 준비했나 봐. 근데 누가 그걸 훔쳐 갔대."

"수장……?"

모테가 '설마' 하는 시선으로 쳐다보자 켈드렉은 발끈해서 덧붙였다.

"나 말고 다른 도둑이. 우린 이제 도둑질 안 하잖아."

"놀라라."

"회수해달라 의뢰를 해서. 그거 챙겨서 운반해주는 거야."

식사 때, 카이가 손을 들려다가 도로 내린 일이 영 마음에 걸린다. 라리가 자신의 야망을 호탕하게 말하는 동안, 카이가 아무 말 없이 포크질만 하던 모습도. 결국 걱정이 되어서 카이가 머무는 방으로 찾아가보았다. 방문은 닫혀 있었다. 평소처럼. 하지만 평소와 다를 바 없는 그 모습조차 오늘은 이상하게 마음이 쓰인다.

"황후 폐……."

"괜찮다."

인사하려는 호위들에게 되었다 손을 젓고서, 나는 직접 문을 노크했다.

"카이?"

그러나 기다려도 대답이 없었다. 자나?

'응접실에서 다시 불러볼까…….'

결국 문을 열고서 안으로 들어갔다. 그런데 응접실 소파로 걸어가고 있자니, 침실 안쪽에서 소리가 들려왔다. 자는 건 아닌데. 왜 대답을 안 했지? 의아해서 쳐다보자, 카이가 책상 앞에 서서 무언가를 빠르게 찢는 게 보였다. 뭘 찢는 거지? 뭘 찢기에 사람이 온 줄도 모르고……?

"카이."

그 모습이 영 이상하게 여겨져서 침실 밖에서 부르자, 카이는 그제야 화들짝 놀라서 몸을 돌렸다.

"괜찮니?"

가만히 쳐다보며 묻자, 카이는 허둥거리면서 책상 위의 종잇조각들을 허겁지겁 끌어모으기 시작했다. 그쪽으로 걸어가자, 카이는 다 감추기 어렵다 판단했는지 아예 자기 상체로 종잇조각들을 한 번에 몰아놓고 덮어버렸다.

"옆에 삐져나왔는데."

"어마마마!"

안타깝게도 양이 너무 많아서 실패했지만.

카이가 미처 가리지 못한 종이를 집자, 아이는 울상을 짓고서 상체를 일으켰다. 나는 아이에게 바로 종이를 돌려주려다가, 내용물을 확인하고서 조금 놀랐다. 낙서 같은 거라 생각했는데, 아니었다.

"……왜 찢고 있었니? 멋진데."

찢어버린 종이 안에는 나라에 도움이 될 여러 가지 안건이나 계책들이 적혀 있었다. 공부한 내용을 바탕으로 이것저것 응용을 해서 적어본 것 같은데. 이상적인 사안이 몇 가지 있지만, 제법 그럴듯한 사안도 그만큼 있었다. 얼핏 봐도 이렇게 박박 찢어버릴 내용은 절대 아니었다.

그러나 종잇조각을 돌려주며 묻자 카이는 시무룩해서 고개를 떨어트렸다.

"소용없을 텐데. 보면 욕심만 생길까 봐……."

"소용없다니? 왜? 왜 소용없다 여기지?"

질문을 던졌는데 돌아오는 대답이 없다. 카이는 입을 다물고서 가만히 있기만 할 뿐, 쉬이 말을 꺼내지 못했다.

"카이. 괜찮아. 말해봐."

무릎을 굽혀서 아이와 눈을 맞추고 묻자, 카이는 주저하다가 작은 목소리로 속삭였다.

"제 욕심 때문에 국민들이 아픈 것도 싫고. 라리랑 사이가 멀어지는 것도 싫어요."

"!"

"이런 우리 때문에 어마마마가 슬퍼하는 건 더욱 싫어요."

'소용없다'는 게, 자기가 황제가 되어서 이런 안건 등을 써볼 일이 없단 뜻인가? 아니, 그보다 카이. 내가 라리와 카이에 대한 성자의 예언을 두고서 내내 고민한 걸 알고 있나? 내 표정에서 티가 난 건가?

너무 혼란스러운데. 카이는 내 품에 덥석 안기면서, 아까 그런 진지한 말을 한 적이 없는 것처럼 응석을 부렸다.

"전 어마마마만 있으면 돼요."

아이의 작은 머리통이 참으로 귀여웠다. 내게 온전히 의지하는 모습도. 하지만 방금 카이가 한 말은 그저 귀엽다고만 할 수 없었다. 마음이 아파서. 카이는 라리가 황제가 되고 싶어 하니까, 자기도 황제가 되고 싶어 하면 그게 잘못이라 생각하는 건가? 그래서 미리 꿈을 포기해버리는 건가?

"카이. 혹시 오늘 라리가 한 말 때문에 그래?"

"라리가 동대제국 황제가 되는 게 맞을 거예요. 어차피 소비에슈 폐하도 거기 귀족들도 국민들도 모두 라리를 더 좋아하잖아요."

"!"

당황스럽고…… 당황스러워서…… 나는 아무 말도 못 하고 아이만 끌어안았다. 싸움을 피하는 게 기특하다 칭찬할 수도 없고, 괜찮으니 싸워보라 부추길 수도 없다. 이럴 땐 어떻게 해야 하지?

오빠와 내가 어릴 땐 어땠나 생각해보지만, 도움이 되지 않았다. 우리는 꿈이 겹친 적이 없었으니. 나는 라리와 카이보다 어릴 때부터 황태자비였고, 황후가 되는 일 외에는 생각조차 하지 못했지. 반면 오빠는 자기가 황태자비가 될 일은 없으니, 꿈이 겹칠 리가. 그럼 하인리와 상담해볼까?

결국 머뭇거리다가 일단 아이의 등을 토닥이며 물었다.

"곧 생일인데. 뭘 가지고 싶어?"

"곧 동대제국에 가잖아요. 거기 가도 선물은 한가득 받을 건데요. 갔다 오면 여기서도 한 번 더 한가득 받을 거고."

"그건 내가 주는 선물이 아니잖아."

카이는 곰곰이 생각해보더니 고개를 들고서 웃었다.

"어마마마의 시간을 조금 주세요. 어마마마랑 저랑, 이렇게 둘이서만 놀러 갔다 오고 싶어요. 괜찮을까요?"

"이거 어때요? 여기 모자 무늬가 정말 독특해서 다들 놀랄 거예요."

"색은 밝은 노란색이나 쨍한 분홍색으로 할까요? 황녀님은 화사한 색이 잘 받는데."

"생일이니까 평소보다 더 화려하게 해요. 금색은 어떨까요?"

"아니면 은색과 검정색 조화도 괜찮지 않아요?"

시녀들이 디자이너 몇 명을 불러두고서 바쁘게 이야기를 나누는 사이. 라리는 자기 생일 드레스 이야기를 하는데도 끼어들지 않고서 뚱하게 앨범만 넘겼다.

"황녀님, 지루하세요?"

이를 눈치챈 시녀 하나가 묻자 라리는 고개를 저었다. 재미없는 게 아니었다. 갑갑할 뿐.

말은 아니라지만 뭔가 걸리는 게 있나 보구나. 시녀는 황녀의 침울한 표정을 눈치채고서 디자이너들에게 나가달라 부탁했다. 디자이너들이 앨범을 챙겨 나가고 시녀들만 남자, 가장 라리와 친한 시녀는 다시 걱정스러운 목소리로 물었다.

"황녀님, 오늘따라 왜 이렇게 침울하세요. 네?"

라리는 솔직하게 대답했다.

"용용이 때문에."

"드라코 님이 왜요?"

"날 좋아한대. 근데 나랑 결혼하긴 싫대. 그게 이해가 안 가."

시녀들은 서로 눈짓을 교환하면서 웃었다. 라리는 심각하게 고민하고 있지만 옆에서 보기엔 아이의 풋사랑 같아 그저 귀엽기만 했다. 고민조차도.

그러나 정말로 심각한 라리는 손가락을 꼼지락거리다가 시녀에게 물었다.

"날 안 좋아하는 걸까?"

"그럴 리가요. 좋아한다 하셨다면서요."

"빈말일 수도 있잖아."

"용인데, 설마 그런 걸로 빈말을 하겠어요?"

"그런가."

"용은 원래 사람과 잘 결혼하지 않잖아요. 다른 이유가 있어서 결혼을 거절하는 게 아닐까요?"

"힘이 어쩌구저쩌구하긴 했어. 하지만 그건 오해야."

라리가 고개를 떨구자 연한 금발이 얼굴을 커튼처럼 가렸다. 그 사이로 부루퉁한 입술만 보이자, 시녀들은 그게 또 귀여워 자기들끼리 쳐다보며 다시 웃었다.

그때. 라리가 갑자기 고개를 번쩍 들며 외쳤다.

"아, 그러면 되겠다!"

시녀들은 얼른 정색하고서 물었다.

"뭐가요, 황녀님?"

"맥켄나 삼촌한테 물어볼래."

"드라코 님 속마음을요?"

"아니. 용이랑 어떻게 결혼했는지!"

내가 이런 좋은 아이디어를 내다니! 라리는 자기 아이디어가 뿌듯해서 얼른 벌떡 일어났다. 그러고는 시녀들이 잡을 새도 없이 문 두 개를 열고 나가 열심히 복도를 달려갔다. 반쯤 복도를 지나와서야 아이는 깨달았다. 체통! 체통을 못 챙겼다!

아이는 잠시 멈추어서 머뭇거렸지만, 이제 와 새삼 의젓하게 걸어가기엔 마음이 너무 조급했다. 맥켄나 삼촌은 바쁜 몸이라 하루 종일 궁전 안을 돌아다니지 않는가.

'나중에 챙기자!'

아이는 다시 뛰기 시작했고, 다행히 재상관저에서 무사히 맥켄나를 만났다.

"삼촌!"

맥켄나는 쉬는 중이었던지, 수룡과 나란히 앉아 그 무릎에 머리를 베고 있었다. 그러다 라리가 나타나자, 눈 깜짝할 사이 벌떡 일어났다.

"황녀님!"

부끄러운 눈치였다. 그러나 라리는 엄마랑 아빠가 붙어 있는 걸 이미 여러 번 보았기에, 감흥 없이 자기 할 말만 뱉었다.

"수룡님 안녕. 삼촌 안녕. 나 질문 있어서 왔어."

또 용용이 얘기를 하러 오셨겠군. 맥켄나는 한숨을 내쉬었으나, 수룡은 라리의 머리카락 한 올을 장난스럽게 잡아당기며 되물었다.

"질문이 무엇이냐, 안목 높은 아이야."

"삼촌은 수룡님이랑 어떻게 결혼했어? 수룡님은 삼촌이랑 왜 결혼했어?"

라리의 속셈이 훤히 보이고, 그게 또 귀엽게 여겨져서 맥켄나는 빙그레 웃었다.

"안 알려줄 겁니다."

하지만 대답해주진 않았다. 어쩔 수 없었다. 맥켄나는 이 작은 황녀님이 정말로 사랑스럽지만, 며느리는 안 되셨으면 싶었으니까.

라리는 하인리의 기질을 닮았지만 하인리보다 환경이 좋았다. 본인에겐 좋은 일이지만, 맥켄나는 그 점이 걱정이었다. 하인리는 나비에를 위해 전쟁을 포기했지만, 라리는 드라코를 위해 전쟁을 포기할 수 있을까? 라리의 야망 자체가 문제는 아니었다. 문제는 그 야망이 드라코와 얽힐 때이지.

드라코가 라리와 결혼하면, 라리를 위한답시고 힘을 원하지 않는 곳에 사용할 가능성이 높았다. 그러고서 홀로 괴로워할 텐데. 그건 싫었다. 사람들 눈엔 드라코가 위대하고 대단한 용이지만, 맥켄나에겐 어린 아들일 뿐이었다.

그러나 옆에 앉은 용은 생각이 다른지 얼른 입을 열었다.

"어떻게 만났냐면, 내가 장난감 가게에 갔는데."

"으악!"

맥켄나가 수룡의 입을 막으려 했으나, 수룡은 가뿐히 맥켄나를 손 하나로 누르고서 말을 이었다.

"내 사랑이 날 만나고 싶어서 거기서 죽치고……."

"아닙니다. 아닙니다. 라리, 그거 아니야. 내가 장난감 가게에 간 건 황녀님 때문입니다."

라리와 카이가 아직 아가일 무렵.

'여기 재료가 제일 나아.'

맥켄나는 하품을 하면서 단골 장난감 가게 문을 열었다.

"아이쿠, 또 오셨네요."

안에 들어가자마자 주인은 맥켄나를 알아보고 인사했다. 하도 자주 다녔더니 괜히 반가운 모양이었다.

"오늘도 인형 재료 사러 오셨습니까?"

"벌레 인형 3호가 필요하네."

"완성본을 보여주신 적이 없으니, 3호라 해도 못 알아듣겠습니다."

"이런 거야."

"잘 만드셨네요!"

맥켄나가 벌레 인형 2호를 내밀자, 주인은 그걸 보더니 껄껄 웃고서 다시 가판대 정리를 시작했다.

"그렇지."

맥켄나는 다시 하품을 하면서 여러 가지 다양한 종류의 털실이 쌓인 가판대를 뒤적거렸다.

'3호는 반짝거리게 만들어볼까. 카이가 반짝이를 좋아하던데.'

그러고서 바구니를 가져다가 일단 반짝거리는 털실을 다 담는 도중. 짤랑. 누군가 가게 안으로 들어오는 소리가 났다. 맥켄나는 소리를 들었지만 돌아보지 않고 털실만 뒤적거렸다.

'누르면 삑삑 소리 나는 장치를 사볼까? 그걸 안에 벌레 인형 안에 넣으면 라리랑 카이가 무서워하려나.'

그러다 세 번째로 하품을 하면서 몸을 돌리는 순간. 맥켄나는 예상하지 못한 인물을 발견하고서 움찔했다. 붉은 머리카락. 칼단발. 금색 눈동자. 태양 같은 그 여자였다. 아니, 폭염 같은 그 여자. 맥켄나가 놀라서 굳어 있자, 여자도 털실 쪽으로 오다가 그를 발견하고서 눈썹을 치켜올렸다.

맥켄나는 반사적으로 긴장해서 자신이 오늘도 기저귀를 가져왔나 생각해보았다. 주머니에 손을 넣어서 뒤적여보고 싶은데. 그러면 저 여자가 또 이상하게 볼 것 같아서 어쩌지도 못한 채로.

그러나 긴장한 맥켄나와 달리 여자는 옆을 쌩 지나갔고 잠깐 쳐다본 게 전부였다. 시선도 던지지 않았다. 맥켄나는 어깨를 시무룩 떨어트렸다. 절대 두 번 다시 엮이지 않을 거라 다짐했는데. 저렇게 일방적으로 무시하고 가니 그건 또 섭섭했다.

'벌레 인형 재료나 찾자.'

맥켄나는 한숨을 내쉬고서 삑삑 소리 나는 장치가 있는 코너로 갔다. 그러나 대체 이게 무슨 일인지. 가게 안쪽에 들어가자마자 그 여자가 또 있었다. 여자는 삑삑 소리 나는 장치를 눌러보면서 놀다가, 맥켄나를 보더니 인상을 찌푸렸다.

"또 뭐냐, 인간. 왜 쫓아와?"

그 말을 듣는데…….

— 대가리 똑 따줄까?

여자가 전에 자기를 귀찮게 굴던 이들에게 하던 협박이 떠올랐다. 맥켄나는 허겁지겁 손을 저었다.

"아, 아닙니다, 저 인형 재료 사러 온 겁니다."

"……."

"진짭니다. 이거 보세요. 이거 인형 2호. 이번엔 3호 재료 사려고……."

맥켄나는 허겁지겁 주머니에 넣어둔 벌레 인형 2호를 꺼냈다. 황급히 손을 흔들자 그의 손안에서 벌레 인형 2호의 더듬이가 볼품없이 흔들거렸다. 그걸 본 여자의 눈썹은 더욱 올라갔다.

"전엔 기저귀. 이번엔 인형."

맥켄나는 여자가 중얼거리는 소리를 듣자마자, 저 여자가 자기를 또 이상하게 보았단 걸 깨달았다.

"이상한 인간."

역시나. 여자는 혀를 차고서 나갔다. 이번에도.

나 진짜 이상한 사람 아닌데. 맥켄나는 어쩐지 눈물이 찔끔 나와서, 인형을 안고서 허망하게 서 있었다.

주인은 가판대를 정리하다가, 그 모습을 보고서 두 손으로 입가를 가렸다.

'맥켄나 경은 늘 차이는구나.'

저녁 무렵. 맥켄나는 벌레 인형 3호 도안을 대고 초크로 천에 선을 긋다가, 갑자기 열이 받아서 초크를 탕 내려놓았다.

'내가 뭐가 이상하다고!'

생각해보니 억울했다. 자기도 장난감 가게에 와 있었으면서. 성인이 인형 좀 주머니에 넣어 다닐 수도 있는 거지, 그게 뭐가 이상하다고. 기저귀야 그렇다 쳐도 인형 가지고 그러는 건 너무 치사한 거 아닌가?

한참을 씩씩거리다가 맥켄나는 결심했다. 그 여자에게 자기는 절대로 이상한 사람이 아니란 걸 반드시 해명하기로. 이번에는 아주 멋들어진 모습으로 만나서, 자기가 얼마나 유능하고 맵시 있는 새인지 보여주기로.

다음 날. 맥켄나는 없는 시간을 쪼개서 잘 차려입고 장난감 가게에 갔다. 그리고 다음 날도. 그다음 날도.

"자주 오시네요, 맥켄나 경. 인형을 대량 제작하시는 건가요?"

나중에는 장난감 가게 주인이 떨떠름하게 말할 정도였다.

"아니면 혹시 전에 본 그 빨강 머리 아가씨 때문에 그런가요?"

맥켄나는 순순히 인정했다.

"그 여자한테 해명을 하고 싶어서."

그런데 무슨 일인지. 장난감 가게 주인이 말을 나누다 말고 "어……" 하고 갑자기 입을 벌렸다. 시선은 맥켄나의 뒤로 보내면서.

상대가 저렇게 나올 땐 뒤에 누가 있단 건데. 맥켄나는 뒤를 돌아보았다. 바로 뒤에 그 여자가 서 있었다. 폭염 같은 여자가.

"무슨 해명?"

눈이 마주치자 여자는 맥켄나를 보며 물었다. 해명 운운한 걸 다 들은 듯했다. 맥켄나는 저도 모르게 움츠러들었다. 해명할 생각이긴 했는데, 이렇게 갑자기 만나니 아무 생각도 들지 않았다. 주인이 근처에서 일하는 척 대화를 듣고 있자, 긴장감은 더욱 커졌다. 결국 맥켄나는 입에서 나오는 대로 그냥 뱉어버렸다.

"혹시 애인이 있나요?"

맥켄나 경은 뭘 해명하려고 늘 여길 찾아오나, 중대한 일인가? 주인은 두근두근 기대하다가, 눈을 동그랗게 뜨고 고개를 돌렸다. 이게 해명? 무슨 해명? 어디가 해명?

여자도 비슷한 생각인지 고개가 삐딱해졌다.

사실 맥켄나도 마찬가지였다. 그는 자기 주둥이를 몇 대 때리고 싶었다. 이 말을 하려던 게 아닌데. 이건 그냥 여자를 보자마자 반사적으로 튀어 나간 말이었다.

"애인은 없는데."

그런데 무슨 꿍꿍이인가. 의외로 여자가 순순히 대답해주었다.

"없나요?"

맥켄나는 얼결에 기뻐서 활짝 웃었다.

"마음에 드는 수컷은 하나 있지."

장난감 가게 주인은 오리 인형을 쌓다 말고 뚝 떨어트렸다.

'수컷? 남자가 아니라 수컷?'

슬쩍슬쩍 지켜보던 점원들도 입을 쩍 벌렸다.

'맥켄나 경, 저런 데 넘어갈 건 아니지요?'

'저런 사람은 만나는 거 아닌데.'

남의 연애사만큼 관심 가는 일도 드문지라, 손님들도 괜히 두근두근해서 맥켄나 쪽을 힐긋거렸다. 하지만 맥켄나는 외려 안심했다. 그는 명실상부한 수컷 파랑새. 맥켄나는 너무 좋아하는 티를 내지 않으려 애쓰며 또 물었다.

"그 수컷 어디가 마음에 드는데요?"

'맥켄나 경, 그걸 물을 때가 아니잖아요!'

'수컷이란 단어부터 신경 써야죠!'

점원들만 갑갑해서 몸을 비틀었다. 그러다 맥켄나가 "아차." 하고 곤란한 표정을 하자 점원들은 자기들이 안심해서 후 한숨을 내쉬었다. 이제야 뭔가 이상한 걸 눈치채셨구나.

"제가 절대로 그쪽 분한테 관심 있어서 이런 거 묻는 건 아닙니다."

아니었다. 점원들은 답답해서 고함을 지르고 싶어졌다. 수컷! 수컷! 수컷이라는 단어부터 신경 쓰라고요!

어쨌든 여자는 이번에도 의외로 잘 대답해주었다.

"쿨한 점. 질척이지 않는 점. 눈에 안 보이는 점. 잘 도망 다니는 점."

잘 도망 다닌대. 주인은 오리 인형으로 자기 입을 막았다. 맥켄나 경, 역시 저 여자 이상한데요! 외치고 싶은 마음이 굴뚝 같았다. 그러나 맥켄나는 여자의 저 발언을 '넌 쿨하지도 않고 질척거리고 눈에도 잘 보이고 날 쫓아다니니 별로'로 해석하고서 시무룩해졌다.

여러 사람을 동시에 혼란에 빠뜨린 여자는, 들고 있던 큐브를 내려놓고서 뒤도 돌아보지 않고 나갔다.

딸랑. 문 닫히는 소리가 나자마자 맥켄나는 어깨가 축 내려갔고, 주인은 얼른 달려와 손을 휘둘렀다.

"맥켄나 경, 손님한테 이런 말 하는 거 아니란 건 압니다만. 저 손님은 절대 아닙니다! 저런 데 관심 가지는 거 아니에요!"

"그 인간이 그렇게 말했어?"

가만히 듣고 있던 수룡이 눈을 희번덕거리자, 맥켄나는 추억에 잠겨 이야기를 하다 말고 얼른 입을 다물었다. 그 가게 주인은 여전히 거기서 장사 중이었고 가게는 더 번창했다. 화난 수룡이 가서 깽판을 부리게 둘 수는 없었다.

"거기가 우리 추억의 장소네요."

맥켄나가 얼른 수룡의 손을 잡자 수룡은 코웃음을 쳤다.

"앙큼하긴. 이러면 이 몸이 넘어갈 줄 알아?"

"!"

"맞아."

수룡이 맥켄나의 어깨에 손을 얹자, 라리는 입을 헤 벌리고서 둘을 번갈아 보았다. 어떻게 결혼했냐고 물었는데. 왜 싸운 얘기만 들려주는 거지?

"그럼 두 분은 싸우다 정든 거예요? 용이랑 결혼하려면 일단 싸워야 돼요? 몇 번 싸워야 돼요?"

결국 대놓고 묻자, 맥켄나는 손을 저었다.

"여기까지. 더 안 알려줄 겁니다, 황녀님."

"하지만……."

라리가 무어라 말하려는데 누군가 노크했다. 돌아보자 용용이었다. 라리는 조르던 걸 멈추고서 자리에서 일어났다. 용용이 앞에서 떼쓰는 모습은 보일 수 없지. 자신이 용용이를 차지할 방법을 찾고 있단 것도 들킬 수 없다. 분명 방해할 테니.

"라리?"

라리는 맥켄나와 수룡에게 '절대 비밀이에요' 신호를 해 보이고서 얼른 밖으로 나갔다. 그러나 머릿속은 여전히 맥켄나가 하다가 만 이야기에 머물렀다. 뭘까. 그 뒤가 뭐지? 그 뒤에 뭘 어떻게 했기에 싸워대다가 결혼한 건데?

복도를 뛰어가면서 라리는 머리를 굴렸다.

'더 듣고 싶어. 하지만 맥 삼촌은 의외로 입이 무거우니 진짜 안 말해줄지도 몰라. 수룡님을 공략하자. 엄마가 보석댐으로 수룡님 마음을 돌렸댔잖아. 나도 그런 걸 찾아봐야 해.'

하지만 어떤 거로? 수룡은 보석을 좋아하지만, 일반적인 보석은 이미 수두룩 가지고 있었다. 평범한 보석 몇 개를 준다고 입을 열진 않을 텐데…….

그 순간. 좋은 생각이 떠올랐다. 암시장! 그곳엔 온갖 희귀한 물품들이 다 나온다. 거기 가보면 적당한 선물을 찾을 수 있지 않을까?

며칠 전. 켈드렉은 충격적인 진실을 안 모테를 달래기 위해 아이를 동대제국에 데려가기로 했다. 하지만 동대제국에 가려면 먼저 챙겨야 할 물건이 있었다. 소비에슈 황제가 쌍둥이 황녀와 황자에게 주기 위해 준비했는데 도둑맞은 보석 한 쌍. 그걸 다시 가져가기 위해 켈드렉은 우선 모테와 암시장에 들렀다.

"세계에서 제일 비싸단 그 보석이 진짜 여기 흘러들어온 거 맞아요?"

그러나 물건을 찾겠다며 자신만만하게 걸어가는 켈드렉과 달리, 모테는 암시장에 들러서도 연거푸 캐물었다.

"경매에 나온대요?"

그러기를 스물다섯 번쯤. 결국 켈드렉은 지쳐서 대답해주었다.

"지금 경매에 나오면 살 사람이 없지. 거긴 안 나와."

"그럼 여긴 왜 왔는데요?"

"범인을 알거든."

"어디 있어요?"

켈드렉은 대답 대신 손가락으로 경매장을 가리켰다.

"거긴 나 혼자 갈 테니까 넌 저기 가 있어."

"경매장? 왜요? 나 시끄러워요?"

"저기가 제일 안전하니까. 집행 요원들이 안에서 소란 일어나는 걸 질색하거든."

"알았어요."

모테는 굳이 따라 들어가겠다 우기는 대신 순순히 경매장 안으로 들어가 뒷좌석에 앉았다. 아직 경매는 시작하지 않았기에, 모테는 시간을 보내기 위해 슬쩍 사람들을 구경하며 주위를 두리번거렸다. 대부분은 암시장 손님답게 얼굴을 가려서, 구경하고 말고 할 것도 없었지만. 그러다 모테는 한 사람에게 시선이 멈추었다.

'뭐야, 저 엄청나게 화려한 망토는?'

38
용은 왜 새를 사랑하나

모테는 입을 쩍 벌렸다. 여기에 사람들이 망토로 얼굴을 숨기고 오는 건 눈에 띄지 않기 위해서인데. 저 정도로 화려한 망토를 입고 오면 아무 소용이 없지 않나?

다른 손님들도 비슷한 생각이 드는지, 연신 화려한 망토 쪽을 힐긋거렸다. 하지만 화려한 망토를 입은 사람은 남들이 자기를 보거나 말거나 고개를 빳빳하게 든 채 경매장만 쳐다볼 뿐. 자세가 조금도 흐트러지지 않았다. 모테는 그 사람을 힐긋거리다가 곧 무의미하단 생각에 관심을 껐다.

'저 사람이 화려하게 입건 말건 나랑 무슨 상관이야.'

그러나 얼마 뒤 경매가 시작되자, 모테는 다시 그 사람을 볼 수밖에 없었다.

"네, 28번 고객님! '천사의 하프' 최고가 부르셨습니다! 다른 분?

다른 분 없습니까?"

"네, 28번 고객님! '악마의 혓바닥' 최고가 부르셨습니다! 다른 분? 다른 분 없습니까?"

"네, 28번 고객님! '용의 환심' 최고가 부르셨습니다! 다른 분? 다른 분…… 없죠?"

좀 괜찮다 싶은 물건이 나오는 족족 그 화려한 망토가 최고가를 불러버리는 탓이었다.

'목소리, 어려 보이는데…… 대단하다.'

모테만 그런 게 아니라 다른 사람들 역시도 반응은 비슷했다. 나중에는 아예 그 화려한 망토가 뭘 사 가나 대놓고 구경하는 사람들까지 생길 정도였다.

모테는 혀를 내두르고서 고개를 저었다.

그때.

"자, 이 물건을 보면 다들 그냥 못 넘어가실 겁니다! 역사상 가장 강한 검사가 사용했다는 검 '이메랄드'입니다!"

경매 진행자가 새로운 물품을 소개하며 외치는 말에, 모테는 놀라서 앞사람 머리를 두드릴 뻔했다. 이메랄드라고? 검 끝으로 슬쩍 긋기만 해도 쑹덩쑹덩 뭐든 잘려 나간다는 그 이메랄드?

모테는 마른침을 꿀꺽 삼켰다. 이메랄드는 모테가 처음 전설을 들었을 때부터 늘 가지고 싶어 했던 검이었다. 당연히 살 수는 없겠지만…….

'멀리서라도 보자. 어떻게 생겼나.'

모테는 눈을 최대한 부릅뜨고서 몸을 슬쩍 앞으로 내밀었다. 사람들 역시 아까보다 빠른 속도로 금액을 제시하기 시작했다.

"1만 크랑!"

"3만 크랑!"

"5만 크랑!"

"10만 크랑!"

엄청난 화폐 단위가 오고 가자 모테는 넋을 놓고서 손드는 사람들을 번갈아 쳐다만 보았다. 그러면서도 화려한 망토 쪽을 쳐다보게 되었다. 이번엔 저 사람이 안 나서려나? 그런 생각을 하는 게 하나둘이 아닌 듯, 금액을 외친 사람들도 자꾸 화려한 망토를 힐긋거리며 불안해했다.

그때. 왜 안 나서나 싶던 화려한 망토가 드디어 손을 들었고, 사람들은 약속이라도 한 듯 순식간에 조용해졌다.

"100만 크랑."

"!"

안 그래도 조용하던 경매장 안은 화려한 망토의 말이 끝나자 완전히 정적에 휩싸였다.

"100만…… 크랑."

사회자는 얼이 빠져서 경매 망치를 두 손으로 꼭 잡은 채 중얼거렸다.

'사는 세계가 다르구나. 대체 어떤 사람이지?'

모테는 의자에 늘어진 채 화려한 망토의 뒤통수를 넋을 보고 바라보았다.

경매가 끝난 뒤. 모테는 눈치껏 경매장 안에서 버티려 시도했지만, 경비가 다가와 나가라 말했다.

"저, 여기서 조용히 기다리면 안 될까요? 쥐 죽은 듯이. 없는 것처럼."

"보안상 안 됩니다."

켈드렉이 경매장 안에서 기다리라 했는데. 모테는 다시 한번 부탁해보려 경비병의 눈치를 살폈지만, 경비는 물러나줄 것 같지 않았다.

"네……. 죄송합니다."

결국 모테는 시무룩해져서 밖으로 나왔다.

'어쩌지. 이 근처에 있으면 되나? 에이, 수장은 기다리라 해놓고 혼자 어딜 갔어?'

모테는 괜히 켈드렉에게 화풀이를 하고서 경매장 주위를 얼쩡거렸지만, 이를 수상하게 여긴 경비병이 다시 다가오자 어쩔 수 없이 멀찍이 떨어졌다.

"후우. 미치겠구만."

모테는 이러지도 저러지도 못하고서 어물어물 경매장만 먼발치서 바라보았다.

'어?'

그런데 발을 동동 구르고 있자니, 골목 안쪽에서 위협적인 목소리가 났다. 누가 누구를 협박하는 소리.

'할 일도 없는데 도와줄까.'

모테는 검을 빼기 쉽도록 검집에서 약간 꺼낸 채 골목 안쪽으로 들어갔다.

'쟤?'

그런데 웬걸. 안에 들어가니 뜻밖에도 아까 경매장에서 본 그 화려한 망토가 보이는 게 아닌가. 그리고 망토를 둘러싸고 있는 건 딱 보기에도 강도 같은 놈들이었다.

"이런 덴 말이다, 꼬마야. 그렇게 눈에 띄게 오는 게 아니거든?"

"호위를 수십 명 데려와도 그렇게 굴면 눈에 띄지."

"돈도 많아 보이는데, 오늘 산 건 내놓고 가도 상관없지 않냐?"

"서로 피곤하게 굴지 말자고. 물건만 다 내놓고 가. 목숨은 살려줄 테니."

아무래도 경매장에서 저 망토가 물건을 잔뜩 사자 빼앗기 위해 쫓아온 모양이었다.

'너무 눈에 띈다 싶었지.'

모테는 혀를 차면서도 조용히 검을 꺼냈다. 다행히 인기척을 내내 죽이고 온 탓에, 강도들은 아직 뒤에 사람이 온 줄 모르고 있었다. 그러니 이대로 기습한다면…….

그 순간. 강도 하나가 망토를 발로 차고 망토가 몸을 뒤로 빼면서, 망토의 얼굴을 덮었던 모자가 뒤로 흘러내렸다. 모자가 벗겨지자 돌돌 말아둔 짙은 금발이 비단처럼 흘러내리면서 얼굴이 드러났다.

'와. 나보다 어린 거 같은데?'

목소리를 듣고 어릴 거란 생각은 했지만, 드러난 얼굴이 생각보다 더 어려 보이자 모테는 깜짝 놀라서 검을 바로 휘둘렀다.

"뭐야?"

"적이다!"

소리 없이 찾아온 검날에 강도들은 뒤늦게 대응을 시작했다.

'왼쪽. 위. 아래. 위. 왼쪽. 대각선.'

강도들도 위협적인 무기를 들고 덤볐지만, 모테는 실전 같던 훈련을 떠올리며 최대한 침착하게 대응했다. 강도가 휘두르는 철퇴를 뒤로 허리를 숙여 피하다가, 검 손잡이를 바닥에 찍어 균형을 잡고서 바로 몸을 옆으로 틀어 다른 강도의 목덜미를 걷어찼고, 빠르게 검을 회수하면서 그 방향에 있는 강도의 다리를 베었다.

"뭐야 이 새끼!"

강도들은 화가 나서 날뛰었지만 모테는 결국 상대들을 완전히 제압했다. 마침내 대부분이 쓰러지거나 달아나자, 모테는 검을 허리춤에 넣으면서 여자애에게 물었다.

"괜찮아?"

그러나 여자애는 대답 대신 혀를 차더니 모테의 얼굴 옆으로 빠르게 주먹을 뻗었다.

"!"

모테는 여자애가 자신을 때리는 건 줄 알고 놀라서 몸을 뒤로 빼다가, 뒤에서 무언가 오싹한 느낌을 받았다. 확 몸을 돌리자, 모테의 등을 칼로 찌르려던 강도가 달려들던 자세 그대로 까만 가루로 변해가고 있었다.

눈 깜짝할 사이 강도는 가루로 변해 사라지고, 툭 바닥에 무기 하나만 떨어졌다. 모테는 눈을 끔뻑거리다가 기겁해서 펄쩍 뛰어올랐다. 지금 저 애가, 사람 하나를 아예 가루로 만든 거야?

그런가 보다. 심드렁한 표정으로 손을 내리는 걸 보면.

모테는 뒷걸음질치며 물었다.

"너…… 마법, 마법사야?"

다르타가 치유 마법 쓰는 건 몇 번 보았다. 하지만 다르타의 치유 마법은 빛으로 가득 찬 기적이나 다름없었고, 보면 볼수록 놀랍단 생각밖에 들지 않았다. 모테는 마법이 아름답고 신성하다 생각했지, 저렇게 무시무시한 능력이라곤 생각해보지 못했다. 그런데 저 애는…… 사람을 가루로 만들다니. 심지어 닿지도 않았는데.

"넌 호구냐."

"어?"

"약한 게 오지랖은."

"어?"

"적을 뒤에 두고 무기를 집어넣다니. 멍청해. 한심하다."

'와…… 이 애 성격이……?'

모테는 당황해서 입을 벌렸다. 어디 신화에 나올 것 같은 분위기로 말하는 건 너무하지 않는가.

당황하는 사이, 여자애는 휙 몸을 돌려 가버렸다. 모테는 멀어지는 뒷모습을 보다가 와 자기도 모르게 탄식했다.

"엄청 예쁜데 엄청 재수 없는 애구나."

그런데 막 중얼거리고 있자니, 갑자기 무언가 확 날아왔다. 모테는 반사적으로 손을 뻗어 날아오는 걸 잡았다.

'돈주머니?'

그건 돈이 가득 담긴 주머니였다. 놀라서 고개를 들자, 가버린 줄 알았던 여자애가 저만치 앞으로 돌아와 있었다. 눈이 마주치자 여자애는 덤덤하게 설명했다.

"사례."

'쟤는 고맙단 말을 못 하나……?'

모테는 의아해하다가, 여자애가 아주 부유하단 걸 떠올리고서 순순히 돈주머니를 받았다. 뭐 고맙다니까.

그런데 주머니를 챙겨서 가려고 하니, 이번에는 여자애가 벽에 발을 뻗어서 모테가 지나가지 못하게 막는 게 아닌가.

"이거 돌려달라고?"

모테가 주머니를 다시 꺼내며 묻자, 여자애는 대답 대신 자기 질문을 했다.

"너 얼마야?"

모테는 황당해서 입을 쩍 벌렸다.

"얼마냐고? 지금 나더러 물은 거야?"

"너 사고 싶어. 널 사려면 얼마가 필요해?"

모테는 당황해서 입을 뻐끔거리다가 발끈해서 반박했다.

"난 돈 주고 사는 사람이 아니야!"

"아 그래?"

"그래."

"그럼 옷 갈아입는 게 나을걸."

"뭐?"

"아까 보니까 노예들이 너랑 같은 옷 입고 있던데."

"!"

모테는 속으로 켈드렉 욕을 했다. 갑자기 어디서 망토 두 개를 구해 와서는 이거 입으면 눈에 안 띌 거라 하더니. 대체 어디서 구해 온 거야, 그 인간?

"미안. 헷갈렸어."

여자애가 처음으로 사과하자 모테는 한숨을 내쉬었다.

"됐어. 모르고 그런걸."

"너 고용하는 데는 얼마 들어?"

그러나 여자애는 아까와 다른, 하지만 좀 비슷한 질문을 다시 했다. 모테는 인상을 찡그렸다.

"내가 약하고 한심하다면서 그런 건 왜 물어?"

"내가 안목이 좋거든."

'여기서 갑자기 자기 칭찬을 해?'

"그냥 가려 했는데. 내 안목이 신호를 보내네. 방금 만난 호구에게 뭔가 있다고."

'넌 안목 있고 나는 끝까지 호구냐…….'

모테는 발끈해서 자기가 지금까지 들어본 액수 중 가장 큰 액수를 불렀다.

"100만 크랑!"

외치고 보니 아까 이 여자애가 경매장에서 외친 그 금액이었다. 모테는 말을 뱉은 후에야 그걸 떠올리고서 얼굴이 붉어졌다. 여자애 역시 눈치챘는지 피식 웃었다. 그러나 놀리는 대신 여자애는 자기 귀에서 귀걸이 한쪽을 떼더니, 그 귀걸이를 모테의 귀에 매달아 주었다. 따끔한 통증에 모테는 순간 눈물이 핑 돌아서 물었다.

"이거 뭐야?"

"선수금."

"!"

"들고 찾아와. 먹고 튈 생각은 버리고. 체할 테니."

여자애는 처음으로 방긋 웃더니 곧장 몸을 돌렸다. 그러고는 미련 없이 가버리려는 걸, 이번에는 모테가 뒤에서 황급히 불렀다.

"너, 이름. 이름 뭐야?"

"라리."

짧게 대답한 여자애는 망토를 다시 쓰더니 어딘가로 가버렸다. 그냥 이름만 듣고서 어떻게 찾아가냐고, 모테가 얼른 쫓아가봤지만 어떻게 한 건지 여자애는 그새 보이지 않았다. 모테는 주위를 두리번거리다가 자신의 귀에 매달린 귀걸이를 만지작거렸다.

'이상한 애야. 찾아오라면서 어디 사는지도 안 가르쳐주고. ……대체 뭐지?'

그러고 있자니 여자애는 안 보이고, 저만치서 켈드렉이 휘파람을 불며 걸어오는 게 보였다. 모테가 손을 흔들면서 펄쩍펄쩍 뛰자, 켈드렉은 경매장으로 가다 말고서 이쪽으로 오더니 잔소리했다.

"넌 경매장에 있으라더니 왜 여기 있어? 길 엇갈렸으면 어쩌려고?"

"있으려 했는데 문 닫는다고 쫓겨난 거거든요?"

"귀는 왜 그래? 귀걸이…… 와. 그거 엄청 비싼 거 아니냐? 훔쳤어?"

켈드렉이 좀 보자면서 손을 뻗었지만 모테는 싹 피하면서 머리카락을 내려 귀걸이를 감추었다.

"훔친 거 아니에요. 어떤 여자애가 날 사고 싶다고 주고 간 거예요."

"뭐? 야, 그런 거 지지야. 그냥 팔자."

모테는 고개를 저었다. 켈드렉은 혀를 찼다.

"그거 준 애가 맘에 들었나 보다?"

"되게 예쁜데 되게 재수 없는 애였어요."

"근데 마음에 들었다고?"

"되게 예쁘고 되게 재수 없는데, 그게 또 되게 멋있어서……."

"너 취향 진짜 안 좋구나. 재수 없는 건 멋진 게 아니야!"

"유성 같은 애였어요. 그런 사람 처음 봤어요. 나중에 다시 만나보고 싶어요."

"인마, 유성은 보기만 하는 거야! 유성 따라가다 니가 유성이 될 수도 있어요!"

켈드렉이 기가 차서 뭐라 했지만, 모테는 그냥 웃기만 했다. 사실 아까는 많이 당황했는데. 생각해보니 그 여자애, 그렇게 돈을 펑펑 쓰고 강한 마법을 쉽게 쓸 정도면 분명 보통 사람이 아닐 거다. 기사를 고용할 수 있는 사람이겠지. 그런 애는 어떤 기사를 고용할까? 혼자 있어도 반짝반짝 빛이 나던 그 사람은, 실제 자신의 자리에서는 어떤 모습일까. 그런 사람이 주군이라면 어떨까? 모테는 아직도 열기가 남은 귓볼에 손을 대고서 어색하게 웃었다.

"하지만 난 기사가 되면, 그런 주군을 모시고 싶다 생각했는걸요. 내가 힘껏 뛰면서 따라가도 저만치 앞에 있는 주군이요. 같이 말 타고 황야를 뛰어가는……."

"동화책을 너무 많이 봤구나."

모테는 발끈해서 인상을 쓰다가 도로 웃으면서 쑥스럽게 중얼거렸다.

"한 번 다시 만나는 보고 싶어요."

"……."

"아. 보석은 찾았어요?"

"받아냈지."

켈드렉은 씩 웃으면서 품 안에서 노란 주머니를 꺼내 흔들었다.

"가자, 동대제국에."

"황녀님! 언제 돌아오신 거예요?"

종일 궁궐을 뒤지고 다녀도 보이지 않던 라리가 갑자기 자기 침실에서 나오자, 시녀들은 응접실에 있다가 깜짝 놀라 물었다. 라리는 대답 대신 번쩍거리는 보석 열두 개와 검 하나를 꺼내 탁자 위에 내려놓았다.

"포장해줘. 수룡님한테 줄 거야."

"이게 뭐가요?"

"뇌물."

말을 마친 라리는 돌아서려다가, 잠시 생각하더니 도로 몸을 돌려서 검을 가져갔다.

"이건 됐고. 그것만 포장해줘."

"검은 황녀님 하시려구요?"

"난 맨손이 더 강한데, 이런 장난감 가지고 뭐 하겠어."

"!"

라리는 보석들을 눈으로 가리키고서 검만 챙겨 침실 안으로 들어갔다. 그리고 잠시 뒤. 라리는 시녀들이 포장해준 보석 열두 개를 들고서 수룡을 찾아갔다.

"수룡님!"

"안목 높은 아이야, 무슨 일로 왔지?"

라리는 우선 보석부터 건넸다. 수룡은 라리가 내민 보석을 하나하나 살피더니 만족스럽게 웃으면서 라리의 속내를 꿰뚫었다.

"내 파랑새가 어떻게 이 몸과 결혼했는지 물으러 왔구나."

"응."

라리가 수룡의 앞에 아예 자리를 잡고 앉자, 수룡은 흐뭇하게 웃더니 허공에 손가락을 튕겼다. 그러자 얇은 노트 하나가 허공에 나타났다.

"그거 뭐야?"

"내 사랑스러운 짹짹이의 일기장이란다."

"아, 전에 맥 삼촌이 잃어버렸……다고 했던 거? 왜 수룡님이 가지고 있어?"

“뭐 해, 라리?”

거의 흔들림이 없는 마차 안. 카이는 창밖으로 손을 내밀고서 아슬아슬하게 스쳐 지나가는 꽃넝쿨을 건드려보다가, 그래도 심심한지 다시 제자리에 앉으면서 동생을 불렀다. 평소라면 카드 게임을 하자든가, 용용이에 관해 연구해보자면서 장난칠 라리가 오늘은 혼자 책상다리를 하고 앉아 얇은 공책만 보고 있으니 심심했다.

“라리. 나랑 놀아.”

“나 지금 맥 삼촌 일기장 보고 있어.”

카이는 라리의 옆에 나란히 앉다가 놀라 벌떡 일어났다.

“윽.”

그 바람에 머리가 천장에 부딪치자, 카이는 이마를 누르고서 다시 맞은편으로 가 엎드렸다. 하지만 욱신거리는 이마보다 라리가 읽는다는 일기장이 더 신경 쓰였다.

“그걸 왜 읽어?”

“이 안에 비밀이 있을 거 같아서.”

“비밀? 무슨 비밀?”

날짜: ×월 ××일

사람은 이상하고 나쁜 데 끌리기도 한다. 그 여자가 내게 그렇다. 흔히들 입에 단 건 건강에 해롭고, 건강에 좋은 건 입에 쓰다고들 하지. 그 여자는 입에 쓴데…… 왜 건강에도 안 좋아 보일까.

그만 생각해야지, 하면서도 그 여자 생각을 하게 되고, 그 여자 생각을 하다 보면 머리가 아파온다. 내일은 정말로 그만 생각해야지.

날짜: ×월 ××일

안 그래도 기분이 심란한데. 돌시라는 재수 없는 용이 또 왔다. 대체 언제까지 올 거냐고, 파랑새 꽁무니 좀 그만 쫓아다니라고 막말을 했더니, 용이 픽 비웃으며 이렇게 말하는 게 아닌가.

“이름도 모르는 여자 꽁무니 쫓아다니는 놈.”

그러고는 코웃음 치면서 가버리는데…… 젠장, 어떻게 알았지? 이건 폐하도 모르는 건데?

날짜: ×월 ××일

카이가 내가 만든 벌레 인형을 먹으려는 걸 보고 깜짝 놀랐다. 심지어 인형 다리 여섯 개 중 하나는 이미 사라진 후였다. 이 광경을 본 나비에 님은 벌레 인형 압수령을 내렸다.

날짜: ×월 ××일

벌레 인형을 어떻게 해서든 사람 모양으로 바꿔보려 하는데, 팔이 너무 많아서 쉽지 않다. 젠장. 왜 나는 하필 벌레 인형을 만들었던 걸까? 그냥 다리만 다 뜯은 다음 애벌레 인형이라 하고 줄까?

날짜: ×월 ××일

벌레 인형을 용 모양으로 개조하려 시도하고 있는데, 재수 없는 용이 지나가다가 다가오더니, 왜 내가 파랑새를 만들고 있냐면서 이를 간다.

파랑새가 아니라 용이라 했더니 인형을 패대기쳐버린다. 진짜 나쁜 놈이다. 화가 나서 사실 이건 당신이라 했더니 다시 인형을 주워서 건네준다.

이번엔 내가 패대기를 쳤더니, 한 번만 더 자기 분신을 가지고 이렇게 굴면 용의 분노를 보여줄 거라고 땍땍거린다. 저런 게 용이라니.

날짜: ×월 ××일

재수 없는 용이 용이란 걸 인정할 수 없어서, 서점에 가서 용에 관련된 책을 사고 있는데. 태양 닮은 여자를 또 만났다.

그 여자는 내가 용 관련 책을 읽는 걸 보더니, 다가오면서 이걸 왜 보냐고 물었다. 난 지식 쌓는 걸 좋아한다고 했더니, 이번에는 용에게 관심이 많냐고 묻는다.

그러면서 자기는 관심이 많다기에, 나도 관심이 많다고 했다. 그 여자가 내게 더 관심을 보여주었으면 싶어서, 사실 아는 용도 있다 큰소리를 쳤더니 그 용이 누구냐고 묻는다.

아주 재수 없고 유치하고 못돼 먹은 용이라고 했더니, 여자가 기저귀나 잘 챙기고 다니라면서 싹 가버렸다. 용을 나쁘게 말한 게 싫었나…….

날짜: ×월 ××일

노천 카페에서 휴식을 취하고 있는데, 그 여자가 다시 나타났다. 분명 나를 또 멸시 어린 눈으로 보면서 지나가겠지, 생각하는데 웬일로 다가오더니 묻는다.

"네가 안다는 용이 왜 재수 없고 못됐단 건데?"

이번엔 대답을 잘해야지 싶어서, 그 용이 늘 날 무시하는 게 싫다고 했다. 이러면 내가 용을 싫어하는 게 정당해 보일 것 같아서.

그러자 여자는 나도 그 용을 같이 무시하면 되는 일인데, 왜 굳이 뒤에서 못된 용이라 험담을 하는지 묻는다.

왜냐고? 무시하니까 험담하지. 하지만 이렇게 대답하면 여자가 또 싫어할 것 같아서, 난 사실 그 용을 아주 좋아한다고 말했다. 이러면 내가 더 정당해 보이겠지.

여자는 눈을 가늘게 뜨더니 "흐흠." 하고 만족스럽게 웃었다. 이번엔 점수를 딴 것 같다. 그런데 슬슬 이름을 물어봐도 되는 타이밍인가?

날짜: ×월 ××일

벌레 인형 다리를 뜯은 다음 애벌레 인형이라고 카이에게 주었더니, 나비에 님이 나를 무시무시한 눈으로 쳐다본다. 눈에서 얼음이 쏟아져 나올 기세여서, 다시 애벌레 인형을 회수했다.

날짜: ×월 ××일

울면서 벌레 인형을 다시 수선하고 있는데, 그 재수 없는 돌시가 다가오더니 내 앞에 쪼그리고 앉는다. 얼굴을 마주하니 더욱 재수가 없어서 애써 모른 척하는데, 이 용이 미쳤나. 내 앞에서 피식피식 웃더니, 벌레 인형을 가리키면서 이렇게 말하지 뭔가.

"너랑 닮았어."

시비 거는 건가? 황당해서 쳐다보고 있자니, 이번에는 자기를 손가락으로 가리키면서 묻는다.

"날 어떻게 생각해?"

나도 똑같이 대답을 돌려줬다. 빨간 벌레 같아 보인다고. 용은 씩씩거리면서 내 벌레 인형을 또 바닥에 패대기치고는 쌩 가버렸다. 파랑새를 쫓다가 미쳐버리기라도 한 건가.

날짜: ×월 ××일

세상에 단 5분 과거로 돌아갈 기회가 주어진다면, 하인리 폐하가 어린 시절로 돌아가서 꿀밤을 한 대 때리고 싶다.

날짜: ×월 ××일

세상에 단 10분 과거로 돌아갈 기회가 주어진다면, 하인리 폐하가 어린 시절로 돌아가서 꿀밤을 세 대 때리고 싶다. 네 대 이상은 힘들겠지. 호위가 날 죽이려 들 테니.

날짜: ×월 ××일

전에 그 여자를 만났던 노천카페도 가보고, 장난감 가게도 가보았지만 만나지 못했다. 여기 사는 사람이 아닌가? 여행자였나? 완전히 떠났나?

날짜: ×월 ××일

그 여자 생각이 난다. 내가 미쳤지.

날짜: ×월 ××일

"손님, 자주 오시네요."

그 여자와 만났던 노천카페에 자주 갔더니, 사장이 날 보고 반갑게 아는 척을 한다.

"항상 마시던 걸로 드릴까요?"

그래 달라 부탁하고서 야외 의자에 앉아 있는데, 세상에. 마침내 그 여자가 다시 나타났다. 나는 얼른 자세를 바로 하고서 그 여자가 다가오길 기다렸다. 전에도 이러고 있으니 다가와서 말을 걸었지.

하지만 여자는 스쳐 지나가면서 딱 한마디만 했다.

"흥."

아니, 이걸 한마디라고 할 수는 있나? 왜 또 화가 난 거지?

날짜: ×월 ××일

무시무시한 일이 있었다.

일단, 오늘은 날씨가 너무 좋은데 몸은 찌뿌둥하고, 할 일은 너무 많았다. 집무실에 틀어박혀 있다가 결국 나는 참지 못하고 새로 변해 하늘을 날아갔다. 이대로 의자에만 앉아 있다가는 나는 법도 잊어버릴까 봐.

오래간만에 신선한 공기와 태양과 바람을 만끽하면서 날고 있자니 얼마나 기쁘던지. 나는 신이 나서 황궁 여기저기를 날아다녔다.

그런데…… 갑자기 햇빛이 사라지면서 사방이 어두워지는 게 아닌가. 그늘 아래에 들어온 것도 아닌데 주위가 너무 어두워져서 놀라 위를 쳐다보니, 미친. 위에 용이 날아가고 있었다. 심지어 커다란 눈동자로 날 내려다보면서!

돌시구나! 저 용은 분명 돌시다! 심지어 눈이 마주치니까 눈웃음을 지어!

꽁지가 빠져라 달아나다가 결국 궁전 밖으로까지 갔다. 사람들은 용을 보더니 기적이니 나라가 잘될 징조이니 만세를 불러대는데, 용에게 쫓기는 나는 보이지도 않는 듯했다.

엉엉 울면서 날아가다가 진짜 날개가 꺾이는 줄 알았다. 결국 이대로는 안 되겠다 싶어서, 용은 절대 들어올 수 없는 아주 작은 담벼락 사이로 들어간 다음, 사람으로 변해서 허겁지겁 골목길을 달렸다. 그러다가 딱 밖으로 나왔는데…… 용이 서 있었다. 용 모습 말고 사람 모습으로.

돌시는 새장을 들고 우두커니 서서 날 보더니, 말로 표현할 수 없는 아주 괴상한 표정을 지었다. 그러고는 진지하게 물었다. 변태냐고.

재수 없는 용 자식! 이게 누구 때문에 벌어진 일인데!

날짜: ×월 ××일

어제 일을 떠올리면서 걸어가고 있는데, 카프멘 대공이 내 쪽으로 오다가 흠칫하더니 몹시 슬픈 표정을 지었다. 너무 우울해 보이기에 다가가 무슨 일이 있냐고 묻자, 힘내라면서 어깨를 두드린다.
……대체 뭘?

날짜: ×월 ××일
라리에게 줄 용 인형을 만들고 있는데, 돌시가 다가오더니, 자기 앞에서는 벗고 다녀도 모른 척해줄 수 있다고 제안한다. 대신 파랑새 위치를 알려달라고. 이 용이 미쳤나?

날짜: ×월 ××일
용 인형 재료를 사러 장난감 가게에 갔는데, 그 여자를 만났다. 좋기도 하고 부끄럽기도 해서 우두커니 서 있었더니, 그 여자가 다가와서 며칠 전 내가 벌거벗고 뛰어가는 걸 보았다고 말했다. 아주 인상 깊은 장면이었다면서 친절하게 웃는데…… 죽고 싶다.

날짜: ×월 ××일
이렇게 부끄러운 마당에 더 뺄 게 어디 있을까. 용기를 내어서, 노천카페에서 그 여자를 만났을 때 이름을 알려달라고 애원했다.
“내 이름은 왜?”
“첫눈에 반했습니다.”
여자는 내 고백을 듣고 팔짱을 끼더니, 짝다리를 짚은 채 나를 뚫어져라 쳐다보았다. 그러더니 푸하하핫 소리를 내서 웃어대다가 갑자기 정색하면서, 자기는 약해빠진 인간에겐 관심이 없다고 말한다. 슬프고 우울하다.

날짜: ×월 ××일

기운이 나지 않으니 열까지 난다. 다르타가 치료해주겠다는 걸 거절하고서, 정원 나무 아래에 쪼그리고 울었다. 태어나서 처음으로 차인 감정을 좀 털어버리고 싶어서.

얼마나 그러고 있었나. 시선이 느껴져서 눈을 떠보니, 돌시가 혀를 차고 있었다. 왜 우냐기에 차여서 운다고 했더니, 뭘 그딴 걸로 우냔다.

날 차버린 사람은 내 첫사랑이고, 내가 태어나서 본 사람 중 가장 멋진 사람이고, 처음으로 내 심장을 뛰게 한 태양신 같은 존재인데. 어떻게 '그딴 일'로 표현이 되겠냐 했더니, 돌시는 나더러 망측한 소리를 마구 내뱉는 염치 모르는 인간이라고 얼굴이 벌게져서 화를 낸다.

저 미친 용은 왜 자기가 부끄러워하는 거지?

날짜: ×월 ××일

장난감 가게에 갔는데 그 여자가 문 바로 앞에 서 있었다. 놀라서 멈춰 서자, 여자는 들고 있던 새 인형을 내게 건네더니, 내 강함과 사랑을 증명하면 연애를 생각해보겠다고 한다.

어떻게 하면 증명이 되냐고 묻자, 여자는 용의 골짜기에 올라와 시험을 통과하라고 말했다. 위치가 어디냐고 묻자 주소를 알려준다.

그 말을 듣고서 얼른 도시락을 싸가지고 용의 골짜기에 날아갔더니, 문 앞에 나보다 머리 세 개만큼 더 키가 큰 사람들이 서 있는 게 아닌가. 왜 왔냐기에 시험을 치르러 왔다 했더니, 살아남길 바란다면서 들여보내줬다.

무슨 소리냐 물으려고 뒤를 돌아보니 문이 아예 보이지 않고…… 하늘 위에는 연기만 가득하다. 지금 나는 어딘지 모르는 오두막에 쪼그리고 앉아서 일기를 쓰고 있다. 이게 무슨 상황이지?

맞은편에 앉아 무언가를 열심히 적어 내려가던 맥켄나가 갑자기 인상을 찡그리더니 고개를 들었다.

"왜 그래요?"

불쾌한 기억이 떠오른단 얼굴이기에 왜 저러나 싶어 묻자, 맥켄나는 고개를 저으며 중얼거렸다.

"아닙니다. 그냥 이맘때가 되면 그 생각이 나서요."

"아아. 용의 골짜기에 간 일 말인가요?"

"네."

맥켄나는 한숨을 내쉬고서 고개를 저었다.

"모르면 용감하단 말이 딱이었죠. 솔직히 좀 사기당했단 기분도 들고."

"하긴. 그땐 궁전에서도 난리가 났어요. 다들 그대가 실종됐다고 말했고……."

하인리도 놀라서 온 일족을 다 풀어서 맥켄나를 찾아다녔지. 그래도 시간이 지나니 이제는 웃을 수 있다. 맥켄나도 수룡과 사이가 좋아졌고. 그런데…….

"왜 그렇게 쳐다보나요, 맥켄나?"

나는 웃는데, 맥켄나는 정색하고서 나를 뚫어져라 보고 있었다.

"내게 할 말이라도?"

의아해서 묻자, 맥켄나는 기다렸다는 듯이 얼른 질문했다.

"황후 폐하. 황후 폐하는 황녀님이 우리 드라코랑 결혼하길 원하십니까?"

하지만 그 질문은 내가 대답하기 곤란한 부분이었다. 그저 웃으면서 대답을 피하자, 맥켄나는 진지하게 거듭 물었다.

"전 황녀님이 좋습니다. 아기 때부터 업고 안고 길렀는데 안 예쁠 리가요. 하지만 지금 황녀님 성정은 절대로, 절대로 용과 결혼하면 안 됩니다. 너무 위험해요."

"……맥켄나. 라리도 용돌이도 아직 어려요."

그러나 맥켄나는 한숨을 내쉬면서 내 말을 부정했다.

"하지만 황족들은 일찍 약혼하고 일찍 결혼하니까요."

하지만 갑자기 입을 다물고 무언가를 곰곰이 생각하더니, 픗 입을 손으로 가리고서 만족스럽게 웃었다.

"하긴. 걱정할 필요가 없는지도 모르겠습니다. 지금 황녀님 상태로는 우리가 허락한다 해도 뭐. 골짜기에서 탈락할 테니까요.

"……."

매켄나가 뭘 걱정하는지는 알겠는데. 라리 성격에 걱정할 만한 부분이 있단 것도 알겠는데. 저렇게 히죽히죽 웃는 걸 보니, 왜 이렇게 기분이 상하지?

"맥켄나."

"네, 황후 폐하."

"지금 좀 머리가 아파서. 이 서류 처리는 못 도와줄 것 같군요."

"예?"

"원래 그대가 해야 할 일이니까……. 수고해요."

"폐하? 폐하, 폐하!"

맥켄나가 시무룩해서 좀 더 업무 처리 속도를 높이는 사이. 라리는 마차 안에서 내내 글자를 읽어대다가, 멀미가 나서 엎어졌다.

"단 한 자도 읽고 싶지 않아……."

결국 며칠 후 동대제국에 도착할 때까지 라리는 이후의 일기는 읽지 못했다.

그리고 라리가 탄 마차가 막 동대제국에 도착할 즈음. 조금 더 앞서서 동대제국 수도에 도착한 모테는 수도에 있는 여관 의자에 앉아, 켈드렉이 의뢰를 받아 챙겨 온 보석을 살피는 걸 구경하고 있었다. 보석은 켈드렉의 손안에서 아주 조금만 빛을 받아도 눈이 부시도록 홀로 반짝거렸다. 모테는 그 모습을 넋 놓고 구경하다가 자기도 모르게 중얼거렸다.

"서대제국 황녀님이랑 황자님은 진짜 좋겠네요. 동대제국 황제는 두 사람이랑 먼 친척일 뿐인데 이런 선물도 챙겨주고."

켈드렉은 선물을 재차 확인하면서 주머니에 넣다가 손을 움찔하고서 모테를 보았다. 모테는 의자 등받이에 팔을 괸 채 부럽다는 듯 다시 중얼거렸다.

"남들은 평생 일해도 이거 조각도 못 살 텐데. 이런 걸 어린 나이에 생일 선물로 받는 건 무슨 느낌일까요?"

켈드렉은 모테가 한때 공주였단 걸 알기에, 그 말을 듣자 기분이 묘해졌다. 일이 잘 풀렸더라면 사실 동대제국 황제에게 이런 선물을 받는 건 본인이었단 걸, 저 애는 알까?

다음 날. 켈드렉은 거울 앞에서 연신 이 옷을 입었다 저 옷을 입었다 반복했다.

"그거나 저거나 거기서 거긴데 그냥 대충 입지."

모테는 그 꼴을 보다가 혀를 찼지만, 켈드렉은 무시하고서 세심하게 옷을 골랐다.

"인마, 도둑놈이라고 무시 안 받으려면 잘 입고 가야 돼. 그래도 황제 얼굴 보는 건데."

"잘 차려입고 가면 '저 도둑놈이 어디서 저리 잘 훔쳐 입었나' 하고 더 의심하지 않을까요?"

"뭐야?"

켈드렉이 확 째려보자, 모테는 히히 웃으면서 야시장 팸플릿을 들여다보는 척했다. 하지만 켈드렉이 다시 옷을 고르기 시작하자, 모테는 부러운 눈으로 그를 힐긋거렸다. 켈드렉이 기사의 신분으로 궁전에 당당하게 들어가는 게 그렇게 부러울 수가 없었다.

"왜?"

"아니. 아니에요. 다른 데 새지 말고 빨리 오시라고."

모테는 자신도 궁전을 구경해보고 싶지만, 켈드렉이 신경 쓸까 봐 일부러 말을 돌렸다.

"……."

켈드렉은 켈드렉대로 그 모습을 거울로 보다가 안타까워 한숨을 내쉬었다.

켈드렉이 나간 뒤. 모테는 야시장 팸플릿을 계속 뒤적거리다가 하품을 하면서 창가에 팔을 괴고 앉았다.

'나도 기사 되고 싶다. 커다란 말 타고. 검 휘두르고. 충심. 의리. 이런 거 해보고 싶다.'

멋진 주군이 '내 등은 너한테만 맡긴다!' 하면서 검을 휘두르면 등을 맞대고 서서 적들과 대적하고…….

"크으."

모테는 주먹으로 창틀을 팡팡 두드리면서 쑥스러워서 발을 굴렀다. 켈드렉이나 부천주는 이런 얘기를 들을 때면 유치하다면서 낄낄 웃어대지만, 모테에겐 진지한 꿈이었다. 사람들에 알려진 열여섯 살이 아닌, 실제로는 열네 살인 모태에게는 더욱더.

그러다 보니 모테는 자연스럽게 일전에 만난 그 여자애를 떠올렸다.

'하긴. 걔는 혼자서도 강하니까 그런 말을 할 것 같진 않아.'

그런데 혼자 히히 웃으면서 공상에 잠겨 있자니, 저만치 낯익은 옆모습이 보였다.

'어?'

모테는 고개를 벌떡 들었다.

"시시?"

시시가 왜 여기 있어? 상시천에 있을 때와 달리 귀족 영애들처럼 빼입었고 커다란 모자를 써서 머리카락도 보이지 않지만, 분명 시시 같았다. 모테는 입을 쩍 벌리고 쳐다보다가 황급히 망토를 걸치고 모자를 푹 눌러쓴 다음 여관 밖으로 나갔다.

"시시! 시시!"

모테는 시시를 보았던 쪽으로 달려갔다. 시시에게 어떻게 지내는지, 혹시 위험한 상황이진 않은지 물어보아야 했다. 그러나 얼마나 그렇게 달렸을까. 이곳으로 달려오는 사이 이미 시시는 사라져 보이지 않았다.

'내가 잘못 본 건가.'

어느새 궁전 입구 부근까지 온 모테는 더 달리기를 멈추고서 숨을 헐떡였다.

'시시…….'

잘 지내는지 그것만이라도 묻고 싶었는데. 모테는 시무룩해서 돌아서다가, 이번에는 켈드렉이 빌린 마차가 궁전 입구에서 검문을 받고 있는 걸 발견했다. 켈드렉은 마차에서 내려 경비에게 패를 보이며 무언가를 설명하는 중이었다.

그걸 본 모테는 낄낄 작게 웃었다. 그래도 나비에 황후 직속 기사인데, 본새가 멋져야 한다면서 켈드렉이 급하게 마차를 빌리고 그 위를 열심히 치장하던 게 떠올라서.

'이상한 데서 열정적이라니까.'

그 순간. 모테는 고개를 절레절레 젓다가 눈을 커다랗게 떴다. 마차 옆쪽. 문에 가까워서 대로에서는 잘 보이지 않는 부분. 경비 한 명이 켈드렉을 붙잡은 사이, 다른 경비 한 명이 슬그머니 창문 안으로 손을 넣고 있었다.

'저 사람? 뭐 하는 거야?'

놀라 보고 있자니, 켈드렉은 다시 마차에 올라타고 마차는 얼른 궁전 안으로 들어갔다. 이상한 짓을 한 경비는 아무 일도 없었던 것처럼 손을 빼더니 주위를 둘러보며 헛기침을 하고.

저 사람이 지금 무슨 짓을 한 거지? 뭘 했는지 정확히 보진 못했지만 몹시 수상해서, 모테는 그 경비를 계속 뚫어져라 보았다. 그러다 경비와 눈이 마주친 순간.

"!"

경비는 자연스럽게 몸을 돌리더니 부자연스럽게 빠른 걸음으로 문 안으로 들어갔다.

'저 사람 이상해!'

모테는 무언가 저 사람이 안 좋은 짓을 했다는 걸 알아차리고서,

발을 동동 구르다가 옆으로 난 작은 검문소와 길을 살폈다.

마차가 저 안으로 들어가려면 절차가 까다롭지만, 옆에 난 작은 문으로는 복장을 제대로 갖추면 이름과 신분을 확인하는 절차만으로 비교적 간단하게 들어갈 수 있다 들었다. 물론 그렇게 볼 수 있는 건 가장 바깥 정원뿐이고, 더 안으로 들어가려면 까다로운 절차를 통과해야 하지만.

모테는 발을 굴렀다. 경비병을 당장 잡으려면 바깥 정원만 살펴도 괜찮긴 하다. 하지만 지금 자신은 그 간단한 절차도 통과할 수 없는 게 문제였다. 그렇다고 저런 장면을 목격했는데 그냥 돌아갔다가, 켈드렉에게 무슨 일이 생기면?

'경비병한테 말하면…… 안 믿을 거야. 저 사람 동료잖아.'

결국 모테는 망설이다가 결정했다.

'담을 넘자.'

담 주위를 걸어가면서 주위에 사람이 없고 안쪽에 기척이 없는 위치를 찾아낸 뒤, 모테는 재빨리 달려가 담 주위 나무를 딛고 안으로 들어갔다. 잽싸게 담 안으로 들어가 낙법을 펼친 모테는 바닥을 몇 번 구르다가 벌떡 일어났다. 다행히 안쪽에는 온갖 조형물과 초목이 있어서 몸을 숨길 곳이 많았다.

그런데 쏙쏙 몸을 숨겨가면서 정문 쪽으로 이동하다 보니, 아까 본 그 수상한 경비병이 혹시 모테가 따라오지는 않나 싶은지, 사람들이 드나드는 작은 문을 힐긋거리는 게 보였다. 그러다 모테가 오지 않는 것 같자 안심이 되는지, 얼른 다른 쪽, 인적이 없는 쪽으로 걸어갔다. 모테는 다시 그 뒤를 쫓았다.

얼마나 그렇게 갔을까. 마침내 경비병이 멈춰 서더니 주위를 다시 두리번거렸다. 모테는 수풀 사이에 몸을 숨기고서 경비병을 뚫어져라 쳐다보았다.

경비병은 주위에 아무도 없다 생각했는지, 어느 나무 아래에 흙을 파더니 품 안에서 무언가를 꺼내 거기에 넣고 재빨리 묻고 있었다. 그러고는 얼른 벌떡 일어나 왔던 길을 돌아갔다. 모테는 숨을 죽이고 있다가 경비병이 사라지자 조심스럽게 수풀에서 빠져나갔다.

'분명 마차에서 꺼낸 물건일 거야.'

그런데 막 수풀에서 나가고 보니 덩치가 커다란 까만 개가 코앞에 있었다.

'으악!'

모테는 놀라서 휘청이다가 황급히 손가락을 입에 올리고 개에게 조용히 해달라 부탁했다.

"쉿. 착하지? 쉬잇……."

하지만 개는 그 신호를 보자마자 오히려 컹컹 미친 듯이 짖어대기 시작했다.

'아, 안 돼!'

모테는 얼른 그 자리를 벗어나서 냅다 뛰었다. 그러나 어디서 나타난 건지 어느새 뒤를 한 무리의 기사들이 뒤를 쫓아왔다.

꼼꼼히 묶었던 머리카락을 풀고 옷도 편하게 갈아입은 라리는 햇볕 좋고 사람 적고 경치 좋은 장소를 찾아다니다가, 마음에 쏙 드는 풀밭을 고르고서 얼른 그곳으로 들어갔다.

'여기라면 방해받지 않겠지.'

그러나 기분 좋게 자리를 잡고 앉자마자 돌연 떠오른 생각에 인상이 찌푸려졌다.

'릴테앙 대공이 또 뭔 짓을 하진 않겠지?'

동대제국 황제에게 삼촌뻘이고, 따지자면 엄마와도 친척뻘인 릴테앙 대공. 그는 사랑받는 게 익숙하던 라리에게 처음으로 '미움받는다'는 감정을 알려준 사람이었다.

'뭔 짓을 하려 들 것 같은데…….'

원래 라리는 릴테앙 대공이 동대제국의 황족인 데다 몸이 아주 약하다고 들어서, 잘 대해드려야지 생각했다. 동대제국을 이어받으려면 사람들에게 잘 보여야 하니까. 그러나 잘 대하고 말고 할 것도 없었다. 처음 만났을 때부터 릴테앙 대공은 라리와 카이를 몹시 싫어했으니. 게다가 그 미움은 릴테앙 대공에게 둘째가 태어나자 더욱 심해졌다.

대공이 자기 차남을 다음 후계자로 올리고 싶어 한단 소문은 이미 자자했다. 아직은 소문일 뿐이지만, 라리는 아마 소문이 맞을 거라 확신했다. 그 인간은 옛날부터 사람들이 없을 때마다 라리와 카이에게 비슷한 험악한 소리를 퍼부어대기 일쑤였으니.

'뭔 짓을 하기만 해봐. 절대 가만 안 있을 테니.'

라리는 콧김을 뿜고서 맥켄나의 일기장을 가져다가 펼쳤다.

날짜: ×월 ××일

오두막에서 이틀 정도 지냈나. 음식은 잘 차려져 있어서 굶진 않는데. 아직도 내가 왜 여기 있는지 모르겠다. 밖으로 나가려 해보았지만 소용없었다. 출구가 보이질 않으니.

대체 그 여자는 날 어디로 보낸 건가. 강함과 사랑을 증명하라 했는데, 여기서 증명할 수 있는 건 남들보다 길눈이 밝은지 여부 같다.

날짜: ×월 ××일

꾸벅꾸벅 졸고 있는데 웬 할머니가 오더니 내게 준비가 되었냐고 물었다. 무슨 준비를 해야 하냐고 물었더니, 원하는 게 있어서 온 게 아니냔다.

맞다고, 너무 오랫동안 기다렸다고, 정말 지루했다면서 일어나자 할머니가 '허어 허어' 감탄하더니, 수많은 도전자를 보았지만 시험을 앞두고 이렇게 덤덤한 사람은 처음 봤다고 말했다.

"여기에 시험을 보러 온 사람이 많나요?"

"하나둘이 아니지. 수천 명은 된다!"

"수천 명!"

태양 닮은 여자가 태양처럼 반짝반짝 멋있었지만, 수천 명이 구애할 정도라니. 이 이야기를 듣자 그 여자가 왜 내 고백에 시큰둥했는지 알겠다. 그녀는 나에게 단 한 명뿐인 사람인데, 나는 그녀에게 수천 명 중 한 명뿐이었던 거다.

뜬금없이 시험을 보라 해서 이상했는데. 왜 시험을 치르는지도 알겠다. 수천 명을 효율적으로 걸러내기 위해 만든 거구나.

속상해하고 있자니, 할머니가 아까의 패기는 어디 가고 벌써 기가 죽었냐고 물었다. 돋보여야 할 것 같아서, 하나도 기죽지 않았다고 어깨를 쭉 폈다. 수천 명이 달려들어도 결국 선택받는 건 나라고 호언장담하자, 할머니는 껄껄 웃더니 내 등을 두드리고 외쳤다.

"그대의 용기를 보았다. 앞으로 나아가라, 용사여! 이 길의 끝에서 그대는 모두가 두려워할 힘을 얻게 되리라!"

용사? 힘?

날짜: 같은 날 저녁.

할머니가 내일이면 준비가 다 될 테니 하루 동안 오두막에서 나오지 말라고 해서, 내내 오두막 안에 있는데…… 아무리 생각해도 뭔가 이상하다. 용사는 뭐고 힘은 뭐가. 뭔가 단어가 좀 이상하지 않나.

날짜: ×월 ××일

자고 일어나보니 밖이 소란스럽다. 시끄러워서 눈을 떠보니, 창밖에 사람들이 다닥다닥 매달려서 이쪽을 쳐다보는 게 아닌가.

놀라서 밖으로 나가자 세상에. 어제는 분명 허허벌판에 내 오두막 하나였는데. 어느새 주위가 작은 마을로 변해 있다. 내 오두막을 누가 똑 떼다가 통째로 옮기기라도 한 것처럼.

이게 무슨 일인가 싶어서 주위를 두리번거리고 있자니, 내 오두막을 들여다보던 사람 중 하나가 내게 묻는다.

"너도 시험에 통과하기 위해 온 거냐."

그렇다고 하자, 웬걸. 자기가 속한 패거리는 여기서 세력이 제법 큰 편이라면서 손을 잡자 말하는 게 아닌가.

우리가 왜 손을 잡아야 하는지 물었더니, 자기들은 도전자 중 그나마 욕심이 없는 편이란다. 그게 나랑 무슨 상관이냐 했더니, 자기들은 욕심이 없으니까 시험을 통과하면 보상을 공평하게 나눌 거란다.

이런 미친놈이 있나. 시험을 통과하면 태양 같은 그녀와 연애를 할 수 있는데. 보상을 나누잔 말은 다 같이 연애라도 하자는 건가?

황당해서 나는 그 누구와도 손을 잡지 않을 거고, 보상도 혼자 차지할 거라 말했더니 다들 놀라면서 대단한 놈이 왔다고 수군거린다. 아니, 뭐가 대단하단 거지?

날짜: ×월 ××일

배급받은 도시락을 먹고 있는데, 갑자기 종소리가 났다. 무슨 소린가 싶어서 나가 보았더니, 키가 내 세 배는 될 것 같은 어마어마한 거인이 종탑에 매달린 종을 치고 있었다.

종을 왜 치는 건가 싶어서 보고 있자니, 사람들이 하나둘 이쪽으로 모여들었고, 거인은 주위에 사람들이 빼곡해지자 손가락으로 어딘가를 가리켰다.

그곳은 안개뿐이었는데, 거인이 손가락으로 가리키자마자 갑자기 안개가 사라지면서 파란 산이 나타났다. 저 거인은 마법도 쓰는가, 놀라워하고 있자니 거인이 이렇게 말했다.

"산 가장 꼭대기에 있는 것을 가져오라. 사흘 내에 가져오지 못하면 탈락이다."

거인은 그렇게 말하더니 씩 웃고서 책상다리를 하고 그 자리에 앉았다. 놀라운 건, 사람들이 그 말을 듣자마자 황급히 산을 향해 뛰기 시작했단 거다.

시험이 이런 식으로 치러지는구나…… 감탄하고 있자니, 어제 내게 손을 잡자 제안했던 자가 패거리를 이끌고 다가와 나를 비웃었다.

"우리 패거리에 들어오지 않은 걸 후회하게 될 거다. 혼자서는 용사가 될 수 없지. 너 같은 독불장군을 처음 본 게 아냐. 하지만 모두 다 실패하고 쫓겨나거나 죽었거든."

패거리가 떠난 뒤. 나는 오두막으로 들어가 옷을 벗고 새로 변한 다음 산으로 날아갔다. 꼭대기에 갔더니 해바라기 모양의 보석이 있기에 그걸 물고서 다시 오두막으로 돌아왔다. 한…… 두 시간 걸렸나?

도로 옷을 입고서 보석을 가지고 거인에게 다가가 건네자, 거인은 이렇게 빨리 시험에 통과한 사람은 처음이라며 혹시 내게 새대가리냐고 물었다.

혹시 욕한 거냐 물었더니 욕이 아니란다. 그러면 맞다고 대답했더니, 거인은 전설의 새대가리는 자신도 처음 본다면서, 자기는 날 응원하겠다고 한다.

"고맙지만 새대가리라고 그만 불렀으면 좋겠어요. 내 이름은 맥켄나입니다."

떨떠름해서 부탁하자, 거인은 혹시 내 정체가 비밀이냐고 묻는다. 그렇다고 대답하자, 거인은 알겠다면서 입을 꾹 다물고 있겠다고 약속했다.

날짜: ×월 ××일

이름도 얼굴도 처음 보는 사람이 다가오더니, 자기는 내 정체를 다 알고 있다며 당장 기권하지 않으면 내 정체를 까발릴 거라 협박했다. 맘대로 하라고 문을 닫아버렸다.

날짜: ×월 ××일

점심을 배식받으러 나갔는데, 어제 그놈이 손가락으로 날 가리키더니 내 정체를 알고 있다고 큰 소리로 외쳐댔다.

그 말을 들은 다른 참가자들이 놀라서 다가오더니, 내 정체가 무엇이냐고 그놈을 마구 추궁하기 시작했다. 그러자 그놈의 의기양양하게 외쳤다.

"저자는 새대가리다! 전설의 새대가리라고!"

다행히 아무도 그놈 말을 귀담아듣지 않았다.

날짜: ×월 ××일

비슷한 시험을 두 개쯤 더 치르니, 마을 안에 있던 사람 숫자가 훅 줄어들었다. 하지만 아직 모르겠다. 언제까지 여기 있어야 하는 거지?

날짜: ×월 ××일

첫 번째 시험 때 알게 된 거인과 좀 친해져서 대화를 나누다가 엄청난 소식을 들었다. 용의 골짜기는 용에게 소원을 빌고 싶은 이들이 모이는 곳이라 한다. 대부분은 용의 힘을 원하는 이들이 온다고. 젠장, 용사 어쩌고 할 때 수상했지.

내가 원하는 건 용의 힘이 아니라 사랑이라 했더니, 나 같은 인간도 드물게 있긴 하다면서 좋아하는 용 이름이 뭐냐 물었다. 내가 좋아하는 건 용이 아니라 사람이라고 하자, 거인은 코웃음을 치며 말했다.

"그러면 네가 용의 골짜기로 왔을 리가 없지."

"머리카락이 붉고 눈이 금색인 여자가 보냈는데, 이름은 저도 몰라요."

거인은 곰곰이 생각해보니, 누군지 알겠다면서 입을 열었다. 그런데.

라리가 막 다음 장으로 막 넘기려는 그때. 멀지 않은 곳에서 소

란스러운 소리가 들려왔다. 라리는 일기장을 가방에 넣어 어깨에 메고서 무릎걸음으로 수풀 밖에 고개를 내밀었다.

'무슨 일이지?'

하지만 근처에는 아무것도 없었다. 좀 더 떨어진 곳에서 나는 소란이다. 그냥 무시할까, 가볼까. 라리는 잠시 고민하다가 호기심을 이기지 못하고서 얼른 수풀 밖으로 나가 소리 나는 쪽으로 달려갔다.

달린다고 달려보았지만 인원수가 너무 차이가 났다. 심지어 쫓는 사람들은 처음엔 뒤에만 있었는데, 점차 앞에서도 나타났다. 모테는 최대한 요리조리 방향을 바꾸어가며 달아났으나 결국 붙잡혀 바닥에 꿇어앉았다. 몸을 비틀어보았지만 몇 명이 강제로 붙잡아 꿇어앉히자 꼼짝달싹할 수조차 없었다.

"누구냐. 도둑이냐 자객이냐 스파이냐."

개중 가장 높아 보이는 기사가 모테의 앞으로 다가와 묻자, 오른쪽에 선 기사가 억지로 모테가 고개를 들게 했다.

"저, 나는 도둑……."

"도둑인가. 뭘 훔쳤지?"

"아니, 도둑을 봐서 쫓아왔어요!."

"그 꼴을 하고?"

"줄 서서 들어오기엔 급해서……."

"도둑을 쫓아왔다기엔 혼자 수상하게 있던데."

"도둑이 땅에 뭘 묻어서, 그걸 봐서 꺼내려고, 그거 무척 중요한 물건이어서……."

모테는 사정을 설명하려 했으나, 당황하다 보니 말이 횡설수설 나왔다. 그래서인가. 기사인지 병사인지 모를 이들은 모테의 말을 전혀 믿지 않는 표정들이었다.

"끌고 가서 수사해."

"아, 안 돼요!"

모테는 켈드렉을 차마 부르지도 못하고서 발에 힘을 주고 버텼다. 켈드렉을 부르면 바로 해결될 일이지만, '넌 중범죄자의 딸'이라던 시시 아버지의 악다구니가 떠올라 입이 잘 열리지 않았다.

"무슨 소란이냐."

그때, 어딘가에서 나직하고 어두운 목소리가 들려왔다. 그러자 놀랍게도 모테를 우악스럽게 붙잡고 있던 이들이 동시에 절도 있게 한 방향으로 돌아섰다. 그러면서도 모테를 놓아주진 않았지만.

모테는 이를 악물고서 새로이 등장한 사람을 보았다.

"!"

머리는 까마귀 색이고 눈은 비 오기 전 하늘색인 남자였다. 급한 와중이지만, 모테는 남자를 보자마자 지금까지 코샤르가 가장 잘생겼다 생각했던 마음을 바꾸었다. 이 남자가 손톱만큼 더 멋있어 보였다.

'누구지?'

복장을 보면 아주 높은 귀족 같은데……

"폐하, 도둑을 잡았습니다."

폐하? 기사가 남자를 지칭하는 말에 모테는 눈을 커다랗게 떴다. 폐하라고? 이 사람이 동대제국의 황제? 그 보석 한 쌍을 산 사람?

"도둑?"

황제가 되묻는 목소리에 모테는 얼른 정신을 차렸다. 지금은 얼굴 보고 감탄할 때가 아니잖아!

"폐하의 명령으로 보석을 운반한 사람과 동행하였습니다!"

급하게 말하느라 고함처럼 목소리가 나오자 기사가 모테의 머리를 퍽 내리쳤다.

"감히 폐하 앞에서 언성을 높이느냐!"

모테는 욱해서 욕이 나올 뻔했지만 일단은 침착하게 황제의 결단을 기다렸다. 켈드렉에게 보석을 구해 오라 한 게 이 황제였다니, 이 정도만으로도 알아듣지 않을까, 싶어서. 예상대로 황제는 모테를 뚫어져라 보다가 기사들에게 눈짓했다. 눈짓을 받은 기사들이 모테를 놓고 옆으로 한 걸음씩 물러나자, 모테는 얼른 벌떡 일어나며 말을 이었다.

"진짜 도둑이 있습니다. 그 도둑이 저쪽에 저 나무 아래에 자기가 훔친 걸 묻었습니다. 정확히 그게 뭔지는 저도 보지 못했지만…… 아마 폐하께서 구해 오라 한 그 보석이 아닐까 싶습니다."

황제가 눈을 가늘게 뜨자 모테는 지은 죄도 없이 괜히 찔끔했다. 그래도 꿋꿋하게 서 있자니, 황제가 기사들에게 명령했다.

"살펴보라."

잠시 뒤. 모테가 가리킨 방향으로 가 흙을 뒤진 기사가 작은 주머니를 들고 와 황제에게 내밀었다.

"이런 게 묻혀 있었습니다."

이 소동을 벌였는데, 그 병사. 설마 도둑이 아니라거나, 그냥 자기 물건을 묻었던 거라거나, 그런 일은 없겠지? 그래. 세상에 자기 물건을 몰래 묻고 도망가는 사람이 어디 있어?

모테는 심장이 두근두근해서 황제가 주머니 안을 살피는 걸 보았다. 잠시 후. 황제는 무심한 얼굴로 보석을 살피고서 주머니를 다시 묶은 다음 덤덤하게 말했다.

"이 아이 말이 맞군."

모테는 그제야 안심해서 한숨을 내쉬었다. 믿어줬어! 다행이다.

펄쩍거리는 심장을 누르고 있자니, 황제가 다시 물었다.

"물건을 훔쳤던 도둑은 누구지?"

"입구에서 마차를 검문하던 두 명 중 하나였습니다. 키가 좀 더 큰 쪽이요."

모테는 마른침을 삼키고서 이제부터 뭘 어떻게 해야 할지 고민했다. 그만 보내달라 할까. 바쁘니 가겠다고 할까. 그러면 보내주긴 하나. 혹시 내 얼굴을 보려 들면 어쩌지?

얼굴을 보면…… 혹시 내가 중범죄자 딸이란 걸 바로 알려나? 심장이 쿵쿵 뛰었다.

"이름이 뭐지?"

"네?"

"이름."

"모, 모테요."

"주소는?"

"지금은 샐비어 여관에 머무르고 있습니다."

모테는 최대한 켈드렉 이름을 피해서 대답했다. 하지만 그러고서도 황제가 얼굴을 보이라 할까 봐 조마조마해서 굳어 있었다. 그러다가 마침내 황제가 막 입을 열려던 때.

"폐하."

바스락 소리가 나더니 아까 황제가 나타난 곳에서 금발 여자애가 튀어나왔다. 모테는 숨을 소리 나지 않게 들이켰다. 그 애. 암시장에서 만났던 그 애였다.

저 애가 왜 여기 있지? 의아해하고 있자니, 자기를 라리라 밝혔던 여자애가 모테와 황제를 번갈아 보며 물었다.

"무슨 일이에요? 시끄러운 소리가 저기까지 나던데요."

그 질문을 받는 순간, 멋진 얼굴이지만 내내 어둡던 황제의 얼굴에 처음으로 미소가 번졌다.

"내가 네게 방해가 되었느냐."

"네."

"네게 줄 선물에 조금 문제가 생겼다. 하지만 이제 다 해결되었으니 조용해질 거다."

네게 줄 선물……. 동대제국 황제가 선물을 줄 상대라면…… 황녀? 모테는 아까보다 더욱 놀랐다. 암시장에서 물건을 펑펑 사대더라니. 황녀였구나. 라르스 황녀였어.

라르스 황녀는 모테 쪽을 다시 힐긋 보았으나, 이전과 달리 오늘은 전혀 관심이 없어 보였다. 아니, 누군지도 모르는 듯했다. 얼굴을 가렸으니 당연하겠지만, 모테는 그게 또 괜히 서러워졌다. 그러거나 말거나 황녀는 자연스럽게 황제를 졸랐다.

"다 해결되었으면 저랑 같이 가요. 카이랑 셋이서 식사해요."

"그럴까?"

"응. 빨리. 빨리요."

황녀가 재촉하자 황제는 뒤도 돌아보지 않고 뒤를 따라가버렸다. 황제가 가버리자 기사들은 자기들끼리 눈짓을 주고받다가 모테에게 퉁명스럽게 말했다.

"꺼져라."

"앞으론 수상한 짓은 하지 말고."

모테는 대답하지 않고서 돌아서서 터덜터덜 걸어 나갔다. 안으로 들어올 때와 달리, 나갈 때는 별다른 절차 없이 그냥 사람들 틈에 섞여서 작은 문을 통해 나갈 수 있었다.

그런데 참 이상하지. 힘없이 여관으로 돌아가는데, 이상하게 눈가가 화끈거렸다. 눈물이 나올 것처럼.

'내가 울 이유가 뭐가 있어.'

모테는 억지로 눈에 힘을 주었지만, 한동안 눈가의 열기는 가시지 않았다.

소비에슈, 카이와 식사를 한 뒤. 라리는 맥켄나의 일기를 마저 읽기 위해 바로 방으로 돌아가려 했다

"라리. 야시장 보러 가자."

하지만 라리가 자신과 놀아주지 않는 게 섭섭한지, 카이가 웬일로 먼저 놀러 가자면서 꼬드겼다.

"야시장?"

"응. 빛나는 야시장."

라리는 이대로 방에 돌아가 거인이 맥켄나에게 무어라 말했는지 읽는 것과 카이와 야시장을 구경하는 것. 둘 중 뭐가 재밌는지 재어보다가, 카이의 손을 잡았다.

"그래."

소비에슈는 좀 더 늦게 식당에서 나왔다가, 아이 둘이 손을 꼭 잡고 흔들면서 걸어가는 걸 보자 희미하게 웃었다. 똑똑하고 영리한 아이들이었다. 둘 중 누가 뒤를 잇든 안심해도 좋을 수 있을 정도로. 반면 릴테앙 대공의 차남은…….

소비에슈의 미간에 이번에는 저절로 주름이 생겨났다.

셰를은 머리가 나쁘지만 천성이 나쁘진 않았다. 우유부단하고 줏대가 없어서 황위에 어울리지 않을 뿐, 아이 자체는 온순하고 순했다. 스스로가 황위에 어울리지 않단 걸 알아서 괜한 욕심을 부리지도 않았고.

반면 대공의 차남은 놀라울 정도로 대공과 대공비, 셰를의 단점을 다 가지고 있었다. 머리가 나쁘고 우유부단한 데다 줏대도 없는데, 권력욕은 어마어마하게 커서 당연히 다음 황제가 자기라고 믿었다.

그뿐이 아니었다. 이미 본인이 차기 황태자라도 된 양 사람들을 대하는 건 물론, 하인이 조금만 실수를 해도 당장 끌고 가 죽여버리라고 고래고래 고함을 질러댔다. 번화가에 놀러 갔을 때 지나가던 사람과 어깨를 부딪치자, 어깨를 자르고 보내라 떼를 쓴 일화는 이미 국민들 사이에서도 유명했다.

"완벽한 폭정의 씨앗이지."

소비에슈가 중얼거리자, 황제가 또 헛것을 보다가 계단에서 떨어지기라도 할까 봐 옆에 꼭 붙어 있던 근위기사단장이 "예?" 하고 되물었다.

"아니다."

소비에슈는 손을 젓고서 물었다.

"트로비 공작은? 손주들이 왔는데 웬일로 보이질 않지?"

"어렵게 구한 선물이 운반 도중 깨진 모양이었습니다."

"깨져? 뭘 가져오기에?"

"모르겠습니다. 그 일 때문에 어제부터 내내 보이질 않습니다."

"고작 어린애들 선물 구하려고 그게 무슨."

자기는 어린애들 선물을 구하기 위해 남의 나라 기사단장에게 도움을 요청했으면서, 소비에슈는 차가운 척 고개를 저었다.

그런데 근위기사단장이 나오려는 웃음을 참느라 턱에 힘을 꽉 준 그때.

"폐하, 폐하!"

카를 후작이 빠른 걸음으로 다가오더니 소비에슈에게 무언가를 급히 속삭였다.

"정말이냐?"

“야, 모테야. 이거 봐라. 움직이는 피에로다.”

“…….”

“모테야, 움직이는 피에로라니까?”

“…….”

“모테야?”

켈드렉이 모테의 어깨를 툭 두드리자, 모테는 그제야 퍼뜩 놀라서 “네?” 하고 고개를 돌렸다. 켈드렉은 인상을 찌푸렸다.

“너 괜찮냐?”

몇 시간 전. 보석을 들고 황제를 보러 간 켈드렉은 분명 자신이 들고 온 보석을 황제가 이미 가지고 있자 황당해했다.

— 모테란 아이와 함께 왔느냐.

당황한 그에게, 황제는 모테 이야기를 꺼내더니 일이 어떻게 되었는지 사정을 말해주었다. 켈드렉은 그 말을 듣고 심장이 다른 의미로 두근거렸다. 하나는 황제가 모테 얼굴을 보았을까 봐. 다른 하나는 일이 잘못되면 엉뚱한 보석을 배달했다가 자기가 덮어썼을까 봐.

아무래도 도적 출신이다 보니, 아무리 높은 자리에 올라도 물건이 사라지면 주위 사람들은 자연스럽게 그나 상시천 출신들을 의심했던 것이다. 업보이니 어떻게 할 수야 없지만, 그 의심을 황제에게 사는 건 절대 사절해야 하지 않겠나. 켈드렉은 주머니를 펼치면서 황제의 눈치를 연신 살폈지만, 다행히 황제는 모테의 얼굴을 본 눈치는 아니었다.

켈드렉은 그나마 안심했으나, 바꿔치기된 보석이 '저주 걸린 보석'으로 유명한 보석이란 걸 알자 도로 놀라 다리를 후들후들 떨었다. 아무래도 보석을 바꿔치기한 범인은 동대제국 황제를 서대제국에서 온 손님들과 이간질하고 싶던 모양이었다. 어쨌든 일이 잘 해결된 건 모두 모테 덕이었기에, 켈드렉은 여관에 돌아오자마자 아이를 데리고 바로 야시장을 구경하러 나왔다.

"가지고 싶은 거 다 골라봐!"

큰소리도 쳤다. 그런데 평소라면 방방 뛰면서 좋아했을 모테가 이렇게 시무룩해 있으니 걱정이 될 수밖에 없었다.

"너 진짜 괜찮아? 혹시 무슨 일이라도 있었냐? 궁전……에서?"

자기가 공주 출신이란 걸 알게 되기라도 한 건가. 켈드렉이 조심스럽게 묻자, 모테는 애써 밝게 웃고서 손가락으로 소시지 판매대를 가리켰다.

"아니요. 배고파서 그래요. 소시지 사다 줘요."

켈드렉이 소시지를 사러 간 사이, 모테는 힘없이 분수대에 앉았다. 켈드렉이 걱정하니까 너무 티 나게 우울해하면 안 되는데. 힘이 나지 않았다.

그때. 저 멀리에 또 시시가 보였다. 사람들 틈에서 연두색 옷과 하얀 모자를 쓰고 활짝 웃고 있는 사람은 분명 시시였다.

'시시가 여기 있나 봐!'

낮에도 긴가민가했는데, 이번엔 확실하다. 모테는 얼른 시시에게 달려갔다. 그러나 사람들이 너무 많다 보니 이리 밀리고 저리 밀리는 틈에 시시를 붙잡기가 어려웠다. 모테는 행진에 휩쓸려서 아예 떠밀려 가다가, 시시가 미로 코너에 들어가는 걸 보고서 가까스로 행진에서 빠져나와 시시가 들어간 미로 안으로 얼른 따라 들어갔다.

그렇게 얼마나 갔을까. 아무리 걸어 들어가도 시시는 보이지 않더니, 사방이 점점 어두워지기만 했다. 모테는 정신없이 걷고 걷다가 사방이 막힌 곳에 도착하자 결국 걸음을 멈추고 숨을 헐떡였다.

"……."

모테는 자기 호흡 소리를 들으며 주위를 천천히 둘러보았다. 다른 곳에 빛을 다 빼앗기기라도 했나. 이 미로 안은 빛이 아예 없어서 유난히 어두웠다. 천장 역시 막혀서 별빛이나 달빛도 보이지 않았다.

여기 서 있자니, 아까 궁전에서 돌아오는 길. 머릿속을 내내 차지한 실망감이 다시 솟구쳤다. 자신을 고용하고 싶다던 그 여자애가 서대제국 황녀라면, 자신은 그 여자애의 기사도 될 수 없을 거라는 그 실망감이.

자신이 정확히 어떤 중범죄자의 딸인지는 아직 알려주지 않았지만, 어릴 때부터 켈드렉과 부천주는 서대제국 궁전에 들어갈 때면 늘 가면을 쓰게 했다. 물론 데리고 들어가는 것 자체를 꺼려했고. 그런데 서대제국 황녀의 기사가 되겠다고 하면 당연히 절대로 안 된다 할 게 뻔했다.

"흐으……."

모테는 손으로 얼굴을 가리지도 못하고 제자리에 우두커니 서서 눈물을 뚝뚝 흘렸다. 억지로 참았던 눈물이, 어둠을 틈타 결국 흘러나오고 말았다. 이곳이 자신의 앞길 같았고 미래 같았다. 자신의 앞길은 사방이 막힌 벽이고 이 안에 들어올 수 있는 건 어둠뿐이라, 한 조각 탈출구도 빛줄기도 없는 것 같았다.

"진짜 열심히 했는데. 진짜 열심히 살았는데. 세상이 뭐 이래."

서대제국 기사가 될 수 없는 데 절망했는데. 다시 한번 서대제국 기사가 될 수 없는 데 절망해야 하다니. 모테는 억울하고 서러워서 주먹을 쥐고 뚝뚝 눈물을 떨어트렸다.

"흐으. 어어어엉. 엄마……."

도둑을 잡아주려 했을 뿐인데 누구냐면서 걷어차던 이들도 밉고, 오해를 했단 걸 알았으면서도 욕을 하고 꺼지라 하던 이들도 미웠다. 세상이 서러운 일뿐이었다. 자신이 노력하면 노력할수록 세상도 같이 노력해서 앞길을 막으려는 것 같아 서러웠다.

그 순간.

"!"

탁 소리가 나는가 싶더니 앞에 반딧불 같은 게 몽실 떠올랐다. 모테는 끅끅 흐느끼다가 고개를 반딧불을 보았다. 반딧불은 모테의 앞에서 느리게 원을 그렸는데, 그 모습이 마치 네 앞길이 어둡지만은 않다고 위로해주는 것 같았다. 그 덕에 모테는 울면서 억지로 웃었다. 그리고 모테가 간신히 웃는 것과 거의 동시에 주위에서도 노란 반딧불들이 하나둘 차례로 보이더니 사방이 작은 빛으로 가득 찼다. 그 빛을 뚫고서 낯익은 사람이 나타났다.

"너 울어?"

모테는 반딧불을 둘러보다가 다가온 사람 쪽으로 시선을 돌렸다. 나타난 사람은 모테에게 자기 사람이 되라 말했던 그 황녀였다. 라르스 황녀.

"왜 울고 있어?"

모테는 자신보다 조그만 그 애를, 그냥 걸어만 다녀도 빛이 따라올 정도로 행운이 가득한 그 애를 쳐다보며 끅끅 눈물을 삼키려 했다. 남들에겐 우는 모습을 보이고 싶지 않았으니까. 그러나 아까 너무 참아서인가. 이번에도 눈물이 삐져나와버렸다. 모테는 눈물을 뚝뚝 흘리면서, 내내 꾹꾹 눌러둔 마음을 자신도 모르게 뱉어냈다.

"나 좀. 여기서 꺼내주면 안 돼요? 나 좀 이제 여기서 나가게 해주면 안 돼요?"

"!"

'또 어디 간 거야?'

위험에 처하려고 해도 처할 수 없을 만큼 강한 동생이지만, 그래도 동생이다 보니 걱정이 안 될 수가 없다. 카이는 솜사탕 두 개를 든 채 두리번거리며 걸어가다가 결국 사람들로 이미 꽉 찬 의자에 가까스로 끼어 앉았다.

'그냥 호위들이랑 같이 있을걸.'

이것도 안 됩니다, 저것도 안 됩니다. 저건 위험합니다, 저건 더욱 위험합니다. 호위들이 잔소리를 퍼부어대는 게 귀찮아서, 호위들의 눈을 피해 분수대에서 라리와 둘이 만나기로 했는데. 분수대가 세 개인 바람에 둘마저 엇갈리고 만 것이다. 카이는 5분 정도를 그러고 있다가 다시 일어섰다. 라리든 호위든 일단 도로 찾아봐야지.

그런데 막 일어서서 사람들 사이로 들어간 순간. 날카로운 무언가가 옆구리를 파고들었다. 그러나 칼로 찔렀는데 감촉이 나지 않자 당황했는지, 상대가 빈틈을 보였다.

일단 여기서 나가자. 엉엉 우는 아이를 이끌고 라리는 미로를 빠져나왔다.

“여기 미로 어려워서…….”

“뭐?”

도중에 길이 막혔을 때 아이는 울던 걸 멈추고 무어라 말하려 했으나, 라리가 미로 벽 한 칸을 통으로 없애버리자 아이는 입을 다물고 고개를 저었다.

“너 무슨 말 하려던 거 아냐?”

“아니요…….”

근처의 벤치로 간 다음 라리는 아이를 앉혀놓고 따뜻한 초콜릿 음료수를 구해다 건넸다.

“자. 마시고 그만 울어.”

우는 사람은 익숙하지 않다. 이렇게 펑펑 우는 사람은 더욱. 차가운 목소리로 말하자, 아이는 커다란 컵을 두 손으로 꼭 쥐고서 웅얼거렸다.

"나도 평소엔 잘 안 울려 하는데……."

"전엔 반말하더니. 오늘은 왜 꼬박꼬박 높임말이야?"

라리가 옆에 앉았는데도 아이는 음료수만 마시면서 대답 없이 자기 발치만 내려다보았다. 라리는 재촉하는 대신 나란히 앉아서 발만 까딱거렸다.

얼마나 그러고 있었을까. 좀이 쑤신다 싶을 즈음, 아이가 자기 사정을 솔직하게 털어놓았다. 자기 이름, 라리가 서대제국 황녀라는 걸 안다는 이야기, 상시천에서 자랐다는 이야기, 자기 친부모가 중범죄자란 이야기, 그래서 양부모와 수장이 기사가 되지 못하게 막고 있단 이야기 등.

놀라울 정도로 솔직한 이야기였지만, 라리는 끼어들지 않고서 기다렸다. 그리고 모테가 이야기를 끝낸 뒤에야 덤덤하게 물었다.

"신분이 문제야? 신분을 바꿔줄까?"

"신분의 문제는 아닐 거예요. 상시천이 동대제국에 들어갈 때 신분은 새로 다 받았다 들었거든요. ……저는 기억 안 나는 일이지만."

라리는 모테의 턱을 잡아 올리고서 얼굴을 빤히 살폈다.

"왜, 왜요?"

"너 닮은 범죄자 본 적 없는데."

"황녀님은 아직 어리잖아요. 제 부모님이면 폐하들보다도 나이가 많을 건데, 모를 수도 있지요."

"너 나랑 나이 비슷해 보이는데?"

"전 열여섯 살인데요."

"그렇게 안 보이는데?"

"진짜예요!"

모테가 딱 잘라 말하자 라리는 '아닌데…….' 하고 생각하면서도 일단 그 부분은 넘어갔다. 나이야 본인이 가장 잘 알고 있겠지, 싶어서. 게다가 지금 중요한 건 그 부분이 아니었다.

"네게 필요한 건 딱 두 개야."

딱 잘라 말하자 모테가 컵을 움켜쥐고서 간절하게 물었다.

"그게 뭘까요?"

그게 무엇이건 말한다면 다 가져올 수 있다는 눈동자였다.

"하나는 가면. 다른 하나는, 누구도 그 가면에 손을 못 대게 할 실력."

"!"

"누가 권력으로 네 가면을 벗기려 하잖아? 그건 내 권력으로 막아줄 수 있거든. 하지만 실력으론 네가 막아야 돼. 할 수 있어?"

수월한 말에 모테는 커다란 눈을 깜빡거렸다. 엉엉 울 정도로 고민하던 일인데. 상대가 간결하게 대안을 제시하자 어리둥절해 보였다. 하지만 곧 야무지게 고개를 끄덕였다.

"할 수 있어요!"

"진짜?"

"네!"

예상치 못한 데서 발견한 희망에 모테는 눈을 빛내며 또 물었다.

"그럼 절 기사로 받아줄 거예요?"

"그렇긴 한데."

"한데?"

"네가 그럴 힘이 있단 걸 내가 어떻게 알아?"

"!"

"그거부터 증명해."

라리가 방긋 웃고서 그 자리를 떠나버리자, 모테는 우두커니 혼자 남아 컵만 손에 쥐고서 멀어지는 뒷모습을 쳐다보았다.

아니, 저 애는 예전엔 이름만 알려주고 찾아오라질 않나, 이번에는 증명하라 해놓고 그냥 가버리질 않나, 왜 항상 말을 하다 말고 가지? 뭘 어떻게 증명하란 거야?

상대에 대해 호기심이 생겨난 건 모테만은 아니었다.

'대체 어느 중범죄자의 자식이란 거지?'

그 자리를 시원하게 떠나버린 라리 역시 사람들 틈을 비집고 들어가면서 모테의 부모가 누구일지 고민해보았다.

'아름다운 얼굴, 까만 눈, 까만 머리카락. 이중에서 찾아보면 나올 것도 같은데…….'

부황이나 모후, 맥켄나 삼촌, 누구에게든 말만 하면 아마 바로 찾아줄 것이다. 하지만 공개적으로 찾으면 안 되겠지. 그 애한테는 출신 문제가 엄청난 비밀인 듯했으니.

'날 믿고 고백했는데 함부로 털어놓으면 안 돼. 일단 오빠부터 찾자. 카이는 대체 어느 분수대로 간 거야?'

분수대 두 곳을 더 뒤진 후에야 라리는 카이를 발견했다. 카이는 분수대에 앉은 채 일그러진 솜사탕을 슬프게 보고 있었다.

"어디 갔었어?"

그러다 라리가 다가가 묻자, 카이는 구겨진 솜사탕을 건네며 대답했다.

"누가 날 칼로 찌르려 했어. 사람들 틈에 숨어서."

"진짜?"

엄청난 말을 들었지만 라리는 푸핫 웃음을 터트렸다.

"어떤 미친 자가?"

"모르겠어. 하지만 내일 알 수 있겠지. 범인한테 추적마법 약을 발라놨으니까."

라리는 혀를 끌끌 차면서 카이가 준 솜사탕을 입에 넣었다.

"마법약학 최고 권위자 카프멘의 애제자를 건드리다니. 암살자가 운이 없네. 차라리 나한테 오는 게 나았을 뻔했어. 그치?"

"그거 바닥에 떨어트렸던 거야, 라리."

"!"

"에이. 퉤. 퉤. 에퉤퉤."

사라졌던 라리가 훌쩍 궁전에 돌아와서 계속 입을 헹구어대자, 시녀는 이게 뭔 일인가 싶어 어리둥절했다.

"왜 그러세요? 입안이 써서 그러세요? 뭘 드신 건데요?"

"오빠가 내 입에 쓰레기를 넣었어."

"예? 황자님이요?"

설마 착하고 순한 황자님이 그러겠냐는 투로 시녀가 웃음을 터트리자, 라리는 괜히 억울해졌다.

"진짠데."

물론 먹으라고 직접 입에 넣어준 건 아니지만…….

"아직 입이 텁텁하세요? 아주 단 케이크를 가져다드릴까요?"

"응."

잠시 뒤. 시녀가 온갖 과일을 갈아서 섞은 케이크를 가져다주자, 라리는 케이크와 맥켄나의 일기장을 가지고서 침대에 엎드렸다.

오빠를 습격한 범인이 대체 누굴까? 그게 누구든 내가 가만히 안 둘 거야, 속으로 단단히 다짐하면서 라리는 일기장을 펼쳤다.

날짜: ×월 ××일

그 여자가 화룡이었구나. 그렇다면 모든 게 말이 되지. 태양 같은 점도, 폭염 같은 점도, 불같던 성미도 모두 다.

하지만 어제 들었을 때도 놀라웠는데, 오늘 생각해도 새삼 또 놀랍다. 같은 용인데도 돌시는 그토록 재수 없고 그 여자는 그토록 멋지고 매력적이라니. 돌시가 특이한 건가 그 여자가 특이한 건가.

돌시는…… 아니, 돌시 얘긴 쓰지 말자. 호랑이도 제 말을 한다면 온다지. 혹시라도 돌시가 나타나면 안 되잖아.

날짜: ×월 ××일

거인과 마주 앉아 차를 마시고 있는데, 빌어먹을 돌시가 왔다. 역시 어제 돌시 얘길 쓰지 말걸.

"맥켄나는 사랑하는 용이 있어서 시험을 치르러 온 거래."

게다가 거인이 입을 가볍게 놀리자, 돌시는 혼자 배를 잡고 낄낄 웃으면서 날 비웃기까지 했다. 참으로 괘씸하다.

날짜: ×월 ××일

우선 아침 9시. 나는 빵을 가지고 오두막에 와 뜯어 먹고 있었다. 그런데 돌시가 또 나타나더니, 진지하게 얘기를 해보자 하지 않는가.

무슨 얘기를 진지하게 하고 싶으냐 물었더니, 돌시는 내가 왜 빨간 머리 용에게 반했나 궁금하단다. 여기에 대한 진짜 답은 '눈길이 가고 마음이 가는 걸 어떻게 하냐'이다.

하지만 돌시에게 이런 얘길 하면 분명 놀리겠지. 그래서 일부러 못되게 말했다.

"당신과 머리부터 발끝까지 다른 점이 좋아요."

그러자 돌시는 팔짱을 끼더니 나를 심각하게 쳐다보다가 한숨을 내쉬면서 이딴 식으로 말했다.

"멍청하다고 해야 할지 가엾다고 해야 할지."

날짜: ×월 ××일

시험 하나가 어제 또 끝났고…… 지금은 침대에 늘어져서 힘없이 손만 움직이고 있다. 너무 피곤하다. 이번 시험은 정말로 피곤했다. ……나중에 이어 적어야지.

세 시간쯤 잤다.

좋아, 다시. 일단 어제 아침 7시. 다음 시험이 있다고 해서 종탑에 갔더니, 거인이 이렇게 말했다.

"이번 시험은 팀을 짜야 한다."

덕택에 나도 어쩔 수 없이 안 친한 참가자들과 팀을 짜게 되었다. 그렇게 팀별로 괴수들이 우글우글한 산에 들어가 야영하고 나오는 게 이번 시험이란다.

팀 자체는 괜찮았다. 시험 중인 참가자 중 제일 성적이 좋은 녀석과 같은 팀이 되었으니까.

하지만…… 알 사람은 알겠지만, 안 친한 사람 여럿 사이에 혼자 덩그러니 끼어 있으면 참으로 괴롭다. 나 역시 그랬고.

그래도 같이 고생하다 보니 야영을 할 즈음 말을 섞게 되었는데, 정신을 차리고 보니 시험을 치르러 온 이유가 뭔지 서로 털어놓고 있지 뭔가.

다들 솔직하게 말하는 분위기라 어쩔 수 없이 나도 솔직하게 털어놓았다. 화룡을 사랑하게 되어서 여기에 왔다고.

그러자 다들 놀라면서, 내가 겉으로 보기엔 아주 재수 없고 오만한 귀족인데 의외로 순정파라면서 감탄했다. 단 한 사람만 빼고.

한 명은 유독 표정이 심각했는데, 그 사람이 바로 제일 성적이 좋은 참가자였다. 사실 시험을 무사히 치르고 복귀한 지금도 모르겠다. 그 사람이 왜 혼자 표정이 굳어 있었는지.

날짜: ×월 ××일

오늘 오전 6시. 아침 산책을 나갔다가 그 성적 좋은 참가자를 만났다. 그 참가자는 나를 보자 흠칫했는데, 의외로 내 쪽으로 다가왔다.

그러더니 주저하다가 같이 산책해도 되겠냐고 묻지 않나. 괜찮다고 대답했더니 잠시 걷자면서 조용히, 정말 발소리도 내지 않고 아주 조용히 걸어갔다.

얼마나 그렇게 걸었을까. 정신을 차리고 보니 마을에서 너무 떨어진 곳이 아닌가. 너무 멀리 왔다 싶어서 나는 슬슬 돌아가자고 그 참가자를 재촉했다.

그러나 그 참가자는 고개를 설레설레 젓더니 몹시 미안해하며 이렇게 말했다.

"네 마음은 받아주기 힘들다. 앞으로 300년은 연애를 하지 않을 셈이라."

뭔 헛소리인가 싶어서 쳐다보고 있자니, 그 참가자가 슬프게 웃으며 물었다.

"하지만 네가 우승한다면 나는 너에게 갈 수밖에 없겠지. 그렇지만 그렇게 맺어진다 한들 과연 행복할까?"

이게 미쳤나 싶어서 그 참가자의 이마를 한 대 딱 때렸다. 그러자 그윽하게 서 있던 참가자는, 물벼락 맞은 참새처럼 머리를 파르르 떨더니 나를 미친놈 보듯 쳐다보았다.

"지금…… 내게 딱밤을 때린 게냐?"

헛소리 그만하고 이리 오라면서 잡아당기자, 참가자는 부러진 목각인형처럼 내게 손이 잡힌 채 졸졸 쫓아왔다.

얼른 방에 들어가 자라고 등을 두드려서 보낸 다음, 나는 내 방에 돌아와 노래를 부르며 씻고 침대에 누웠다.

그러고서 일기를 적는데 뭔가…… 꺼림칙……한데.

잠시. 내가 쓴 일기를 한 번 더 읽어봐야겠다.

날짜: ×월 ××일

어제 내가 쓴 일기를 한 30번쯤 읽었는데. 읽으면 읽을수록 비명이 나온다. 300년 어쩌구 하는 것도 그렇고, 내가 우승하면 자기랑 맺어진단 것도 그렇고.

혹시 그 참가자…… 화룡인가!

날짜: ×월 ××일

거인에게 가서 혹시 참가자 중에 용이 끼어 있나 물었더니, 거인이 그렇다고 말한다. 시험의 공정성을 위해서 용 하나가 정체를 감추고 들어와 있다고. 그중에 화룡이 있냐 물었더니, 거인이 그건 자기도 모른다고 했다.

심장이 달달 떨린다. 화룡……으로 추정되는 참가자에게 당신이 오해를 했다고 말하면 어떻게 될까?

날짜: ×월 ××일

식사 시간에 슬쩍 그 참가자에게 다가갔다. 정확히는 화룡인 척 위장한 참가자에게. 더 깊어지기 전에 우리의 오해를 바로잡을 생각이었다.

그런데 젠장. 내가 다가가자 화룡은 흥 코웃음을 치더니, 자연스럽게 자기 옆에 있는 참가자를 뻥 걷어차지 뭔가.

옆에 있던 참가자가 놀라서 왜 그러냐 묻자, 화룡은 자기 옆자리를 톡톡 두드리더니 내게 앉으라 눈짓했다.

"네 친구는 어쩌고?"

"난 우정보단 사랑이라 생각해."

옆에 앉아서 소시지를 먹는데 이게 목으로 넘어가는지 위장에 그대로 내다 꽂히는지 구분이 안 간다. 타이밍이 맞지 않아 진실을 얘기하지 못했다.

날짜: ×월 ××일

화룡에게 찾아가서, 당신의 300년을 존중하겠다고 말했다.

"시험에 통과해 소원을 빌어도 당신 얘기는 하지 않을게요."

그러자 화룡이 들고 있던 의자를 세 토막 내더니, 내 말을 제대로 못 들었다며 다시 말해달라 부탁했다.

거인에게 가서 화룡 성격이 어떤지 묻자, 거인이 딱 한 마디로 정의해주었다.

"걘 종족은 용이지만 영혼은 개야."

날짜: ×월 ××일

베개를 끌어안고 울고 있는데, 돌시가 나타나더니 내 머리를 쥐어박으면서 멍청하고 쓸모없고 짝사랑 상대 구분도 못 하는 돌대

가리라고 욕을 했다.

지금은 돌대가리 소리를 들어도 된다. 어떻게든 화룡의 오해를 풀 수만 있다면!

그래서 돌시에게 매달려서, 그간의 정을 봐서 날 좀 데리고 달아나달라고 애원했다. 그래도 돌시는 나비에 님하고도 친하니까.

돌시는 한숨을 내쉬더니, 자기만 믿으라 큰소리치고 밖으로 나갔다.

안심하고서 기다리고 있기를 30여 분. 돌시가 돌아오더니 시험을 중간에 그만둘 수는 없을 것 같다고 사과한다.

사과는 받겠지만 진짜 쓸모없는 분 같다고 말하자, 돌시가 돌대가리가 염치도 없다며 욕하고는 가버렸다.

모테는 라리가 남긴 말에, 라리는 맥켄나의 일기장에 푹 빠진 늦은 밤. 시시는 야시장 여기저기를 즐겁게 구경하고서 신이 나서 집으로 돌아왔다.

"어머니!"

시시는 은발을 감추느라 푹 눌러썼던 커다란 모자를 벗고서 춤추듯 가벼운 걸음걸이로 베르디 자작 부인을 찾아 뛰어다녔다.

"집 안에서는 뛰지 마세요, 아가씨."

먼저 만난 하녀가 인상을 찡그리며 잔소리했지만, 시시는 그조차 밝게 웃으면서 털어버렸다.

"알았어. 엄마는?"

그 구김살 없는 모습에 하녀는 짧게 한숨을 내쉬며 대답했다.

"마님께선 침실에 계세요. 오후에 심부름꾼이 다녀갔는데, 그 후로 계속 그곳에만 계세요."

잠시 말을 멈춘 하녀는 곰곰이 생각해보다가 덧붙였다.

"심각한 편지를 받은 것 같았어요."

"응, 고마워."

시시는 인사를 하자마자 얼른 발꿈치를 들고서 베르디 자작 부인의 침실로 달려갔다.

뛰지 말라니까……. 하지만 뒤꿈치를 들고 뛰니 또 잔소리하기도 뭐해서, 하녀는 어깨만 으쓱하고서 먼지떨이를 챙겨 다른 방으로 갔다.

"엄마. 다녀왔어요."

그사이. 자작 부인의 방 앞에 도착한 시시는 방문을 노크하면서 인사했다. 만약 엄마가 오늘은 만나고 싶지 않다고 말한다면 그냥 자기 방에 갈 생각이었다.

"들어오련."

그러나 베르디 자작 부인은 시시를 불렀다. 시시는 얼른 방 안으로 들어가서, 창가에 앉은 자작 부인을 꼭 끌어안았다.

"다녀왔어요. 진짜 재밌었어요! 반딧불 같은 게 사방에 날아다니고, 미로도 있고, 다 같이 행진도 하고요, 또 공연도 몇 개나 봤는지 몰라요!"

재잘거리면서 자작 부인을 본 시시는 자작 부인의 얼굴이 창백한 걸 발견하고서 놀라 입을 다물었다. 자작 부인은 창백한 얼굴에 힘없이 미소를 띠고서 시시의 어깨를 가볍게 두드렸다.

"괜찮아. 네가 즐거웠다니 나도 기뻐."

"엄마. 안색이……."

"편지를 받아서. 좀 생각을 했단다."

"편지요?"

시시는 하녀가 한 말을 떠올렸다. 그 편지를 말씀하시는 거겠지? 대체 무슨 편지기에 이렇게 얼굴이 어두우실까?

시시를 찾은 이후 베르디 자작 부인은 늘 웃었다. 그래서 시시는 자작 부인이 원래 밝은 사람이라 여겼지만, 아니란다. 하녀 말로는 이전보다 150배쯤 밝아졌다고 했다. 그런데 편지 한 통에 갑자기 우울해질 정도라니. 보통 편지가 아닐 게 분명했다.

"여러 번 생각했지만, 역시 네 의견이 가장 중요하다 생각해서 말해주기로 했어."

"저랑…… 관련된 얘기인가요?"

시시는 불안해져서 심장이 쿵덕거렸다. 시시는 베르디 자작 부인이 찾던 아이가 자신이라 확신했다. 자신 말고는 상시천 내에서 자작 부인이 찾던 조건에 맞는 여자애가 없으니까. 하지만 자작 부인이 이렇게 나오자 무서워졌다. 혹시 친딸을 찾았단 내용일까?

"사실 넌 내 친딸이 아니란다."

진짜야! 심장이 쿵 떨어졌다. 말보다 눈물이 먼저 흘렀다. 시시는 눈을 커다랗게 뜨고서 베르디 자작 부인의 치맛자락을 꼭 쥐었다.

"엄마!"

시시의 표정을 본 자작 부인은 놀라서 얼른 아이를 끌어안았다.

"널 버리려 이런 말을 하는 게 아니야."

"하지만 엄마가……."

"시시. 넌 공주야."

시시는 완전히 얼음이 되어 눈만 깜빡거렸다.

"네?"

내가 방금 무슨 소리를 들은 건가. 헛소리를 들은 것 같은데? 바로 전에 들은 말인데도 어머니가 한 말이 이해가 가지 않았다.

"공주요? 갑자기 웬 공주요?"

시시는 멍하게 되물었다.

"정확히는 폐위된 공주지. 시시, '비운의 공주' 이야기 들어봤니?"

"얼핏……."

베르디 자작 부인은 천천히 사정을 설명했다.

몇 시간 전. 시시가 호위들과 함께 놀러 나갔을 적, 베르디 자작 부인에게 소비에슈 황제가 보낸 심부름꾼이 찾아왔다.

'이제 와서 폐하께서 내게 왜?'

의아한 일이지만 심부름꾼은 별다른 설명을 해주지 않았다. 심부름꾼이 떠난 뒤, 자작 부인은 창가의 흔들의자에 앉아 전달받은 편지를 펼쳐보았다.

은발 아이를 찾아 데려왔단 이야기를 들었다. 내게 얼굴을 보여다오. 아이에게 해를 끼치려는 게 아니니, 염려하지 말라. 나는 한 번도 아이를 해치고자 한 적이 없었다. 그저 한 번, 단 한 번이라도 아이가 건강한 걸 보고 싶을 뿐이니. 잃어버린 아이를 그리워하는 부모의 마음을 헤아려 주기를. (하지만 아이가 원하지 않는다면 데려오지 않아도 좋다.)

자작 부인은 빠르게 편지를 구기고서, 두 손을 자신의 쇄골 아래에 두고 숨을 멈추었다.

'계속 날 감시하고 있던 건가. 언제부터?'

물론 일부러 숨어 지냈다거나 몰래 도망쳐 다닌 건 아니지만, 황제의 친서를 직접 건네받자 심장이 두근거렸다.

'이를 어쩐다.'

자작 부인은 구겼던 편지를 도로 펼치고서 책상 위에 반듯하게 놓았다. 그 위에 주먹을 올려두고 눈을 질끈 감자, 몇 년 전 소비에슈가 한 말이 떠올랐다.

— 그대가 아이를 먼 곳에 데려가길 바랐다. 그래서 검문소에 병사들을 물려두었지. 일이 이렇게 되고 보니 그 행동마저 후회되는구나. 차라리 그때 그대를 붙잡았더라면, 그 아이가 살아 있었을까.

계속 아이를 찾아다니는 베르디 자작 부인에게 헛된 일이라 알려주면서 한 말이었다. 자작 부인은 그때 소비에슈가 일부러 자신이 글로리엠 공주를 데리고 도망치도록 눈을 감고 있었단 걸 알게 되었다. 그렇기에 이 편지를 받자 더욱 고민이 되었다. 어쩐다. 아이를…… 황제에게 보여주어야 하나.

"네가 올 때까지 계속 고민하고 고민했단다."

자작 부인의 이야기는 끝을 향해 다가갔지만, 시시는 입을 벌린 채 통 다물지 못했다. 갑자기 친어머니를 찾게 된 것도 놀라운데. 자신의 어머니가 사실은, 폐위된 황후였다고?

"시시. 신전에서는 네가 그분의 친딸이 아니라 했단다. 넌 황후의 딸이었지만, 황제의 딸은 아니야. 공식적으로는."

"전…… 나는……."

"하지만 폐하께선 널 진심으로 사랑하셨어. 널 잃은 후 괴로워하셨고, 지키지 못한 죄책감에 결국 마음의 병을 얻으셨지. 아직도 그 병은 낫지 않았단다."

동대제국 황제가 미쳤단 이야기는 시시 역시 들었다. 그 때문에 긴 대외 활동은 일절 하지 않고, 짧은 대외 활동을 할 때에도 수석 비서와 대리인을 늘 곁에 둔다고.

하지만 왕족 이야기 중엔 영 몹쓸 가십거리도 많기에, 시시는 거기에 그리 큰 관심을 두지 않았다. 하지만 동대제국 황제가 미친 게 자신 때문이라니…….

"말을 해줄지 말지 고민했지만, 두 가지 이유 때문에 해주기로 했어. 하나는 널 그리워해 마음에 병이 올 정도면, 그분이 네게 해코지는 하지 않을 거란 이유 때문에."

"……."

"다른 하나는, 네가 그분의 딸이기 때문에."

"!"

"이건 네가 결정하는 게 옳아, 시시. 난 네 뜻에 따르겠다."

사실 베르디 자작 부인이 시시에게 말하지 않은 진실이 세 가지 더 있었다.

하나는, 시시가 라스타와 아기 때만큼 닮지 않았다는 것 역시 자작 부인의 결정에 어느 정도 영향을 미쳤다는 것. 만약 시시가 라스타와 아직도 쏙 닮았더라면, 자작 부인은 만에 하나 있을 위험을 막기 위해서라도 절대로 이 이야기를 하지 않았을 것이었다. 아니, 그 전에 수도에 데려오지도 않았을 것이었다.

다른 하나는, 그녀가 소비에슈 황제에게 '시시가 글로리엠 황녀님이 아닐 가능성 역시 있다'는 쪽지를 심부름꾼을 통해 미리 보내두었다는 점이었다. 그녀는 정황상 시시가 글로리엠 황녀가 맞을 거라 생각하긴 했다. 하지만 어디까지나 정황일 뿐이니, 이 점은 소비에슈 황제에게 확실하게 알려두어야 했다.

그리고 세 번째. 소비에슈 황제가 시시를 보면 공주로 복원시켜줄 수는 없겠지만, 아이가 잘 자랄 수 있도록 분명 도움을 줄 거란 기대 때문이다. 원래도 부유한 편이 아니었던 베르디 자작 부인은 몇 년이나 글로리엠을 찾아다니느라 더욱 형편이 나빠졌다. 그래도 하녀 한 명을 두고 혼자 지내기엔 충분하지만, 베르디 자작 부인은 간신히 찾아낸 공주가 궁전에서만큼은 아니라도 부유하고 편안하게 살길 원했다. 소비에슈 황제라면 그렇게 해줄 능력이 있었다.

"엄마."

그때, 멍하니 자기 무릎만 바라보던 시시가 눈을 반짝 들며 입을 열었다.

"유모."

"유모. 저…… 폐하를 만나볼래요."

베르디 자작 부인은 걱정스럽게 시시를 내려다보았다. 자신이 전한 진실이지만, 아이가 이걸 감당할 수 있을지 아직도 긴가민가 했다.

"괜찮겠어?"

"양부모는 제게 관심이 없었어요. 제 동생, 그분들의 친자식에게만 관심이 있었지. 그래서 늘 친부모님을 찾고 싶었어요. 그래서 엄마를 찾았을 때 정말 기뻤어요."

시시는 치맛자락을 꼭 붙들고서 겁먹은 눈으로 자작 부인을 보았다.

"자작 부인이 제 엄마라면 굳이 폐하를 만날 필요 없어요. 하지만 그분이 제 아버지라면…… 마음에 병이 생길 정도로 날 딸이라 여기는 거라면…… 만나보고 싶어요. 가족을 그리워하는 게 어떤 마음인지는 제가 가장 잘 아니까요."

커다란 눈에서 눈물이 뚝뚝 떨어지자, 자작 부인은 참지 못하고 아이를 꼭 끌어안았다.

다음 날. 시시는 하녀와 베르디 자작 부인의 도움을 받아 머리를 곱슬곱슬하게 말고, 민들레 씨 같은 하얀 드레스를 입었다. 준비하는 내내 시시는 긴장해서 뻣뻣하게 굳어 있었다. 아직도 자신의 친어머니가 황후였다는 게 믿기지 않았다. 게다가 아버지가 황제라고…….

"유모. 혹시 폐하께서 절 보고 실망하면 어떡해요?"

"그럴 리가. 건강히 잘 살아 있는 것만으로도 기뻐하실 거야."

시시는 '흡' 숨을 들이쉬면서 고개를 끄덕였다. 이후 두 사람은 황궁에서 보내준 마차에 올라타고 궁전 안으로 들어갔다. 마차 안에서도 시시는 달달 떨었다. 다리가 한시도 가만히 있지 못하는 게 드레스 위로도 보이자, 보다 못한 베르디 자작 부인은 커튼을 슬쩍 열어주고서 시시에게 권유할 정도였다.

"창밖을 좀 보겠니?"

시시는 창틀에 손을 올리고서 밖을 바라본 뒤에야 다리 떠는 걸 멈추고 "와." 하고 탄성을 뱉었다. 수도도 아름다웠지만, 궁전 안은 그곳과는 비교도 되지 않을 정도로 호화롭고 화려했다. 베르디 자작 부인은 그중 한 곳을 가리키며 설명해주었다.

"네가 갓난아기일 때, 폐하께서 널 노란 유모차에 태우고서 직접 저기를 거니셨어."

"정말요?"

"네가 손가락만 꼼지락거려도 얼마나 기뻐하셨던지……."

그 말을 듣자 시시는 마음이 아파지면서 양부모가 미워졌다. 왜 책임지지도 못할 자신을 멋대로 납치해서 자신과 유모, 아버지에게 괴로움을 준 걸까. 도무지 이해할 수가 없었다.

아냐. 그 사람들 생각은 하지 말자. 시시는 애써 그들을 머릿속에서 떨치고서 베르디 자작 부인에게 밝게 물었다.

"원래 궁전에는 사람이 이렇게 많아요, 유모? 번쩍번쩍한 옷 입은 사람들이 무진장 한가득이에요!"

"공개 정원에는 늘 사람이 많아. 하지만 최근에는 유난히 많지."

"왜요?"

"서대제국 황녀님과 황자님이 매년 이때쯤에 놀러 오시거든."

"왜요?"

"생일이라."

시시는 베르디 자작 부인의 설명에 더욱 어리둥절해서 물었다.

"생일이면 자기들 나라에 있어야 하지 않아요?"

상시천은 서대제국 황후에게 속해 있지만, 시시는 이전부터 검에는 소질이 없기에 기사가 될 마음을 일찍 버렸다. 덕택에 그쪽 사정에 어두웠다. 그러나 베르디 자작 부인이 설명을 시작하기 전 마차가 먼저 멈추어 섰다. 황제가 보낸 심부름꾼이 마차 문을 열어 주자 시시는 종알거리던 걸 멈추고서 다시 긴장했다.

마차가 멈춘 곳은 아까 지나오면서 본 곳들보다 단정하고 소박해서 얼핏 보아서는 궁궐 같지 않았다. 하지만 마차 문에서 정면으로 보이는 검은 머리카락의 남자 때문에 시시는 완전히 얼어붙었다. 정확히는 그 남자의 눈빛 때문에.

시시는 저 사람이 소비에슈 황제라는 걸 바로 알아보았다.

"시시. 가봐."

베르디 자작 부인이 뒤에서 슬쩍 알려주고서야 시시는 덜덜 떨면서 다리를 내디뎠다. 하지만 마차 높이 때문에 바로 내리지 못하자, 황급히 다가온 소비에슈 황제가 시시에게 손을 내밀었다. 시시는 커다란 손을 꼭 잡고서 조심조심 마차 밖으로 내려섰다. 슬픔에 잠긴 어두운 눈동자는 시시를 바라보더니 크게 흔들렸다. 그 눈동자에서 시시는 자신이 바라던 걸 찾아냈다. 진심 어린 걱정. 애정.

"아버지."

무조건 폐하라고만 불러야지, 일단 친딸은 아니니까 꼭 폐하라고만 불러야지, 마차에서 내내 한 생각은 그새 날아갔다.

시시가 '아버지'라 부르며 소비에슈의 허리를 끌어안자 베르디 자작 부인도 뒤에서 놀라 눈을 휘둥그렇게 떴다. 그러나 소비에슈는 말없이 아이의 머리를 꽉 끌어안았다.

"살아 있었느냐. 내 딸…… 살아 있었어."

"하인리?"

두어 번 문을 노크하자, 바로 침실 문이 열렸다.

"퀸."

하인리는 눈을 휘둥그렇게 뜨더니 곧 눈이 가늘어지도록 웃으면서 놀렸다.

"왜 이 방향에서 오는 겁니까?"

내가 부부침실에서 자기 침실로 넘어온 걸 두고서 놀리는 거였다.

"내가 침실로 안 가니 보고 싶어서 온 거지요?"

게다가 저 능글맞은 목소리라니. 그러면서 자연스럽게 다가와 손으로 허리를 감싸는 걸, 나는 손등을 찰싹 두드려서 쫓아냈다. 그래도 하인리는 웃으면서 내 머리에 자기 머리를 비비고는, 자연스럽게 자기 책상 앞으로 나를 이끌었다. 얼결에 그의 의자에 앉자, 하인리는 내 어깨를 주무르면서 장난스럽게 물었다.

"우리 연합 수장님, 무슨 일로 오셨습니까?"

기분 좋게 장난을 치는데 미안해지네.

"아이들 일 때문에 왔어요."

심각한 일로 온 거라.

내 대답에 하인리는 어깨 주무르던 걸 멈추더니, 자기 책상에 걸터앉았다.

"라리? 카이? 어느 쪽 말입니까?"

"둘 다."

며칠 전 라리가 한 말 때문인지 하인리 역시 진지하게 물었다.

"말해봐요."

"하인리. 그대도 알고 있겠지만, 카이도 황제가 되고 싶어 해요."

"……."

"이대로는 카이가 모든 걸 라리에게 양보할 것 같은데. 그게 걱정이에요. 예언자가 말한 대로 평화롭긴 하겠지만, 한 아이를 일방적으로 희생하게 해 만든 평화가 옳은 걸까요?"

내 질문에 하인리는 완전히 아까의 장난기 어린 표정을 지우고는, 자기 책상에 놓인 인장을 만지작거렸다. 잠시 손안에서 몇 번이나 인장을 굴린 후에야 하인리는 입을 열었다.

"마음이 아프지만 우리 아이들 다음 세대를 생각하면, 처음부터 한쪽이 양보하는 게 나을지도 모릅니다, 퀸."

"이대로 두자는 건가요?"

"카이는 라리만큼 야심이 없어요."

"!"

"형제와 경쟁하는 걸 견디지 못한다면, 그냥 처음부터 물러나는 게 맞습니다. 황제 자리에선 늘 착한 선택 좋은 선택만 할 수는 없으니까요."

순간 나도 모르게 하인리의 다리를 꼬집을 뻔했다. 카이를 뭘로 보는 거야?

나는 그의 손에서 인장을 뺏어 얼린 다음 책상 위에 딱 소리가 나게 내려놓으며 반박했다.

"한 아이가 일방적인 희생과 양보를 한단 걸 알면서, 우리가 편하자고 그걸 방치하자고요? 그게 결국 카이 마음을 병들게 할 거란 걸 알면서?"

"사이좋게 한 나라씩 나누어주었다가, 정말로 라리가 카이 나라에 쳐들어가기라도 하면요. 그건 무슨 비극입니까."

"카이가 혼자 우는 걸 알면서, 부모인 우리가 못 본 척 등을 돌리는 건 또 무슨 비극인데요?"

"……."

우리는 그 후로도 계속 대화를 나누었지만, 쉽게 의견을 좁히기 힘들었다. 누가 옳고 그르고를 떠나서, 어디를 중요시하느냐의 차이였기에 양보하고 말고 할 문제도 아니었고. 결국 이대로 더 말을 주고받다가는 언성이 높아질 듯해서, 우리는 거의 동시에 말을 멈추고 나중에 다시 이야기하기로 합의했다.

하지만 밖으로 나와 복도를 걸어가는 내내 여전히 마음이 무겁고 복잡해 견디기 힘들었다. 내게는 라리와 카이 두 아이가 모두 소중한데. 둘 중 하나라도 우는 모습을 보고 싶지 않은데. 이대로는…….

'맥켄나에게도 물어봐야겠다.'

결국 복도를 몇 번이나 서성이다가 재상관저를 찾아갔다. 저녁 시간이라 집에 돌아갔으면 어쩌나 했는데, 맥켄나는 아직 자기 집무실 안에 있었다. 게다가…… 방이 엉망이네. 왜 자기 책상 서랍과 책꽂이를 다 뒤집어둔 거지? 바닥에 수북하게 쌓인 저 서류들은 뭐야? 맥켄나가 이렇게 엉망으로 방을 쓸 사람인 아닌데?

"맥켄나? 뭐 하는 건가요?"

놀라 묻자, 맥켄나는 종이 더미 사이에서 나와서는 우울한 표정으로 중얼거렸다.

"일기장 찾고 있습니다……."

"몇 년 전에 잃어버렸단 그 일기장 말인가요?"

"네."

"이미 몇 번이나 여길 확인했잖아요?"

"압니다. 하지만 주기적으로 생각이 나서 찾게 됩니다. 혹시 있을까 봐."

맥켄나는 시무룩해서 중얼거리더니 바닥에 털썩 주저앉으면서 목소리를 낮추어 하소연했다.

"우리 용님이 읽기 전에 빨리 찾아야 하는데……."

"여긴 없을 거예요. 몇 년이나 뒤졌잖아요."

"용님이 절대로 보면 안 되는 부분이 있는데, 가만히 있다가도 그 생각이 나서 그래요."

몇 개월 전에도 이런 말을 하면서 밤에 집무실을 뒤지고 있더니…….

"대체 무슨 내용인데 그래요?"

"그게……."

날짜: ×월 ××일

태양 같은 여자에게 절대로 말해서는 안 될 비밀이 생겼다. 지금 고민 중이다. 그 부분을 여기에 적을까 말까.

적었다가 태양 닮은 여자한테 걸리면…… 에이, 그러진 않겠지. 그 여자는 나한테 관심이 아예 없는걸. 게다가 용이잖아.

내가 시험에 통과한다 한들, 그 여자가 과연 날 좋아해주긴 할까? 그럴 가능성은 무척 적다. 좋아. 적어두자. 어차피 이 일기는 나 혼자 볼 건데 뭐.

화룡과 첫키스를 하고 말았다.

39

야망과 결단

날짜: ×월 ××일

키스를 한 건 어제인데 아직도 그 감촉이 입술에 남아 있다. 거울을 보면 자국이 있어서, 태양 닮은 여자가 보자마자 알아채고 화를 낼 것 같다.

물론 그럴 일은 없겠지. 실제로는 자국도 없고, 있다 한들 그 여자는 내가 누구와 입을 맞춰도 상관하지 않을 테니까……. 그래도 변명을 해보자면, 그냥 심심해서 한 키스는 아니었다.

어제 새벽. 드디어 마지막 시험을 치르게 되었다. 사실 난 용사가 되려고 이 시험을 치르는 게 아니었지만, 그래도 시험을 열 개 넘게 치르고 나니 마음이 조금 바뀐 상태였다.

뭐 그래도 용사가 되면 좋긴 하겠지, 이런 정도. 그래서 나름대로 전의를 다졌다. 다른 시험들이 내 생각보다는 수월하기도 했고.

헌데 웬걸?

“마지막 시험은 저 아래에 있는 동굴로 내려가 결정을 가져오는 거다.”

거인이 손가락으로 가리킨 ‘저 아래’에는 용암이 흐르고 있었다. 아니, 미친 건가? 저 아래 들어가면 아무리 센 자라도 당연히 죽지!

보통의 강이어도 저 낭떠러지 아래로 가긴 힘들 텐데, 용암이 흐르는 곳으로 가서 결정을 가져오라고? 심지어 거인이 말하는 동굴은 보이지도 않았다.

같은 생각인지 참가자들은 여기서 대거 포기했다. 그래도 내가 바로 포기하지 않고 망설이고 있자, 조금 친해진 다른 참가자들이 다가와서 나를 설득했다.

“기회가 한 번만 있는 것도 아닌데 포기해.”

“그래, 이건 포기하라고 낸 문제일세.”

“목숨을 소중히 해야지. 죽으면 용사고 뭐고 없어.”

그들 왈, 어차피 2년에 한 번씩 시험을 치르기 때문에 기다리면 또 치를 수 있다고. 게다가 매번 시험 문제가 바뀌는데, 개중에는 이런 식으로 터무니없는 문제가 나오기도 하고, 상대적으로 수월한 문제가 나오기도 한단다.

어쩐지. 같이 시험을 시작했는데 이상할 정도로 다른 참가자들은 여기에 익숙해 보이더라니. 용사가 되기 위해 내내 이 마을에서 지내서 그랬나 보다.

하지만 난 그들과 입장이 다르다 보니 바로 포기할 수 없었다. 난 황제의 최측근이다. 지금도 내가 말없이 여기 와버려서 나라가 난리가 났을 텐데. 몇 년을 투자하면서 계속 도전하라고?

안 된다. 내 선택은 '지금 도전하든가 나중에 도전'이 아니라, '지금 도전하든가 그녀를 완전히 포기하든가' 이쪽이다.

그때, 마침 아주 비상한 생각이 떠올랐다. 나비에 님이 수룡을 달래기 위해서 보석으로 만든 댐을 선물했던 거! 그걸 응용하면 어떨까?

결심하자마자, 나는 요 며칠 내내 피해 다녔던 화룡을 찾아가서 이렇게 제안했다.

"용암을 뚫고 결정을 가져다줄 수 있어요? 가능하다면 어마어마한 보석을 무더기로 주겠습니다."

하지만 화룡은 보석을 거절했다. 용인데! 용은 보석에 미치지 않나? 대신 화룡은 키스를 선물로 달란다.

일기장이니까 솔직하게 적는 건데, 300년 동안 연애하지 않을 거라면서 튕긴 것치곤 참 쉬운 용이다. 내가 잘생긴 건 알지만 호탕한 고백(그것조차 오해)에 넘어가서 300년 순애보를 포기하다니.

어쨌든 나는 곰곰이 고민하다가 그러겠다고 허락했다. 난 태양 닮은 여자와 사귀는 사이도 아니고, 시험에 통과해도 사귈 가능성도 거의 없으니까.

"약속을 꼭 지키도록 하라."

화룡은 단단히 경고하더니, 바로 용암 안으로 들어가 결정을 가지고 나왔다. 그 시간이 채 10분도 안 걸렸다. 내 마음을 다잡는 데도 30분이 걸렸는데.

어쨌든 난 결정을 받고서 화룡의 볼에 힘껏 입을 맞췄다. 하지만 화룡은 몇백 년이나 묵어서 그런가. 너무 노련했다.

장난하냐고 코웃음을 치더니, 깔짝거리지 말라면서 신경질을 내고는 내 입을 끌어다가…….

이랬는데 태양 같은 여자가 내 고백을 받아주면 어쩌지? 절대로 비밀로 해야지.

날짜: ×월 ××일

시험에 다 통과했다. 나는 이제 용사가 된 거다. 뭐가 변했는진 모르겠지만 일단 용사다.

날짜: ×월 ××일

오두막 안에서 빵을 구워 먹고 있는데, 첫날에 본 할머니가 오더니 뭐 하는 거냐면서 호통을 쳤다. 배가 고파서 빵을 먹으려 한다 했더니, 소원을 빌러 와야지 왜 빵이나 주워 먹는 거냐 화를 냈다.

하지만 너무 배가 고프다 했더니, 빵 뜯으면서 따라오라 하신다……. 준비할 시간 30분 주겠다고 해서 지금 빵 뜯으면서 일기를 적는 중. 다녀와서 마저 적어야지.

다녀왔다. 하지만 너무 많은 일이 있어서, 자꾸 눈물이 나서…… 내일 적겠다.

날짜: ×월 ××일

어제 내가 흘린 눈물로 일기장이 빠닥빠닥해진 걸 보니 다시 눈시울이 시큰하다. 게다가 지금 날개뼈가 너무 아파서 빠질 것 같다.

입술도.

어제 어떻게 된 거냐면, 빵을 다 먹고 용 할머니를 따라갔더니 세상에. 어마어마하게 거대한 절벽 안쪽에 공터가 있지 않은가. 그 절벽에 용들이 다닥다닥 매달려 있는데 박쥐인 줄.

물론 사람 모습으로 옹기종기 모여 선 용들도 많았다. 그중 하나가 돌시였고. 태양 닮은 여자는 사람 모습인 용들 사이에는 보이지 않았다.

"저쪽에 가서 서면 된다."

놀라서 우두커니 있었더니 용 할머니가 중앙에 있는 대마왕 마법진 같은 데를 가리키면서 거기 서라고 한다.

주춤주춤 걸어가서 섰더니, 용들이 다 내 쪽을 쳐다보면서 수군거리기 시작했다. 매가리가 없다, 진짜 시험 통과한 거 맞냐, 듣자하니 미남계를 썼다더라, 그거 반칙 아니냐…….

시무룩해 있자니 용 장로가 다가와서 내게 소원을 말하란다.

"전 사랑하는 용이 있습니다. 그 용에게 제 진심을 전하고 싶습니다."

분위기가 내 생각과 좀 다르긴 하지만, 일단 최선을 다해서 듬직하고 멋지게 말했다. 절벽에 붙은 용 중에서 태양 닮은 그 여자가 누구인지 구분은 안 가지만, 내 모습을 지켜보길 바라면서.

그런데 웬걸. 장로가 딱 잘라서 안 된다지 않는가. 시험도 통과했는데 왜 안 되냐고 따지자, 장로는 이렇게 말했다.

"사랑을 빌미로 우리 힘을 이용하려는 자들이 많아서 그런다."

아니, 그러면 내가 시험을 치른 의미가 없지 않나고 항의하사,

장로가 용과 사랑을 하려면 시험 하나를 더 치러야 한단다.

시험을 열 개가 넘게 치렀는데 또 치르라니. 이건 뭐 강매 수준 아닌가. 하지만 용들 사이에서 항의할 수는 없어서 그러겠다고 했다.

"저쪽으로 가서 서거라."

이번엔 또 무슨 어려운 시험인가 했는데, 그건 아니었다. 장로는 내가 마법진 중앙에 서도록 하더니, 여기에 있으면 내 가장 깊숙한 내면에 있는 본심과 실체가 드러날 거라 했다.

"네가 사랑을 핑계로 우리를 이용할 악한 마음을 가지고 있다면 그 실체가 여기에 나타나게 되리라!"

장로는 그렇게 말하고서 들고 있던 긴 지팡이로 마법진 끄트머리를 쾅 두드렸다.

"진실을 드러내라!"

그러자 용들이 다 같이 만세를 하면서 '진실을 드러내라!' 하고 외치길래, 나도 따라 해야 하나 좀 망설이는 사이.

내 주위 마법진을 따라 빛이 쪼르르륵 흘러가더니 갑자기 시야가 변했다. 나는 작아지고 주위는 커졌다.

놀라서 주위를 두리번거리고 있자니, 장로가 나를 보며 놀라 외쳤다.

"오오, 저렇게 작고 하찮을 수가!"

이어서 들려오는 소리들…….

"참으로 귀엽습니다!"

"내 손톱보다 작겠는걸."

내가 원하지도 않았는데 새로 변한 거다. 당황해서 두리번거리고 있자니, 갑자기 뒷골이 오싹해졌다. 스산한 느낌에 놀라 돌아보자 언제 온 건지 돌시가 두 팔을 벌리고 있었다.

비명을 지르며 달아나려 했으나, 이미 나는 돌시에게 잡힌 후였다.

"네가 직접 와줬구나, 나의 파랑새! 내 사랑을 받고 싶어서 용사 시험까지 치르다니!"

네가 아니야! 네가 아니야! 외쳤지만 웬일인지 몸은 계속 파랑새 상태로 있었고, 나가는 목소리는 짹짹 소리밖에 없었다.

그래도 힘을 내서 날개를 파닥거리다가, 틈을 봐서 돌시의 볼을 날개로 열심히 두드리고 달아나려는 순간. 갑자기 돌시가 눈을 깜짝이더니 어마어마하게 거대한 파란 용으로 변했다.

과장 하나도 안 하고 돌시 본체의 눈알이 내 몸통보다 컸다. 놀라서 부리를 다물지 못하고 있자 돌시는 그 거대한 눈을 반쯤 감으며 웃었고, 그걸 마지막으로 기억이 끊어졌다.

나중에 눈을 떴을 땐 난 오두막 침실에 누워 있고, 태양 닮은 여자가 침대가에 앉아 있었다. 웬일로 날 보면서 웃는 얼굴로.

그 미소에 잠시 홀려 있자니, 새삼 기절하기 전 일이 억울해서, 나는 엉엉 울면서 하소연했다.

"내가 제일 싫어하는 용이 찾아와서는, 내가 자기를 위해 시험을 쳤다면서 헛소리를 했어요."

그러자 여자는 나를 꼭 끌어안으며 속삭였다.

"내가 개야. 그리고 앞으로 내가 싫단 말이나 그 비슷한 말도 하지 마. 그 귀여운 부리를 묶어버릴 테니까."

놀라서 쳐다보고 있더니, 여자가, 아니, 수룡이 머리를 쓰다듬으면서 앞으로의 내 인생을 알려주었다.

"기운 좀 차리면 같이 새장 고르러 가자, 내 작고 소중한 파랑새. 죽을 때까지 귀여워해주마."

그러고는 먹을 걸 주겠다면서 밖으로 나가기에, 일기장을 들고 달아나서…… 지금은 황궁에 돌아와 숨어 있다.

눈물이 멈추질 않는다. 태양 닮은 여자가 재수 없는 용새끼라니. 이런 걸 두고 애증이라 하는 걸까.

라리는 어리둥절해졌다.

'왜 일기에 싸운 내용밖에 없어?'

사랑 일기가 아니라 뭐 탈출기 수준인데? 지금의 수룡과 맥켄나는 사이가 좋은데. 어떻게 된 거지?

'혹시 맥켄나 삼촌…… 지금도 무서워서 같이 사는 건 아니겠지?'

하지만 이렇게 사이 나쁜 두 사람도 지금은 사이좋은 부부가 되었으니, 자신감이 좀 솟았다. 용용이랑 나는 이것보단 사이가 좋으니까, 결혼할 수도 있지 않을까?

'아! 나도 용용이랑 결혼하려면 그 시험에 통과해야 하나?'

그런데 다음 장을 넘기려는 그때. 똑똑 누군가 문을 두드렸다. 일기장을 덮고서 문을 열자 카이가 외출복을 입고 모자까지 쓴 채

서 있었다.

"왜?"

"추적마법 약이 효과를 나타내고 있어."

카이는 방 안으로 들어오더니 품 안에서 작은 병을 꺼내 라리에게 내밀었다.

"추적마법 약이랑 한 쌍인 마법약이 있는데, 이게 3분의 1 양이야. 이걸 마시면 하루 동안 범인 위치를 느낄 수 있어. 나도 마셨어."

라리는 카이가 내민 약을 받아서 코르크 마개를 뽑고 대번에 마셔버렸다. 잠시 지나자 과연 누군가의 움직임이 느껴졌다.

"같이 따라가보자."

"응."

그러나 두 사람이 막 귀빈궁을 빠져나가려는데, 호위가 다가오더니 앞을 막아섰다.

"안 됩니다."

"잠깐 외출하려는 거다."

카이가 근엄하게 변명하지만 호위는 딱 잘라 말했다.

"그러면 저희가 함께 가겠습니다."

야시장에서 두 사람이 길을 잃어버렸던 일 때문에 더욱 경계가 강화된 듯했다. 라리와 카이가 서로 눈짓을 주고받자, 호위는 한숨을 내쉬면서 잔소리했다.

"황녀님, 황자님. 두 분이 마음대로 돌아다니다가 다치기라도 하면, 두 분에게도 안 좋은 일이지만, 두 분을 배려해 생일 연회까지 열어주는 동대제국에도 실례가 됩니다."

황녀와 황자가 무척 강하다는 걸 알기에, 어린 시절부터 둘을 보아온 호위들은 나름 융통성을 발휘해 둘을 풀어줄 때가 있었다. 그렇기에 오히려 호위가 엄격하게 나오자 라리와 카이는 더 떼를 쓰지 못하고 순순히 물러났다. 하지만 마법약 효과가 하루일 뿐이라, 카이는 자신들을 대신해줄 사람을 고르기로 했다.

"알았다. 그러면 파르앙 후작을 불러줘. 그건 괜찮아?"

"어릴 땐 코샤르 심부름하느라 바빴는데. 코샤르가 없으니 코샤르 조카들 심부름을 하느라 바쁘구나……."

얘들은 왜 매년 날 불러서 뭘 시키는 걸까. 편지를 받은 파르앙 후작은 툴툴거리면서도 바로 복장을 갖추고 말에 올라타 궁전으로 갔다.

황자를 찾아가자, 카이는 작은 약병을 그에게 내밀면서 야시장에서 있었던 일을 설명했다.

"이걸 먹으면 범인의 위치를 하루 동안 느낄 수 있어요. 나와 라리는 발이 잡혀서 나가기 어렵게 되었으니, 파르앙 경이 범인이 누구인가 알아봐주세요. 아마 궁전 밖에 있을 거예요."

"효과가 하루만 갑니까?"

"한 병을 다 마시면 3일간 지속되는데, 한 병을 나랑 라리, 파르앙 경 이렇게 셋이 나눠 마셔서요."

"하긴. 하루면 충분하지요."

파르앙은 약병을 받아 곧장 입에 털어놓았다.

"한시가 급하니 이만 가보겠습니다, 황자님."

인사를 올린 파르앙은 범인의 위치를 느끼면서 황급히 궁전 밖으로 걸어갔다. 그런데 궁전 문을 빠져나간 지 얼마 지나지 않아 파르앙은 뜻밖의 사람을 발견하고 잠시 멈춰 섰다. 켈드렉이었다. 옆에는 망토에 달린 모자를 푹 눌러써서 얼굴을 보기 힘든 어린애가 나란히 서 있지만, 분명 켈드렉이다.

켈드렉 역시 파르앙을 보자 저절로 도끼눈을 떴다. 시간이 흘렀지만 오래전 코샤르와 파르앙이 켈드렉을 잡으러 다닌 일을 두 사람 모두 잊지 않고 있던 탓이었다.

"도적놈이 궁전도 드나들고. 참 세월이 좋아졌어."

하지만 길게 말을 섞을 사이는 아닌지라, 파르앙은 그냥 한마디 빈정거리고서 켈드렉 옆을 스쳐 지나갔다. 그러나 뜬금없이 도적놈 소리를 들은 켈드렉은, 사실인데도 기분이 나빠져 파르앙의 뒷모습을 노려보며 씩씩거렸다.

"누군데 말을 저렇게 해요?"

그걸 본 모테가 이상해서 물었지만, 켈드렉은 길게 설명하지 않았다.

"그냥. 코샤르 친구."

자기가 도적일 때 자기를 잡으러 다닌 사람이란 말을 하긴 힘드니까. 모테는 "흠." 소리를 내지만 눈치껏 더 질문하지 않았다. 켈드렉은 헛기침을 하고서 얼른 화제를 다른 쪽, 좀 더 중요한 쪽으로 돌렸다

"다녀올게. 그렇게 오래 걸리진 않을 건데, 그래도 궁전이 워낙 넓으니 심심하면 놀러 다니거나 여관에 먼저 가 있어."

"알았어요."

"널 데려가야 되는데. 같이 못 데려가서 미안해."

"괜찮아요."

소비에슈 황제가 보석을 찾아준 답례를 하고 싶으니 모테를 데려오라 했는데, 좋은 일로 불려 가면서도 모테를 궁전에 데려가지 못하는 게 괜히 미안했다. 모테는 괜찮다고 몇 번이나 켈드렉을 달랬다. 며칠 전에는 섭섭했겠지만, 실제로도 지금은 정말로 괜찮았다. 야시장에서 만난 라리 황녀 때문에.

'실력을 기르면 돼. 그러면 옆에 갈 수 있어.'

켈드렉이 궁전 안에 들어가자 모테는 곧 몸을 돌려서 근처에서 먹을거리를 사 먹으며 히죽 웃었다.

'이번엔 진짜 기사가 될 수 있을지도.'

그때, 다시 시시가 보였다. 이번에는 노란 드레스를 입고 노란 모자를 썼는데, 부유한 귀족 가문 아가씨 같지만 분명 시시였다.

"시시!"

절대로 안 놓쳐! 모테가 소리 높여 부르며 달려가자, 이번에는 시시도 소리를 들었는지 바로 멈춰 서서 돌아보았다.

"모테?"

시시는 놀라서 눈을 휘둥그렇게 떴다. 하지만 모테가 얼른 곁으로 다가오자 활짝 웃으면서 좋아서 폴짝 폴짝 뛰었다.

"여기는 웬일이야? 놀러 왔어?"

"난 심부름 때문에. 시시 너는?"

"난 유모랑 같이 왔어."

"유모? 유모도 생겼어?"

"날 찾으러 왔던 분이 유모였어."

"아아."

모테는 말을 하면서도 시시의 눈치를 살폈다. 혹시 얼굴에 어두운 기색은 없나 구박을 받아서 애처롭진 않나 잘 지내는 티가 나는지 등등. 살이 좀 빠지긴 했지만, 시시는 이전보다 훨씬 밝고 행복해 보였다. 잘 지내고 있구나. 모테는 그제야 안심했다.

"심부름 왔으면 언제까지 여기 머물 거야, 모테?"

"오래 머물진 않을 거야. 저기, 저쪽 여관에 있어."

모테가 손가락으로 여관을 가리키자, 시시는 자신도 베르디 자작 부인의 집을 알려주었다. 사실 시시는 모테에게 소비에슈 황제에 관해서도 이야기하고 싶지만, 그 부분은 비밀로 하기로 했다.

소비에슈 황제가 당부한 말 때문이었다. 황제는 시시가 공식적으로는 폐위된 황후의 딸인 데다 자신의 친딸이 아니기에, 궁전을 오가다 사람들에게 상처받을 걸 걱정했다. 베르디 자작 부인의 수양딸 신분으로만 놀러 오고, 다른 사람들에게 이 일을 말하지 말라

당부한 것도 이런 까닭이었다.

모테는 입이 가벼운 친구가 아니었지만, 시시는 그 당부를 지키기로 했다. 하지만 이대로 그냥 헤어지려니, 자신에게 자작 부인에 관해 알려준 모테에게 너무 미안해졌다. 결국 시시는 망설이다가 손가락을 내밀며 약속했다.

"조만간 만나자. 괜찮으면 그땐 좀 더 자세하게 알려줄게."

'자세하게 알려줄게'라고 했지만 모테는 시시가 한 말에 대해 크게 신경 쓰지 않았다. 그러나 시시는 얼마 후 정말로 자신에게 초대장을 보냈다. 그것도 마차와 심부름꾼이 딸린 초대장을.

"시시가 보냈다고요?"

이렇게 빨리? 모테가 떨떠름해서 묻자 심부름꾼이 마차 문을 열어주며 대답했다.

"예. 안에서 편지를 읽어보라 하셨습니다."

모테는 마차 안으로 들어가 편지를 뜯었다.

그래도 너한텐 얘기를 해야 할 거 같아서 허락을 받았어.

'허락?'

마차 창문을 못 열게 할 건데, 이해해줘. 깜짝 놀라게 해주고 싶어서 일부러 그런 거니까.

마차 창문? 모테는 거기까지 읽고 고개를 들었다. 정말로 마차 창문에 어두운 커튼이 다 드리워져 있었다. 저걸 열려 하면 못 열게 말린단 건가? 모테는 굳이 시험해보는 대신 다시 편지를 이어 읽었다.

오면 다 얘기해줄게. 놀라지 마. 이따 봐, 모테.

잘 지내고 있구나, 시시. 모테는 안심했다. 아까 표정을 보았을 때도 그랬지만, 글씨에서부터 기쁜 기색이 가득하다. 게다가 이렇게 커다란 마차를 한 번에 보내줄 정도면, 꽤 잘산다는 거겠지. 그 유모란 여자가 왜 마을에서는 자기 딸을 찾는다고 소동을 부렸는지 모르겠지만…….

그사이 마침내 마차가 멈추더니, 누군가 밖에서 문을 열어주었다. 마차 밖으로 나온 모테를 기다리는 건 진주색 드레스 차림인 시시였다. 머리카락은 흑진주로 옷은 하얀 진주로 장식한 모습이 인어 같은 시시.

"시시?"

모테가 마차 밖으로 나오자마자 시시는 얼른 달려와 허리를 끌어안고 눈을 맞추었다.

"어때?"

"어?"

"나 지금 어때?"

"화려해. 인어 공주 같아."

그사이 마차가 떠나자, 시시는 활짝 웃으면서 모테가 쓴 모자를 뒤로 넘겨 내려주었다.

"둘만 있는데 이건 왜 써?"

시시는 모테를 이렇게 만난 게 마냥 즐거운 모양이었다. 그러나 모테는 주위를 둘러보다가 괜한 기시감을 느꼈다. 여기…… 전에 한 번 와본 것 같은데? 완전히 같은 장소는 아니지만 비슷하게 꾸민 곳에…….

거기가 어디더라, 생각을 다 마치기도 전에 시시가 발랄하게 한 말이 모테를 정신 차리게 했다.

"인어공주는 아니지만 비슷하기는 해."

모테는 주위를 두리번거리다가 "어?" 하고 되물었다.

"다른 사람한텐 비밀이야. 하지만 너한테만 얘기해주고 싶었어."

"어…… 뭐를?"

모테는 시시가 하는 말이 잘 이해가 가지 않아서 또 물었다. 인어공주와 비슷한 게 뭐지? 항구도시 귀족이란 말인가?

그때.

"그 아이가 네 친구냐."

낮고 어두운, 하지만 듣기 좋은 목소리가 들려왔다. 모테는 황급히 모자를 다시 푹 눌러썼다. 저 목소리를 어디서 들어본 적이 있는 거 같아서. 황제……가 저런 목소리지 않았나?

"아버지!"

그러나 시시가 상대를 두고 '아버지'라고 부르자, 그제야 긴장감이 좀 사라졌다. 동대제국 황제에겐 자식이 없으니까. 그래도 모자를 내리지 않고 몸을 돌렸으나, 아까 모자를 급하게 눌러쓰느라 너무 푹 눌러쓴 탓에 상대의 다리만 보였다. 발목 정도까지.

그게 예의 없다 여겨졌는지 시시의 아버지란 사람이 거슬린다는 듯 중얼거렸다.

"네 친구는 얼굴을 왜 저렇게 가리고 있지? 수상하거나 위험한 친구는 아니냐?"

"아니에요."

시시는 밝게 말하고서 모테에게 눈짓했다.

"우리 아버지야. 잠깐만 모자 벗고 인사드리자."

모테는 머뭇거렸다. 시시의 아버지라면…… 내 아버지일 가능성이 높은데. 내가 얼굴을 보여도 되는 건가.

하지만 자신 역시 아버지란 사람의 얼굴이 궁금했다. 게다가 시시가 이미 제대로 딸로 자리를 잡은 걸 보면, 성별도 나이도 머리색도 다른 자기를 보고 이제 와 새삼 '저 애가 내 애다!' 할 것 같진 않았고. 모테는 그렇게 생각하고서 천천히 모자를 내리고 고개를 들었다.

그 순간.

"!"

시시의 아버지와 모테의 눈이 둘 다 커다래졌다.

"폐……하?"

모테는 그 사람이 동대제국 황제란 것에, 소비에슈는 맞은편에 선 아이가…… 라스타와 놀라울 정도로 닮았단 점에.

그때, 파르앙 후작은 범인을 쫓아가고 있었다.

'이거 신기하네.'

가만히 있는데도 범인의 위치를 알 수 있다는 데 감탄하면서 파르앙 후작은 신중하게 추적했다.

'저기로군.'

마침내 파르앙 후작은 사람이 살지 않는 폐가에 범인이 기척이 있는 걸 발견하고 멈추어 섰다. 그는 폐가 주위를 한 바퀴 살핀 뒤 거리에서 보는 시점과 도주로, 숨을 곳 등등을 눈대중으로 짐작한 다음 훌쩍 담을 넘어 폐가 안으로 들어갔다.

후작은 거실에서 범인을 찾아냈지만, 바로 접근하는 대신 일부러 기둥 뒤에 몸을 숨긴 채 혹시 누군가 범인을 찾아오지는 않나 기다렸다. 얼마나 그러고 있었을까. 복면을 쓴 사람이 주위를 두리번거리더니 폐가 안으로 들어와 범인에게 접근했다.

"카이사 황자가 멀쩡히 황궁을 돌아다니고 있다던데. 임무를 왜 실패한 거지? 고작 어린아이 하나를 두고?"

"분명 칼로 찔렀습니다! 칼로 찔렀는데 찌른 느낌이 없었어요. 그 후에 바로 호위가 다가와서……."

"그게 말이 돼? 카이사 황자는 마법약 실력은 뛰어나지만 마법 솜씨는 좋지 않아!"

웃을 타이밍은 아니지만, 후작은 웃음을 참기 힘들어서 어깨를 떨었다. 카이가 마법 솜씨가 좋지 않다고? 저런 바보 같은 놈들.

절대 아니었다. 라리가 어마어마한 마력을 토대로 무시무시한 마법을 펑펑 이용하는 편이라면, 카이는 마력이 라리만큼은 많지 않지만 누구보다도 그걸 세밀하게 조절하고 응용할 수 있었다. 또한 겉으로 볼 때는 두 아이의 성향이 그대로 드러나기라도 한 듯 라리는 공격 계통 마법을, 카이는 보조 계통 마법을 가진 것 같지만, 후작은 카이가 그 '보조 계통' 마법을 어떻게 공격적으로 운용하는지도 본 적이 있었다. 카이의 능력은 물이며, 특기는 자신의 몸 일부를 아예 순간순간 물로 변할 수 있게 하는 것이다. 그런 애를 두고서 마법 솜씨가 좋지 않다니.

"죄송합니다. 하지만 들키진 않았으니, 다음 기회가 온다면 확실하게 처리할 수 있습니다."

"다음 기회? 다음 기회 언제? 이번이야말로 확실한 기회였는데. 이미 호위가 강화되었고, 황자가 혼자서만 밖으로 나올 일도 없다."

"죄송합니다. 대공님께 제발 한 번만 더 기회를…… 읏."

말이 끊기면서 피 냄새가 훅 번져왔다. 파르앙 후작은 웃던 걸 멈추고서 턱을 괴고 눈을 가늘게 떴다.

'입을 아예 막아버리는군. 성공했더라도 죽였겠지.'

굳이 시체를 확인하는 대신 파르앙 후작은 곧장 범인을 죽인 또 다른 범인을 따라갔다. 범인은 골목 안쪽으로 들어가는가 싶더니, 복면을 풀고 미리 준비해둔 마차에 탄 뒤 다른 쪽 골목으로 빠져나가버렸다. 일부러 출구가 여섯 개인 골목에 마차를 둔 것부터 아주 계획적인 자였다.

파르앙 후작은 곧장 궁전으로 돌아가 카이에게 이 일을 알려주었다.

"범인은 죽었습니다. 공범이 죽였지요. 확실하게 이름을 듣진 않았지만 '대공' 어쩌고 하는 걸 들으니, 범인은 릴테앙 대공 쪽 같습니다."

"그렇겠지요. 에르기 삼촌이 날 죽이려 들 이유가 없으니."

파르앙 후작은 카이의 눈치를 살피며 자기 추측을 조심스럽게 덧붙였다.

"그들은 황자님 얘기만을 했습니다."

"!"

"애초에 목표는 황자님뿐이었던 듯합니다."

파르앙 후작의 입꼬리가 뒤틀려 올라갔다.

"무슨 생각을 하는지 훤히 보이니, 그게 더 짜증 나는 일이지만요."

파르앙 후작이 돌아간 뒤, 카이는 소비에슈에게 이 일을 전달하기 위해 동궁으로 걸어갔다.

소비에슈는 순간 '글로리엠' 하고 이름을 부를 뻔하지만, 억지로 표정을 관리했다. 차분하게 생각하자 글로리엠과 똑같이 생긴, 정확히는 라스타와 똑같이 생긴 또 다른 소년이 떠오른 탓이다. 라스타의 첫째 아이 안. 아이가 소년이라면 글로리엠이 아니라 '안'일 확률이 컸다.

"……몇 살이지?"

그래도 혹시나 싶어 묻자, 아이는 마른침을 삼키더니 떨리는 목소리로 대답했다.

"열여섯…… 살이요."

나이 역시 그쪽과 더 가깝다. 그러면 역시 '안'이구나. 소비에슈는 쓰린 속을 감추면서 무표정한 입가 한쪽을 희미하게 들어 올렸다.

또래 소년들보다 체구가 작고 키가 작지만, 아마 옛날에 제대로 못 먹고 자라서 그런 거겠지. 애써 납득한 소비에슈는 시시와 '안'을 번갈아 보다가 저만치 떨어져 나무둥치에 앉았다.

하지만 허망하고 떨리는 마음은 누를 수가 없었다. 처음부터 소비에슈는 시시가 글로리엠이 아닌 쪽에 더 높게 가능성을 두고 있었다. 하지만 맞을 수도 있기에, 그 가능성 하나만으로도 시시란 아이에게 잘 대해줄 마음이 들었다. 그런 와중 '안'을 보고 나니, 시시가 글로리엠이 아닐 것 같다는 생각이 더욱 또렷하게 들었다. 글로리엠은 아마 저 '안'이란 아이와 비슷한 분위기이지 않을까.

"깜짝 놀랐지? 내가 공주여서?"

두 아이가 떠드는 소리를 들으며 소비에슈는 눈을 감고 손으로 눈가를 가렸다. 아니면 정말 울 것 같아서.

"어…… 놀랐어. 많이."

모테가 멍하니 중얼거리자 시시는 히죽 웃으면서 속삭였다.

"사실 정확히 공주인 건 아니야. 그냥 별명이지. '비운의 공주'라고, 너도 들어봤지?"

모테는 귀한 옷이 구겨지거나 말거나 나무둥치에 털썩 주저앉은 소비에슈 황제를 곁눈질하며 무겁게 고개를 끄덕였다.

들어보았다. 아니, 꽤 여러 번 들었다. 부천주의 아내가 몇 번이나 동화책 읽어주듯 그 이야기를 해주었으니까. 하도 여러 번 그 이야기를 해주기에 모테가 "다른 이야기는 없어요?"라고 물어볼 정도로.

'엄마는 혹시나 싶어서 일부러 내게 그 얘기를 해준 거구나.'

모테는 착잡해져서 자신도 풀밭 위에 앉았다. 시시는 자신의 자리에 가 있는 거니, 아마 진짜 '비운의 공주'는 자신일 터. 그리고 자신이 아는 게 진짜라면, 저 남자는 자신의 아버지이지만 친부인지 아닌지는 불확실했다. 게다가 친부라 한들, '확실한 친모'를 폐위시켜 탑에 가둔 것도 저 남자였다. 사람들이 욕할 수밖에 없는 자리로 친모를 올렸으면서, 지키지 못한 사람. 세상에서 가장 강한 힘과 권력을 지녔지만 아무것도 지켜내지 못한 사람.

'라스타 황후는 결국 자결했다 했지.'

친어머니란 사람에게 새삼 애정이 생기진 않는다. 그 사람은 만난 적도 없고, 어쨌든 모테에게 자신의 친어머니는 상시천의 양어머니이니까.

'하지만…… 당신과 내가 계속 가족으로 있으려면, 당신이 내 친어머니를 지켰어야 했단 건 알아.'

모테는 10년이 넘게 지난 지금도 아직도 어둡고 외롭고 쓸쓸한 무게에 눌려 있는 황제를 보며, 그에게 속으로만 말을 걸었다.

'갑자기 친어머니를 사랑하게 되지 않는 것처럼, 갑자기 당신이 미운 것도 아니야. 난 아직 그 얘기가 내 얘기 같지도 않고. 하지만

당신한테 애정이 생기지도 않아.'

게다가 시시는 친부모를 찾았다고 저렇게 좋아하고 있고, 소비에슈 황제는 아까 자신을 보면서 충격받은 표정을 지었으나 결국 끝까지 아는 체를 하지 않았다. 모테는 자신 역시 입을 다물기로 했다. 그편이 모두에게 나을 것 같아서. 반면 시시는 급격히 어두워진 모테와 황제를 번갈아 바라보다가 덩달아 시무룩해졌다.

"시시."

"응……."

"미안. 머리가 너무 아파서. 먼저 돌아가도 될까?"

"……."

"네가 공주인 게 기쁘지 않아서 그런 게 아니라…… 진짜로 머리가 좀 아파서. 며칠 전에 어떤 병사들한테 얻어맞기도 했고."

모테가 보석을 찾아주려다가 전에 맞은 부위를 문지르자 구석에 동그랗게 움츠리고 있던 소비에슈 황제가 몸을 움찔했다. 시선이 느껴졌지만, 모테는 모른 척 시시에게 마차를 불러달라고 부탁했다.

이후 여관에 돌아오자마자 모테는 짐을 쌌다.

"어? 너 왜 벌써 짐 싸냐?"

돌아온 켈드렉이 황당해 물었지만, 모테는 짐가방을 꽉꽉 흘러내리지 않게 묶으면서 덤덤하게 물었다.

"내가 폐위된 공주였어요?"

켈드렉은 모테에게 포장해 온 샌드위치를 건네다가 깜짝 놀라서 뒤로 반걸음 물러났다.

"너……."

"시시가 그 자리에 있더라고요."

"!"

켈드렉은 두려운 표정으로 모테를 보았다. 무엇이 두려운지 자신도 모르겠지만, 그냥 이 상황 자체가 두려워서.

하지만 모테는 다 싼 가방을 등에 메고서 켈드렉이 엉성하게 든 샌드위치를 건네받으며 웃었다.

"시시는 잘 지내고 있더라고요. 행복해 보였어요. 공주 신분으로 복위는 안 되겠지만, 가족을 찾아서 기뻐 보였고요."

"모테. 너는……."

"난 우리 엄마랑 아빠를 사랑하니까, 지금 시시 자리엔 욕심 없어요. 폐위된 공주로 사는 것보단 내 검이랑 같이 사는 게 더 좋고."

밝게 웃은 모테는 손가락으로 문을 가리켰다.

"하지만 황제가 내 얼굴도 봤고. 혹시 모르니까 옆 도시에 가 있을게요. 볼일 다 마치면 거기로 와요."

말을 마친 모테는 얼른 여관방을 빠져나와 계단을 빠르게 내려갔다. 마구간에서 말을 찾자마자 모테는 바로 고삐를 내려쳤다. 수도를 빠져나간 말은 잘 정비된 길을 바람처럼 빠르게 내달렸다. 그 위에서 모테는 내내 꾹 참았던 눈물을 가까스로 흘렸다. 이상하게 울음이 나왔다.

'안녕, 아빠.'

"폐하께서는?"

"저 안쪽에 계십니다."

카이는 근위기사에게 눈인사를 건네고서 밖에서 잘 보이지 않는 동궁 정원 깊숙한 곳으로 들어갔다. 소비에슈에게 릴테앙 대공에 관해 이야기하기 위해서였다.

'누구지?'

그런데 거의 다 도착해서 보니, 소비에슈는 정원에 은발 여자아이와 함께 있었다. 아이는 작은 그네에 앉아 무언가를 신이 나서 이야기하고 있고, 소비에슈는 조금 떨어진 나무둥치에 앉아 고개를 끄덕거리는데, 제법 평화로운 광경이었다.

"오셨습니까, 카이사 황자님."

저 애가 누구인데 저러고 있나 생각하고 있자니, 근위기사단장이 먼저 카이를 발견하고 다가오며 목소리를 높였다. 그 소리를 들었는지 소비에슈가 천천히 일어섰다. 카이는 소비에슈가 그 아이를 데리고 와 소개를 시켜줄 거라 생각했으나, 의외로 소비에슈는 홀로 이쪽에 다가왔다.

"카이."

가까이 온 소비에슈가 카이의 등을 가볍게 두드리는 사이. 은발 여자아이는 기사 한 명과 함께 뒤쪽에 난 작은 길로 사라졌다.

누구길래? 의아한 생각이 들지만, 카이는 곧 그쪽에서 관심을 거두고 소비에슈에게 청했다.

"잠시 드릴 말씀이 있습니다, 폐하."

"편히 부르라니까."

"동대제국의 폐하이신데, 제가 어떻게 그러겠습니까."

덤덤한 대답에 소비에슈는 턱을 꽉 깨물었다. 말하는 게 어떻게 저렇게 나비에랑 닮았지. 얼굴과 성격을 보면 하인리가 낳아서 나비에가 혼자 키웠나 싶을 정도라 신기했다.

"그래, 할 말이 무엇이지?"

소비에슈는 자연스럽게 카이를 응접실로 데려가 앉히며 물었다.

"음료는 초코? 딸기?"

"딸기로 주십시오."

소비에슈가 하인에게 신호를 보내자, 하인이 얼른 밖으로 나갔다. 둘만 남게 되자 카이는 얼른 릴테앙 대공에 관련된 이야기를 털어놓았다.

소비에슈는 카이와 라리가 야시장에서 호위들을 따돌리다가 습격을 받았단 부분에서 잠시 눈살을 찌푸렸지만, 아이의 말을 끝까지 들어주었다.

이야기가 거의 다 끝났을 무렵. 하인이 크림을 올린 딸기 우유를 가져왔다. 카이가 우유를 마시는 동안 소비에슈는 의자 손받이에 팔을 괴고서 심각한 표정으로 발을 까딱였다. 그리고 카이가 우유를 다 마시고 돌아가자마자 소비에슈는 바로 릴테앙 대공을 불렀다.

"부르셨습니까, 폐하."

릴테앙 대공은 찔리는 게 있어서인지 부름을 받자마자 재빨리 와서 공손히 인사했다. 늘 그렇듯 그의 앞에서는 잘도 웃고 있는 릴테앙 대공을 보며 소비에슈는 이마를 구겼다.

10년도 전. 서대제국에 갇혀 있었던 일로 건강이 몹시 상한 대공은 아직도 완전히 회복되지 않았다. 그래도 병상에 누워만 있으니 사고는 안 치리라 생각했건만…….

"폐하?"

"셰를을 보아 지금은 넘어가주겠지만."

"!"

"조금이라도 수상한 구석이 보일 시, 셰를과 차남, 대공, 대공비 네 명 모두 각기 다른 나라로 찢어 보낼 수 있단 걸 기억해두게."

긴 설명 없는 소비에슈의 말에 릴테앙 대공은 웃는 가면 아래로 인상을 찡그렸다.

"하하, 대체 무슨 말씀이신지 신은 잘……."

"가보라."

릴테앙 대공은 분에 차 소비에슈를 노려보았지만, 소비에슈는 정신이 문제일 뿐 여전히 튼튼한 몸을 가지고 있었다. 아니, 정신이 심란할 때면 내내 연무장에서 검을 휘두른 탓에 몸은 더 건강해졌다. 보통의 기사도 소비에슈와 일대일로 대련하기 힘들 텐데, 몹시 유약해진 그가 소비에슈를 이겨먹긴 힘들었다.

"무슨 말씀이신지 모르겠으나, 폐하의 조언은 마음에 깊이 명심하겠습니다."

릴테앙 대공이 나가자 소비에슈는 혀를 찼다. 그는 라리나 카이를 후계자로 삼고 싶었지만, 두 사람이 릴테앙 대공의 차남에 비해 핏줄 순서가 밀리는 건 명백한 사실이었다. 차남이 스스로 제 명성을 깎아내리는 덕에 아직 이 부분을 지적하는 사람은 없으나, 소비에슈가 릴테앙 대공 일가를 쳐낸다면 사람들은 '서대제국 황자와 황녀를 후계자로 삼고 싶어서, 괜히 삼촌과 조카들을 쳐버린 게 아니냐'고 수군거릴지도 몰랐다.

소비에슈가 대공 차남의 행동을 기가 차 하면서도 가만히 두는 건 이 때문이었다. 라리나 카이가 잡음 없이 후계자가 되기 위해서는 릴테앙 대공 일가는 무사히 살아 있어야 하고, 끊임없이 나쁜 비교 대상이 되어주어야 하기에.

릴테앙 대공 역시 자기 아들이 나쁜 대조군이 된다는 점은 몰라도, 자기들을 건드릴 경우 라리와 카이 쪽에 불똥이 튈 거란 건 알고 있을 터. 그러니 저렇게 나오는 것이다. 그 정도로는 머리를 굴릴 줄 아는 자이니.

'황위에 오른 후에도 당분간 릴테앙 대공 일가를 안고 가면서 여론을 잡아야 할 텐데. 그러려면 역시 라리 쪽이 낫지 않을까.'

소비에슈는 사람들 앞에서는 목장의 양처럼 굴지만 뒤에서는 칼을 삭삭 갈아대는 라리를 떠올리고서 씁쓸하게 웃었다.

'나비에의 탈을 뒤집어쓴 하인리라니……. 조합도 참.'

그러나 입가에 감돌던 미소는 '안'을 떠올리자 다시 사라졌다. 그 얼굴을 보자 애써 눌러둔 감정이 다시 흘러나오는 듯했다. 아니, 그 그리움은 오히려 오래 숙성이 되어서 더욱 짙고 쓴 맛이 났다.

'글로리엠. 살아 있느냐. 살아 있었으면 좋겠다. 살아 있다면 너도 그 애처럼 컸겠지.'

요람에 누운 채 늘 방긋방긋 웃던 아기를 떠올리자 저절로 눈물이 흘러나와, 소비에슈는 두 손에 얼굴을 묻고서 기도했다.

'내 딸. 제발 어디서든, 어디에서든 행복하기만 해라. 너만 행복하다면 아버지는 평생 널 그리워하다 죽어가도 좋다. 내 그리움이 네 행복에 양분이 될 수 있다면, 그것만으로도 좋다.'

생일 연회가 있는 날. 하늘은 놀랍도록 맑고, 아침에 잠시 내렸다 멈춘 비 덕에 공기 역시도 어느 때보다 상쾌했다. 귀족들은 라르스 황녀와 카이사 황자를 보기 위해 연회가 시작되기도 전부터 마차를 타고 속속 도착했다. 라리는 가끔 창밖으로 나가 그 광경을 흐뭇하게 바라보다가, 엘리자 백작 부인에게 수시로 잡혀 들어가 멈췄던 치장을 이어갔다.

"황녀님, 옷을 입다가 나가고 입다가 나가고 하면 안 됩니다."

"시간이 너무 많이 걸리니 그러죠."

"황녀님이 계속 나가시니 더 오래 걸리는 거예요."

라리가 동대제국에 올 때만 시녀 역할을 해주는 엘리자 백작 부인은, 나비에와 똑같은 얼굴로 부루퉁하게 툴툴거리는 라리가 신기해 웃음을 터트렸다.

"나비에 님께선 더 어릴 때도 옷을 입다가 도망가지 않으셨어요.

얼마나 의젓하셨는데요."

엘리자 백작 부인이 나비에 이야기를 꺼내자, 라리는 그제야 조용히 치장해주는 대로 가만히 있었다.

"자, 다 됐습니다."

엘리자 백작 부인은 라리에게 나비에가 황태자비이던 시절 자주 입던 드레스를 입히고서 흐뭇하게 웃었다.

"나비에 님과 똑같아요."

"나 어마마마랑 많이 닮았어요?"

"아주 똑같아요. 황녀님이 키가 좀 더 크시지만요."

"어마마마도 키가 큰 편이지 않아요?"

"나비에 님은 어릴 땐 작으셨거든요."

라리는 거울을 보면서 자기 모습을 비춰보고는 뿌듯하게 웃었다. 나비에처럼 꾸미는 건 라리가 동대제국에서 취하는 일종의 전략이었다. 방계 혈통으로서 나라를 이을 때 군소리가 나오는 걸 막기 위한 전략. 라리는 흐뭇하게 웃고서 창가로 다가가 다시 고개를 삐죽 내밀었다.

"연회는 언제 시작해요?"

"세상에, 나비에 님이랑 똑같이 생기셨네."

"나비에 님을 다시 보는 것 같아요."

"아휴 귀여워라. 어쩜 저리 사랑스러우실까?"

나비에의 어린 시절을 본 연령대 높은 귀족들은 어린 라리를 보며 나비에의 황태자비 시절을 떠올리며 즐거워했고, 나비에의 어린 시절을 보진 못했지만 황후 시절을 아는 귀족들은 또 나름대로 어린 라리를 보며 그때를 떠올리고 좋아했다.

나비에가 동대제국에 있을 시절을 잘 기억하지 못하는 이들 역시 동화책에 나올 법한 황녀가 쌍둥이 황자와 손을 꼭 붙들고 다니는 모습이 보기 좋다고 생각했다. 라리는 사람들의 이런 심리를 정확히 알고서, 카이를 옆에서 떨어트리지 않았다.

"라리, 손 좀 놓고 있으면 안 돼?"

"안 돼. 춤출 때까진 내 옆에 꼭 붙어 있어."

"손에 땀이 나……."

"우린 한 세트로 있어야 더 그림 같단 말이야."

카이는 갑갑해하면서도 시키는 대로 옆에서 잘 붙어 다녔다. 하지만 두 사람이 아무리 사이가 좋아도 화장실까지 함께 갈 수는 없는 법이었다.

"라리, 나 화장실……."

"참으면 안 돼?"

"!"

옆에서 듣다 못한 엘리자 백작 부인이 고개를 빠르게 젓자, 결국 라리는 카이를 놓아주었다. 카이가 빠른 걸음으로 연회장을 빠져나가자, 라리는 어쩔 수 없이 카이가 돌아올 때까지 기다리기 위해 케이크만 한 조각 챙겨 한 구석으로 걸어갔다.

그러나 라리가 그곳에 가자마자 바로 싫은 사람이 다가왔다.

“이런, 우리 황녀님 아니십니까!”

라리는 케이크를 먹으려다가 릴테앙 대공이 접근하자 인상을 구길 뻔했다. 주위에 사람들이 없다면 분명 구겼을 것이다.

“아이고, 우리 황녀님은 뵐 때마다 이렇게 빛이 나시니.”

하지만 사람들 시선을 의식해서, 라리는 빙그레 형식적으로 웃고서 케이크를 옆에 있는 시녀에게 건넸다.

“셰를, 레일. 이리 와. 이리 와라. 황녀님께 인사드려야지.”

“…….”

“얼른! 황녀님이 기다리시잖니. 이리 와! 빨리!”

그러나 릴테앙 대공이 아들 둘을 끌어다가 앞에 세워놓고 차례로 인사를 시키는 데는 라리도 미소를 유지하기가 힘들어졌다.

‘진짜 이 아저씨가…….’

얼마 전에 오빠에게는 암살자를 보내놓고서 이번에는 자기 앞에 아들들을 들이밀다니. 이렇게 속이 뻔히 보일 수가 있을까. 자기 아들들과 엮을 수 없는 카이는 치워버리고, 정략결혼 가능성이 있는 자신에게는 잘 보이려는 게 라리에게는 참 기막히게 여겨졌다.

“오랜만에 뵙습니다, 황녀. 하지만 앞으론 좀 더 자주 오도록 해요. 우리 둘이 결혼할 가능성이 가장 높은데, 지금부터라도 서로에게 익숙해져야 하지 않을까요?”

그래도 억지로 표정 관리를 해나가던 라리는, 대공의 둘째인 레일이 친밀한 척 말을 걸자 결국 싹 정색했다.

“유감이지만 레일. 난 눈이 높아.”

“!”

대놓고 모욕하는 말에 레일이 표정을 굳히자 대공은 아들의 옆구리를 찌르며 소리 없이 지시했다. 재수 없어도 표정 관리해, 빨리!

하지만 거만한 레일은 자신보다 더 거만한 상대에게 저런 모욕을 듣는 걸 감당하지 못하고 부들부들 떨었다. 그 모습을 보자 라리는 그제야 화사하게 웃으면서 비꼬았다.

"눈이 높다는 데 화내는 걸 보니, 너도 아나 보구나. 네가 내 눈에 안 찬다는 걸. 넌 높은 곳만 바라보고 분수를 잘 아니, 별 관측학자가 적성이네."

"이…… 야!"

레일이 울 것 같자, 대공은 얼른 아들 둘을 데리고 자리를 피했다.

"젠장, 저 재수 없는 건 볼 때마다 하인리 황제 그놈이 생각나."

"아버지 저 못된 애가 저더러……."

"뚝! 울지 마! 사람들 앞에서 울지 마라! 황제는 우는 거 아니다!"

"하지만 재가 저더러……."

욕은 안 했다. 게다가 별 관측은 대단히 머리가 좋아야 할 수 있는 연구이니, 남들이 들으면 절대로 욕이 아니었다. 그 사이에 끼워 넣은 뉘앙스가 나쁠 뿐.

레일이 말을 하다 말고서 울먹거리더니 고개를 기웃하면서 "황녀가 저더러 똑똑하다고 칭찬한 건가요?" 하고 묻자, 대공은 기가 막혀서 입을 벌리고 씩씩거렸다.

"이…… 이 머리 나쁜 놈! 학자는 무슨! 넌 깡통이야!"

아들은 아버지가 저더러 깡통이라 했다고 울고, 아버지는 창피하니 울지 말라고 호통을 질러댔다. 셰를은 그 난리를 보다가 부끄러워져 자리를 피했다.

"가관도 아니로군."

베란다 난간에 기댄 채 그 모습을 바라보던 소비에슈는 작게 중얼거렸다. 라리가 눈치챈 릴테앙 대공의 심보를 그가 눈치채지 못할 리가 없었다. 하지만 이 부분은 턱도 않은 욕심이라 긴장할 것도 없었다. 나비에와 하인리가 절대로 이 정략결혼을 받아들일 리가 없으니까.

그러다 소비에슈는 사람들 사이에 끼지 못한 채 먼발치서 라리와 카이를 구경 중인 베르디 자작 부인을 발견했다. 그녀는 나비에의 아이들을 궁금해하면서도, 여전히 옛날 자신이 나비에를 배신한 일 때문에 황녀와 황자에게 가까이 다가가지 못하는 듯했다.

'어쩔 수 없는 일이지.'

소비에슈는 못 본 척 고개를 돌렸지만, 베르디 자작 부인을 보자 '안'이 떠올랐다. 정확히는 자작 부인이 이전에 림웰 영지에 들른 적이 있던 게.

"베르디 자작 부인을 여기로 데려오라."

결국 소비에슈는 마음을 바꾸어서, 근위기사를 시켜 자작 부인을 데려오라 지시했다. 그리고 자작 부인이 다가오자 소비에슈는 그녀에게 '안'에 관해 떠보았다.

"몇 달 전에 림웰 영지에 간 걸로 알고 있는데."

베르디 자작 부인이 '그건 또 어떻게 아시고……?' 하는 표정으로 놀라 쳐다보았으나, 소비에슈는 그 부분은 흘려 넘기며 물었다.

"라스타의 첫째 아이. 이름이 '안'이던가. 그 애는 어떻게 지내고 있지?"

베르디 자작 부인은 소비에슈가 왜 그 아이에 관해 묻는지 짐작이 가지 않아서 얼떨떨했다. 하지만 모든 걸 알고 있는 소비에슈에게 거짓말을 하기도 어려웠다. 게다가 소비에슈 역시 예전과는 많이 변한 듯하고……. 결국 베르디 자작 부인은 소비에슈의 눈치를 보며 솔직하게 대답했다.

"몇 달 전에 보았을 땐 알렌 경 얼굴과 많이 닮아 있었습니다. 게다가 머리가 아주 좋았어요. 르베티 양, 아니, 림웰 자작이 신분을 사서 평민이 되었고……."

자작 부인은 말을 멈추고 소비에슈의 눈치를 한 번 더 살폈다. 안은 아직 말을 하지 못하지만 무척 현명하고 신중하게 컸다. 지금은 관리가 되고 싶어서 공부 중이었고. 하지만 소비에슈에게 이 이야기를 해도 될까?

"폐하?"

그런데 아직 문제가 될 발언은 나오지도 않았는데. 소비에슈의 표정이 돌처럼 굳어 있었다.

"폐하, 왜 그러시는지……."

내 말에 잘못된 점이라도 있나, 혹시 알렌 이야기를 꺼내서 기분이 나빠지셨나, 베르디 자작 부인은 자기가 한 말을 되새기며 걱정했다. 그러나 소비에슈는 그 부분 때문에 놀란 게 아니었다.

"그 애가…… 알렌을 닮았다고? 라스타를 닮은 게 아니라?"

소비에슈의 안색이 창백해졌다. 그러면 며칠 전 만난 그 애는? 라스타와 똑같이 생긴 그 소년은?

'글로리엠?'

소비에슈의 표정 변화는 노골적일 정도로 뚜렷해서, 베르디 자작 부인은 물론 곁에 선 근위기사단장까지도 알아챌 수 있을 정도였다.

"폐하, 몸이 편치 않으십니까?"

소비에슈가 또 쓰러질까 염려가 된 근위기사단장은 얼른 손을 뻗어 그를 부축했다.

"아니. 아니다."

소비에슈는 손과 고개를 동시에 저으면서 근위기사단장의 도움을 받지 않았다. 오기를 부리는 게 아니었다. 정말이다. 지금 그는 어느 때보다도 정신이 맑고 또렷했다.

"베르디 자작 부인."

"네, 폐하."

"시시를. 시시를 데려오라. 빨리."

대체 무슨 일로 시시를? 베르디 자작 부인은 소비에슈의 다급한 분위기와 영문 모를 재촉에 덩달아 불안해졌다.

"오로레오 경."

“예, 폐하.”

“함께 다녀오라.”

하지만 소비에슈는 아예 사람까지 함께 보내 다른 길로 샐 여지마저 차단해버렸다. 베르디 자작 부인은 어쩔 수 없이 궁전을 나가 시시를 데려왔다.

“오늘은 연회 때문에 아버지를 못 뵌다 하지 않았어요?”

시시는 어리둥절해서 베르디 자작 부인에게 무슨 일인지 계속 물었으나, 그녀는 대답해줄 말이 없었다.

“나도 무슨 일인지 모르겠다. 폐하께서 널 갑자기 데려오라 하셔서.”

이렇게 말할 뿐.

시시가 도착해보니, 소비에슈는 이전처럼 궁전 같지 않은 그 작은 정원에 홀로 있었다. 시시는 얼른 마차에서 내려 그쪽으로 다가갔다. 그러나 소비에슈의 표정이 이전에 만났을 때와 전혀 달라서 시시는 저도 모르게 흠칫했다. 황제는 절벽 끝에 떠밀린 것처럼 몹시 다급하고 절박한 표정이었다.

“부르셨다고 들어서…….”

거기에 놀란 시시가 느리게 되묻자, 말이 다 끝나기도 전에 소비에슈가 황급히 질문했다.

“시시. 전에 데리고 왔던 그 친구. 네가 베르디 자작 부인을 찾는 걸 도왔다는 그 친구.”

“네.”

“남자가…… 맞느냐?”

"네, 네. 맞아요."

"확실하게?"

"맞아요. 계속 쭉 남자였는걸요."

시시는 당황해서 대답했다. 하지만 대답을 하면서도 소비에슈가 왜 저러는지 도무지 이해를 할 수가 없었다. 급하게 불러서 묻는 게 소꿉친구 성별이라니. 그러나 소비에슈는 시시가 거듭 같은 대답을 했는데도 믿지 않고 재차 확인했다.

"남자란 걸 눈으로 확인한 적이 있느냐."

"예?"

"그 애가 진짜 남자인지 확실한 증거를 본 적이 있느냔 말이다."

"소꿉친구지만 그래도…… 그런 걸 확인하는 건 좀……."

시시가 황당해서 대답하자 소비에슈는 그제야 자신이 무리한 질문을 했단 걸 깨달았다. 하긴. 목욕이라도 같이 하지 않는 한 자기 친구 알몸을 확인할 일이 없긴 했다.

시시는 소비에슈의 눈치를 보다가 조심스럽게 물었다.

"저…… 아버지. 혹시 모테한테 무슨 문제라도 있는 건가요?"

"모테?"

얼핏 들어본 이름에 소비에슈는 '모테. 모테.' 하고 입안에서 몇 번 이름을 굴려보았다. 어디서 들었더라. 아주 최근에 들었는데…….

'보석을 찾아준 아이!'

마침내 소비에슈는 모테란 이름을 기억해내고서 시시에게 다급하게 물었다.

"시시. 너 혹시 상시천 도적들 틈에서 자랐느냐?"

시시는 곤혹스러워서 눈을 내리깔고 옷자락을 손바닥 안에서 구겼다 펴길 반복했다. 일부러 소비에슈에게 상시천 이야기는 하지 않았는데. 어떻게 안 건지 대놓고 묻자 심장에 찬바람이 드는 기분이었다.

"시시."

시시는 머뭇거리다가 고개를 끄덕였다. 소비에슈는 이마를 문지르며 눈을 감았다. 머리가 아팠다. 엄지로 눈두덩이를 눌러보지만 그보다 더 안쪽이 욱신거렸다. 그러나 이번에는 환상도 환청도 없었다. 시시가 돌아가자마자, 소비에슈는 근위기사단장에게 다시 다급히 지시했다.

"켈드렉. 서대제국에서 온 그자를 데려와라. 빨리."

"모테란 아이. 여자아이였느냐."

시시의 당혹스러움은 켈드렉에 비할 바가 아니었다. 소비에슈는 켈드렉에게는 마음을 돌릴 시간조차 주지 않고 다짜고짜 본론부터 물었으니까. 보석에 문제라도 생겼나 싶어서 달려온 켈드렉은 난데없는 출생의 비밀 질문에 시선을 한곳에 고정하질 못했다.

그래도 일단 잡아떼자. 무조건 잡아떼자. 켈드렉은 결심하자마자 어색하게 웃으면서 시선을 들었다.

"히히, 그야 당연히……."

그러나 말을 마치기도 전에 그는 자기도 모르게 멍해져서 할 말을 잃었다. 황제가 울고 있어서.

'이런.'

켈드렉은 속으로 난감해졌다. 원래 부천주 부부가 모테의 정체를 비밀로 하고 키운 건, 동대제국 황제가 공주를 몹시 싫어한다 여겼기 때문이었다. 모테를 찾아내면 죽이거나 유폐시키거나 할까 봐. 그런데 저 눈물은 대체……? 황제는 모테를 그리워하는 것처럼 보였다. 그것도 몹시.

그 눈물에 거짓은 없어 보여서 켈드렉은 잠시 흔들렸다. 만약 황제가 모테보다 먼저 진실을 알아채고 이 질문을 했다면, 그는 어쩔 수 없이 털어놓았을지도 몰랐다. 그러나 모테는 황제보다 먼저 자기가 폐위된 공주란 걸 알았지만 짐을 싸서 말없이 떠나버렸다. 진실을 묻고 싶다는 뜻. 아이가 자기 의사를 확실히 하고 갔는데, 여기서 그가 진실을 알려주는 건 좀 아닌 것 같았다.

게다가 시시도 걸렸다. 시시는 검술에 관심이 없는 아이라, 켈드렉과 친해질 기회는 없었다. 하지만 켈드렉은 시시가 아주 어릴 때부터 성장하는 걸 보아왔다. 켈드렉은 그 아이가 상처받는 것도 원하지 않았다.

"남자아이지요."

결국 켈드렉은 거짓을 고했다.

"확실한 남자아이입니다."

그래도 못 미더울까 싶어서 켈드렉은 넉살 좋게 몇 마디 말까지 덧붙였다.

"하하, 혹시 폐하. 제가 보석 찾은 일을 치하해주실 때, 모테를 두고 와서 그러시는 겁니까?"

그러나 돌아온 건 황제의 싸늘한 미소와 빈정거림이었다.

"이미 시시에게 그 애가 여자애란 걸 들었는데. 거짓말을 퍽 자연스럽게 하는구나."

켈드렉은 사레가 걸려 딸꾹질이 나올 뻔했다. 시시에게 들었다고? 켈드렉은 얼굴에서 핏기가 쪽 빠져나갔다. 상시천 아이들은 모테가 여자아이란 걸 모르고 있을 테지만, 시시는 모테와 단짝이니 비밀을 들었을 가능성도 충분했다.

그럼 황제는 내가 거짓말한 걸 아는 건가? 황제를 앞에 두고 거짓말을 해버린 건가? 감히 황제에게 거짓을 말했으니, 어떤 벌을 받을지 모른다. 켈드렉은 자꾸 안으로 오그라드는 손을 펴기 위해 자기 두 손을 꼭 부여잡았다.

덕택에 소비에슈가 이마를 한 손으로 짚고서 눈을 감고 있는 걸 보지 못했다. 소비에슈가 자신을 떠보았을 뿐이란 것도. 그러나 이미 늦은 후였다.

'딸을 코앞에서 만나고도 놓치다니. 그것도 두 번이나.'

소비에슈는 켈드렉의 반응을 보고서 모테란 아이가 남장한 여아라고 확신했다. 자신의 딸이라고도.

그때, 황제의 코앞에서 거짓말을 한 두려움에 오그라들었던 켈드렉이 용기를 가지고서 말을 꺼냈다.

"폐하. 그 아이를 잡지 않으셨으면 합니다."

심장이 돌로 변하는 괴로움에 무겁게 숨을 들이마시던 소비에슈가 위압적으로 켈드렉을 내려다보았다. 미친 황제라더니, 진짜로 눈빛이 흉흉하구나. 그 무서운 시선에 켈드렉은 침을 꿀꺽 삼켰지만, 일단 내뱉은 말을 계속 이었다.

"모테가 먼저 알았습니다."

"!"

"그 아이는 진실을 알았지만 묻고 떠났습니다."

그 말에는 소비에슈뿐만이 아니라 옆에 선 근위기사단장도 눈이 커다래졌다.

"알면서도…… 갔다고?"

"저는 그 아이의 친부도 양부도 아니라 이런 말을 할 자격이 있는지 모르겠습니다. 하지만 모테를 위해서라면 그냥 모른 척해주는 게 낫다고 생각합니다."

말을 다 마친 켈드렉은 뒤늦게 또 후회했다. 내가 미쳤지 내가 미쳤어, 그냥 닥치고 있을 걸 왜 또 입을 놀렸냐.

황제와 눈을 마주하면 더 무서울까 봐 켈드렉은 이번에도 땅만 보고 있었다. 그 머리 위로 황제의 음산한 중얼거림이 내려앉았다.

"네 말이 맞다. 너는 그 애의 친부도 양부도 아니지. 네가 나설 일이 아니다."

"!"

"물을 건 다 물었으니 가도 좋다."

황제의 허락에 켈드렉은 비틀거리며 일어섰다. 하지만 그걸로 끝이 아니었다.

"그렇지만 당분간은 남아 있었으면 하는군. 나중에 때가 되면 떠나도 좋다 전하지."

켈드렉이 떠난 후.

"저자를 잘 보고 있어라. 수도 밖으로 나가지 못하도록 해. 숨어서 지켜볼 필요는 없다."

소비에슈는 켈드렉에게 사람을 붙이고서, 자신은 방으로 돌아가 잠행을 나갈 때 입는 옷으로 갈아입었다.

"폐하. 그분을 찾아가시려는 겁니까."

상황을 옆에서 속속들이 다 지켜본 근위기사단장은 걱정스럽게 물었다. 아직 환상과 환청에 시달리지만 그래도 이전보다는 상태가 호전되고 있는데. 이러다 황제가 또 병이 날까 걱정스러웠다. 게다가 모테란 아이는 자신이 공주란 걸 알았으면서도 떠나버렸다지 않은가. 마주쳤다 한들 좋은 소리가 오고 갈 것 같지 않았다.

"제대로 얼굴 한 번만. 웃는 얼굴 한 번만 보고 싶다."

부하가 뭘 염려하는지 꿰뚫어 본 소비에슈는 진심을 담아 낮게 속삭였다.

"내 곁에 올 수 없더라도, 멀리서라도 잘 살게 돕고 싶어."

"폐하……."

"가지."

옷을 다 갈아입은 소비에슈는 더 지체하지도 않고 바로 방을 나섰다. 어쩔 수 없이 근위기사단장은 서둘러 근위기사임을 나타내는 표시를 떼내 응접실 탁자 위에 내려놓고 황제를 따라갔다.

모테를 '안'이라 오해하고서 만난 날. 혹시나 싶어서 소비에슈는 사람을 붙여두었다. 지금도 따라가고 있을 테니, 위치를 찾는 건 어렵지 않을 것이다.

'라리 황녀님하고는 어떻게 되는 거지?'

자신의 정체에 대한 놀라움, 하지만 모든 걸 묻고 가야 하는 슬픔 등 여러 가지 감정이 복합적으로 섞여서 날뛰다 보니, 모테는 뒤늦게 라리를 떠올리고 괴로워졌다.

'날 싫어하실지도 몰라.'

소비에슈가 자신의 친부인지 아닌지는 불확실하지만, 라스타 황후가 친모인 건 일단 확실했다. 그리고 모테가 알기로 나비에 황후와 라스타 황후는 사이가 좋을 수가 없는 관계였다. 그런데 과연 나비에 황후의 딸인 라르스 황녀가 자신을 측근 기사로 받아들여 줄까?

'모르겠어.'

라리 황녀가 소비에슈 황제와 잘 지내는 걸 보면 자신이 라스타 황후의 딸이라 해서 신경 쓰지 않을 가능성도 있기는 한데. 이거야 어디까지나 최대한 긍정적인 추측일 뿐이고, 어쩌면 반대로 더욱 차갑게 대할지도 몰랐다.

'어쩌지?'

그렇다고 그게 두려워 진실을 감추었다가 라리 황녀가 나중에라도 사실을 알게 되면, 자신이 일부러 속였다 생각해 더욱 불쾌해할 터.

'역시 말해야겠지. 하지만 그분은 또 무슨 수로 만난다…….'

기사 서임도 받지 못한 이가 일국의 황녀를 만나 개인적으로 말을 주고받는 건 몹시 힘든 일이었다. 모테는 내내 걱정하면서 걸어가다가, 갈림길에 와서야 그 생각을 잠시 뒤로했다. 갈림길 한쪽 끄트머리에 작게 쓰여 있는 림웰 영지 이름 때문에.

'내가 진짜 비운의 공주라면 그…… 공주 오빠란 사람. 그 사람은 저쪽에서 지내는 거겠지?'

예전에 '비운의 공주' 오빠가 저기에 산다고 얼핏 스쳐 지나가듯 들은 기억이 떠올랐다. 그 이야기를 들을 당시에는 관심이 전혀 없어서 완전히 흘려들었지만.

모테는 말고삐를 쥐었다 펴길 반복하며 고민했다. 그 오빠란 사람도 사실 이부 오빠일지 친오빠일지는 모르지만, 하여튼 어머니가 확실하게 같다. 그 사람은 잘 살고 있을까? 생각지도 못한 형제가 있단 걸 알게 되자 모테는 그 사람을 한번 보고 싶어졌다. 비록 나서지 못한다 해도.

'노예라고 들어서 그런가. 엄청 고생하면서 살고 있으면 어쩌지?'

결국 고민하다가 모테는 그 남자의 얼굴이나 보자 싶어서 림웰 영지 방향으로 말머리를 돌렸다. 영지 안에 들어간 모테는 말을 마구간 안에 넣고 여관과 식당을 함께 하는 가게를 찾아 들어갔다. 그리고는 종업원에게 음식을 시키면서 자연스럽게 물어보았다.

"실례합니다. 저기, 저 성에 사는 사람 중에 '안'이란 사람 있나요?"

질문을 할 때는 분명 자연스러웠다고 생각했다. 그러나 말을 하고 보니 좀 이상한 것 같아서 모테는 속으로 으악 비명을 질렀다. 세상에. 누가 이런 걸 대놓고 물어봐!

"아, 그쪽도 그 공주 오빠인지 구경하러 온 거예요?"

하지만 이런 일이 한두 번이 아닌 듯 종업원은 태연히 말했다.

"그런 거라면 돌아가요. 사람이 무슨 구경거리도 아니고."

"!"

"뭘 기대하고 오는 건지 모르겠는데, 그냥 평범한 사람이에요. 멀쩡히 잘 지내는 사람 들쑤시지 말고 돌아가요."

"아, 저는……."

"어차피 성 밖으로 잘 나오지도 않아요."

사람 구경하러 왔다고 오해를 받은 모테는 입을 뻐끔거리다가 변명을 그만두었다.

'그래도 잘 지내고 있단 걸 들었으니 뭐.'

게다가 밖에 나오는 일도 잘 없다면 얼굴을 보기도 힘들 터. 모테는 감자로 만든 수프와 딱딱한 빵을 뜯어 먹으면서, 잠시 일었던 형제에 대한 호기심과 걱정, 그리움을 뒤로 밀어두었다.

'종업원이 편들어주는 걸 보면 사람들도 구박하지 않는 것 같고. 그럼 됐지.'

이후 식사를 마친 뒤, 모테는 하루를 이곳에서 머물며 고생한 말을 쉬게 했다. 그리고 다음 날. 카운터에서 하루 숙박비와 식사 값을 계산하며 물었다.

"여기서 옆 영지로 가장 빨리 빠져나가는 지름길이 어디예요?"

이런저런 이유로 하루를 여기서 머물고 나니, 마음이 다시 조급해진 탓이었다. 쫓아올 사람도 없는데 빨리 양부모에게 돌아가고 싶어졌다.

"저쪽 사냥터로 가면 돼요."

"사냥터?"

"저기 길쭉한 깃발 꽂은 데 보여요? 거기예요. 그쪽으로 나가면 바로 영지 밖이에요."

"사냥터인데 안에 들어가도 돼요?"

모테가 떨떠름해서 묻자 종업원은 태연히 대답했다.

"급한 일 있으면 알음알음 저기로 다녀요. 평소엔 거의 안 쓰거든요."

모테는 고개를 끄덕이고서 계단을 마친 뒤 말을 찾아서 올라탔다. 그런데 사냥터를 지나가고 있자니 어느 지점부터 뒤에서 말소리가 들려오는 듯했다. 착각인가, 생각하고서 가만히 서서 귀를 기울여보자 아니었다. 확실했다. 게다가 그 소리는 더욱 빠르게 가까워졌다.

또 다른 사람이 바쁘게 여길 지나가는 건가 봐. 모테는 그렇게 생각하면서도 괜히 덩달아 속도를 높였다.

그 순간.

"모테!"

울음 섞인 남자의 목소리가 사방으로 퍼지며 잔잔한 숲이 흔들렸다. 새 몇 마리가 푸드덕 놀라서 위로 올라갔다. 모테는 그보다 더 놀라 말고삐를 양손으로 꽉 붙잡았다.

'그 사람 목소리다.'

모테는 대번에 황제의 목소리란 걸 알아듣고서 손을 떨었다. 황제가 왜 여기에 온 건진 모르겠지만, 분명 그 사람 목소리였다.

"이랴!"

모테는 반사적으로 황급히 말고삐를 내려쳤다.

"모테!"

다시 한번 부르는 소리가 나지만 모테는 무작정 말만 재촉했다. 그때. 뒤쪽에서 말이 찢어지듯 높은 비명을 내질렀다. 평범한 상황에서 날 소리가 아니었다. 모테는 달리던 걸 멈추고서 뒤를 돌아보았다.

'무슨 일이지?'

게다가 그 소리를 끝으로 말발굽 소리가 들리지 않았다. 이 틈에 달아나도 될 테지만, 그 침묵. 비명과 함께 사라진 침묵은 오싹하고 걱정스러웠다. 모테는 고민하다가 말에서 내려서 그쪽으로 조심조심 가보았다. 역시. 말이 덫을 밟았는지 바닥에 쓰러져 있었다.

그리고…….

'아!'

소비에슈 황제는 거기서 튕겨 나갈 때 다른 덫에 걸린 듯 바닥에 쓰러져 있었다. 그러다가 가까스로 상체를 일으키더니 입술을 악물고 덫에서 발을 빼내려 했다.

"윽."

하지만 잘되지 않는지 고통에 찬 신음을 뱉었다. 아직 모테가 곁에 온 줄은 모르고 있는 듯했다.

혼자 오진 않았을 거야. 돌아가야 돼. 내버려두고 가야 돼. 모테는 그렇게 생각하면서 억지로 발을 뒤로 물렸다. 그러나 그 한 걸음이 오히려 발소리 냈고, 떨어진 나뭇잎 밟는 소리를 들은 소비에슈는 힘들게 덫을 벌리던 걸 멈추고 고개를 돌렸다.

두 사람의 시선이 허공에서 정확하게 부딪쳤다.

소비에슈의 입술이 몇 번 벌어졌다 다물리길 반복했고, 눈동자는 빠르게 흔들렸다. '글로리엠' 하고 불러보고 싶어서, '내 딸'하고 불러보고 싶어서, 입술이 자꾸만 제멋대로 달싹였다. 그러나 이성이 필사적으로 성대를 눌렀다. 저 앤 진실을 알고 있어. 모든 걸 알면서도 묻길 원했다잖아. 켈드렉이 남긴 말이, 들을 때에는 헛소리로 여긴 말이 이제는 거대한 철창살이 되어 그를 가두었다.

"모테……."

결국 입 밖으로 나온 건 딸의 다른 이름이었다.

"모테……."

하지만 그 이름조차 하염없이 슬퍼져서, 소비에슈는 몇 번이나 '모테'란 이름을 중얼거렸다.

바스락. 그사이에도 아이가 한 발자국 더 뒤로 가면서 나뭇잎 밟는 소리가 잔인하게 들려왔다. 아이가 멀어지는 소리다. 이름만 부르고 있을 때가 아니었다. 소비에슈는 다급히 다른 말을 꺼냈다.

"네가 보석을 찾아주었단 이야기를 들었다."

"!"

"그게 너무 고마워서…… 정말 소중한 보석인데 잘 찾아주어서…… 그래서 고맙단 말을 전하고 싶었다."

덤덤한 척 말하려 했는데, 어느새 말을 하다 보니 목소리가 넘실거렸다. 눈가에도 뿌옇게 물이 차올랐다. 소비에슈는 흙을 움켜쥐고서 억지로 눈물을 참아보려 했으나 그게 잘되지 않았다. 하지만 이 와중에도 덫은 그의 다리를 조금씩 조금씩 파고 들어갔고, 소비에슈의 이마에서는 식은땀이 줄줄 흘러내렸다.

모테는 아랫입술을 꽉 깨물었다.

"겨우 그런 거로 인사하러 안 오셔도 되는데요."

"정말. 정말로 소중한 거라……."

모테는 소비에슈가 자신이 딸이란 걸 알아차렸지만 모른 척하고 있단 걸 알아차렸다. 저 절망적인 표정을 보면서도 모르면 그게 더 이상했다. 하지만 모테 역시 아는 척을 할 수가 없어서, 입을 뺑긋거리다가 억지로 히죽 웃는 입 모양을 만들었다.

"다행이네요."

그러나 인지할 틈도 없이 볼을 따라 눈물 한 방울이 툭 아래로 떨어졌다. 소비에슈는 입술을 깨물었다.

"왜 우니, 울지 마라. 넌 울지 마."

모테는 자기가 덫 제거하는 걸 도와야 할지, 아니면 그냥 돌아서서 가야 할지 망설였다. 모른 척해주는 걸 보면 도와줘도 될 것 같긴 한데…….

그때, 저만치서 "폐하! 폐하?" 하는 소리가 들려왔다. 소비에슈와 함께 온 이들이 그를 찾는 소리였다. 모테는 뒤쪽과 소비에슈를 번갈아 보다가 뒤돌아 뛰어갔다. 모테는 계속 계속 정신없이 뛰다가 자기가 타고 온 말을 발견하자 얼른 그 위로 올라탔다.

"이랏!"

고삐를 내려치자 말은 빠른 속도로 내달렸다. 모테는 고삐를 구명줄처럼 붙잡은 채 끅끅 눈물을 삼켰다.

소비에슈는 그 멀어지는 말소리를 듣다가 완전히 소리가 들리지 않게 될 즈음에야 "글로리엠." 하고 미처 부르지 못한 이름을 담아보았다.

"폐하!"

그제야 도착한 근위기사단장은 놀라서 얼른 덫을 붙잡고 힘껏 벌렸다. 기사 두 명이 모여서 힘을 준 틈에 소비에슈는 자신의 다리를 빼냈다.

"폐하, 괜찮으십니까?"

"돌아가야 합니다. 서둘러 치료하지 않으면……!"

기사들은 자기들이 놓친 새 벌어진 일에 경악해서 소비에슈를 얼른 부축해 일으켜 세웠다.

"그분은 저희가 쫓을 테니 폐하께서는 돌아가셔야 합니다."

"근처 성으로 가시지요. 에벨리 님께 급히 전갈을 보내겠습니다."

소비에슈는 모테가 멀어진 방향을 잠시 바라보다가 고개를 끄덕이고서 기사 한 명에게 지시했다.

"아이는 저쪽으로 갔다. 오로레오 경. 아이를 은밀히 뒤쫓아라. 만날 때까지 내게 보고할 필요는 없다. 추적을 최우선으로."

"예, 폐하."

"그리고…… 아이가 어디 사는지 파악되면, 어떻게 지내는지, 뭘 원하는지, 사는 데 부족한 점은 없는지 철저하게 분석해 알려라."

"예, 폐하."

"단, 이 일은 철저하게 비밀에 부쳐야 한다."

'사람들이 폐하를 구했을까?'

사냥터를 벗어나는 내내 모테는 자신이 덫을 제거하고 왔어야 하는 건 아닌가 계속 신경 썼다. 분명 누군가 황제를 구하러 온 건 맞는데. 타이밍이 맞지 않아서 상처가 깊어진 후에야 도착하는 건 아닐지, 구하러 온 사람들까지 덫에 걸려서 결국 못 빠져나온 건 아닐지, 그야말로 온갖 생각이 들었다.

황제가 호위 한 명만 데려왔을 리 없다고 생각하면서도. 게다가 자신의 이름을 부르지 못하고 하염없이 눈물만 뚝뚝 흘리던 모습은…….

'그만. 다른 생각을 하자.'

모테는 고개를 젓고서 억지로 생각을 돌렸다.

'그래. 라리. 라리 황녀님. 황녀님은 어떻게 만나지?'

처음에는 잘되지 않지만, 먹기 싫은 음식이라도 꾸역꾸역 입안에 넣으면 결국 소화가 되듯 나중에는 억지로 그 생각을 이어갈 수 있었다. 모테는 말 속도를 늦추면서 안도해서 그 생각에 간절히 매달렸다.

'수장한테 도와달라고 하자. 수장은 내가 진실을 눈치챘단 걸 알았잖아. 사정을 이야기하면 들어줄 거야. 아버지랑 어머니보다는 좀 더 융통성이 있고.'

그러나 아버지랑 어머니를 떠올리자마자, 대번에 덫에 걸린 채 자신을 절실히 바라보던 그 눈이 떠올라 모테는 결국 다시 울음을 삼켰다.

그 시각.

"폐하께서 안 계시다고?"

라리는 서대제국으로 돌아가겠단 인사를 하기 위해 소비에슈를 찾아갔다가 황당한 말을 들었다. 공식적으로 외출한 적이 없는 소비에슈가 자리를 비웠단 이야기를. 게다가 단순히 궁전 안 다른 곳에 산책을 간 분위기도 아니었다.

"어디에 가셨는데?"

"죄송합니다, 황녀님."

소비에슈의 기사가 딱 잘라 '알려줄 수 없다'는 티를 내자 라리는 미간을 찡그렸다. 소비에슈는 웬만한 일로는 자신과 카이가 와 있는 동안 자리를 비우지 않았다. 그런데 자리를 비운 건 물론 근위기사가 행방조차 알려주지 않다니. 처음 있는 일이었다.

라리는 곤란해서 인상을 찡그렸다. 생일 연회는 동대제국과 서대제국에서 연달아 열리는데, 생일 당일에는 서대제국에서 연회가 열린다. 그러니 서대제국 연회 날짜에 맞추려면 오늘 인사를 하고 돌아가야 한다. 몇 년씩이나 같은 행사를 해온 소비에슈가 이걸 모를 리가 없는데, 자리를 비우다니…….

"언제 오시는데?"

"죄송합니다, 황녀님."

"오늘 내로는 오셔?"

"……."

"안 오시나 보네. 알았다."

근위기사가 굳게 입을 다물고 황제의 행방을 함구하자, 라리는 굳이 캐묻는 대신 바로 돌아서서 자신의 방으로 갔다. 어쨌든 사정이 있으니 그렇겠지, 생각하고서. 하지만 소비에슈의 사정과 별개로 라리 역시 인사를 하고 가겠다고 기다려줄 시간은 없었다.

"벌써 왔어?"

방으로 돌아가는 길, 복도에서 마주친 카이는 라리를 보고는 눈을 휘둥그렇게 뜨고 물었다. 어쩌다 보니 라리가 먼저 소비에슈를 보러 가고 카이가 그 뒤를 따라가게 됐는데, 자신이 아직 동궁에 도착하기도 전에 라리가 먼저 돌아오고 있으니 놀란 것이다.

"자리 비우셨어."

"어디에 가셨는데?"

"몰라. 말 안 해주던데?"

카이 역시 의외인 듯 미간을 찡그렸지만, 라리가 돌아서자 자신 역시 함께 돌아섰다.

“오늘 내로 안 오신대. 할아버지 할머니한테만 인사드리고 가야 될 것 같아.”

쾅! 문짝 닫는 소리가 넓은 거실을 매섭게 울렸다.

“감히!”

릴테앙 대공은 얼굴이 토마토색이 되어서 식식거렸다.

“감히 내게 인사조차 안 하고 가? 그 고얀 것, 곱다 곱다 해줬더니 아주 기고만장해서는!”

팔짱을 낀 대공비 역시 표정이 좋지 않았다.

“꼭 그 황녀여야 해요? 그런 성격으론 결혼을 시키더라도 문제일 거 같은데?”

“그럼 어떡합니까! 그 황녀 외엔 적당한 사람이 없는걸!”

라르스 황녀와 카이사 황자가 막 수도를 빠져나갔단 소식을 전한 부하는 괜히 불똥이 튈까 봐 최대한 숨을 죽이고서 벽에 붙어 섰다.

그런데 한참 부부가 말다툼을 하고 있자니, 다시 문 두드리는 소리가 나고 또다른 부하가 들어왔다.

“넌 또 뭐야!”

릴테앙 대공이 호통을 치자 두 번째로 들어온 부하는 얼른 몸을 낮추며 보고했다.

"이상한 일이 있어 보고 드리러 왔습니다."

릴테앙 대공은 감정 기복이 심해서 홧김에 사고를 많이 치는 소인배이나, 멀쩡할 때는 머리가 나쁘지 않은 편이었다. 이상한 일이 있어 왔단 소리에 대공은 화내던 걸 멈추고 소파에 털썩 앉으며 물었다.

"뭐냐."

건강하지 못한 탓에, 대공은 잠시 화를 냈는데도 숨 쉬는 게 힘들고 다리가 후들후들 떨었다. 그런데도 눈빛은 여전히 형형해서, 부하는 대공의 눈치를 살피며 입을 열었다.

"소비에슈 황제가 최근에 은발 여자아이와 함께 있었다고 합니다."

"은발 여자아이?"

대공은 눈썹을 치켜올렸다. 그게 뭐 어쨌냐는 표정이었다.

"은발이 왜?"

"동궁 뒤편에 난 작은 정원에 따로 부른 듯했습니다. 그 안쪽까지는 들어갈 수가 없어서 자세한 정황은 모르지만, 그곳을 오가는 마차 창문으로 분명 은발 여자아이가 보였답니다."

정보를 전한 부하는 최대한 조심스럽게 덧붙였다.

"평범한 귀족가 영애라면 굳이 몰래 따로 부를 이유가 없지 않을까요?"

그 말에 릴테앙 대공이 화를 가라앉히더니 고개를 끄덕거렸다. 듣고 보니 확실히 그랬다. 은발을 가진 성인 여자와 밀회를 했다면

'소비에슈 황제가 드디어 다른 사랑을 찾기 시작하나' 하고 생각해 볼 여지가 있다. 하지만 '은발 아이'라면 확실히 수상쩍었다.

"그러고 보니 웬일로 베르디 자작 부인, 그 여자도 파티에 나타났었지요."

가만히 듣고 있던 대공비가 중얼거리자 대공이 휙 고개를 돌리며 물었다.

"정말입니까?"

"그럼요. 구석에 처박혀서 사람들하고 한마디도 안 했지만, 분명 그 여자였는걸요."

은발. 여자아이. 남들의 시선을 피한 만남. 베르디 자작 부인……. 이 단어들의 조합이 한 사람을 가리켰다. 대공은 눈을 커다랗게 뜨고서 외쳤다.

"혹시! 그 폐위된 공주를 찾은 건가?"

대공은 잠시 감정이 격해져서 아무 생각도 못 하고 혼자 집 안을 빠른 걸음으로 오갔다. 하지만 점차 놀란 마음이 가시고 진정이 되자 대공의 잔머리가 핑핑 굴러가기 시작했다.

'만약 황제가 몰래 만난다는 그 은발 여자애가 진짜 공주라면…… 이건 우리에게 아주 좋은 일이다!'

라르스 황녀는 껍데기만 나비에 황후이지, 알맹이는 대공의 원수인 하인리 그 자체였다. 거만하고 오만하고 경만해서 민민히 블

구석이 없었다. 아내의 말처럼, 어찌어찌 아들과 결혼을 시킨다 해도 이런저런 문제를 불러일으킬 가능성이 높았다.

반면 '폐위된 공주'는 그와 친했던 라스타 황후의 딸. 게다가 10년이 넘는 시간이 흐른 지금은, 채 1년을 채우지 못하고 황후 자리에서 물러나 자결한 라스타 황후를 동정하는 여론이 조금씩 나오고 있었다. 라스타 황후가 이런저런 사고를 친 건 맞지만, 출신이 출신인 만큼 애초에 황실에서 제대로 통제를 해주었어야 하는 게 아니냐는 비판이었다.

물론 동정 여론보다는 비판 여론이 더 컸으나, '비운의 공주'에 대해서는 동정 여론 쪽이 훨씬 더 컸다. 특히 '비운의 공주'에 대한 동정 여론이 결정적으로 강해진 건, 친자 검사를 맡아 진행했던 신관이 자살한 일 이후였다. 이 일을 계기로 신관이 협박을 받아서 검사를 조작하고, 이후 죄책감 때문에 자살한 게 아니냐는 말이 나오게 된 것이다.

조작이든 아니든 이미 친자 검사를 할 수 없게 된 이상 공주로 복위될 수는 없겠지만, 여론은 나쁘지 않은 상태. 우뚝 걸음을 멈춘 릴테앙 대공의 눈이 탐욕으로 빛났다.

'혈통만으로는 내 아들이 다음 황위에 가장 가깝지. 만약 비운의 공주에 대한 여론을 내 아들 쪽으로 돌릴 수 있다면……!'

생각을 마친 릴테앙 대공은 얼른 부하들을 불러 물었다.

"베르디 자작 부인이 어디서 지내고 있지?"

켈드렉의 표현처럼 시시는 '검은 쓰지 못하지만 머리는 잘 쓰는' 아이였다.

'내가 친딸이 아닌가 봐.'

울 것 같은 얼굴로 모테에 대해 캐묻던 소비에슈를 만나고 온 지 몇 시간 만에 시시는 사태를 파악했다. 친딸은 자신이 아니라 모테였다는 걸. 몇 번이나 남자아이가 맞냐고 물어본 건 남장 가능성을 염두에 둔 거겠지. 당연히 남자라고 생각하고 살았지만, 소비에슈 황제가 연거푸 퍼붓던 질문처럼 시시는 모테가 남자인지 여자인지 눈으로 확인한 적은 없었다.

나이? 부모가 나이를 속이면 아이들은 믿고 자라기 마련이다. 머리? 염색하면 그뿐. 게다가 모테는 또래에 비해 덩치도 키도 작다. 심지어 잘 생각해보면, 동생이 태어나기 이전 양부모와 사이가 좋을 때. 자신이 '커서 모테와 결혼할 거다'고 큰소리를 칠 때마다 '모테는 절대 안 될걸'이라면서 양부모가 놀려댄 기억이 희미하게 남아 있었다.

아니길 원했으나 시시는 그 결론이 정확하다고 확신했다. 그게 아니라면 그 황제가 왜 딸의 소꿉친구 성별을 두고서 그렇게 절절하게 캐물은 거겠냐고. 시시는 며칠 동안 앞으로 어떻게 해야 할지 멍하니 생각에 잠겼으나, 결국 확실한 결론을 내렸다.

'난 누군가의 대타가 되고 싶지 않아.'

삼시천에 있을 때 자신은 동생의 대타였다. 그게 싫어서 삼시천을 나와 진짜 부모를 찾았는데, 그 부모도 자신의 부모가 아니라고 한다. 그렇다면 여기에 남아 있을 이유가 있을까?

결국 시시는 베르디 자작 부인이 자리를 비운 틈에, 짐을 싸서 집을 나왔다. 병사들이 진을 치고 있는 상시천 마을에서 혼자 빠져나온 적도 있는 시시에게, 하녀 한 명 있는 집에서 몰래 빠져나오는 건 일도 아니었다.

집을 떠난 시시는 힘없이 거리를 걸어가면서 고민했다. 난 이제 어떻게 해야 하지? 내 친부모를 찾을 방법이 남아 있긴 한가?

'상시천에 돌아갈 수는 없고…… 아. 모테.'

시시는 걷기를 멈추고서 모테를 떠올렸다. 그래, 모테를 찾아가자. 모테는 아마 자신이 누구의 딸인지 모르고 있을 것이다. 모테가 진짜 딸이라면 모테에게도 이 사실을 알려주어야 했다.

그렇게 마음을 정하고 돌아서는 순간. 커다란 무언가가 코앞으로 빠르게 미끄러져 왔다.

"악!"

시시는 눈을 질끈 감고 비명을 질렀다. 피할 겨를도 없었다.

시시는 정신을 차렸지만 자신이 어디에 있는 건지 바로 파악하지 못했다. 여기가 어디지? 지금이 무슨 상황이지? 베르디 자작 부인. 유모가 아이스크림을 사두었으니 먹으라 했는데. 모테를 아버지한테 소개해야…… 아니, 그분은 내 아버지가 아니었고…… 마

차. 마차가?

'마차.'

시시는 벌떡 상체를 일으켰다. 과거와 현재가 마구잡이로 뒤섞여서 어지러웠는데, 이제야 순서가 정리가 되었다. 자신이 공주가 아니란 걸 깨닫자마자 바로 짐을 싸서 베르디 자작 부인의 집을 나왔다. 그러고서 모테를 찾아가기로 했는데, 커다란 마차가 이쪽으로 미끄러져 왔고…….

"아야."

생각하고 나니 팔이 욱신거려서 시시는 울상을 지었다. 마차에 부딪칠 때 다친 듯했다. 하지만 다른 쪽으로는 의외로 통증이 없어서, 시시는 덜 아픈 팔로 탁상 테이블을 짚고 조심히 일어섰다.

"으."

하지만 다리가 땅에 닿자 망치로 뼈를 때리는 듯 '징' 하고 울리는 통증이 들어서, 시시는 다시 침대에 털썩 앉을 수밖에 없었다. 시시는 울상을 짓고서 방 안을 둘러보았다. 베르디 자작 부인의 집보다 훨씬 호사스러운 방 안. 침대는 폭신하고 이불은 손바닥에 착 달라붙을 듯이 촉감이 좋다. 대체 여긴 또 어딜까. 두리번거리고 있자니, 하녀가 문을 열고 들어오다가 시시를 발견하고 반갑게 웃었다.

"일어나셨군요!"

"누구세요?"

시시가 어리둥절해 묻자, 하녀는 잠시 기다려보라 말하고는 들고 온 쟁반을 옆에 내려놓고 얼른 밖으로 나갔다. 쟁반 위에는 약으로 추정되는 것들이 놓여 있었다.

'날 치료해준 건가?'

이런 곳에서 치료해준 걸 보면 나쁜 사람들은 아니겠지 싶어서, 시시는 일단 침대에 앉아 기다려보았다. 사실 다리가 아파서 어디에 이동하기도 어렵긴 했다.

그러기를 15분 정도. 마침내 다시 문이 열리더니 몹시 쇠약해 보이는 남자와 기품 있어 보이는 여자가 들어왔다. 둘 다 처음 보는 사람이었는데, 남자는 시시를 보자마자 가까이 다가오면서 친한 사이인 것처럼 물었다.

"내 아들이 탄 마차가 웅덩이에 미끄러져서 널 쳤다는구나. 정말로 미안하다. 몸은 좀 괜찮니?"

말투가 참 사근사근한 분이네, 생각하면서도 시시는 또박또박 대답했다.

"오른쪽 팔뚝이랑 양 무릎이 좀 아픈데요."

이런 건 확실히 해둬야 하니까.

남자는 잠시 움찔하더니 곧 하하 어색하게 웃고서 재차 사과했다.

"의사 말로는 큰 부상은 아니라던데. 그래도 혹시 모르니 나을 때까지 우리 집에서 치료하는 게 어떠니? 안 그러면 내가 미안해서 견딜 수가 없을 것 같아."

"저도 의사 선생님을 우선 만나보고 싶은데요. 몸 상태에 대해 자세히 듣고 싶어요."

"!"

"어마마마!"

"라리!"

마차에서 내린 라리가 얼른 내 품에 달려와 냅죽 안겼다. 아이를 들어서 한 바퀴를 돌리자 라리는 재미있는지 간지럼 타듯 웃어댔다. 하지만 카이는 라리를 내려놓고서 두 팔을 벌리자 우물우물 다가와서 쑥스러운지 내 배에 얼굴만 묻었다. 벌써부터 어른인 척 구는 게 귀여워 작은 뒤통수를 문지르자, 카이는 그러지 말라고 들릴 듯 말 듯 작게 항의했다.

역시. 아이들이 많이 컸니 어쩌니 해도 곁에 있을 때가 더 좋구나.

"동대제국에서는 어땠어? 재미있었어?"

"릴테앙 그 아저씨 짜증 나요."

"왜? 무슨 일 있었어?"

"……."

"퀸? 왜 그럽니까?"

안락의자에 앉은 채 아무 말도 하지 않기를 30여 분. 옆에서 내 머리카락을 가지고 놀던 하인리가 결국 더 참지 못하고 물었다.

"아까부터 창문을 노려보는데……."

"아아. 별건 아니에요."

"별거 아닌 얼굴이 아니었는데."

"릴테앙 대공 때문에요."

릴테앙 대공 이야기에 하인리가 한숨을 내쉬더니 소매에 난 바느질 자국을 만지작거렸다.

"그자가 왜요?"

"라리랑 카이가 싫어해서요."

하인리는 내 말이 심각하게 여겨지지 않는 듯 나지막하게 웃음을 터트렸다.

"애들이 누굴 싫어할 수도 있지요."

"그렇긴 한데. 무슨 일이 있었는지 비밀로 하면서 싫어하니까. 오히려 더 수상해요."

라리 성격이라면 어떤어떤 점이 싫다고 대놓고 또박또박 말할 텐데. 그냥 '짜증 난다' 선에서 설명을 멈췄단 건, 오히려 내게 말하기 곤란한 일이란 거지. 그게 과연 뭘까. 릴테앙 대공이 자기 차남을 후계자로 세우고 싶어 한다던데. 그 일 때문인가? 하지만 그 일이라면 라리가 내게 말하지 못할 이유가 없는데.

그런데 한참 고민하고 있자니, 응접실 문을 두드리는 소리가 났다. 작은 종을 흔들자 로라가 꽃다발을 안고 들어왔다.

"황후 폐하. 이거 보세요. 익명으로 꽃다발이 왔어요."

로라의 품 안에 든 꽃다발은 두 팔로도 다 안기 힘들 만큼 커다랬다.

"누가 보냈는지는 안 쓰여 있고?"

"네."

나는 꽃다발을 두 팔로 안고서 하인리를 쳐다보며 물었다.

"누가 보낸 거 같아요?"

하인리는 잠시 놀란 얼굴로 나와 꽃다발을 번갈아 보았다. 누가 봐도 질투하는 얼굴. 그 모습이 귀여워서 내가 꽃다발을 더욱 꼭 끌어안자, 하인리는 갑자기 빙그레 웃으며 말했다.

"내가 보낸 겁니다, 퀸."

"……정말인가요?"

"그럼요."

"익명으로 왔는데?"

"내가 보낸 게 맞아요."

하인리는 그렇게 말하더니 내 이마 위에 입을 맞추고서 나갔다.

"맥켄나. 맥켄나?"

재상관저에서 나와 어딘가로 바쁘게 걸어가던 맥켄나는, 하인리가 기둥 뒤에서 부르자 무슨 일인가 싶어 얼른 다가왔다.

"왜 그러십니까?"

"퀸에게 누가 꽃다발을 보냈어."

"그래요? 누가요?"

"내가."

"예?"

이게 무슨 말이야? 맥켄나가 인상을 찡그리고 쳐다보자, 하인리는 빙그레 웃으면서 꿍꿍이 가득한 목소리로 지시했다.

"사실 내가 산 건 아니지만 내가 산 거라 했어. 그러니 진짜로 내가 산 걸로 만들어."

"예?"

이건 또 뭐야? 맥켄나가 황당해 입을 벌렸다.

"어차피 익명으로 왔던걸."

그러면 다른 사람이 보낸 꽃다발을 자기가 산 거라고 허풍을 친 거야? 맥켄나는 더더욱 어이없어졌지만, 하인리는 당당하게 명령했다.

"꽃다발 보낸 사람을 찾아서 배로 돈을 줘. 그러면 내가 산 게 되지."

그건 사기 아니냐고, 맥켄나가 무어라 말을 하려던 찰나. 그가 돌연 입을 다물고서 하인리의 어깨너머를 쳐다보았다.

"퀸이야?"

놀란 하인리는 덩달아 돌아섰다가 라리를 발견하고서 더욱 놀랐다.

"라리!"

딸에게 부끄러운 모습을 보였단 생각에 하인리는 허둥거리면서 변명했다.

"라리, 방금 들은 건 말이야. 아빠가 절대로 엄마한테 거짓말을 하려던 게 아니라. 아니, 거짓말이긴 한데 말이야, 이건……."

"그거참 좋은 생각이에요."

그러나 돌아온 대답은 의외로 산뜻했다.

"어?"

변명을 늘어놓던 하인리도 고소하다고 낄낄 웃던 맥켄나도 눈을 휘둥그렇게 뜨고 라리를 보았다. 그러나 라리는 혼자 깊은 생각에 잠겨 있었다.

"질투로 자극하는 거. 진짜 좋은 생각이에요."

무슨 말인지 이해는 가지 않지만, 하인리는 라리가 자신을 편드는 거라 확신하고서 목소리를 낮추어 물었다.

"라리. 엄마한텐 비밀로 해줄 거지?"

그 말을 듣자 라리는 빙그레 웃더니 속삭이는 어조로 대답했다.

"난 항상 입이 무거워요, 아바마마."

라리가 긍정에 가까운 말을 남기고서 돌아섰지만 하인리는 뭔가 찝찝한 느낌에 괜히 고개를 기웃했다. 맥켄나 역시 입을 헤 벌리고 그 광경을 바라보다가 뒤늦게 "아!" 하고 탄성을 뱉었다.

"왜?"

하인리가 묻자, 맥켄나는 아까 라리가 지은 미소를 흉내 내며 말했다.

"이거요. 이렇게 웃는 거."

"그게 왜."

"폐하께서 음흉한 생각 하실 때 자주 짓는 미소인데."

"……그래서. 내 딸이 음흉하다고?"

"황녀님은 안 음흉하시죠. 근데 폐하는……."

음흉하시다고 말을 하려다가, 맥켄나는 하인리의 따가운 시선을 이기지 못하고 서류로 얼굴을 가린 채 돌아섰다. 덕택에 두 남자는 황녀가 멀찍이 떨어지면서 중얼거린 소리를 듣지 못했다.

"역시 어마마마는 천재야. 꽃다발만으로 아바마마가 허둥거리게 만들다니."

"폐하? 그 꽃다발이 그렇게 마음에 드세요?"

내가 꽃다발을 품에 안고서 계속 웃는 게 이상한가. 로라가 차를 마시다 말고서 물었다. 나는 입술에 힘을 줘서 웃음을 참고 고개를 저었다.

어떻게 말하겠어. 이 꽃다발은 내가 하인리에게 주려고 주문한 거란 걸. 사실 하인리가 정체불명 꽃다발을 보고 허둥대고 있으면, 깜짝 선물로 건넬 생각이었는데. 하여튼 질투쟁이. 사기꾼. 내숭쟁이. 허풍쟁이. 귀여워.

"폐하?"

"콩깍지는 무서운 거예요, 로라 양."

"?"

엄마와 아빠의 머리싸움을 지켜본 라리는 사랑에도 전쟁이 필요하단 걸 이해했다. 그러니 맥켄나 삼촌 일기장에도 싸운 얘기밖에 없지만, 수룡님이랑 결국 사랑을 하고 결혼도 하게 된 거겠지.

"내게도 용용이를 자극할 꽃다발이 필요해."

그렇다면 그 꽃다발은 뭐여야 할까. 곰곰이 고민한 끝에 라리는 꽃다발이 꼭 물건일 필요는 없단 결론을 내렸다.

'릴테앙 대공네 멍청이 아들. 이용하기 좋을지도.'

라리와 카이가 동대제국에 무사히 다녀온 것도 기념할 겸, 간만에 식구들이 다 같이 모여서 식사를 하게 되었다. 나, 하인리, 라리, 카이, 맥켄나와 돌시, 용돌이 이렇게 일곱이서.

라리와 용돌이가 같이 있으면 라리 눈동자가 유난히 반짝거리고, 게다가 머리를 굴리는 게 눈에 보여서 무척 귀엽다. 이 때문에 일부러 라리와 용돌이를 옆자리에 앉도록 한 뒤 나는 그 맞은편에 앉았다.

"퀸……. 너무 노골적으로 재밌어하진 마요."

하인리는 라리가 용돌이에게 관심을 보일 때마다 재밌어하기는 커녕 화가 나는 모양이지만.

그런데 웬일이지? 식사를 하는 내내 라리는 용돌이 쪽으로는 거의 시선도 보내지 않았다. 용돌이 본인도 당황스러운지 먹다가 가끔 라리를 힐긋거릴 정도로.

"왜?"

"……그거 안 먹으면 내가 먹어도 돼?"

"그래."

그렇다고 라리가 용돌이를 완전히 무시하는 건 아닌데.

하여튼 이것도 나름대로 재미있어서 보고 있자니, 식사를 다 마치고 디저트를 먹을 즈음. 라리가 포도를 하나하나 똑똑 따먹다가 큼큼 헛기침을 하고서 점잖게 입을 열었다.

“흠흠. 어마마마. 아바마마. 실은 동대제국에 갔을 때 묘한 제안을 받았어요.”

묘한 제안? 돌시도 라리가 할 말이 궁금한지 커다란 고기를 뜯어 먹다 말고서 라리 쪽으로 고개를 고정했다. 라리는 제법 심각한 척 이마를 구기며 말을 이었다.

“릴테앙 대공께서 제가 대공의 차남과 결혼했으면 한대요.”

말이 끝나기가 무섭게 하인리가 들고 있던 포크를 떨어트렸다. 하인이 포크를 가져가고 새 포크를 가져와 내려놓자, 하인리는 그 포크를 쥐었지만 시선은 라리에게 붙박였다.

“안 돼.”

그러고는 바로 나오는 대답.

당연히 안 되지. 릴테앙 대공의 차남이라니. 그 소문 안 좋은 아이와 라리? 당연히 안 된다.

맥켄나도 심각한 얼굴로 말렸다.

“황녀님. 세상에 좋은 남자가 얼마나 많은데요. 굳이 안 좋은 남자 중에서도 제일 안 좋은 남자를 고르실 필요가 있을까요?”

“그냥 그런 제안을 받았다고요.”

라리는 똑 부러지게 말하더니 아주 빠르게 용돌이 쪽을 힐긋거리며 덧붙였다.

"하지만 긍정적으로 생각하고 있긴 해요. 핏줄은 있고 머리는 없으니까, 정략결혼 상대로 나쁘지 않을 수도 있잖아요."

"라리, 안 돼."

하인리가 다시 딱 잘라 말했다.

"걘 마차에 비유하자면 뚜껑도 없고 마부도 없고 바퀴도 없는 마차야. 왜 굳이 그런 제안을 진지하게 생각해? 생각도 하지 마."

왜긴 왜겠어. 마음에 드는 용마차가 넘어오지 않으니 그러는 거지. 용돌이를 의식해서 저러는 게 눈에 훤히 보이잖아, 하인리.

나는 옆을 힐긋거리는 라리와, 그런 라리를 보면서도 화가 나서 못 견뎌 하는 하인리를 번갈아 보다가 너무 재미있어서 하인에게 샴페인을 가져다 달라 부탁했다. 라리가 진심으로 하는 말이라면 걱정하겠지만 일부러 저러는 걸 알기에 걱정이 되진 않았다. 별개로 릴테앙 대공, 그자에겐 화가 나지만.

말 자체는 거짓이 아닐 거야. 라리가 돌아왔을 때 심각한 표정이었으니. 어쨌든 용돌이가 과연 내 딸에게 어떤 반응을 보일까.

용돌이는 용이라 그런가. 라리보다 나이가 어리지만 키는 더 크고, 생각하거나 말하는 것도 어린아이 같은 면이 적었다. 영리한 아이이니, 아마 저 애도 라리가 왜 저런 말을 하는지 눈치챘겠지.

나는 하인에게 받은 샴페인을 마시면서 용돌이를 자세히 관찰했다. 그러나 용돌이는 별 반응을 보이지 않고 덤덤히 케이크만 먹었다.

"정말 그쪽이랑 결혼할 거야, 라리?"

나중에 보다 못한 카이가 동생을 돕겠답시고 물을 때까지도.

"진지하게 고민하고 있어."

이런……. 내 딸이 울겠는걸. 나름대로 머리를 쓴 모양인데, 용돌이가 상대도 하지 않으니 상처받았나 봐. 결국 안쓰러워서 나는 슬쩍 용돌이에게 직접 물어보았다.

"소꿉친구인데, 라리가 동대제국에 가면 용돌이가 외롭지 않을까?"

그제야 용돌이는 케이크 먹던 걸 멈추고서 나를 가만히 쳐다보았다. 돌시도 맥켄나도 진중한 성품이 아닌데, 누굴 닮은 건지 홀로 신중한 모습으로. 하지만 곧 아이의 눈가에 미소가 어렸다. 마치 '왜 이런 질문을 하시는 건지 다 알아요' 하고 말하는 듯. 그런 표정으로 아이는 덤덤하게 말했다.

"하고 싶은 대로 해, 황녀님. 황녀님의 뜻이 가장 중요한 문제니까."

이런. 라리…….

며칠 동안 시시는 자신을 구해준 집안에서 치료를 받으며 지냈고, 이곳이 릴테앙 대공의 저택이란 것도 알게 되었다.

'돌고 돌아서 또 황족 집안이라니.'

생각하면 참 기가 막히지만, 등잔 밑이 어두운 법이라고 시시는 여기서 며칠 지내는 게 가출에 도움이 될지도 모른다고 생각했다. 베르디 자작 부인에게 '나는 그 공주가 아니다. 오해가 있었다'는 편지를 남기고 왔으니, 자작 부인도 그걸 보면 포기하겠지.

'언제 다리가 완전히 나을까.'

그런데 침대 위에서 책을 읽다가 괜히 안 아픈 쪽 다리를 두드려 보고 있을 즈음. 누군가 문을 노크했다. 찾아온 사람은 대공의 장남인 셰를이었다. 말하는 게 약간 어리바리하지만, 그래도 이곳에서 만난 이들 중 가장 순해 보이는 사람.

"안녕하세요."

시시가 꾸벅 인사하자, 셰를은 들고 온 과일 바구니를 내밀었다.

"먹으라고……."

"고마워요."

시시는 바구니를 들고서 어색하게 웃었다. 그런데 평소라면 이런저런 얘기를 하다가 갈 셰를이 오늘은 나가지 않고 꾸물거렸다. 왜 저러나 싶어 보고 있자, 셰를이 괜히 주위를 살피더니 목소리를 낮추어서 말했다.

"저기. 혹시 네가 진짜 그…… 공주야? 전 황후 딸?"

"네?"

시시가 놀라서 묻자, 셰를은 "아니야?" 하고 다시 물었다. 시시는 바구니를 꽉 안고서 경계해서 되물었다.

"그걸 왜 물어요?"

"아버지가 널 나나 레일이랑 결혼시키고 싶어 해."

"!"

"네가 알고 있어야 할 거 같아서."

시시는 놀라서 손을 마구 휘저었다.

"나 공주 아니에요!"

"아니야?"

"외모가 닮아서 오해받은 거예요. ……내가 아니에요."

시무룩해서 중얼거리는 소리를, 대공의 둘째인 레일이 문 뒤에서 엿듣고 눈을 커다랗게 떴다.

'가짜라고?'

레일이 찾아온 건, 형인 셰릉이 자신을 빼돌리고 공주와 더 친하게 지내려 한다 의심해서였다. 레일은 셰릉이 아무리 형이라고 해도 자신보다 공주와 가깝게 지내는 건 보고 싶지 않았다.

그런데 이럴 수가. 공주가 공주가 아니라고? 오해라고? 레일은 기가 막혀서 쪼르르 제 아버지를 찾아갔다.

"아버지, 아버지. 그 여자요. 아버지가 제 핑계 대고 다리 다치게 해서 데려온 그 여자."

릴테앙 대공은 벽난로 앞에서 몸을 데우고 있다가, 아들이 그 여자 그 여자 해대자 화가 나서 꾸짖었다.

"공주님이라 해야지, 그 여자라니!"

"공주가 아니래요!"

그러나 아들이 버럭 외친 말에 릴테앙 대공은 춥다고 덜덜 떨던 것도 잊고 벌떡 일어났다.

"무슨 소리야?"

"내가 들었어요. 자기 입으로 형한테 그랬어요. 자기는 공주가 아니라고."

"폐위됐으니 공주는 아니다, 뭐 이런 말 아니었을까?"

"아니라니까요! 외모가 닮아서 오해받았던 거라 그랬어요! 진짜 공주는 자기가 아니라 자기 친구라던데요?"

레일의 말에 릴테앙 대공의 얼굴이 구겨졌다.

"그게 정말이냐."

"내가 이런 걸로 거짓말해서 뭐 해요."

릴테앙 대공은 주먹을 꽉 쥐고서 어깨를 부들부들 떨었다. 자신이 멋대로 오해한 거지만, 이미 그의 머릿속에서는 시시가 공주를 사칭한 거나 다름없었다.

"괘씸한 것!"

낮게 일갈한 릴테앙 대공은 바로 곁에 선 호위에게 명령했다.

"당장 그 공주 사칭범을 여기로 끌고 와!"

하지만 곧 그는 마음을 바꾸었다.

"아니, 아니다. 끌고 오지 마라."

계단을 올라가려던 호위가 주춤 멈춰 섰다. 그사이, 릴테앙 대공은 팔짱을 낀 채 방 안을 빙글빙글 돌면서 생각했다.

그 시시란 애가 공주와 친구라고 했지? 그런데 여기서 다짜고짜 윽박지르면서 공주가 누구냐고 물어보면, 당연히 이상한 걸 느끼고 의리를 지키려 입을 열지 않을 거다. 게다가 그 애는 자기 입으로 자기가 공주가 아니란 걸 밝히지 않았던가. 공주 자리에 욕심이 없다는 뜻일 터. 릴테앙 대공의 입가에 비열한 미소가 솟아났다. 그렇다면 거꾸로 하면 되지.

에벨리를 불러 다리를 치료한 소비에슈는 궁전으로 돌아오자마자 바로 방 안에 틀어박혔다. 그가 잠시 나가는 곳이라고는 모테와 한자리에 머물렀던 그 정원뿐. 소비에슈는 거기에서 자신이 딸을 알아보지 못한 그 순간을 몇십 번 몇백 번 되돌리며 아파했다.

오늘도 마찬가지였다. 소비에슈는 방 안에서 힘없이 늘어져 있다가 정원으로 느지막하게 나왔다. 그런데 평평하고 커다란 바위에 앉아 있자니, 근위기사 중 한 명이 다가와 그에게 보고했다.

"폐하. 베르디 자작 부인이 폐하를 뵙고 싶어 합니다."

"바쁘다 해라."

소비에슈는 덤덤히 대답했다. 코앞에서 딸과 헤어진 상황이다 보니, 지금은 누구와 얘기를 할 정신이 아니었다. 그러나 근위기사는 바로 물러나지 않고 주저했다.

"왜?"

그 모습이 이상해 소비에슈가 묻자, 근위기사가 조심스럽게 대답했다.

"실은 자작 부인이 무척 다급해 보였습니다."

"다급하다고?"

"안색도 파랗고. 급한 일이 있어 보였습니다."

뜬금없이 급한 일이라니? 의아하지만 소비에슈는 일단 데려오라고 했다. 이렇게 급하게 찾아올 정도면 보통 일은 아닐 거라 여기고서.

그렇게 해서 베르디 자작 부인이 전한 소식은 뜻밖이었다.

“시시가 가출을 했다?”

“예.”

단호하게 대답한 베르디 자작 부인은 원망조로 소비에슈를 보며 추궁했다.

“혹시 폐하께서 데려가셨습니까?”

소비에슈는 심각하게 자작 부인의 말을 듣다가 황당해서 되물었다.

“내가 왜?”

이윽고 그 표정은 걱정으로 변했다.

“시시가 말없이 나갔느냐?”

그 황당한 표정을 본 베르디 자작 부인은 소비에슈가 아이의 가출과 정말 관련이 없단 걸 깨닫고, 더욱 슬픈 표정으로 변했다. 차라리 소비에슈가 아이를 데려간 거라면 무사히 있을 테니 안심일 텐데.

“편지를 남기고 떠났습니다.”

“편지?”

“자신은 폐하의 진짜 딸이 아니라고요. 상황이 자기와 꼭 같아서 자기라 생각했는데, 폐하의 반응을 보고 아니란 걸 알았다고…….”

“!”

소비에슈는 기사들을 풀어서 아이의 행방을 찾는 걸 돕고, 그 결과 뜻밖의 사실을 알게 되었다. 시시로 추정되는 아이가 완전히 여기를 떠난 게 아니라 미끄러진 마차에 부딪혀 실려갔다는 것. 게다가 그 마차가 릴테앙 대공의 마차라는 것.

이를 알게 된 소비에슈는 곧장 릴테앙 대공의 집으로 기사들을 보내 시시를 찾아오라 지시했다. 하필 대공이 시시를 데려가다니. 꿍꿍이가 있을 게 분명했다. 그러나 릴테앙 대공은 의외로 순순히 시시를 돌려보냈다.

"……안녕하세요."

그렇게 해서 만난 시시는 이전의 싹싹한 모습이 없고 어색하게 인사했다. 베르디 자작 부인에게 '나는 공주가 아니다'는 편지를 남겼다더니. 자신이 소비에슈의 딸이 아니란 걸 인식하자 소비에슈를 대하기 민망한 듯했다.

"그렇게 어렵게 대하지 않아도 괜찮은데."

그걸 본 소비에슈가 놀리듯 말해보지만, 시시는 힘없이 웃기만 했다.

소비에슈는 아이가 상처를 받았단 걸 눈치채고서 눈살을 찌푸렸다. 친부모를 찾고 싶었는데 아니란 걸 알게 된 아이에게, 자신이 어떻게 해주어야 할지 통 짐작이 가지 않아서. 하지만 시시는 바닥에 고개를 숙이고 있어서, 소비에슈의 표정을 보지 못하고 계속 중얼거렸다.

"제가 괜히 헷갈리게 해드려서 죄송해요. 그래도 곧 진짜 공주님을 찾으실 테니까요. 릴테앙 대공님도 공주님을 빨리 찾고 싶어 하시고……."

그 말의 여파는 컸다. 소비에슈는 아이를 어찌 달래나 안절부절 못하고 있다가 그대로 굳어버렸다.

"릴테앙 대공이…… 누구를 찾는다고?"

"네?"

시시는 눈을 휘둥그렇게 뜨고서 그제야 고개를 들었다. 눈이 마주치자 영리한 아이는 무언가 잘못되었단 걸 대번에 파악했다.

"릴테앙 대공님이 모테를 찾으면 안 되는 건가요?"

소비에슈는 라리에게 껄떡거리던 릴테앙 대공과 그 차남을 떠올리고서 이를 부득 갈았다. 아무리 사탕발림하며 접근해봤자 라리가 꿈쩍도 하지 않으니, 그 작자들이 모테 쪽에 접근하려는 게 틀림없었다.

"알려주어서 고맙다."

소비에슈는 아이가 더 놀랄까 봐 애써 웃으면서 등을 두드리고는, 마차에 태워 베르디 자작 부인에게 보냈다. 그리고 아이가 떠나자마자 근위병 몇을 불러 명령했다.

"당장 릴테앙 대공을 데려오라."

릴테앙 대공의 차남이 딸과 이어줄 만한 이가 아니란 점도 문제지만, 가장 큰 문제는 모테가 공주로 살고 싶어 하지 않는단 점이었다. 그래서 사냥터에서도 멀어지는 뒷모습만 보며 고통을 삼키고 모른 척하지 않았던가. 너무 소중해 차마 붙잡지도 못했는데. 그런 아이를 릴테앙 대공이 찾는다고? 게다가 결혼을 목적으로 찾는다면 그 애가 공주라는 걸 공개적으로 알리려는 것일 터. 무조건 말려야 했다.

얼마 뒤, 근위병이 릴테앙을 데리고 나타났다.

"하하, 폐하. 대체 무슨 일이신지요."

릴테앙 대공은 궁전 안에 불려와서도 웃는 낯을 잃지 않았다. 기사들을 보내 시시를 찾아간 직후 부르는 거니 왜 불렀는지 짐작할 만한데도, 자신은 무엇 하나 거리낄 게 없다는 태도를 고수했다. 그 태도가 소비에슈의 신경을 자근자근 개미처럼 갉았으나, 소비에슈는 겉으로는 침착함을 유지한 채 돌리지 않고 명령했다.

"공주를 찾지 마라."

"!"

설마 대놓고 말할 줄은 몰랐던지 릴테앙도 놀라 흠칫했다. 잠시 릴테앙은 대답을 피하고 홀로 머리를 굴렸다. 모른 척 시치미를 뗄지 아니면 순순히 인정할지 고민하는 듯. 하지만 결국 그는 후자를 선택했다. 어차피 상대가 다 알고 부른 마당에 끝까지 시치미를 떼봐야 소용이 없으니까. 그러나 순순히 인정한다고 해서 순순히 뜻을 따르는 건 아니었다.

"공주님을 찾으려다 엉뚱한 여자애를 딸 취급하신 건 폐하가 먼저 아니십니까?"

"……."

"분명 공주님을 찾으려 든 분은 폐하인데. 제게는 찾지 말라 하시다니요. 그 애도, 물론 저와 다른 핏줄이지만 한때는 조카였던 아이인걸요."

"내가 그 아이를 찾은 건 잘 지내나 보려는 거지, 공주라 홍보해 세간의 관심을 부르려는 게 아니었다. 하지만 자네는 어떻지?"

"사람들은 공주님을 그리워합니다, 폐하. 공주님을 찾는다면 당연히 알려서 국민들이 안심하게 해주어야지요."

"보이지 않을 땐 동정하지."

"!"

"하지만 실제로 나타나면, 많은 사람들이 그 애를 공주가 아니라 죄수로 만들려 할 거다. 어딜 가든 그 애는 구경거리가 될 테고."

"……."

"자네가 그 애를 정말 한때나마 조카로 여겼다면 찾지 마라."

릴테앙 대공은 깊게 생각하지도 않고서 웃으면서 바로 그러겠다고 대답했다.

"폐하의 뜻대로 하겠습니다."

하지만 소비에슈는 그게 거짓이란 걸 알아챘다. 릴테앙 대공은 필요하다면 얼마든지 거짓말을 할 수 있는 자. 멀쩡한 애를 마차로 치고서 데려갈 만큼 욕심낸 짓거리를 저렇게 순순히 포기할 리가 없었다.

결국 소비에슈는 이대로 대공을 보내줘봤자 아무런 효과가 없을 거라 판단하고, 대공에게는 당분간 궁전에서 지내라 지시한 다음, 대공저로 사람을 보내 모테 찾는 일을 그만두라 명령했다.

'이렇게 했으니 사람 푼 걸 도로 거두어들이겠지. 문제는 그 이야기를 들어버린 대공의 다른 부하들인데…… 과연 충분히 입이

무거울까.'

그러나 빠른 처리를 하고서도 소비에슈는 초조함을 감추지 못했다. 이런 불안함은 결국 나중에 또렷하게 실체를 드러냈다.

"폐하! 폐하!"

이틀이 지난 날, 카를 후작이 다급하게 보고한 것이다.

"공주님이 살아 있고, 이름은 뭐고, 특징은 어떻고, 어디에서 지냈고, 이런 이야기들이 사람들에게 퍼지고 있습니다!"

소비에슈는 소중한 액자 틀을 닦다가 놀라서 날카롭게 물었다.

"누가?"

"추적해보니 릴테앙 대공가에서 나온 소문 같습니다."

소비에슈는 헛웃음을 터트렸다.

이틀 전, 릴테앙 대공을 말리면서도 그 집안의 다른 누군가 입을 열진 않을까 불안하더라니. 대공이 자리를 비운 지 며칠이나 됐다고 진짜로 그 소문이 확 퍼져 나간단 말인가.

"어찌할까요?"

카를 후작이 초조하게 물었다. 소비에슈는 주먹을 콰득 세게 쥐었다. 그가 릴테앙에게 했던 말처럼, 지금 공주를 찾으면 공주는 구경거리로 전락할 확률이 높았다. 공주를 동정하는 이들은 처지를 불쌍하게 여기긴 하겠지만, 동정과 존경은 명백히 다른 테두리 안에 있지 않던가.

"사람들 입을 막기가 힘듭니다, 폐하. 한두 군데에서 나오는 얘기가 아닌 듯합니다."

카를 후작이 초조하게 한 말에 소비에슈는 화를 꾹 누르며 확신해 말했다.

"대공비가 시킨 일일 거다."

"대공비요?"

"이렇게 하면 내가 압박감을 느끼고 대공을 풀어줄 거라 확신했겠지."

"어찌할까요?"

카를 후작이 양 같은 목소리로 물었다. 소비에슈는 액자 틀을 내려놓고 창가로 걸어가 뒷짐을 쥐었다.

"……."

그는 말없이 창밖을 내려다보며 입술을 꽉 다물었다. 보석을 바꿔치기한 게 릴테앙 대공 측 사람들이 아닌가 의심하는 와중에 일어난 카이 황자 암살 미수 사건. 카이를 죽이려 한 주제에 뻔뻔하게 라리에게 구애하던 모습. 이렇게 하나하나 선을 넘어가더니, 이제는 멀쩡히 잘 사는 애를 폭풍에 끌고 오려고 해? 차남 레일이 장성하면 그 정도는 더 심해질 터. 소비에슈는 창틀을 꽉 쥐었다. 더는 눈감아줄 수가 없다. 이젠 결단을 내려야 했다.

그즈음, 서대제국에 돌아간 모테는 켈드렉의 도움으로 라리를 만나는 데 성공했다. 그러나 타이밍이 좋지 못했다. 이때 라리는 질투심을 자극했는데도 용용이가 '네가 하고 싶은 대로 해'라고 냉정하게 나오자 상당히 심란한 상태였던 것이다.

"이 말씀을 드려야 할지 말지 많이 고민했어요. 그래도 말씀드려야 할 거 같아서요. 믿기지 않으시겠지만, 제가 동대제국 전 황후의 딸인 거 같아요. 그래도 황녀님은 절 받아주실 수 있으신가요……?"

그런 데다 이 와중에 만난 모테가 어마어마한 고백까지 하자, 라리는 더욱 머리가 복잡해졌다.

"……."

"황녀님?"

라리가 우두커니 서서 이마만 찡그리고 있자, 모테는 조심스럽게 눈치를 살폈다. 진실을 알면 라리가 자신을 싫어할 수도 있단 각오는 했지만, 아예 반응 자체를 하지 않으니 더 겁이 났다.

하긴. 이런 관계이니 싫어할 수밖에 없겠지. 거침없고 강한 라리를 자기가 따르고 싶었던 이상적인 주군이라 여겼던 모테는, 덤덤한 대응에 시무룩해졌다. 그래도 어쩔 수 없어, 생각하고 있자니 라리가 천천히 입을 열었다.

"일단, 생각을 좀 해볼게."

"생각……이요?"

"지금 다른 골치 아픈 일이 같이 있어서. 바로 대답하기가 좀 그래."

라리는 관자놀이를 누르다가 모테가 겁먹은 표정으로 이쪽을 보자 손을 뻗어서 어깨를 툭툭 두드렸다.

"갑자기 널 미워하진 않아. 하지만 현실적인 문제가 좀 있으니까."

"네……."

"말해줘서 고마워. 말하기 어려웠을 텐데."

모테와 헤어진 뒤, 라리는 무거운 고민거리를 온몸으로 이고서 자신의 방으로 걸어갔다. 라리는 모테의 실력이 진심으로 탐이 났다. 첫 만남 때 뒷마무리가 허술하기에 좀 구박을 하긴 했지만, 사실 자신보다 훨씬 키도 크고 덩치도 큰 이들을 암시장에서 대번에 제압하는 모습이 마음에 쏙 들었다. 굳이 달려와서 모르는 사람을 도와주던 정의로운 마음도 마음에 들었다. 무던하고 모나지 않은 성격도 마음에 들고……. 빛의 야시장에서 만난 날. 자신을 붙잡고 나가고 싶다면서 울던 모습이 특히 뇌리에 강하게 박혔다. 라리는 정말로 모테를 가지고 싶었다.

'하지만 어머니가…….'

자신이 모테를 거두어들일 경우, 모테의 정체를 함구하고 비밀에 부치더라도 어머니와 만날 일이 생길 텐데. 그게 걱정이었다. 정체를 숨긴 채 어머니와 마주하게 하는 것도, 정체를 알리고서 어머니와 마주하게 하는 것도 미안하긴 마찬가지. 어머니 성품에 아이에게까지 옛 감정을 넘기진 않겠지만, 그냥 라리 자신이 찝찝했다.

'어쩌지.'

같은 시각. 라리만큼 찝찝해하는 존재가 하나 더 있었다.

"말을 좀 더 부드럽게 했어야 할까요?"

용용이었다 맥켄나는 용용이 초조하게 묻자 웃어야 할지 울어야 할지 애매해졌다.

"애기야. 황녀님이 신경 쓰이니?"

용용은 평소에는 의젓하고 어른스러워서 말실수를 하는 법이 없고, 당연히 자기 말을 후회하는 일도 없었다.

사실 용들 자체가 자기 말을 후회하는 일이 드물었다. 화룡도 그랬고 수룡도 그랬다. 그 종족은 자기들이 용이라는 데 프라이드가 몹시 강해서, 무조건 자기들이 가장 잘났다고 주장하는 이들이니. 그런데 웬일로 용용이 자기가 한 말을 후회하며 시무룩해하니, 참 귀여운데……. 귀엽긴 한데…….

맥켄나는 진심으로 미니 하인리가 며느리가 되길 원치 않았다.

"몹시요."

그러나 용용은 아버지의 마음도 모르고서 얼른 대답하더니 결국 벌떡 일어났다.

"가봐야겠어요."

"황녀님한테?"

"라리한테 찝쩍거린단 인간한테요."

용용은 라리가 일부러 자신을 자극하기 위해 릴테앙 대공의 아들 이야기를 꺼냈단 걸 알았다. 하지만 때로는 알면서도 신경 쓰이는 것들이 있기 마련이었다. 게다가 황족들은 대부분 정략결혼을 하고 라리는 동대제국 황위를 원하지 않는가. 자신이 계속 거부하면 라리는 정말 차선으로 그 대공의 차남을 선택할지도 몰랐다. 그가 사랑하는 작은 폐하는 미래를 위해서라면 충분히 그럴 수도 있는 야망을 품고 있으니까.

"다녀올게요."

결국 용용은 아버지를 뒤로하고 창밖으로 빠르게 빠져나갔다. 하늘 위로 치솟듯 날아가는 작은 용을 바라보다가 맥켄나는 울적해져서 이마를 짚었다.

"말도 안 돼. 2대에 걸쳐서 하인리 폐하와 붙어 있어야 하다니."

그러나 용용은 맥켄나의 마음을 전혀 모른 채 일단 동대제국에 가는 데만 열중했다. 구름을 지나가는 하늘길은 육로보다 훨씬 속도가 빨라서, 용용은 다양한 날씨를 겪으며 금세 목적한 장소에 도착할 수 있었다. 용용은 사람의 모습으로 변해 사뿐 땅을 딛고, 그길로 곧장 릴테앙 대공이 산다는 곳을 찾아갔다. 감히 라리에게 구혼한다는 인간을 확인해야 했다.

'무슨 일이 있나?'

그런데 그 근처가 몹시 소란스러웠다. 가까이 다가가보니, 아예 릴테앙 대공의 저택을 둘러싼 소란이었다.

"릴테앙 대공이 처형당했다고?"

용용이가 동대제국에 잘 다녀왔나, 가벼운 마음으로 찾아간 맥켄나는 아이가 전한 뜻밖의 소식에 깜짝 놀랐다.

"아니, 그자가 왜? 아니, 물론 그자라면 사고를 작작 쳐대긴 하는데. 너무 갑작스러운데?"

라리가 릴테앙 대공 이야기를 한 지 며칠이나 지났다고 그새 처형을 당한단 말인가. 라리의 생일 연회에 찾아와 자기 아들과 짝지어주려 한 걸 보면 분명 그땐 멀쩡했단 걸 텐데.

"그뿐만 아니에요. 대공비랑 아들 둘은 추방당했대요."

"추방?"

"네."

맥켄나는 '허어 허어' 소리를 냈다. 황족이 추방당한다는 건 공개적으로 '우리나라 황족이 아니다' 선언하는 거나 다름없었다. 그래도 황족 대우를 해주는 사람이 있을 수도 있겠지만, 어쨌든 공식적으로는 그 나라 황족이 아니라고 부정되는 것이다.

"대체 무슨 일이 있었길…… 애기야?"

"네?"

"왜 웃고 있니?"

맥켄나가 황당해서 묻자 용용이 슬그머니 손을 올려서 입가를 가렸다.

저거 저거, 황녀가 릴테앙네 아들들과 정략결혼 할 일이 없다고 안심해서 저러는구나. 맥켄나는 아이의 표정을 바로 분석해냈지만 기분이 상해서 아는 척하지 않았다.

"릴테앙 일가가 추방된 건 라리한테 좋은 거지요?"

용용은 한 일가가 몰락했다는데 너무 좋아하면 안 될 것 같아서, 여전히 입가를 가린 채 물었다.

"뭐? 아니, 아니. 꼭 그렇지만도 않아."

맥켄나는 손을 저었다.

"아니에요?"

"그래."

맥켄나는 심각한 얼굴로 팔짱을 꼈다.

"라리 황녀님을 후계자로 세우고 싶어서 정당한 핏줄을 일부러 쫓아냈다든가, 뭐 그런 식으로 몰릴 수도 있잖아. 소비에슈 황제에겐 간지러운 비난 수준이겠지만 우리 황녀님 황자님이 진짜 즉위하게 된다면 치명적이지."

용용은 고개를 기웃하더니 반박했다.

"그러진 않을 거예요."

"암. 그런 이야기가 돌아도 가만있을 황녀님은 아니지."

"아니, 그게 아니라요."

"응?"

"동대제국 황제가 릴테앙 인간을 처형한 게 자기 딸 때문이라 그러던데요."

"딸?"

그 인간한테 딸이 있다고? 맥켄나는 어리둥절한 얼굴이었다.

"그 죽었다는 딸이요."

용용이 부연설명을 더하자, 그제서야 맥켄나는 눈이 커다래졌다.

"뭐? 라스타 딸?"

"네. 릴테앙 대공이 라스타 딸을 찾았다면서 어떤 여자애를 데려오겠다던가 그런 식으로 하니까 황제가 광증이 심해져서 처형하라 명령을 내렸나 봐요."

"!"

"안 그래도 미쳤다는데, 지금은 그 정도가 심해져서 공주 얘기가 나오기만 해도 다 죽여버리겠다고 이를 갈고 있다던데요."

맥켄나는 얼굴이 굳었다. 동대제국과 동맹으로 지낸 세월은 이제 싸우며 지낸 세월보다 더 길었다. 하지만 싸울 때에도, 동맹으로 볼 때에도 소비에슈 황제는 공무에서는 대부분 이성적이고 침착했다. 미쳤단 소문이 돈 이후에도 몇 번 만날 일이 있었지만, 미친 와중에도 그는 제정신으로 보였다. 광증이 나타나도 그냥 혼자 환상이나 환청을 보면서 멍해지는 정도였고.

에벨리가 가끔 다르타를 보러 찾아올 때 전해주길 요즘은 조금씩이지만 증세도 완화되고 있다 했고. 그런데 뜬금없이 '다 죽여버리겠다'는 방식으로 미친다고? 게다가 그가 알기로 소비에슈 황제는 그 정도로 공주를 증오한 적도 없는데?

"……."

"왜요 아버지?"

맥켄나는 혀를 끌끌 찼다.

"미친 게 아니라 미친 척을 하는 거로구만."

"미친 척? 왜요?"

"왜긴 왜야. 진짜로 찾았으니 그러는 게지. 그 공주."

"그 황제가 진짜 공주를 싫어해요?"

"싫어하는 게 아니라 보호하려 그러는 걸 거다."

무슨 소리지? 아무리 어른스럽다지만 아직 태어난 지 몇 년 되지 않아서, 용용은 맥켄나의 말을 바로 이해하지 못했다.

"조용히 살게 두고 싶은 거겠지. 자기가 공주 얘기만 나와도 발작한단 소문이 나면 사람들이 그 애를 찾아서 데려오려 시도하지 않을 거 아니냐."

맥켄나가 추가로 더 설명을 하자 그제야 용용은 놀라서 입을 벌렸다.

"아."

"이렇게 해두면 나중에 라리나 카이가 후계자가 될 때도 핏줄 우선순위로 밀리진 않을 거고. 어차피 지금도 실무는 트로비 공작님이 맡고 있으니 일 처리 문제로 말 나올 일은 없고. 철저하게 계산했네. 하지만……."

맥켄나는 혀를 끌끌 찼다. 하인리와 소비에슈는 성격이 정반대이지만 비슷한 구석이 하나 있었다. 이미지 관리에 철저하다는 것. 남이 볼 때는 그 이미지 방향이 좋은 쪽이 아니라 한들 그 이미지조차 자기들이 직접 만들어낸 이미지였다.

심지어 소비에슈 황제는 광증이 나타났을 때 그조차 통제하면서, 진짜 미친 건지 아닌지 사람들을 헷갈리게, 그래서 더욱 조심스럽게 만들었지 않은가. 그런데 그처럼 소중히 여기던 이미지를 버리고 스스로 악명을 자처할 정도면…….

"자, 셋이서 똑같이 나눠."

화려한 마차 안에서 엉엉 울던 레일은 셰를이 열쇠를 건네자 얼결에 받고서 쳐다보았다.

"이게 뭐야?"

대공비도 눈물을 닦으면서 열쇠를 받았다.

"우리 가문 재산. 동대제국 지부에 맡긴 재산인데, 찾는 건 다른 나라에서도 찾을 수 있어."

"재산이라고? 그걸 그새 다 챙겨왔어?"

레일은 깜짝 놀라서 물었다.

"넌 네 아버지가 그 꼴이 됐는데! 이 와중에 돈이나 챙기고 있었니?"

대공비도 기가 막혀서 호통을 쳤다. 셰를은 주머니 안에 있는 자기 몫의 열쇠를 만지작거리면서 시선을 내렸다.

사실 사람을 시켜 열쇠를 건넨 건 소비에슈 황제였다. 심부름꾼을 통해 설명하길, 릴테앙 대공 소유의 재산을 다 챙겨 넣었으니, 원하는 나라에 가거든 빼서 쓰라고 했다. 혹시나 싶어 열쇠를 세 개 넣었지만 세 개 다 가지든 나누어주든 그건 마음대로 하라고. 그 외 다른 설명은 없었지만, 셰를은 '이렇게까지 하는 걸 보면 역시 폐하가 미쳐서 아버지를 처형시킨 건 아니야'라고 생각했다.

황제는 미쳐서 아버지를 처형시킨 게 아니라, 릴테앙 대공은 공주를 잡아내려 하고, 대공비는 공주에 대한 소문을 사람들에게 퍼트리자 화가 나서 극단적인 명령을 내린 거라고. 하지만 어디까지나 혼자만의 생각일 뿐. 정확한 진실은 결국 본인 외엔 알 수 없었다.

"둔해 보이더니 돈 챙기는 데는 약삭빠르구나."

어머니의 차가운 말에 셰를은 생각하던 걸 멈추고 미적미적 마차 문을 열었다.

"어디 가!"

대공비가 버럭 외치자 셰를은 대공 부부가 싫어하던 둔한 목소리로 설명했다.

"전 따로 가는 게 나을 것 같아서요."

그 말에 레일이 날카롭게 신경질을 냈다.

"똑같이 삼등분한 게 아니라 형이 제일 많이 돈을 차지해서 혼자 가려는 거 아냐?"

대공비도 그 말을 듣자 '그렇구나!' 하는 표정이 되어서는 기가 막히단 투로 물었다.

"정말이니? 너 그렇게 막 나가는 애였어?"

"아니에요."

"이건 다 네 잘못이다. 네가 계승 포기 선언만 안 했어도 이렇게 되지 않았어. 네 아버지가 죽은 건 다 너 때문이야. 아들 하나 잘못 두어서 집이 이게 뭐란 말이니!"

레일이 "맞아. 형 때문이야." 하고 툴툴거리는 소리를 들으며 셰를은 머뭇거렸다. 그런 게 아니라고 조목조목 따지고 싶었다. 하지만 그는 말싸움을 잘하지 못했다. 결국 셰를은 더 말을 섞어봤자 자기만 손해란 생각에 가만히 돌아섰다.

황위 계승을 영구히 포기하겠단 선언을 한 후 그를 몹쓸 놈처럼 보넌 부모님은, 레일이 태어난 후로는 완전히 셰를을 멍청하고 쓸모없는 놈팡이처럼 대했다. 아버지가 처형된 건 몹시 슬프지만, 부모님의 야심이 커다란 이상 언제든 벌어진 일이었단 생각도 드는 걸 보면 자신은 부모의 저주처럼 정 없는 못된 놈일지도 몰랐다.

"갈게요. 건강하세요. 잘 지내, 레일."

셰를이 털레털레 걸어가자 대공비와 레일은 뒤에서 마구잡이로 욕을 퍼부었다. 공주를 찾아내서 자기들이 틀리지 않았단 걸 세상 사람들에게 보일 거라든가, 그런 말도 있었던 듯했고.

그 모든 걸 뒤로한 채 셰를은 태어나서 처음으로 온전히 혼자 걸어갔다. 한참을 그렇게 걸어가다가 그는 길쭉한 길 위에 멈춰 서서 하늘을 올려다보았다.

'이제 어떻게 하지?'

하지만 그렇게 서 있어봐야 답이 나오지 않았다. 결국 셰를은 다시 앞으로 쭉 걸어갔다. 좀 시원한 듯도 했다. 그러나 한참을 걸어가고 밤이 찾아오자 시원한 기분은 온데간데없어지고 슬슬 온갖 걱정이 몰려왔다.

'말이라도 한 마리 챙겨서 올걸.'

발은 다 까지고 무릎은 욱신거리고 온몸에서는 땀이 났다. 마차를 타고 오갈 때는 길을 알았는데, 걸어서 가려니 아무리 걸어도 가장 가까운 도시가 나오질 않았다. 더 걷기도 힘들어서, 셰를은 숨을 좀 돌리기 위해 여행자들을 위해 길거리에 세워진 작은 임시 오두막으로 들어갔다. 오두막 안에는 이미 선객이 있었다.

'도둑은 아니겠지?'

"안녕하세요."

셰릍은 조심스럽게 인사하고서 그 선객으로부터 최대한 멀찍이 떨어지다가. 다시 도로 앞으로 왔다.

"시시?"

벽난로 앞에 앉은 채 꾸벅꾸벅 졸고 있는 사람이 자기가 아는 그 사람이어서. 이름을 부르자 시시는 눈을 휘둥그렇게 뜨고 셰릍을 쳐다보았다. 그 눈이 많은 걸 말하고 있었다.

하긴. 수도는 지금 난리가 났으니, 저 애도 무슨 일이 벌어졌는지 다 알 것이다. 셰릍은 어색하게 웃고서 맞은편 의자를 끌어다 앉으며 중얼거렸다.

"어디로 가야 할지 모르겠어서. 그냥 막 걸어가고 있었어. 너는?"

시시는 그 말에 픽 따라 웃더니 작은 배낭을 끌어안으면서 대답했다.

"저도 어디 가야 할지 몰라서. 그냥 막 걷고 있었어요. 양부모님한텐 돌아가기 싫고. 유모……가 같이 살자 하긴 했는데. 그분도 내 엄마가 아니니까."

모닥불 빛을 받아 불그스름하게 변한 얼굴은 약한 동시에 강해 보였다. 셰릍은 저택에서 며칠간 같이 지낼 동안 마차 사고에 대한 부상과 보상에 관해 의사, 변호사들과 똘똘하게 대화하던 시시를 떠올렸다. 진짜 똑똑한 애구나, 옆에서 보면서 몇 번이나 감탄했던가. 그 때문에 이런 애가 아버지에게 이용되는 게 싫어서 결국 대공의 속내를 슬쩍 알려준 것이었다.

"저기, 시시."

타다 타닥 소리를 내는 장작을 뚫어져라 보던 시시가 시선을 옆으로 돌렸다. 셰를은 어색하게 머리카락을 만지작거리며 물었다.

"같이 찾아볼래?"

"뭐가요?"

"어디로 갈지."

시시는 눈을 휘둥그렇게 뜨고 셰를을 쳐다보다 속으로 한탄했다. 저택에서 지낼 때도 생각했지만…… 착한데 진짜 어리석은 사람이구나. 내 뭘 믿고서 저런 제안을 하는 거지? 부자는 망해도 3대는 먹고산다고 저 사람도 아버지가 그 꼴은 났지만 돈은 좀 챙겨 나온 듯한데, 호위는 어디 가고 혼자 저러고 다니는 거고? 혼자 다닐 거면 옷이라도 평범하게 입든가, 왜 옷은 또 돈 많은 귀족 티를 철철 내는 거야?

"시시?"

셰를이 맹하게 부르자 시시는 한숨을 내쉬고서 승낙했다.

"그래요 그럼."

용용이 맥켄나에게 전한 이야기는 며칠 뒤 서대제국에도 전해지고, 수도에 머물고 있던 모테 역시 듣게 되었다.

'아버지가 나 때문에 미쳤다고…….'

그러나 모테는 자신을 간절히 바라보던 황제를 떠올리고서, 사람들이 수군거리는 게 온전한 진실은 아니라고 생각했다.

'내 얘기를 듣기도 싫어서 그런 짓을 벌인 게 아닐 거야. 내 얘기

가 나오지 않도록 그런 걸 거야.'

그 표정을 직접 보지 않았더라면 오해했겠지만, 그 표정을 직접 두 눈으로 보았는데 어떻게 오해할까. 갈비뼈가 아플 정도로 충격적이었으나, 모테는 그 이야기는 눈을 감고 억지로 모른 척했다. 하지만 모른 척 넘어간 이야기는 그림자처럼 발목에 달라붙어서 매일 모테를 졸졸 쫓아다녔다. 검을 휘둘러도 신이 나지 않고 어깨가 무거울 뿐.

황녀에게선 아직도 연락이 없는데, 아버지가 자신 때문에 미쳤단 소리만 사방에서 들려오니 덩달아 미칠 것 같았다. 그 와중에 더욱 기막힌 이야기가 퍼져나갔다.

"그 동대제국 대공비 있잖아. 지금은 대공비가 아니지만, 하여튼 왜 처형된 대공의……."

"어어, 나도 들었어. 남편 누명을 벗기겠다고 공주를 찾아다니고 있다며? 무섭지도 않나? 황제가 그 이야기만 나오면 길길이 날뛴다던데."

"어차피 자기는 동대제국엔 못 들어가잖아. 막 나가기로 했나 봐."

모테는 노천카페에서 음료수를 사 마시다가 뒷좌석에서 수군거리는 소리에 흠칫 굳었다.

"진짜 공주가 있긴 있대?"

"몰라. 근데 대공비한테 자기가 그 공주라면서 찾아가는 사람들이 좀 있나 보더라고."

저런 대화를 듣는 게 한두 번이 아니었다. 모테는 얼음 사이를 빨대로 휘젓다가 무거운 한숨을 내쉬었다.

그때.

"모테."

익숙한 목소리가 모테를 불렀다. 고개를 들자 동대제국에 있을 줄 알았던 시시가 서 있었다.

"시시!"

모테는 반갑기도 하고 놀랍기도 해서 일어났다가 주춤했다. 자신의 일이 너무 막막해서 생각하지 못했는데. 그러고 보니 소비에슈 황제……. 자신이 딸이란 걸 알았단 건 시시가 딸이 아니란 것도 안단 것이다. 그러면 시시는 쫓겨난 걸까?

그 생각을 한 모테가 도끼눈을 뜨는데, 시시가 먼저 달려와 모테를 꽉 끌어안았다.

"내 첫사랑."

"시시, 난……."

"여잔 거 알아."

"!"

"그래서 포기했어. 하지만 앞으로 다른 사람을 사랑해도, 널 사랑한 만큼 사랑하진 못할 거야. 첫사랑은 그런 거잖아."

시시는 모테를 놓고 눈을 빤히 보더니 히죽 웃고서 앉으라고 끌어당겼다.

"너한테 꼭 해줘야 할 말이 있어서 잠시 들렀어. 곧 갈 거야. 이리 앉아봐."

모테가 엉거주춤 자리에 앉자 시시는 맞은편 의자에 앉았다.

"일단 제일 먼저 해야 할 말은. 놀라지 마. 네가 공주님이야."

모테와 눈을 마주하자마자 시시는 대번에 본론을 꺼냈다. 하지만 다른 사람이 들을까 두려운 듯 아까의 격앙된 목소리가 한껏 낮아져 있었다.

"아……."

모테는 알고 있었다고 해야 할지 놀란 시늉을 해야 할지 망설였다. 그러나 시시는 그 표정을 보더니, 바로 모테가 하지 못한 이야기를 눈치채고서 슬프게 웃었다.

"알고 있었구나."

"……처음부터 안 건 아니야. 나이가 달랐으니까. 절대 아니라 생각했어."

모테는 차마 시시의 부모님이 자신을 저주하면서 퍼부은 진실이란 건 알리지 못했다. 계속 탁자를 두드려대는 모테의 손을 시시는 자기 쪽으로 끌어다가 꼭 쥐었다. 두 아이는 잠시 손을 꼭 잡은 채 아무 말도 꺼내지 못했다. 한참을 그러고 있다가 옆자리에 앉아 있던 일행이 자리를 뜨자, 시시는 그제야 말을 이었다.

"폐하께서는 내가 딸이 아닌 걸 알고 있었어. 아마도 처음부터."

모테가 놀라서 쳐다보자 시시는 고개를 기웃했다.

"확실한 건 아니야. 눈치지. 근데 아마 그럴 거야. ……끝까지 나한테 말해주지 않으시기도 했고."

모테는 시시가 손을 떨고 있단 걸 알아차렸다. 시시에게 황제는 가까스로 찾은 아버지였을 테니, 애써 덤덤하게 말해도 슬플 것이다. 하지만 자신이 위로할 수 있는 일도 아니라, 모테는 계속 시시의 손만 잡고 있었다.

"내가 딸이 아닌데. 그런데도 날 보면서 행복해하셨어. 그럴 만큼 널 그리워하셨어."

"……."

"알면서도 여기 왔단 건, 넌 공주로 살 마음이 없단 거겠지?"

"응."

"그래. 그건 네가 결정할 일이니까."

시시는 자기가 할 일은 다 끝났다는 듯 후련하게 웃고서 일어났다.

"전달했으니까 내 역할은 끝."

"상시천에 돌아갈 거야?"

"아니. 동료랑 여행할 거야."

"동료?"

"음. 나랑 완전히 다른데, 또 이상하게 비슷한 사람이랑."

그게 누구지? 모테는 시시가 말하는 그 동료가 누구인지 짐작도 할 수 없었다.

"친부모님은?"

"찾으면 좋고. 근데 못 찾아도 어쩔 수 없지. ……친부모라 해서 다 사랑을 주는 것도 아니더라고. 최근에 알게 됐어."

"그 동료 얘기야?"

“응. 근데 자세한 얘기는 하기가 좀 그래. 내 얘기가 아니니까.”

모테가 고개를 끄덕이면서 따라 일어나자 시시는 모테를 한 번 더 가볍게 끌어안았다.

“갈게.”

그러고는 모테를 놓고 뒤로 반걸음 물러나더니 어린 시절 같이 진흙을 튀기면서 놀다가 켈드렉에게 걸렸을 때처럼 히히 장난스럽게 웃었다.

“넌 꼭 좋은 기사가 될 거야.”

시시는 자신이 어디로 갈 건지, 그 이야기는 하지 않고서 휘적휘적 떠났다. 모테는 멀어지는 소꿉친구의 뒷모습을 가만히 바라보다가 뒤늦게 따라서 웃었다.

‘걱정하지 않아도 될 거야. 시시는 똑똑하니까. 나보다 백배는 더.’

웃고 있는데 이상하게 눈물이 나서 모테는 소매로 눈가를 닦았다. 아무것도 모른 채 그저 시시와 웃고 떠들면서 놀던 시절이 떠올랐다. 이제는 두 번 다시 돌아오지 않을 시절이.

우두커니 서서 울고 있자 그 모습이 이상한지 지나다니는 사람들이 모테를 힐긋거렸다. 그래도 계속 울면서 있다가, 완전히 시시가 보이지 않게 되자 그제야 모테는 손바닥 아래로 눈가를 꾹꾹 누르고서 마지막 남은 주스를 들이켰다.

그때는 이미 굳은 결심이 서 있었다.

“아직 결정 못 내렸는데.”

모테는 켈드렉에게 부탁해서 다시 한번 황녀에게 만나달라 청했다. 라리는 일단 나오긴 했지만, 모테를 보자 난감한 얼굴로 설명했다.

“내 일이기도 하지만, 이게 온전히 내 일만도 아니어서.”

그러나 모테는 고개를 저었다.

“결정을 재촉하려 부른 게 아니에요, 황녀님.”

“아니야?”

그럼 뭔데? 라리가 눈썹 끝을 삐죽 올리자, 모테는 조금 부끄러워서 괜히 발치를 내려다보았다. 굳게 결심을 하긴 했는데. 막상 말을 하려고 보니, 별거 아닌 일로 감히 황녀님을 오라 가라 한 게 아닌가 후회가 되어서. 하지만 자기 일로 이미 고민에 들어간 사람에게 작별 인사만 달랑 남기고 갈 수가 없었다.

“작별 인사를 드리러 왔어요. 저…… 동대제국에서 기사가 되려고요.”

라리는 모테의 말을 바로 이해하지 못했다.

“뭐? 동대제국? 진짜야? 가능해?”

서대제국이야 그렇다 쳐도 동대제국에서는 공주 아닌가. 물론 신분은 공주가 아니지만, 한때나마 공주였던 이는 모테가 유일했다. 공주 신분을 찾진 못하더라도 정체를 밝히면 아무도 평범한 기사처럼 대하진 못할 거였다. 좋은 의미로든 나쁜 의미로든. 그런데 동대제국에서 '기사'가 되겠다고?

"아. 소비에슈 폐하한테 가려고?"

그건 그럴 수도 있지. 라리가 멋대로 이해하고서 고개를 끄덕거리자, 모테는 빠르게 고개를 저었다.

"아니요. 지금처럼 얼굴을 가리고, 이름도 가리고, 제가 누군지도 가리고, 완전히 평민 병사부터 시작할 거예요."

이건 또 의외인지라 라리는 눈을 휘둥그렇게 떴다.

"평민 병사에서 시작한다고?"

"네. 바로 기사부터 시작하지 않아도 돼요. 조금씩 위로 올라갈 거예요."

라리는 진짜로 놀랐다.

"쉽지 않을 텐데."

"그래도 그러려고요."

미쳐버린 아버지, 부유하게 살 수 있지만 자기 길이 아니라며 바로 나와버린 시시, 자신 때문에 입장이 곤란해진 라리, 글로리엠 공주를 찾아 떠도는 대공비, 그런 대공비에게 접근하는 사람들……. 그리고 '평민 출신 황후'라는 대단한 타이틀로 시작했으나, 결국 끝이 좋지 못했다는 친어머니. 이 모든 게 모테의 결정에 조금씩 영향을 주었다.

'내 친엄마라는 분은 평민 출신 황후로 시작해 파멸로 걸어갔지만, 난 평민 출신 기사로 시작해서…….'

"제 힘으로 기사가 되고 싶어요. 누구의 도움도 없이. 그리고 누구도 실 서부할 수 없을 정도로 강한 기사가 됐을 때, 너리에 꼭 필요한 기둥이 됐을 때, 가면을 벗고 정체를 밝힐 거예요."

"!"

"누구에게도 이용당하지 않고 살아갈 거예요."

라리는 아까보다 더욱 놀랐다.

"곱게 안 보는 사람들이 많을 거야."

차라리 처음부터 공주로 돌아가 성장한다면 나을 것이다. 가련하고 가엾은 이미지를 그대로 가지고서, 있는 듯 없는 듯 조용히. 그러면 계속 동정하는 사람들이 많아지겠지. 하지만 동대제국의 영웅 기사로 추앙을 받다가 폐위된 황후의 딸임을 밝히면 어떤 일이 벌어질까. 놀라워하는 사람도 많을 테지만, 수군거리면서 곱지 않게 보는 이들도 반은 될 것이다.

지금 '비운의 공주'를 동정하는 사람들도 모테가 힘이 없으니 동정하는 거였다. 대단한 기사가 되어 있으면 동정심을 거두고 양날이 칼로 된 날카롭고 예리한 잣대를 들이밀 텐데. '비운의 공주'라는 위치는 그만큼 애매했다. 사람들에게 이용당하기 쉬운 위치였고, 수면 위로 올라오면 눈총을 받으며 가십거리가 될 그런 위치였다.

"하지만 제가 계속 숨어 지내면, 제 존재를 이용하려는 사람들이 계속 나타날 테니까요. 언제든 밝히긴 해야 해요."

"……."

라리는 마른침을 삼켰다. 이 애가 정말 미로에 갇힌 채 제발 꺼내달라고 울던 그 애가 맞나? 자신을 향해 손을 내밀고 애원하던 그 애가?

"검? 무섭지. 아프고. 하지만 사람들의 시선과 혓바닥도 그만큼 무섭고 아파, 모테."

"숨어서 살아도 비난은 피할 수 없는걸요."

"!"

"훌륭한 기사가 되고, 좋은 사람이 되고, 많은 사람을 도울 거예요."

말을 마친 모테는 멋쩍게 웃더니 어설프게 라리의 앞에 한쪽 무릎을 꿇었다. 기사들이 주군 앞에서 예의를 갖추어 인사하는 것처럼. 그러고는 부끄러운지 얼굴이 벌게져서 일어나 사과했다.

"황녀님을 곤란하게 해드려서 죄송했습니다. ……황녀님이 제겐 처음 나타나 주신 빛이었어요. 기사가 되라 말해준 유일한 분이고요. 하지만 여기서, 지금 황녀님 곁에서 기사가 되는 건 황녀님을 곤란하게 만드는 거니까……."

그러나 모테가 말을 다 하기 전에 라리가 먼저 끊어버렸다.

"뭘 작별처럼 말해?"

모테는 말을 하다가 멈추고서 눈을 동그랗게 떴다.

"네?"

"너 동대제국으로 간다며."

"그, 그런데요."

"내가 동대제국 황제가 될 건데. 그럼 결국 또 만날 거 아냐."

"!"

"물론 네가 제대로 올 경우에만 가능하겠지만."

모테는 입을 벌리고서 눈동자를 떨었다. 라리는 거만하게 팔짱을 끼고서 턱을 치켜들었다.

"내가 황제가 될 때쯤엔 최소 근위기사단까진 올라와 있어. 가능하겠어?"

이게 무슨 소리지? 모테는 라리가 한 말을 아직 제대로 받아들이진 못했지만, 일단 반사적으로 소리쳤다.

"가, 가능해요!"

"아는 사이라고 막 인맥으로 안 끌어 올려줄 거야. 네가 올라와야 돼."

"가능해요!"

모테는 다시 소리 지르고는, 그제야 라리가 한 말을 온전히 이해했다. 몇 번 달싹이던 입이 자기도 모르게 환하게 벌어졌다.

"단장 자리까지 갈 수 있어요!"

라리는 흥 코웃음을 치고서 모테에게 명령했다.

"아까 그거 다시 해봐."

"단장 자리까지 갈 수 있어요!"

"그거 말고. 무릎."

"아. 무릎."

모테가 어설프게 한쪽 무릎을 땅에 대고 기사들 자세를 흉내 내자, 라리는 허리에 차고 있던 검을 꺼내서 한 손은 손잡이에 한 손은 검날에 두었다. 모테는 그 검을 알아보고서 눈을 커다랗게 떴다. 저 검…… 이메랄드! 처음 만났을 때 라리가 경매장에서 최고가를 주고 산 그 검이었다.

라리는 그 검으로 모테의 어깨를 좌우로 툭툭 두드려보더니, '이게 아닌가?' 고개를 기웃하고서 반대 방향으로 또 두드려보았다. 라리 역시 자신만의 기사를 가진 적이 없기에 어색한 주군의 모습이었다.

하지만 라리는 어색하게 기사 서임식을 해놓고서도 당당했고, 모테는 또 그 어색한 모습을 보고서도 세상에서 제일 멋지다고 생각했다. 상대도 기사 서임식에 대해 무지한 덕에 라리는 자신의 무지함을 감춘 채 어설프게 기사 서임식을 흉내 내고는, 들고 있던 검을 모테에게 건네며 말했다.

"내 첫 번째 기사한테 주는 검이야."

"황녀님……."

모테가 눈이 그렁그렁해서 올려다보자, 라리는 모테를 일으켜 세우고는 괜히 멋쩍어서 시선을 옆으로 돌렸다.

"꼭 단장 자리까지 올라와. 귀걸이는 그때 받을게."

귀걸이 이야기를 하는 라리는 여전히 오만한 표정이지만 귀는 빨개져 있었다. 모테는 라리가 건넨 검을 꼭 끌어안고서, 활짝 웃으며 고개를 끄덕였다.

아이들의 생일 연회 다음 날. 나와 하인리, 맥켄나, 돌시, 용돌이, 오빠, 마스타스, 그리고 아이 둘. 이렇게 가까운 친지들끼리만 모여서 저녁 식사를 했다. 아무래도 연회 때에는 손님들이 많이 오다 보니 가족들 간에 이야기할 시간이 적어져서, 따로 시간을 내어 식

사라도 함께하는 것이다.

그런데 웬일인지 오늘은 라리가 식사를 하는 내내 조용했다. 용돌이와도 잘 이야기하지 않고, 카이와도 장난을 치지 않고.

'어디 아픈가?'

역시 용돌이 때문에……? 하인리에게 라리와 자리를 좀 바꿔달라 할까? 아니면 식사 후에 따로 아이를 불러서 무슨 일인지 물어볼까? 라리가 시무룩하니 덩달아 입맛이 사라진다.

그런데 식사를 마치고 디저트를 먹을 즈음. 라리가 큼큼 헛기침을 하더니 또박또박 말했다.

"드릴 말씀이 있어요."

며칠 전 결혼 이야기를 꺼낼 때와 비슷한 상황이지만 그보다 좀 더 심각한 분위기였다. 다른 사람들도 라리를 신경 쓰긴 마찬가지였는지, 아이가 말을 꺼내자마자 다들 포크며 스푼을 내려놓고 라리를 쳐다보았다. 라리는 한 번 더 헛기침을 하더니 카이 쪽을 한 번 힐긋 보고서 말을 이었다.

"난 동대제국 황위를 이을 거니까. 서대제국은 오빠한테 양보할게요."

그 말이 끝나자마자 카이가 평소보다 눈을 두 배 정도 커다랗게 떴다. 나 역시 놀랐다. 좋은…… 결심 같기는 한데. 너무 뜬금없어서. 갑자기 왜?

하인리도 의외라 여겨지는지 바로 라리에게 물었다.

"왜 갑자기 마음을 바꾼 거니, 라리?"

"오빤 순하잖아요. 기반이 잘 닦인 데서 황제를 해야죠."

"아니, 그 뜻이 아니라."

하인리는 라리가 약간 핀트가 어긋난 대답을 하자 귀여운지 웃음을 터트렸다. 하지만 라리는 하인리가 무슨 의도로 한 질문인지 당연히 안다는 듯 포크를 쥐며 설명을 추가했다.

"어마마마랑 아바마마를 곤란하게 만들면서 황제가 되고 싶지 않아서요."

"라리……."

하인리가 감명을 받은 듯 보이자 라리가 얼른 덧붙였다.

"두 분을 곤란하게 만들지 않을 거란 뜻이지, 제 꿈을 꺾겠단 게 아니에요."

하인리는 감명을 받다가 멈춰서 다시 "라리……." 하고 중얼거렸다. 반면 맥켄나는 '우리 황녀님이 이럴 리가 없는데' 하는 의심스러운 표정으로 라리를 주시했다. 그래도 라리는 꿋꿋했다. 단호하고.

"혼자서 모든 걸 하려는 애도 있는데. 엄마 아빠 졸라서 황관 받으려고 하니까 자존심이 상했어요."

우리 라리…… 그냥 하는 말이 아닌데? 진짜로 자존심이 상한 얼굴이잖아. 볼이 평소보다 세 배는 부풀어 올랐어. 대체 누굴 만났기에? 라리는 자기가 잘났다는 걸 잘 알고 있어서 웬만해서는 남한테 자극받지 않는데.

라리는 테이블 주위에 앉은 이들은 물론 시중을 들기 위해 대기하고 있는 하녀와 하인들까지 다 자기만 쳐다보자, 얼굴이 벌게져서 단호하게 말을 맺었다.

"진짜예요. 떼 안 쓰고 내 힘으로 꼭 모든 나라 황제가 될 거예요."

그러면 카이한테는 황관을 양보했다가 도로 뺏어갈 거란 뜻일까? 이 말도 좀 당혹스럽긴 한데…….

어쨌든 라리는 할 말은 이제 끝이 났다는 듯 입을 우물우물하더니 예절 바르게 케이크를 떠먹기 시작했다. 그러더니 결국 제일 먼저 식사를 마치고는, 급한 볼일이 생각났다면서 사람들에게 양해를 구하고는 밖으로 나갔다. 창피한 듯했다.

그러나 용돌이는 그 모습을 초조하게 쳐다보더니, 라리가 나가자마자 자기도 양해를 구하고서 얼른 따라 나갔다. 이어서 문이 채 닫히기도 전에 아이들이 투닥대는 소리가 들려왔다.

"황녀님. 혹시 나 때문에 그래?"

"내가 남자 하나 때문에 꿈을 바꾸는 사람 같아?"

"내가 남자 하나밖에 안 돼? 날 사랑한다면서?"

"널 사랑하지만 네가 남자 둘이 되진 않잖아."

"무슨 뜻이야? 하나라서 부족하단 거야?"

"왜 말이 거기로 새? 그리고 그런 잔소리 하려면 나랑 약혼할 건지부터 대답해."

아이들이 투닥대는 소리와 발소리가 점점 멀어지자 맥켄나는 두 손으로 이마를 짚더니 괴로운 소리를 냈다.

"난 하인리 폐하께 충성을 다했는데. 왜 우리 애기까지……."

그 발언에 하인리는 포크를 꽉 쥐었지만, 돌시가 맥켄나 옆에 있으니 뭐라 타박은 못 하고 괜히 케이크만 빠르게 먹었다. 하지만 수룡이 위로는커녕 맥켄나의 어깨를 감싸면서 "우리 짹짹이는 울 때 제일 예뻐. 사랑스러워." 하고 좋아하자, 고소하다는 듯이 혼자 웃었다. 그러지 말라고 그의 허벅지를 내 허벅지로 툭 치자, 하인리는 날 향해서 눈을 찡긋했다. '뭐 어때요'라고 묻는 것처럼.

이후 식사가 끝난 뒤. 우리 침실로 돌아가는 길에서 하인리는 내 손을 잡고서 물었다.

"오늘 라리가 한 말. 퀸은 어떻게 생각합니까?"

"예전엔 안아서 옮겨주지 않으면 걸음도 못 떼더니. 이젠 참견하지 않아도 걷고 뛰고 하는 게 신기해요."

품에서 벗어나는 게 섭섭하기도 하지만…… 그래도 기특한 마음이 더 크다. 음. 아니야. 그래도 좀 섭섭한가.

섭섭한 마음과 기특한 마음 사이에서 내가 갈팡질팡하자, 하인리는 날 잡은 손에 힘을 꽉 주었다. 옆을 쳐다보자, 그는 내 이마에 입을 가볍게 맞추면서 졸랐다.

"이젠 나한테 가장 많이 집중해줘요, 퀸. 내가 늘 그대에게 집중하는 것처럼."

"무슨 소리예요? 아이들은 혼자 뛸 수 있게 됐지만, 나라와 연합은 내가 보살피지 않으면 안 굴러가잖아요."

"!"

설마 이 분위기에서 거절이 나올지 몰랐는지 하인리의 표정이 굳었다. 충격받은 그 얼굴을 보고 있자니 웃음이 튀어나왔다. 이 새는 대체 언제쯤 내 농담과 진담을 구별할까?

"내게도 늘 그대가 최우선이에요. 그대야말로 언제쯤 이걸 알아줄까?"

턱에 입을 맞추자, 그제야 하인리는 표정이 풀리더니 두 팔을 '퀸'처럼 벌려서 나를 자기 품 안에 꽉 집어넣고 감쌌다.

"어쩔 수 없습니다, 퀸. 사랑하는걸요. 너무 많이. 난 죽을 때까지도 그대 마음이 변할까 봐 겁을 낼 수밖에 없어요."

"평생 그대만 사랑해요. 영원히."

"그래도 겁이 나요. 그러니 퀸, 매일매일 알려줘요. 내가 그댈 사랑하는 만큼 날 사랑한다고."

40

만약 라스타가 나비에에게 보내졌다면

계단 세 개와 층계참 두 개, 긴 복도, 다섯 번째 문. 그분은 언제나 그곳에 있었다.

'와…… 멋지다.'

라스타는 빨랫거리를 들고 걸어가다가 문 앞에 멈추어 서서 멍하니 방 안을 바라보았다. 방 안에는 수많은 초상화가 걸려 있었다. 한 사람을 그린 초상화가.

라스타는 마른침을 삼키고서 한 걸음 앞으로 걸어갔다. 그러나 차마 방 안에 들어가진 못하고서, 라스타는 문가에 선 채 까치발을 들고 이번에 새로 들어왔다는 초상화를 바라보았다. 짙은 금발을 하나로 땋아 틀어 올리고, 초록색 눈동자로 어딘가를 응시하는 모습. 몸에 걸친 풍성한 하얀 드레스 때문일까. 이번 그림은 다른 그림들보다 좀 더 비현실적인 느낌이었다.

'저분은 무슨 생각을 하고 있을까?'

라스타는 시선을 맞추지 않은 그림을 보면서 곰곰이 생각해보았다. 빨래를 해야 하는데 양이 너무 많다거나, 까진 손바닥에 새살이 올라오지 않는다거나, 찬물 때문에 손가락이 떨어져 나갈 것 같다거나 그런 고민은 아닐 것이다.

그 외 다른 무거운 고민은 무엇이 있을까? 머리를 굴려보지만 라스타는 통 짐작을 할 수가 없었다. 저분은 다른 세계 사람이니까.

"야. 노예."

그때 뒤에서 들려온 싸늘한 목소리에 라스타는 얼른 뒤로 물러났다. 신경질 가득한 표정으로 서 있는 건 로테슈 자작이 가장 아끼는 딸 르베티였다.

"왜 자꾸 내 방 안에 서 있는 거야? 뭘 훔쳐 가려고?"

르베티가 차갑게 묻자 라스타는 당황해서 얼른 고개를 저었다.

"훔쳐 가려고 있던 게 아니라요. 그냥 그림이 예뻐서…… 라, 라스타도 저분을 좋아해요. 저분은 저…… 저분이 좋아서 그냥 본 거예요. 방 안에 들어가지 않았어요. 라스타는 도둑질하지 않아요."

황급히 둘러대던 라스타는 르베티의 눈치를 살폈다. 변명을 들었지만 르베티는 여전히 신경질 가득한 얼굴이었다. 라스타가 우물거리자 르베티는 '쾅쾅쾅' 발소리를 내면서 제 방에 들어가더니 라스타에게 단호하게 경고했다.

"내 그림이야. 내가 보려고 모은 그림이라고. 쳐다보지 마."

"라스타는……."

"재수 없어."

쾅 소리가 나면서 문이 코앞에서 닫히자, 라스타는 얼른 뒤로 물러나서 빨랫더미를 꼭 끌어안았다.

"보는 것뿐인데……."

뒤늦게 항의해보지만 안에서는 아무 소리도 들려오지 않았다. 라스타는 우두커니 서 있다가 집사가 노려보자 얼른 빨랫더미를 끌어안고 다른 방향으로 달려갔다.

계단 세 개와 층계참 두 개, 긴 복도, 다섯 번째 문. 그 안엔 라스타가 가장 동경하는 사람이 가득하지만, 항상 그 사람을 볼 수 있는 건 아니었다.

'이것도 흉터가 될 것 같아.'

까진 손바닥을 내려다보다가 라스타는 한숨을 내쉬었다. 사실 흉터는 별문제가 아니었다. 손바닥에 난 상처가 아물어서 물에 담갔을 때 피가 새어 나오지 않기를 바랄 뿐. 아프기도 아프지만, 그러다 옷에 피가 묻기라도 하면 하인이나 하녀가 미친 듯이 고함을 지르면서 빨래 바구니를 던져대기 때문이다. 그들은 라스타가 피 중에서도 제일 더러운 피를 묻혔으니 아주 중대한 죄를 지었다고 했다.

'공주님은 손에 상처 같은 거 없겠지.'

라스타는 자신이 본 초상화를 하나하나 떠올리면서 손에 상처가 있었나 없었나 떠올려보았다. 역시 없었던 거 같은데.

'그분은 걱정도 근심도 고민도 없는 공주님이니까.'

동화 속 주인공들은 원래 늘 행복한 일만 가득하지 않은가. 부서진 쿠키 같은 것들이 가장 힘든 일이고.

"또 혼났다면서?"

그러고 있자니 옆에서 조심스러운 목소리가 들려왔다. 라스타는 휙 고개를 돌렸다. 그곳엔 알렌이 조그만 연고 상자를 들고 서 있었다.

"자."

알렌이 연고를 내밀자 라스타는 상자를 받으면서 생각했다. 어차피 난 다 쓰지도 못할 건데 이건 뭐 하러…….

"고맙습니다."

그래도 알렌 외엔 이런 걸 챙겨주는 이가 없으니 고마운 건 고마운 거다. 알렌은 혀를 차다가 물었다.

"르베티 갠 황후님한테 미쳤어. 황후님과 관련된 일이면 완전 눈 돌아가. 알잖아."

"알지요."

"근데 왜 맨날 그 앞에서 우두커니 서 있어?"

"공주님 보고 싶어서……."

"공주님이 아니라 황후님이야."

"알아요."

라스타는 연고를 손안에서 이리저리 굴렸다. 알렌은 라스타의 시무룩한 얼굴을 보다가 이해가 가지 않은 듯 물었다.

"도대체 황후님이 왜 그렇게 좋아?"

르베티는 모든 좋은 것들을 다 가진 사람이었다. 적어도 라스타가 아는 모든 사람 중에서는 르베티만큼 좋은 걸 가진 사람이 없었다. 그리고 황후의 초상화는 르베티가 가진 좋은 것들 중에서도 가장 좋은 것이었다. 라스타가 처음으로 그 초상화에 관심을 가진 건 그래서였다. 저 그림이 보석이나 따뜻한 빵보다 더 좋은 거라고?

하지만 지금은…….

"사람들이 그랬어요. 황후님은 세상에서 제일 공공대대하신 분이라고."

"공명정대?"

"비슷한 단어였어요."

하여튼 그런 분이라면, 그리고 자신은 물론 남들까지 행복하게 해주는 분이라면, 곁에만 있어도 좋지 않을까?

동화책 속 주인공들은 마음이 넓고 넓어서 아파하는 사람을 보면 그냥 지나치지 못한다. 라스타가 만난 사람들은 라스타가 울면 운다고 웃으면 웃는다고 싫어하지만, 이분은 다를 것이다. 동화책 속 주인공은 원래 다 그러니까.

게다가 저분은 모두가 입을 모아 칭송하지 않는가. 차갑지만 따뜻한 분이라고. 라스타는 나비에 황후가 자신을 본다면 분명 가엾게 여기고 손을 뻗어줄 거라고 생각했다. 까진 손을 보면 괜찮은지 물어주고, 배에서 나는 꼬르륵 소리를 들으면 먹을 걸 주고, 다정하게 이름을 불러줄 거라고. 그분은 그런 분이니까. 만나지 않아도 알 수 있다. 그런 사람을 어떻게 좋아하지 않을 수 있을까?

"그거 연고야?"

"나도!"

"나도 빌려줘!"

"나도 여기 화상 입어서 발라야 돼."

"나도 빌려줘."

여자 노예들이 다같이 사용하는 방에 들어가자 순식간에 다른 사람들이 모여들어서 라스타의 손에서 연고를 채 갔다. 라스타가 우물거리고 있자 연고를 가장 먼저 가져간 사람은 미안해하면서 사과했다.

"네가 쓰려고 가져온 건데 미안해. 하지만 넌 도련님이 맨날 챙겨주잖아."

라스타는 '으응' 대답하고서 자신의 침대로 걸어가서 작은 연고가 순식간에 동이 나는 모습을 바라보았다. 자신의 것이라 말하고 싶지만 하루 종일 고된 일을 하느라 상처가 난 건 자신뿐만이 아닌 걸 알기에 아깝다고 주지 않을 수가 없었다. 그러나 이러고 있는 것도 아주 잠시였다.

"야. 너 빨래하러 안 가?"

옆 침대를 쓰는 친구가 시계를 보며 묻자, 라스타는 얼른 벌떡 일어나 밖으로 나갔다. 큰 저택이다 보니 고용인 숫자가 많아서, 아무리 빨래를 하고 또 해도 조금만 있으면 또 빨랫거리가 나왔다.

역시나. 아주 잠시 쉬었을 뿐인데 그사이에 조리실에는 빨래가 또 한가득 쌓여 있었다. 조리실 바구니에서 지저분한 옷더미와 천들을 들어낸 라스타는 그것들을 가져온 바구니에 옮겨 담기 시작했다. 그러거나 말거나 조리실 안의 하녀와 하인들은 요리를 하면서 자기들끼리 수다를 떠느라 바빴다.

"정말? 정부를 동시에 아홉 명이나? 그런데도 아내가 가만히 있어?"

"가만히 있는 게 뭐야. 언니 동생 하면서 논대."

"그럴 만도 하지. 그 백작 부인, 자기도 얼마 전에 정부 몇 명을 집에 데려왔다는데."

"세상에. 부부가 쌍으로 미친 거 같아."

"뭘. 귀족들은 다 그래. 결혼은 정략적으로 애인은 자유롭게."

"질투 나지 않나?"

"배우자 애인이랑 막 친구도 먹고 그런대. 남편은 아내 애인이랑 '형, 동생' 하고, 아내는 남편 애인이랑 '언니 동생' 하고."

"어휴, 미쳤어 미쳤어. 이해가 안 가."

그들은 옆 영지 백작 부부 이야기를 하는 듯했다. 귀족들 이야기는 하녀나 하인들 대화 속 단골 소재이기에 라스타는 바로 누구 이야기인지 알아들었다. 하지만 그들이 대화에 자신을 끼워줄 리가 없는지라, 라스타는 곧장 빨랫거리만 챙겨 밖으로 나갔다.

생일이지만 평소와 같은 날이다. 일 일 일. 아마 일만 하겠지. 하

루 종일. 생일 선물은커녕 축하조차 기대하지 않고서 라스타는 힘없이 밖으로 나갔다. 그런데 웬일인지 알렌이 슬쩍 그녀를 부르더니, 손바닥 반만 한 작은 액자를 내밀었다.

"한정판이야."

라스타는 액자를 보고서 비명을 지를 뻔했다.

"공주님이잖아요!"

나비에 황후를 그린 초상화였다. 라스타가 눈을 반짝이며 쳐다보자 알렌은 어깨를 으쓱했다.

"다른 도시에서 다 팔리고 딱 한 개 남은 건데 내가 샀어. 너 주려고."

"도련님……."

"생일 선물. 맨날 르베티 그림 훔쳐보다 혼나지 말라고."

"……."

라스타는 초상화를 꼭 껴안고서 히죽 웃고서 고개를 끄덕였다.

"고마워요."

라스타는 그림을 자신의 침대 위에 올려두었다. 들고 다니면서 보고 싶지만, 라스타가 주로 하는 일은 빨래였다. 빨래를 하다가 그림이 떨어지기라도 하면 물에 젖어 엉망이 될 테니 들고 다닐 수가 없었다. 대신 라스타는 일을 하다가도 수시로 그림을 구경하러 달려갔다.

"찻잔이 떨어졌는데, 못된 하인이 라스타 짓이라고 거짓말했어요. 라스타가 깬 게 아닌데, 괜히 혼만 났어요. 그놈은 쌍놈이에요. ……아. 공주님은 이런 단어 모르죠? 미안해요. 그놈은 개놈이에요."

힘든 일이 있을 때도 라스타는 초상화를 앞에 세워두고 혼자서 속삭였다. 그러면 초상화 속 공주님이 아프지 말라고 말을 걸어주는 것 같아서.

다행히 동료들도 연고와 달리 초상화는 빌려달라 하지 않았다.

"그렇게 좋아?"

라스타가 혼자 속삭이는 걸 볼 때마다 슬프게 웃으면서 물어볼 뿐.

그러던 어느 날. 밤늦게 방으로 돌아온 라스타는 침대 위에 놓여 있던 초상화가 사라진 걸 발견하고 놀라서 주위를 두리번거렸다.

내가 떨어트렸나? 이불 사이에 들어갔나? 베개 밑에 깔렸나? 여기저기 뒤져보았지만 초상화는 없었다. 라스타는 다른 동료들 쪽을 보았다. 그러나 동료들은 기진맥진해서 자기 자리에 있을 뿐 누구도 초상화를 가지고 있지 않았다. 그러고 있자니 발을 동동 구르는 라스타에게 옆자리 동료가 알려주었다.

"그 그림. 아가씨 담당 하녀가 와서 가져갔어."

"그걸 왜?"

"몰라. 물어볼 수도 없잖아. 귀족들 지랄이 한두 번이니."

라스타는 입술을 깨물고 주춤거리다가 저택 본관 안으로 뛰어들어갔다.

계단 세 개와 층계참 두 개, 긴 복도, 다섯 번째 문. 늘 두근거리는 마음으로 가던 길이 오늘따라 이렇게 화가 날 수가 없었다. 방문 앞에 도착하자마자 라스타는 울면서 문을 두드렸다.

"열어주세요. 아가씨. 문 좀 열어주세요."

잠시 뒤, 문이 반쯤 열리더니 잠옷을 입은 르베티가 '미쳤냐'는 표정을 하고서 문을 열었다.

"너 제정신이야?"

라스타는 르베티를 보자마자 울면서 항의했다.

"아가씨. 라스타 그림 돌려주세요."

르베티는 인상을 구겼다.

"네 그림이라니?"

"아가씨 하녀가 라스타 그림 가져갔다잖아요. 돌려주세요. 라스타 거예요."

얼굴이 눈물 범벅이 되었지만 르베티는 그걸 보며 더욱 치를 떨었다.

"그게 왜 네 거야?"

"라스타가 선물 받은 거예요. 아가씨가 한 건 도둑질이잖아요."

"우리 집안 돈으로 산 건데 그게 왜 네 거야? 여기에 네 게 어디 있어?"

"!"

"그리고 나비에 님 그림을 냄새나는 방에 두는 건 모욕 아냐? 게다가 침대에서 안고 잔다면서. 미쳤어? 감히 황후님 그림을 안고 자? 황후님이 이걸 알면 얼마나 역겨워하시겠어?"

"공주님은 안 그래요! 아가씨랑 달라요!"

"황후님이야. 공주님 황후님 구별도 못 하는 게."

르베티는 혀를 차면서 문을 닫았지만, 라스타는 얼른 문과 문틀 사이에 자기 손을 끼워 넣어 문 닫히는 걸 막았다.

"악!"

문이 라스타의 손가락을 찍으면서 이상한 감각이 나자, 르베티는 비명을 지르면서 문을 열고 손을 뗐다.

"미쳤어? 손을 거기 왜 넣어? 손가락 부러져! 손 괜찮아?"

그 소란을 들었는지 로테슈 자작이 나이트 캡을 쓰고서 달려왔다.

"이게 무슨 일이야!"

로테슈 자작은 오자마자 버럭 소리를 지르더니, 당황한 르베티의 얼굴과 울고 있는 라스타를 번갈아 보았다. 이윽고 그는 혼자만의 상황 판단을 마치고는 다짜고짜 라스타의 머리를 때렸다.

"어디서 감히 내 딸한테 해코지야!"

퍽 소리가 나면서 얼굴이 돌아가자, 라스타는 억울하고 서러워서 입술을 깨물었다.

"라스타는……."

"당장 돌아가! 내일 식사는 없다! 굶어! 못돼먹은 것!"

굶는 벌은 이전에도 받은 적이 있지만 오늘은 유독 견디기 힘들었다. 너무 많이 울어서인지 눈앞이 가물거렸다. 그나마 다행이라면 벌을 받을 때는 일을 하지 않아도 된단 것 정도. 라스타는 벽에 기대어 앉은 채 손가락으로 '공주님' 초상화를, 수천 번 수만 번 보았던 그 초상화를 흙바닥에 힘없이 그려보았다.

그러나 어설프게 따라하기도 잠시.

"야."

짜증 가득한 목소리가 나더니 라스타가 그린 그림을 고급스러운 신발이 엉망으로 짓이겼다.

"내가 이딴 짓 하지 말랬지?"

라스타가 놀라 올려다보자 르베티는 인상을 구기고서 라스타를 흘겨보았다.

"혹시 손가락 다쳤나 싶어서 와봤더니만 이러고 놀고 있네. 멀쩡하잖아?"

화를 내는 르베티의 손에는 붕대가 들려 있었다. 그러나 라스타가 정말로 멀쩡하다고 생각되자, 잠시라도 걱정을 한 게 싫었는지 르베티는 라스타가 그렸던 그림을 전부 다 발로 지워버리고는 가버렸다.

라스타는 멍하니 입을 벌리고 그 뒷모습을 바라보다가 다시 눈물을 뚝뚝 흘렸다. 그 위로 옷가지가 후드득 떨어졌다. 라스타는 눈을 커다랗게 뜨고 고개를 들었다. 옷가지를 머리 위로 쏟아낸 건 라스타에게 고백을 했다가 거절당하자 유독 못되게 구는 하인이었다.

"도련님이 널 좋아한다고 네가 귀족 아가씨라도 될 줄 아나 보지? 남들은 말야, 뼈 빠지게 일하는데 혼자 빈둥빈둥 처놀기나 하고."

"라스타는 놀지 않았어요."

"이거나 해놔. 못 해두면 네가 옷을 다 엉망으로 만들었다고 할 테니까!"

하인이 건들거리면서 멀어지자, 라스타는 무릎을 끌어안고서 입술을 꽉 깨물었다. 눈물 때문에 입안에서 찝찝한 맛이 났다.

'감히 이름조차 입에 담으면 안 되는 분이라 했다. 내가 묻으면 그분의 행복이 지워진다고, 감히 상상조차 하지 말라고 했다. 멀리서 보는 것조차 그분에겐 실례라고 했다. 다들 그렇게 말했다.'

의사가 자신의 발목을 살피는 동안 라스타는 경직된 채 시선을 정면에 고정했다. 무슨 일이 벌어진 건지 도무지 이해가 가지 않았다. 도망치다가 덫에 다리가 걸렸고, 울면서 도와달라고 외쳤는데…… 설마 황제가 도와줄 줄이야. 게다가 그 황제는 라스타가 상상해본 적도 없을 만큼 잘생겨서, 현실감이 뚝뚝 떨어졌다.

"다행히 뼈는 괜찮지만, 당분간은 휠체어를 타고 지내야겠습니다."

혀를 찬 의사가 다리에 붕대를 감아주고 나간 뒤에도 라스타는 뭘 어떻게 해야 할지 몰라 눈만 데굴데굴 굴렸다. 머리가 하얗게 질렸다.

왜 황제는 안 나가고 저기서 저러고 있지? 힐긋 곁눈질해 보니 황제는 라스타의 다리에 감은 붕대에 시선을 고정한 채 무언가 깊은 생각에 잠겨 있었다.

얼마나 그러고 있었을까. 마침내 고민을 마친 황제가 근처에 선 남자에게 지시했다.

"엘리자 백작 부인을 불러와라."

잠시 뒤 '엘리자 백작 부인'이라고 불린 여자가 나타났다. 백작 부인! 라스타가 아는 백작 부인은 옆 영지의 그 떠들썩한 백작 부부뿐이라, 그녀는 심장이 두근두근해서 엘리자 백작 부인을 힐긋댔다. 그러나 엘리자 백작 부인은 몹시 단정하고 엄한 인상으로, 소문으로 듣던 그 백작 부부와는 전혀 달라 보였다.

그런데 백작 부인은 왜 부른 거지? 의아해하고 있자니, 황제가 딱딱한 목소리로 명령했다.

"사냥터에서 나 때문에 다친 사람이 있는데. 내가 데리고 있자니 괜한 소문이 날까 걱정되는군. 황후에게 나 대신 보살펴주었으면 한다 전하라."

"저 여자입니까?"

라스타는 '황후'란 말을 듣고서도 상황을 이해하지 못했다. 휠체어를 타고서 어딘가로 간 뒤 '공주님'을 만나고서야 황제가 말한 황후가 누구인지 알아차렸다.

라스타는 눈을 커다랗게 떴다.

'그 사람이다.'

차가운 눈 같은 표정, 깔끔하게 틀어 올린 머리, 생각에 잠긴 입매까지……. 정말 그 사람이었다. 그 천사 같이 생긴 남자가 자신을 동화 속으로 데려와준 것이다. 그 사람이 살아서 숨쉬는 세계로.

꿈은 아닐까. 현실이 맞나. 내가 잠시 헛것을 보는 건 아닌가. 라스타가 멍하니 서 있자니, 황후의 반듯한 이마가 조금 구겨졌다. 그러자 그 사람의 옆에 있던 여자가 따끔하게 외쳤다.

"황후 폐하께 인사를 올려야지!"

라스타는 옆에 사람이 있는 줄도 몰랐다가 그제야 놀라 허둥지둥 입을 열었다.

"라, 라스타예요."

말을 하는데 저절로 눈물이 나올 것 같았다. 꼭 한번 만나보고 싶었지만 절대로 만날 일이 없다고 여겼던 사람이 코앞에 있어서.

울면 안 되지. 울면 싫어할 거야. 라스타는 활짝 웃었다.

"라스타입니다."

저녁 식사를 하기 위해 황제가 머무는 동쪽 건물로 건너갔을 때였다. 그와 마주 앉아 식사하며 최근의 정치적 사안과 신년제 준비 등에 관해 이야기를 하는데, 디저트를 먹을 즈음. 소비에슈가 자연스럽게 화제를 돌렸다.

"그 다친 사람은? 잘 치료하고 있소?"

소비에슈의 말을 듣자, 자신의 이름을 말하고는 뭐가 그리 기쁜지 환하게 웃던 여자가 떠올랐다. 라스타. 아아, 그래. 소비에슈가 보낸 사람이었지.

"하녀 둘과 의사를 보냈으니 잘 치료받고 있겠지요."

덤덤하게 대답하고서 잔을 들어 올렸다. 그렇게 한 모금 두 모금 마시다가 시선을 느끼고 보니, 소비에슈가 나를 유심히 보고 있었다.

왜 쳐다보는 거지? 잔을 내려놓고 덩달아 마주 쳐다보자, 소비에슈는 아무것도 아니란 듯 시선을 피하며 식사를 계속했다.

"이미 들었겠지만 나 때문에 다친 거니까. 혹시 돌아갈 곳이 없다면 황후가 하녀로 받아주었으면 좋겠소. ……어디서 도망쳐 나온 눈치기도 했고."

하지만 억지로 굳힌 표정이 사실은 이 말이 아니라 다른 할 말이 있다고 신호를 보내는 듯했다. 그렇지만 상대가 말하려 들지 않는데 굳이 캐물을 필요는 없겠지. 왜 그러냐고 물어보는 대신 나는 어제 잠시 떠올랐던, 하지만 바로 잊어버렸던 질문을 기억해내고 물었다.

"먼 사냥터에는 왜 갔던 건가요? 한창 신년제 준비로 바쁜 와중에."

대답은 없었다. 찰칵거리며 그릇과 포크가 부딪치는 소리만 날 뿐.

"폐하?"

거듭 그를 부르자, 소비에슈는 덤덤한 목소리로 대답했다.

"생각할 게 좀 있었소."

무슨 생각을 하고 싶기에 사냥터까지 갔냐……고 물어봤자 또 대답하지 않겠지. 결국 나도 더 묻는 걸 포기하고 냅킨으로 입가를 닦았다. 아직 디저트가 조금 남았지만 더 먹고 싶지 않았다. 낮에 다 끝내지 못해서 침실로 들고 온 서류가 한가득인데, 가서 그거나 처리해야지. 신년제 기간에는 늘 이렇게 바쁘니.

"황후는 오늘 어떻게 지냈소?"

그런데 식사를 다 끝내고 그만 나가려고 할 즈음. 소비에슈가 돌연 엉뚱한 질문을 했다. 오늘 한 일에 관해서 지금까지 내내 이야기했는데.

"아까도 말했다시피 올해 예산안과 작년도 예산안을……."

"아니, 황후가 어떻게 지냈는지 묻는 거요."

"일을 했지요."

"일 말고."

"일 얘기도 제 얘깁니다."

소비에슈는 내 대답이 영 마음에 차지 않는 모양인지, 눈살을 찌푸리더니 미약하게 한숨을 내쉬었다. 그걸 보자 그의 목덜미에 반듯하게 잡힌 레이스를 움켜쥐고 흔들어보고 싶어졌다.

무슨 생각이야? 자기는 생각할 거리가 있어서 먼 사냥터까지 다녀왔으면서, 나한테는 일 얘기 말고 다른 얘기도 해달라 요구하고.

일을 하다가 휴식을 취할 겸 시녀들과 함께 체스를 둘 때였다. 이런저런 얘기를 하면서 한참 체스를 두다 보니, 며칠 전에 소비에슈가 말긴 은발 여자가 기억났다. 이름이 라스타였지. 떠올리고 나니 당시 그 애가 다리를 다쳤던 게 기억났다.

"엘리자 백작 부인. 전에 그 애는 이제 좀 회복이 됐던가요?"

엘리자 백작 부인은 바로 대답했다.

"네. 치료 중이고 회복 속도도 괜찮다고 합니다."

"그래요."

다행이네. 속으로 생각하면서 나는 체스 말을 움직였다. 엘리자 백작 부인도 체스 말을 짚었는데, 그걸 보자 소비에슈가 한 부탁이 기억났다.

"엘리자 백작 부인."

"네, 황후 폐하."

"그 아이가 좀 진정되면, 돌아갈 곳이 있는지, 가고 싶은 곳이 따로 있는지 물어봐줘요."

"예."

"갈 곳이 없다면 여기 하녀로 두면 안 되냐고 폐하께서 부탁하여서."

"네, 그럴게요."

부드럽게 웃은 엘리자 백작 부인은 다시 체스판을 내려다보다가 어깨를 흠칫하더니 나를 곁눈질했다. 웃으면서 "왜요?" 하고 묻자 그녀는 떨떠름한 표정으로 물었다.

"언제부터 제가 지고 있었나요?"

"내가 계속 말을 거는 틈에?"

"……."

소비에슈가 데려온 아이는 돌아갈 곳이 없다며 여기서 하녀로 일하고 싶다 말했고, 그 후로 나는 그 아이에 대해 까맣게 잊고 지냈다. 이 시기에는 해야 할 일들이 한가득이라 궁인들 하나하나까지 신경 쓸 틈이 없었다. 무사하단 걸 알았으니 그것으로 끝이었다. 하지만 얼마 지나지 않아서 다시 그 아이를 생각해낼 수밖에 없게 되었다. 산책 도중 소란스러운 소리가 나서 가보니, 그 아이가 하녀장에게 혼나고 있었다.

하녀로 들어오겠다 해서 교육을 시작한 모양인데. 하녀장은 아직 몸이 낫지도 않은 아이를 왜 저렇게 혼내고 있는 거지? 신입을 교육시키는 건 하녀장의 권한이긴 한데. 그냥 지나쳐 갈까…….

잠시 고민하지만, 라스타가 계속 다리를 절뚝거리는 데다 소비에슈가 내게 직접 맡긴 아이이다 보니 결국 끼어들고 말았다.

"무슨 일이지?"

다가가며 묻자 하녀장이 얼른 예의를 갖추어 설명했다.

"황후 폐하. 이 신입이 어떤 기사님에게 욕을 하였지 뭡니까. 그러지 말라고 혼을 좀 내고 있었습니다. 작은 말실수로 괜한 오해를 살 수도 있으니까요."

"욕을 했다고?"

"예."

"무슨 욕을?"

아니, 그보다 신입 하녀가 기사의 욕을 하면서 싸울 일이 있나?

입술을 꽉 닫은 채 씩씩거리는 라스타를 곁눈질하며 하녀장에게 묻자, 그녀는 대답하지 못하고 우물거렸다. 대답하기 몹시 곤란하단 얼굴이었다. 괜찮으니 말해보라고 하녀장을 거듭 재촉하자, 그녀는 가까스로 기어들어가는 목소리를 냈다.

"기사님에게…… 기사님에게…… 쌍놈 새끼라고……."

"뭐?"

무슨 새끼? 당황해서 입을 벌리는데, 라스타가 발끈하더니 반박했다.

"아니에요! 라스타는 쌍놈 새끼라 안 했어요! 개놈 새끼라 했어요!"

그 목소리는 몹시 서럽고 억울하게 들려서 나는 잠시 무어라 대답해야 할지 곤란해졌다. 그 두 단어 사이에…… 차이가 많이 큰가? 저렇게 울먹일 만큼?

하녀장도 같은 생각인지 발끈해서 혼을 냈다.

"그게 그거지!"

"어감이 다르잖아요!"

"라스타!"

"라스타는 그래도 황궁이라고 순화해서 말한 거예요!"

"라스타아!"

"여기가 황궁이 아니었다면, 라스타는 그놈의 모가지를 콱 뽑아버렸을 거예요!"

"라스타아아!"

하녀장은 기겁해서 고함을 지르다가 내가 헛기침을 하자 황급히 사과했다.

"죄송합니다, 황후 폐하. 하지만 애가 이렇다 보니 영 교육이 힘듭니다."

나는 저런 욕을 잘 사용하지 않아서 라스타가 무슨 말을 하는지 모르겠다. 하지만 라스타의 말을 듣고서 생각해보니, 전자가 확실히 어감이 더 무섭긴 했다. 아니, 그보다…….

"라스타. 기사에게 왜 그런 말을 한 거지?"

이게 제일 중요하겠네. 내가 인상을 찌푸리고 엄하게 묻자 라스타는 손등으로 눈가를 쿡쿡 찍듯이 닦고는 시선을 내리깔았다. 말을 잘 하더니, 왜 갑자기 조용해졌어?

그 기죽은 태도를 본 하녀장은 한숨을 내쉬며 하소연했다.

"저렇다니까요. 왜 그랬냐고 물어도 말을 하질 않아요."

지금이라도 내가 자리를 비켜주어서 하녀장이 라스타를 혼내게 해야 하나 고민하다가, 일단 하녀장에게 잠시 자리를 비켜달라 말했다. 그러고서 라스타에게 차갑게 설명했다.

"라스타. 황제 폐하께선 널 내 아래에 두라고 하셨지. 나도 그러겠다 했고. 하지만 황궁 안에서는 지켜야 할 것들이 아주 많아. 네가 하녀장과 계속 충돌하면 난 널 내 아래에 둘 수 없어."

그 말을 듣자 라스타는 눈이 커다래지더니 그렁그렁해서 입을 달싹였다. 안 그래도 커다란 눈이 소처럼 변하자, 내가 나쁜 말을 한 건가 싶어질 정도로.

"무슨 일인지 먼저 말을 해줘야지."

결국 평소보다 조금 덜 차갑게 말하자, 라스타는 두 손을 꼭 모아쥐고서 달팽이처럼 느리게 말했다.

"개놈, 아니, 기사가…… 라스타한테 그랬어요. 라스타는 황제 폐하가 한번 건드려보고 버린 여자냐고."

"하녀장에게도 그 이야기를 했어야지. 하녀장은 네 얘기를 들었다면 기사단에 정식으로 항의서를 보내거나, 나한테라도 부탁을 했을 거야."

"죄송해요."

라스타는 시무룩 고개를 숙였다.

"라스타는 하녀나 하인들이랑 사이가 좋지 않아요. 라스타는 '하' 자가 들어가는 사람들한테 쌓인 게 많거든요. 그런데 이제 보니 '기' 자가 들어가는 사람들과도 사이가 나빠지려나 봐요."

다짜고짜 기사에게 욕을 한 건 꼬투리 잡히기 쉬운 일이지만, 이 말이 진실이라면 이렇게 화를 내는 게 당연한 일이다. 아니, 그보다 그딴 말을 함부로 뱉은 기사는 또 누구야? 아르티나 경에게 조사해 보라 해야겠다. 누군지 몰라도 그 혓바닥을 묶어둬야겠어.

어쨌든 나쁜 말을 듣고서 시무룩해 있는데 차마 더 무어라 할 수 없어서, 결국 고민하다가 당부했다.

"그럼 다음에는 바로 내게 말하거라."

그러나 며칠 지나지 않아서 또다시 소란스러운 소리가 나 가보니 이번에도 라스타였다. 하지만 지난번과 달리 일방적으로 혼이

나는 게 아니라 선배 하녀와 싸우고 있었다.

"아니에요! 그렇지 않아요!"

"백이면 백 사람한테 다 물어봐도 맞거든?"

"그러면 그 백 사람이 무식한 거예요!"

"야, 네가 제일 무식해!"

두 사람은 말다툼을 하느라 내가 근처에 온 줄도 모르고 있었다.

"어휴 저 애들이!"

주베르 백작 부인이 끼어들려고 하기에, 나는 됐다고 손을 저어서 말리고 덤불 옆 기둥에 기대어 이번엔 또 무슨 일인가 대화를 들어보았다. 이번엔 또 무슨 일 때문에 저러나 궁금해서.

"라스타는 무식하지 않아요!"

"무식하지! 세상에, 황후님이 물론 대단한 분이건 맞아. 대단한 분인 건 맞지만, 그래도 그분도 사람이야!"

'그런데 뭐야. 내 얘기였어?'

"라스타도 알아요!"

"알면서 말을 왜 그렇게 해? 사람이면 당연히 다 화장실도 가고 그래! 그건 자연스러운 현상이라고!"

게다가 내용도 괴상하다.

"아니에요! 황후님은 화장실에 가지 않아요!"

"너 진짜 바보야? 그럼 황후 폐하는 화장실에 가고 싶으면 어떻게 한단 건데?"

"그건…… 그건 다 방법이 있어요!"

세상에. 왜 저런 걸로 싸우는 거야?

인상을 찡그리고 있던 주베르 백작 부인도 황당한지 풋 소리를 내면서 입가를 가렸다. 로라는 이미 뒤에서 배를 잡고 쭈그려 앉아 웃고 있었다.

나는 얼굴이 화끈거려서 손바닥으로 얼굴을 반쯤 가렸다. 이건 대체. 내가 끼어들어서 말리기도 뭐하잖아. 아니, 그보다 라스타 저 애는 대체 날 뭐라고 생각하는 거야?

이도저도 못하고 있자니, 라스타가 돌연 목소리를 내리깔았다.

"라스타를…… 화나게…… 하지 말아요. 라스타는…… 화나면…… 무서워져요."

그러고는 말을 느리게 끌면서 어깨를 위협하는 곰처럼 씩씩 들썩이자, 하녀가 움칠 뒤로 물러났다.

"뭐, 내, 내가 뭐!"

하지만 라스타는 덩치 큰 기사의 면전에 대고서도 욕을 퍼부을 정도로 담대한 편이었다. 정확한 과거를 말하진 않았지만, 꽤 고생을 한 눈치고. 반면 황궁에 있는 하녀들은 귀족은 아니지만, 여러 가지 사안을 고려해 뽑다 보니 험하게 자란 사람은 거의 없었다. 그런 하녀에게는 라스타가 목소리를 내리깔고서 노려보는 게 퍽 무섭게 여겨진 듯했다.

"무식해!"

결국 하녀는 홱 몸을 돌려서 다른 곳으로 가버렸다. 지금은 라스타와 얼굴을 맞댈 수가 없어서 나도 얼른 자리를 피했다. 문제가 된 장소에서 조금 멀어지자 주베르 백작 부인이 내게 능글맞게 놀려댔다.

"황후 폐하는 화장실엔 안 가시죠?"

"……하지 말아요."

날씨가 좋기에 정원에 티테이블을 가져다 놓고 바람을 쐬면서 차를 마시기로 한 날이었다. 실무를 배우는 중인 건지, 찻잔을 세팅하는 데 웬일로 라스타가 하녀장을 따라왔다. 전에 많이 혼내더니. 그래도 하녀장이 라스타를 데리고 다니면서 이것저것 가르치긴 하는구나.

"잘 봐. 테이블 위에 잔을 내려놓을 땐 최대한 소리 없이 수평으로 내려놓아야 해. 찻잔 주둥이에 손이 닿지 않도록 조심하고."

하녀장이 라스타에게 조용하게 설명하는 동안 나는 라스타의 발목을 보았다. 물론 치마 탓에 발목이 보이지도 않지만. 어쨌든 걸음걸이를 보니 지금은 많이 괜찮아진 모양인데…….

'저건 뭐지?'

라스타의 뒤쪽으로 커다란 새가 보였다. 황금빛 날개를 가진 몹시 잘생긴 새인데, 사람의 머리통만큼 잎이 커다란 꽃 위에 앉아 털을 고르고 있었다.

"이상한 새로구나."

시녀들이 자기들끼리 대화하고 있기에 혼자 다가가 손을 내밀자, 새는 무섭지도 않은지 얼른 손등 위로 올라왔다. 그러고는 예쁘게 고개를 갸웃갸웃하는데…….

'사람 손을 탄 새 같은데.'

온순한 태도와 잘생긴 얼굴이 신기해서 머리를 쓰다듬고 있자니, 새의 다리에 작은 종이가 묶여 있는 게 보였다.

나는 신년제에 도착할 외국 손님입니다. 이 편지는 술을 먹고 쓰는 중.

이건 또 뭐야? 편지를 보고 있자니, 시녀들이 뒤늦게 다가오면서 무슨 일이냐고 물었다.

"귀여워라."

"참 잘생긴 새잖아요. 이 새 이름이 뭐였더라."

"길들이기 어려운 새로 알고 있는데……. 사냥에 쓰이는 새 아닌가요?"

편지를 보여주자 시녀들은 재미있는지 답장을 써서 보내보라고 부추겼다. 재미있을 것 같아서, 나도 한 손에는 새를 한 손에는 편지를 들고 테이블로 걸어갔다. 그런데 새를 테이블 위에 내려놓고 휴대용 펜을 꺼내 답장을 쓰고 있자니, 갑자기 라스타가 맞은편에서 작게 속삭였다.

"황후 폐하. 황후 폐하."

시선을 들어 보자 라스타는 금빛 새를 눈으로 가리키며 말했다.

"저 새 눈빛이 이상해요. 황후 폐하 글씨를 뚫어져라 쳐다봐요."

그 말을 듣자 로라가 픽 웃으면서 라스타를 놀렸다.

"새는 원래 뚫어져라 보잖아."

"근데 저 새는 유난히 뚫어져라 보던걸요."

"그러니까, 새는 다 그런다니까?"

"하지만 새들은 막 고개를 기웃기웃하면서 이상하게 보잖아요.

근데 저 새는 대가리를 딱 들고서 쳐다보는 게 이상해요."

그러더니 라스타가 갑자기 "합!" 하는 소리를 내면서 새의 목덜미를 뒤에서 움켜잡아서, 로라는 웃고 있다가 깜짝 놀라 "왁!" 하는 비명을 질렀다.

"악! 라스타! 새 목 조르지 마!"

로라가 깜짝 놀라 외치자, 라스타는 목을 조르는 게 아니라 그냥 잡고 있을 뿐이라면서 새를 '찰찰찰' 흔들었다. 그러자 새는 날개를 푸득이면서 신경질적으로 라스타를 뿌리치더니 얼른 위로 날아올라 그대로 가버렸다.

"……라스타. 새를 괴롭히면 안 돼."

황당해서 쳐다보다가 꾸짖자 라스타는 시무룩해져서 알겠다고 웅얼거렸다. 그 옆에서 하녀장이 불을 뿜을 기세로 도끼눈을 떴다.

푸드덕거리면서 하늘을 날아간 금빛 새는 근처의 산으로 날아가자 사람의 모습으로 변해 가볍게 내려앉았다. 사람이 된 새는 옅은 금발은 부드럽고 몸은 단단한 절색의 남자였다. 하지만 머리카락이 까치집처럼 엉망이어서, 아름다운 얼굴이 좀 웃기게 보였다.

"세상에, 전하. 누구한테 머리채 뜯기셨습니까?"

그걸 보자 근처 나무에 앉아 있던 파랑새가 사람으로 변해 다가오며 물었다. 금발 남자는 자기 머리카락을 뒤로 누르면서 인상을 찡그렸다.

"유명한 얼음 황후를 한번 보고 싶었는데."

"황후님이 머리채를 쥐어뜯던가요?"

"아니, 옆에 있던 사람이. 머리채도 아냐. 목을 잡고 흔들었어. 젠장. 미친 여잔가. 아 아파……."

소비에슈는 먼 사냥터에 갑자기 왜 다녀왔던 걸까.

"……."

생각하면 생각할수록 이상한 일이어서, 일을 하다가도 가끔 그 생각이 났다. 오늘도 마찬가지였다. 응접실 의자에 앉아 책을 읽는데, 갑자기 그 생각이 떠올랐다. 게다가 며칠 내내 제대로 자지 못하고 일을 한 데다 이상한 데 신경을 써서인가. 갑자기 배가 아파져서, 나는 참지 못하고 책을 내려놓고 화장실로 들어갔다.

그런데 화장실에서 나오다가 보니 라스타가 깃털로 된 먼지떨이를 들고서 세상이 무너진 표정으로 날 보고 있는 게 아닌가. 왜 그러냐고 물으려다 보니, 며칠 전에 라스타가 하녀에게 우겨대던 주장이 떠올랐다. 나는 화장실 같은 거 가지 않는다고…….

"흠."

결국 말을 걸지 않고서 나는 모른 척 그녀 곁을 지나가 슬그머니 아까 내려둔 책을 들어 올렸다.

'침실에 들어가서 읽을까.'

"폐하아."

그러나 내가 침실에 들어가기 전에 라스타가 날 먼저 불렀다. 책을 안고서 무표정한 채 돌아보자, 라스타가 출생의 비밀을 눈앞에 둔 사람처럼 물었다.

"손 씻고 오신 거지요? 손만 씻고 오신 거지요?"

"!"

주위에 아무도 없는 걸 확인하고서 나는 침착하게 고개를 끄덕였다. 그러고는 얼른 침실 안으로 들어가는데…… 뒤통수에 눈빛이 달라붙어서 떨어지질 않는 기분이야.

얼른 문을 닫고서 문에 기대어 선 채 고민해보았다. 대체 왜?

'왜 라스타는 저런 오해를 하게 된 거지?'

답은 나오지 않았다.

하지만 이대로는 결국 안 되겠다 싶어서, 며칠이 지났을 때 한번 슬쩍 라스타에게 대놓고 물어보았다.

"라스타. 넌 내가 화장실에 다니지 않는다 생각하던데, 왜 그러니?"

'이슬이 주식이다'란 말을 하지 않는 게 더 신기할 정도의 오해 아닌가. 라스타는 먼지떨이를 끌어안고는 히히 웃으면서 자랑스럽게 말했다.

"라스타는 머릿속으로 황후 폐하에 대한 상상을 많이 했거든요."

"내 상상?"

"힘들 때마다 머릿속으로 대화를 나누었어요."

"나랑?"

"도움을 많이 받았어요. 감사합니다."

'난 아무것도 한 게 없는데?'

꾸벅 인사하는 걸 보고 있자니 당황스러운 마음이 더욱 가시지 않아서 다시 물어보았다.

"무슨 상상을 했지?"

무슨 상상을 했기에 저 머릿속에서는 내가 화장실조차 다니지 않는 사람이 되어버린 거야?

"전에 라스타가 '하'랑 '기'가 들어간 사람들이랑 사이가 안 좋다 말씀드렸잖아요."

"그랬지."

"생각해보니 '슈'가 들어간 사람하고도 사이가 안 좋아요."

……소비에슈?

"라스타가 아는 사람 중에서 제일 나쁜놈 이름이 뭐뭐 슈인데요."

진짜 소비에슈?

"그놈은 쌍개놈이라고 불러야 할 놈이에요. 하여튼 로테슈, 아차. 하여튼 쌍개놈이요, 절 절벽에서 떠미는 거예요."

"뭐?"

정말인가? 진짜 있던 일?

"그래서 라스타가 '아아아악 아아아악' 하면서 떨어지는데, 갑자기 하늘이 번쩍하더니 하늘에서 공주님, 아, 황후 폐하가 날아와서 손을 잡아주었어요."

"!"

"라스타아 라스타아 내가 구해줄게! 이러면서요."

"!"

"그러고요, 라스타한테 하늘나라에서 같이 살자면서 그랬어요. 라스타는 하얀 날개가 어울릴 것 같으니까 선물해주신다고요."

아…… 뭐라고 반응해야 할지 모르겠어. 얼굴에 열이 화끈화끈 올라온다. 태어나서 이렇게 부끄러웠던 적은 처음이다.

대답할 말이 떠오르지 않아 멍하니 있자니, 라스타가 방긋 웃으면서 말을 이었다.

"황후 폐하 날개는 황금색이어서 진짜 예뻤어요!"

분명 동화 같은 얘기인데. 이렇게 수치스러울 수가 있을까. 천진난만하게 웃는 라스타에게 그런 상상은 하지 말라고 할 수도 없어서 입만 꾹 다물고 있자니, 뒤에서 끅끅 소리가 났다. 쳐다보자 로라가 배를 잡은 채 소파에 박혀 있었다. 주베르 백작 부인은 아예 벽에 머리를 박고 있고.

아아…… 이 애를 대체 어쩐다.

"아차, 뒷이야기가 더 있어요!"

하지 마!

"폐하가요, 라스타를 대신해 나쁜놈을 벌주겠다고 손에서 바람을 쏘았어요!"

아아아…….

"그랬더니 글쎄, 나쁜놈이요, 바람을 맞고 하늘로 올라가서 별이 되었어요. 그 별은 곧 똥이 되어서 떨어졌는데, 그게 바로 별똥별의 조상인 거예요."

상상은 상상으로만 하라고 입을 막고 싶다. 하지만 이런 상상을 할 정도면 힘든 일이 많았단 건데……. 입을 막으면 애가 움츠러들겠지.

결국 이러지도 저러지도 못하고 있자니, 라스타가 두 손으로 꼭 모으고 눈을 반짝이며 부탁했다.

"폐하, 폐하. 손에서 바람 한 번만 쏴주세요!"

"……지금?"

"라스타한테 쏴주시면 라스타가 아아아아! 하고 날아가는 시늉을 할게요!"

엘리자 백작 부인……. 같이 웃지 말고 말려봐!

"응? 황후 폐하. 오늘은 하늘에 안 가봐도 괜찮으세요? 거기도 일이 많으실 텐데."

신년제 준비를 하느라 몇 시간 내내 일을 하고서 서궁으로 돌아오자, 주베르 백작 부인이 능글맞게 웃으면서 또 놀려댔다.

"……하지 말라니까."

약간 째려보면서 말리자 엘리자 백작 부인이 입을 가리고서 돌아섰다. 휩쓸리지 말자. 체통을 지켜야지.

나는 억지로 무표정을 만들고서 엘리자 백작 부인에게 식사를 준비해달라 부탁한 다음 응접실 소파에 편하게 앉았다. 그런데 커다란 쿠션에 기댄 채 멍하니 늘어져 있자니, 엘리자 백작 부인을 따라 나갔던 로라가 들어와서는 내 앞에 쪼그리고 앉았다.

"로라 양? 왜 그러나요?"

놀란 토끼 같은 표정이어서 묻자 로라가 다급하게 속삭였다.

"폐하, 방금 하녀장한테 들었는데요. 라스타가 보이질 않는대요."

"라스타가?"

"네."

"라스타가 왜?"

라스타는 내 궁에 소속된 하녀이기도 하지만 소비에슈가 특별히 맡기기도 한 아이였다. 게다가 약간……이 아니라 많이 맹하다 보니, 사라졌다고 하자 조금 걱정이 되었다.

"하녀장이 그러는데, 최근에 하인들이랑 하녀들이 라스타를 좀 멀리했나 봐요."

"라스타를?"

어째서? 엉뚱한 말을 많이 하긴 하지만, 밝고 반짝거리는 아이라 인기가 좋을 줄 알았는데. 멀리하다니?

"라스타가 그, 조금 무식하잖아요. 게다가 며칠 전에 뭐 때문에 서명을 해야 할 일이 있었는데 글을 모른다고 했나 봐요. 그거 때문에요."

로라는 팔짱을 끼더니 건너편 소파로 가 앉으며 인상을 찌푸렸다.

"노예가 아니면 글은 다 알잖아요. 그래서 노예 출신 아니냐는 말이 돌고, 그러다 보니 라스타가 했던 괴상한 말들도 도마에 오르고. 좀 따돌림같이 변했나 봐요."

"이런."

"찾아다니고는 있는데 아직도 못 찾았다는데. 어디 간 걸까요?"

식사를 가볍게 마치자마자, 혼자 조용히 산책을 하고 싶단 핑계를 대고 정원으로 나가 여기저기 돌아다녀보았다. 궁인들이 풀어져서 찾아도 못 찾는 라스타를 내가 찾을 것 같진 않지만……. 그래도 혹시 모르니.

아르티나 경은 묵묵히 내 뒤를 따라오면서도, 내가 하녀 한 명을 찾겠다고 이러는 게 신기한지 가끔 나를 곁눈질했다. 아르티나 경도 라스타가 하는 말을 10분만 들어보면 내가 왜 걱정하는지 이해를 할 텐데. 차마 라스타가 나에 관해 한 허무맹랑한 이야기를 내 입으로 전할 수는 없어서, 나는 그냥 작게 핑계를 댔다.

"폐하께서 맡긴 아이니까요."

얼마나 그러고 다녔을까. 내가 혼자서, 그러니까 아르티나 경도 없이 완전히 혼자 있고 싶을 때 찾아가는 비밀 장소 근처로 왔을 때였다. 뒤에 아르티나 경이 있으니까 그냥 거기를 스쳐 지나가려 했는데. 딱 그곳에서 훌쩍거리는 소리가 들려왔다.

"저쪽에 있는 것 같습니다."

아르티나 경도 그 소리를 들었는지 내 둥지의자가 가려진 수풀을 손가락으로 가리켰다. 그녀는 소리가 들려오는 쪽으로 가려고 했지만, 나는 내가 가보겠다고 말리고서 혼자 그쪽으로 가보았다.

하지만 수풀을 헤치고 안으로 들어갔는데도 라스타는 보이지 않았다. 소리는 나는데? 좀 더 자세히 살피자 세상에. 라스타는 수풀 안쪽에 파고 들어가 있었다. 저길 어떻게 들어간 거야?

"라스타."

가까이 다가가며 이름을 부르자, 라스타는 무릎을 끌어안고 있다가 얼굴을 들어 올렸다. 눈가가 발갛고 얼굴이 눈물범벅이었다.

"라스타."

애처로운 모습이 안타까워서 이름을 다시 부르자, 라스타는 입을 이상한 모양으로 벌리더니 나를 쳐다보며 눈물을 뚝뚝 흘렸다.

"왜 여기에 이러고 있지?"

좀 더 따뜻하게 말하면 좋을 텐데. 내 입에서 나오는 목소리는 이 와중에도 차갑다. 그래도 애써 최대한 부드럽게 목소리를 내어 묻자, 라스타는 통통 부은 입술을 달싹이다가 눈을 내리깔고 발치에 잔디를 뜯었다.

그 소문 때문인가? 궁인들 사이에서 돈다는 소문? 혹 그 소문이 사실이라서 말을 못 하는 건가? 그러고 보니 소비에슈도 그랬지. 라스타가 도망치다가 덫에 걸린 것 같았다고.

글을 모르는 점이나 놀라울 정도로 맹한 점, 기사 앞에서 쌍욕을 날리던 점, 하녀를 위협하기 위해 곰처럼 몸을 부풀리던 점 등을 떠올리자 어쩌면 소문이 사실일 수도 있겠단 생각이 든다.

한숨을 내쉬고 다가가서 라스타의 어깨를 어색하게 톡 두드렸다.

"네가 노예 출신이라도 상관없다. 그건 놀릴 거리가 아니잖니."

"라스타는……."

"넌 말을 이상하게 하지만 그건 나쁜 게 아니야. 자. 가자. 하녀장이 널 걱정한다더라."

"하녀장님이요……?"

"네가 좋은가 봐."

"폐하는요?"

"?"

"폐하도 라스타가 좋으세요?"

"당연하지."

내 목소리는 내 귀에도 쌀쌀맞게 들리는데. 그래도 라스타는 좋다고 웃더니 언제 울었냐는 듯이 벌떡 일어났다. 그 모습을 보자 웃을 때가 아닌데 웃음이 날 뻔했다. 풍성한 은발에 수풀에서 떨어진 나뭇잎이 아이스크림을 장식해둔 양 여기저기 꽂혀 있어서.

"사실 라스타는 전혀 기죽지 않았어요."

"그래?"

"그럼요. 라스타는 슬퍼서 운 게 아니라, 꾹꾹 참느라 분해서 운 거예요."

"그래?"

"그럼요. 하녀장님이 그랬어요. 라스타는 황후 폐하 소속이라, 라스타가 잘못 행동하면 황후 폐하한테 폐가 된다고. 그런 게 아니라면 라스타는 그것들 대가리를 콩나물 뽑듯 뽑아버렸을 거예요! 라스타는 세요!"

말을 마친 라스타는, 전에 선배 하녀 앞에서 한 것처럼 몸을 곰처럼 부풀리더니 팔을 늘어뜨린 채 양어깨만 들어 올렸다. 그러고는 나를 의기양양하게 보았다. '이렇게 세요!'라고 말하듯이.

"음. 용맹하다."

솔직히 말하자면 그 자세는 전투를 앞두고 집게발을 들어 올린 가재처럼 보였지만, 나는 라스타를 달래기 위해 거짓말을 했다.

"호랑이 같아. 눈밭의 백곰 같다."

"그럼요! 라스타는 황후 폐하가 다스리는 얼음 왕국의 곰순이예요!"

"……."

내가 라스타를 데리고 나오길 기다리던 아르티나 경이 마지막 말만 듣고는 이게 무슨 말인가 싶은지 눈을 휘둥그렇게 떴다. 나는 입술을 깨물고서 얼른 앞으로 걸어갔다.

얼마나 그렇게 갔을까. 라스타가 옆에서 "라스타는요, 라스타는요" 하면서 재잘대는 걸 들으면서 걸어가다 보니, 문득 궁금한 점이 생겨났다. 별로 쓸모있는 질문은 아니지만.

"라스타. 넌 왜 늘 네 이름을 네가 부르지?"

그건 어린애들이 자주 사용하는 말투 아닌가? 라스타는 별거 아니란 듯이 대답했다.

"다른 사람들은 라스타를 이름으로 부르지 않는걸요."

"!"

"부르더라도 화를 내거나 혼을 낼 때뿐이니까. 어릴 때 그냥 혼자 생각했어요. 라스타라도 라스타를 상냥하게 불러줘야겠다고."

말을 마친 라스타는 이마를 조금 찌푸리더니 눈을 바닥에 내리깔았다.

"딱 한 명 상냥하게 불러준 사람이 있긴 했지만……."

라스타는 뒷말은 하지 않았다.

손님을 초대해보면 재밌게도 먼 곳에 사는 손님들이 먼저 도착하는 경우가 잦다. 날짜를 맞추기 위해서 좀 더 일찍 출발하기 때문이겠지. 도중에 무슨 일이 벌어질지 모르니 여유 시간도 계산해 넣을 테고.

덕택에 신년제가 시작하기 전이지만 먼 곳에서 온 손님들부터 하나둘 도착하기 시작했고, 자연스럽게 시녀들은 외국 귀빈들에 관해 이야기하기 시작했다. 그중에서도 가장 시녀들이 자주 이야기하는 건 역시 말 많고 소문 많은 하인리 왕자 이야기였다.

"하인리 왕자가 그렇게 아름답다면서요?"

"눈만 마주쳐도 황홀해질 정도라는군요."

"하지만 고집이 장난이 아니라던데. 서왕국 선왕은 물론 현왕조차 결혼을 못 시키고 있다잖아요."

"바람둥이라서 결혼은 질색한대요."

그 대화를 들은 걸까. 침대 정리를 하러 침실에 들어왔을 때 라스타도 내게 그 이야기를 했다. 부정하는 쪽으로.

"다들 하인리 왕자님이 엄청난 미남이라는데요. 아니에요. 아무리 잘생겨도 소비에슈 폐하만큼은 아닐 거예요."

"그렇게 생각해?"

"그럼요. 물론 소비에슈 폐하가 아무리 잘생겨도 황후 폐하만큼은 아니지만요!"

딱 한 번 보았을 뿐이지만 그래도 자신을 덫에서 구해주었기 때문일까. 라스타는 소비에슈를 영웅처럼 여기는 듯했다.

소비에슈는 라스타가 자기 때문에 덫에 걸렸던 거라 생각해서 좀 미안해하는 눈치였지만, 라스타가 말하는 걸 들어보면 소비에슈를 만나기 전 라스타의 삶이야말로 덫이었던 듯하니.

그보다 라스타. 그냥 노예가 아니라 도망 노예인 듯한데, 그 일을 해결해야 하지 않을까. 개…… 무슨 욕을 하면서 로테슈 이름을 말했고 발견된 곳도 림웰 영지 부근이니, 아마 옛 주인이 로테슈 자작이겠지. 신년제가 끝나면 그쪽에 사람을 보내서 사실인지 알아보고 노예 문서를 사 오라 해야겠다.

이틀 뒤. 시녀들이 그토록 궁금해하던 하인리 왕자 일행이 도착했다. 하인리 왕자는 내가 직접 나서서 맞이해야 할 손님이어서, 나는 그가 왔단 소식을 듣자마자 방으로 가 옷매무새를 정리했다. 시녀들은 치장을 도와주면서 제발 얼굴을 구석구석 뜯어보고 와달라고 부탁했다.

"알았어요. 걱정 말아요."

이렇게 되고 보니 나도 그가 좀 궁금해졌다. 무척이나 아름다운 남자라고 했지, 어느 정도일까? 라스타 말처럼 소비에슈 역시 굉장한 미남이었다. 그 외모 덕에 어릴 때부터 국민들 사이에서 인기가 많았고. 하인리 왕자도 그 정도일까?

준비를 마친 후. 흰장미의 방으로 들어가면서 나는 평소처럼 무표정하게 있었지만, 눈으로는 사절단을 빠르게 살폈다.

"!"

하지만 하인리 왕자를 따로 찾을 필요도 없었다. 그쪽을 보자마자 가장 앞에 선 사람이 대번에 눈에 들어왔으니.

그는 정말…… 아름다웠다. 연한 금발 머리는 부드러워 보였고, 삐딱하게 올라간 한쪽 입꼬리조차 매력적이었다. 부드러운 목선이나 홀로 우뚝 솟은 키, 넓은 어깨도 멋있었지만 가장 아름다운 건 신비로운 보라색을 띠는 그의 눈동자였다.

'과연. 소문이 날 만하네.'

속으로 감탄했지만 되도록 내색하지 않으며, 나는 하인리 왕자의 맞은편으로 가 섰다. 왕자이지만 서왕국의 위치가 있으니, 황자의 대우를 하기 위해서였다.

그러나 내가 맞은편으로 가서 서는 순간. 무어라 입을 열기도 전에 하인리 왕자가 한쪽 무릎을 굽히더니, 충성 서약을 하는 기사들이 하듯 내게 손을 내밀었다. 얼결에 그 위에 손을 올려두자, 그는 내 손등에 입술을 가볍게 가져다 대었다.

그러나 기사들은 충성의 키스를 할 때 눈을 내리깔거나 정면을 보는데, 그는 내 손등에 입을 맞추는 내내 나를 바라보았다. 손등에 부드러운 입술이 닿았다 떨어지는 순간까지 그의 보라색 눈동자는 집요하리만큼 내게서 떨어지지 않았다.

"이제야 제대로 뵙는군요. 만나 뵙게 되어 영광입니다, 황후 폐하."

내가 방 안으로 들어가자 시녀들이 응접실에서 대기하다가 우르르 다가왔다.

"어땠어요? 진짜 잘생겼어요?"

"소문 이상인가요, 이하인가요?"

"그런 소문은 허황되기 쉬운데……."

"폐하, 빨리요."

다들 빨리 소문 속의 바람둥이 미남에 대해 듣고 싶어 초조한 눈치였다. 진열장 쪽에 선 라스타도 소비에슈가 더 잘생겼을 거라 확신하더니. 막상 궁금하긴 한지 내 쪽을 보고 있고.

하지만 라스타. 넌 옆을 먼저 봐야겠어. 하녀장이 한 손에는 찻잔을, 다른 한 손에는 노란 천을 든 채 눈살을 찌푸리고서 널 보고 있잖아.

그래도 라스타가 정신이 팔려 있자, 결국 하녀장은 라스타를 직접 데리고서 나갔다. 라스타는 울상을 지으면서도 따라 나갔다. 나는 웃음을 감추면서 내가 본 하인리 왕자의 외양을 최대한 자세하게 일러주었다.

다음 날, 귀빈들은 계속해서 들어오고, 그 때문에 남궁 궁인들은 몹시 바빠졌다. 그 바람에 라스타도 남궁 일손을 돕기 위해서 그쪽으로 가게 되었다. 그런데 남궁에 도착해서 지시받은 장소가 어디였던가 잠시 헷갈려 멈춰 있는 사이.

"거기."

누군가 라스타를 불렀다.

무슨 소리지? 라스타가 돌아보자, 허리께까지 오는 꽃덤불 너머로 굉장히 아름답게 생긴 남자가 서 있었다.

'누구지?'

아무리 보아도 라스타는 모르는 얼굴이었다. 그래도 뭐, 소비에슈 폐하만큼 잘생기긴 했네, 생각하고 있자니 남자가 빙그레 웃으면서 이쪽으로 다가왔다. 왜 오는 건지 몰라서 계속 보고 있자니, 그는 라스타를 위아래로 쳐다보다가 "어이쿠." 하는 소리를 냈다.

뭐야. 왜 저래? 눈살을 찌푸리자 남자가 빙그레 웃으면서 말했다.

"새를 잘 괴롭히게 생긴 인상이네."

뜬금없는 말에 라스타는 더욱 인상을 찡그렸다. 뭐야 이건? 왜 갑자기 시비야?

"새한테 원한 잘 사게 생긴 인상이야."

게다가 거기서 그치지 않고 한마디를 더 보태자, 라스타는 결국 참지 않고 물었다.

"그걸 어찌 아세요?"

질문을 하자마자 남자는 기다렸다는 듯이 바로 대답했다.

“말하지 않아도 보이는 게 있어서.”

그 목소리에서 노골적으로 드러난 아니꼬워하는 기색에, 라스타는 기분이 상해서 되물었다.

“혹시 새라도 되세요?”

그러나 남자는 오히려 씩 웃기만 했다. 정답이었으니까.

하인리는 며칠 전에 라스타에게 목덜미를 잡혔던 게 화가 나서 일부러 시비를 걸기 위해 접근한 것이었다. 이 때문에 그는 화가 나지도 않았으면서 일부러 차갑게 말했다.

“무엄하군. 감히 왕자에게 그런 식으로 말하다니.”

“아, 왕자님이세요? 별로 왕자님 같지 않으셔서. 죄송해요.”

그러나 돌아오는 대답은 그리 만족스럽지 않았다. 게다가 라스타는 밝게 웃으면서 대꾸하였지만, 미소와 달리 말 내용은 탁했다. 하인리는 한쪽 입꼬리를 더 못되게 올렸다. 그러고서 무어라 한마디를 더 하려는데, 말을 다 하기도 전에 “하인리 왕자.” 하고 부르는 소리가 났다. 그것도 몹시 싸늘하게.

하인리가 황급히 고개를 돌려 보자, 나비에 황후가 멀지 않은 곳에 서 있었다. 라스타가 심부름을 갔단 이야기를 듣고서 데리러 온 것이다. 아직 다리가 완전히 낫지 않았는데 남궁에 갔다가 무리한 일에까지 차출될까 봐. 사람을 시켜서 불러와도 되지만, 자신이 따로 챙긴단 이야기가 돌면 안 그래도 노예니 어쩌니 하는데 더 배척받을까 봐 남궁 귀빈을 만나야겠단 핑계를 대고 온 건데. 오자마자 본 꼴이 외국 귀속이 라스타에게 시비를 걸고 있자, 나비에는 표정이 더욱 매서워졌다.

진짜로 화를 낼 생각은 아니었던지라 하인리는 아차 싶어서 애써 미소를 지었지만, 나비에는 다가와서 더욱 차갑게 물었다.

"지금 뭘 하는 거지?"

"하하, 황후 폐하. 그게 저는……."

하인리는 무어라 변명을 시도했으나, 나비에는 손을 내밀어서 라스타를 끌었다.

"가자, 라스타."

나비에가 라스타를 데리고 가자, 하인리는 그 뒷모습을 멍하게 바라보았다. 예상 못 한 일에 머리를 한 대 맞은 기분이었다. 아니, 그보다 저 은발 여자. 전생에 무슨 원수라도 진 건가? 왜 황후에게 접근하려 할 때마다 방해하는 거지?

그러고 있자니 맥켄나가 다가오면서 혀를 찼다.

"표정이 장난 아니신데요. 오자마자 여기 황후님이랑 싸우신 건 아니시죠?"

사실은 무슨 일이 일어났는지 다 봤지만, 하인리가 저러고 있으니 괜히 기분이 좋아서 굳이 한 번 더 묻는 것이다.

"날 짓밟는 눈빛이었어."

이걸 알면서도 하인리 역시 한 번 더 이야기했다.

"참으로 불쾌하군. 그 경멸하는 시선이라니."

맥켄나는 인상을 찡그렸다. 하인리 왕자가 말로는 불쾌하다면서 얼굴이 벌게서. 얼굴만이 아니었다. 입꼬리도 올라가 있었다. 맥켄나는 손가락으로 하인리의 입술을 가리켰다.

"말과 표정이 일치하지 않는데요, 전하. 그런 표정으로 그리 말씀하시니 변태 같습니다."

"뭐야?"

"죄송합니다. 제가 좀 솔직해서요."

맥켄나가 황급히 사과하자 하인리는 그를 째려보았지만, 그것도 오래가지 않았다. 하인리는 다시 멀어져 가는 나비에의 뒷모습에 시선을 고정하고서 중얼거렸다.

"얼음 황후가 아니라 폭설 황후 같다. 동대제국 사람들은 다 저러지. 우리를 우습게 여겨. 하지만 이것도 얼마 있지 않으면……."

"그런 말씀은 얼굴에 열기부터 빼고 하시라니까요."

"!"

본궁에서의 일을 마친 후 잠시 숨을 돌리고 있을 때였다. 집무실 앞에 서 있던 기사 한 명이 들어와 보고했다.

"황후 폐하. 하인리 왕자님이 황후 폐하를 뵙고 싶어 하십니다."

"하인리 왕자가?"

그 사람이 왜? 그 이름을 듣자마자 어제 일이 떠올라 대번에 불쾌해졌다. 라스타에게 이유 없이 시비 걸던 모습. 정말 질이 나빴어.

하지만 서왕국은 왕국이라고 해도 무시할 나라는 아니기에 결국 밖으로 나갔다.

"아. 황후 폐하."

하인리 왕자는 뒷짐을 진 채 벽화를 구경하고 있었는데, 내가 다가가자 부르기도 전에 먼저 돌아서면서 물었다.

"바쁜데 실례되진 않았는지?"

"좀 바쁜 와중에 오긴 하였군요."

어제 일이 아직 불쾌하게 남아 있는지라, 나는 좀 쌀쌀맞게 대답했다. 하인리 왕자의 미소가 조금 굳었다.

"무슨 일로 오셨나요?"

어쨌든 싸우자고 부른 건 아닌 것 같기에 다시 묻자, 하인리는 굳은 표정을 지우고서 아까와 같은 말을 반복했다.

"이 시간 즈음이면 업무가 끝나신단 말을 듣고 왔는데. 바쁘십니까?"

이건 또 어떻게 알고 온 거야? 누가 내 일정을 말해줬나?

"내게 볼일이 있나요?"

대답 대신 나는 또 물었다. 대답하는 사람은 없이 질문만 반복되자, 하인리 왕자는 잠시 침묵하더니 마침내 가볍게 웃으며 중얼거렸다.

"아직 바쁘신가 보군요."

"네."

단호하게 대답을 했는데도 그는 표정을 구기지 않았다. 대신 아까 보고 있던 벽화를 다시 가리켰다.

"그럼 저는 저걸 좀 더 구경하고 있겠습니다. 일이 다 끝나실 때까지."

사실 일은 거의 다 끝냈지만, 나는 그러라 대답하고서 일부러 집무실 안으로 들어가버렸다. 이후로도 일부러 평소보다 꾸무럭꾸무럭 업무를 보고서 나왔다.

그런데…… 당연히 없겠거니 생각했는데. 하인리는 여전히 그 자리에 서서 벽화를 보고 있었다. 게다가 꽤 심각한 얼굴로.

많이 급한 일이었나? 그걸 보자 좀 미안해져서, 나는 아까보다 목소리를 부드럽게 해서 다가갔다.

"무슨 일이었나요?"

그러나 급한 일이 아니었다.

"괜찮으시다면 황궁을 안내해주시겠습니까? 구경하고 싶은데, 워낙 넓다 보니 길을 잃어버릴 것 같군요."

급하기는커녕 아주 여유로운 일이지.

그거 때문에 기다렸다고? 고작 그 이유 때문에 두 시간을 기다렸어? 두 시간이면 이미 궁전을 꽤 많이 구경했겠다.

황당해하면서 "시녀를……" 하고 말을 꺼내자, 하인리 왕자가 "저는." 하고 끼어들더니, 가까이 다가와 내 쪽을 내려다보며 웃었다.

"황후 폐하께서 해주셨으면 좋겠는데."

"……."

거절할까? 아무리 봐도 장난하는 것 같은데. ……아니야. 그래도 두 시간이나 기다렸는데, 그건 예의가 아니겠지.

"그러지요."

차라리 아까 무슨 일인지 물어보고서 거절할걸. 그랬다면 단호하게 거절할 수 있는데. 속으로 한탄하면서도 나는 적당히 입을 열었다.

"은의 정원에는 가보았나요? 남궁에 가장 가까이 있는 정원인데⋯⋯ 가보았겠군요. 어제 거기서 내 하녀를 괴롭히고 있었으니."

"!"

"어디를 구경하고 싶나요?"

"실은 사과를 드리고 싶어 왔습니다."

그런데 안내를 해주겠다 말하고서 어디를 구경할 거냐고 묻자, 하인리 왕자가 예상 밖의 말을 꺼냈다.

"사과?"

내가 돌아보며 묻자, 그는 고개를 끄덕였다.

"오해를 산 것 같아서요. 전 폐하의 하녀를 괴롭힐 생각이 아니었습니다."

하인리 왕자는 나와 눈을 맞추더니, 조용조용한 목소리로 설득하듯 말했다. 토론장에서 말한다면 조용히 상대를 휘어잡을 수 있을 것 같은 그런 목소리로. 게다가 죄책감 가득한 표정은 퍽 진심으로 보이기도 했다. 하지만.

"내 눈이 잘못되었단 건가요?"

안타깝게도 어제 일은 내 눈으로 직접 본 건데, 아무리 신뢰를 주는 목소리로 반박해보아야 전혀 믿기 힘들었다.

"그게 아니라⋯⋯."

그 시각. 라스타는 꽃으로 가득 채운 바구니를 옮기고 있었다. 홀을 꾸미는 데 쓸 꽃이라는데, 서궁에 있는 온실에서 모은 것이었다.

그런데 끙끙거리면서 가고 있자니 처음 보는 기사가 이쪽으로 다가오는 게 아닌가. 라스타는 옆으로 비켜섰지만, 기사는 지나가는 대신 오히려 라스타 쪽으로 몸을 틀더니 가까이로 다가오며 말을 걸었다.

"꽃이 꽃을 안고 있으니, 신기한데."

그러고는 라스타의 얼굴을 뜯어보더니 감탄조로 말했다.

"굉장한 미인이 하녀로 들어왔다더니. 그게 너구나. 딱 봐도 알겠다."

"……."

라스타는 말없이 바구니를 내밀었다. 그러고는 기사가 얼결에 받아 들자, 웃으면서 부탁했다.

"라스타한테는 너무 무거워서. 들어줄래요?"

라스타가 배시시 웃자 기사는 대번에 넘어가서 물었다.

"그럴까? 어디로 가는데?"

"저쪽이요."

라스타가 창고를 가리키자, 기사는 바구니를 들고 창고 안으로 들어가서 "여기? 여기 어디?" 하고 물었다. 그 목소리가 창고 깊숙한 안쪽에서 난다는 판단이 서자마자, 라스타는 바로 문을 잠그고

빗장을 걸어버렸다.

"응?"

기사는 온통 장작뿐인 창고 어디에 꽃바구니를 놓으란 건가 생각하다가, 화들짝 놀라서 입구로 달려갔으나 이미 문은 단단히 잠긴 후였다.

"이봐! 이봐!"

기사가 안에서 외쳤지만, 라스타는 대답 없이 돌아섰다. 하지만 멀지 않은 곳에서 난 웃음소리에 깜짝 놀라 그쪽을 쳐다보아야 했다.

"멋진데?"

웃은 사람은 외국 귀족처럼 보이는 남자였다. 라스타가 쳐다보자 남자는 뒷짐을 진 채 다가오면서 엄지를 치켜들었다.

"대단해."

입가에는 미소가 떠올라 있었으나, 빈정거리는 게 아니라 정말로 재밌어하는 미소였다.

"누구세요?"

그래도 방금 한 짓이 있는지라 라스타는 좀 기죽은 목소리로 물었다. 하녀장님이 욕하지 말라 해서 조용하게 처리했는데. 아무리 봐도 딱 들킨 상황인지라 심장이 조마조마했다.

"북왕국에서 온 에밀 백작입니다. 신년제 초대를 받고 왔지요."

"네에……. 안녕하세요."

대화를 주고받는 와중에도 창고에서는 쾅쾅 문을 열어달란 소리가 났다. 라스타는 문을 열어주고 도망을 갈지 그냥 모른 척 갈지 망설였다.

"소개를 들었으면 본인 소개도 해주어야 하지 않나?"

그러나 예밀 백작이 계속 말을 걸었으므로, 라스타는 주저하면서 "라스타는……" 하고 입술을 열었다. 하지만 무어라 대답해야 할지 막막했다. 자신의 행동이 황후의 체면이라던 하녀장의 당부가 떠올라서. 결국 라스타는 입술을 빼끔거리다가 최근에 만난, 그리고 진짜 짜증 났던 사람 이름을 댔다.

"하, 하인리 왕자님 하녀인데요."

"서왕국 레이디로군."

"네. 그럼 이만……."

라스타는 자신의 기지에 탄복하면서 돌아섰으나, 예밀 백작은 끈질겼다.

"같이 걸을까요? 저도 남궁으로 갑니다."

"아니요."

라스타는 발걸음을 빨리했으나, 백작은 그 걸음조차 맞추면서 계속 말을 걸었다.

"레이디는 눈이 북극성 같습니다. 압니까?"

"곰이 아니라요?"

"……별보다 곰이 좋습니까?"

"곰이 좋아요."

"사실은 저도 곰이 좋습니다. 생각이 비슷하네요."

라스타는 총총총총 걸어가다가, 무슨 말을 해도 상대가 계속 따라하자 결국 휙 멈춰 서서 옆으로 돌아섰다. 예밀 백작은 그제야 덩달아 멈춰 섰다.

"저한테 관심 있으세요?"

그러다 라스타가 직설적으로 묻자, 놀란 표정을 지었다. 하지만 그는 곧 막힘없이 "네." 하고 대답했다.

"관심이 가는군요. 혹시 마음에 품은 연인이 있는지? 레이디처럼 순수한 모습으로 그런 행동을 하는 사람은 처음 보아서인가. 마음이 쓰이네요."

"라스타는 라스타 얼굴에 눈먼 사람을 자주 봤어요. 그래서 별로 백작님한테 관심이 안 가요."

"!"

"북극성은 먼발치에서 구경이나 하세요."

딱 잘라 말한 라스타가 휙 돌아서서 가버리자, 예밀 백작은 그 뒷모습을 보다가 웃음을 터트렸다. 그 사이에도 여전히 기사는 창고에서 문을 쾅쾅 두드렸으나, 예밀 백작의 귀엔 들리지도 않았다. 그러고 있자니, 연합국 사모뉴에서 온 크랑티아 후작이 다른 방향에서 걸어오다가 창고와 예밀 백작을 번갈아 보면서 물었다.

"이건 무슨 소리오?"

"곰이 내는 소리?"

크랑티아 후작이 고개를 기웃하자, 예밀 백작은 "아닙니다." 하고 웃고서 손을 내밀었다.

"오랜만에 뵙는군요, 후작님."

악수를 마친 예밀 백작은 크랑티아 후작과 나란히 걸어온 여자 쪽으로 고개를 돌렸다. 예밀 백작은 처음 보는 여자였는데, 풍성한 적갈색 머리카락이 매력적인 귀족 영애로 보였다. 지적이고 영리해 보이는 인상의 영애.

"이분은?"

"아, 이쪽은……."

예밀 백작의 질문에 크랑티아 후작이 대답하려고 하자. 그 말을 끊으며 귀족 여자가 먼저 손을 내밀었다.

"가리누엘라예요. 동생이죠."

인상만큼 똑부러진 목소리였다.

"반가습니다, 레이디."

가리누엘라는 객관적으로도 매력적인 데다 예밀 백작의 또래였으나, 백작은 아까 순수한 모습으로 기사 하나를 뚝딱 처리하던 이상한 여자를 떠올리느라 관심 없이 손을 내밀었다. 그 옆에서 크랑티아 후작이 동생을 흐뭇하게 바라보며 의미심장하게 속삭였다.

"잘 보여두게, 젠가야. 이 애는 아주 귀한 사람이 될 예정이거든."

밤 산책은 나름대로 운치가 있어 좋다. 부엉이 소리와 풀벌레 소리가 뒤섞이고, 풀냄새는 낮보다 강해진다. 거기에 밤 냄새가 뒤섞이면 아침 산책만큼 서정적인 기분이 들었다.

나는 발이 땅에 닿을 때마다 나는 바스락 소리를 들으면서 천천히 걸어갔다. 밤늦게까지 서류를 보느라 눈이 침침했는데. 이러고 있으니 조금씩 편해지고 있었다. 그런데 별을 보다가 호숫가로 걸어가고 있을 때였다.

"너?"

전에 라스타가 목을 잡았던 그 금색 새가 분수대에서 물장난을 치는 게 보였다.

새는 분수대 테두리에 서서 물을 날개로 튕기다가, 나를 보자 깜짝 놀라서 정자세를 취했다. 귀여워라.

"너 전에 걔 아니니? 라스타한테 잡혀서 꽥꽥거린 그 새?"

그 모습이 너무 사랑스러워 웃으면서 다가가자, 새는 노골적으로 기분 나쁘단 표정을 지었다.

새가 이렇게 표정이 풍부한 동물인가? 키워본 적이 없어서 모르겠다. 하지만 인상을 써도 귀여워서 저절로 머리에 손이 갔다. 보송보송해 보이는 머리를 쓰다듬자, 세상에. 새는 찡그린 이마를 풀더니 눈을 반쯤 감기까지 했다. 흠, 이건 꽤 괜찮은데? 하고 생각하는 얼굴로.

"너 진짜 귀엽구나."

그 모습을 보면서 웃는데 문득 라스타가 한 말이 떠올랐다. 새 눈빛이 이상하다는 말.

당연히 말도 안 되는 말이지. 이런 말을 뭐하러 신경 써?

"……."

쓰이네. 안 쓰려고 하는데, 막상 그 말을 떠올리고 나자 계속 신경이 쓰인다. 게다가 '라스타한테 잡혀서 꽥꽥거린'이라고 했을 때. 그 찡그린 표정도 다시 생각해보니 좀 이상하고. 싫은 내색을 했으면서도 머리를 쓰다듬으니 가만히 있잖아. 이것도 지금 보니 좀 이상하다. 한번 이상하단 생각을 해버리니 별거 아닌데도 다 이상했다. 이건 좀 아니지 않나, 생각하면서도 결국 나는 새에게 직접 묻고 말았다.

"넌 이상한 새니?"

— 구?

새는 이런 헛소리는 처음 들었단 듯이 고개를 삐딱하게 옆으로 했다.

"아니야."

나도 바보 같지. 뭐 하러 이런 질문을 하는 거야? 나는 새에게 진지하게 질문을 던진 게 민망해져서 그저 조용히 새의 옆에 앉았다. 그러자 새는 날아가지도 않고, 내게 자리를 만들어주려는 것처럼 슬쩍 옆으로 조금 물러났다. 새에겐 미안하지만 그 모습을 보자 다시 한번 라스타 생각이 났다. 역시 좀 이상하지 않나?

"……."

결국 딱 한 번만 더 확인해보자 싶어서, 나는 주위를 두리번거리다가 아무도 없는 걸 확인하자마자 새의 얼굴 앞으로 내 머리를 확 들이밀었다.

"왁!"

스스로 외치면서도 자괴감이 느껴졌지만, 새는 진짜로 놀랐는지 발랑 뒤로 나자빠지면서 분수대 안에 퐁당 빠져버렸다.

"새야!"

역시 이상한 새가 아니었나 봐. 어쩌지? 당황해서 뒤로 물러섰다가, 나는 새를 건져내고서 얼른 손수건을 꺼내 물기를 닦아주었다.

"감기 걸리잖아."

새도 감기에 걸리는지는 모르겠지만.

그러나 부리를 닦을 때는 눈만 겹겹이 쌓인 동전만큼 커다랗게 뜨던 새는, 내가 깃털을 제대로 말려주려고 하자 황급히 나를 멀리하고 뒤로 물러났다.

음…… 그냥 놔둘까. 하긴. 새들이 날아다니다가 비도 맞고 할 텐데, 그럴 때마다 손수건을 훔쳐다 몸을 닦진 않겠지. 그냥 놔둬도 알아서 잘 말리려나? 그래. 싫어하는 것 같으니 혼자 말리게 두…….

"어?"

내가 놀라서 손수건을 내리자 새가 뒤로 물러나다 말고 같이 멈추었다.

"세상에."

일부러 이러는 게 아니다. 뭐가 보여. 뭐지? 나는 상체를 숙여서 새 깃털 사이를 살폈다.

"이게 뭐야? 안 아파?"

분수대 안에 떨어졌을 때 안에 있던 뭐가 새에게 박혔나 봐. 박힌 게 아니라 깃털 사이에 그냥 묻혀 있는 건지도 모르겠지만. 어쨌든 깃털 사이로 유리 조각 같은 게 반짝이고 있었다. 나는 한 손으로는 새를 끌어당기고 다른 한 손으로는 그 유리 같은 걸 잡으려

했다.

"빼줄게."

하지만 내가 깃털 사이로 손을 집어넣자 새는 온몸을 꿀렁거리면서 벗어나려고 파닥거렸다.

"잠시만."

그 바람에 유리 조각 위치가 묻혀서 다시 깃털을 헤집자, 새는 몸은 순순히 내게 잡힌 채 다리만 다른 방향으로 파닥파닥 움직였다.

"가만히 있어봐."

당연하겠지만 새는 가만히 있지 않았다. 아니, 끙끙거리며 내 손을 벗어나려고 해도 잘되지 않자 다시 꿀렁거리기 시작했다. 그러다 또 분수대에 빠질 뻔해서 유리 조각을 더듬던 손으로 얼른 새를 잡아당겼는데…….

"!"

뽁 하는 느낌이 나더니 결국 또 첨벙 큰 소리를 내며 새가 빠져버렸다.

"새야!"

이번에는 소리가 너무 크게 나서 깜짝 놀라 일어섰는데.

"!"

금색 새는 어디 가고, 금발의 남자가 벌거벗은 채 분수대 물 안에 앉아 있는 게 아닌가.

"하인리…… 왕자?"

'3년이 지났는데도 아이가 생기지 않는다. 역시 우리 둘 중 누군가에게 문제가 있는 건 아닐까.'

소비에슈는 뒷짐을 진 채 거의 발소리를 내지 않고 걸어갔다. 손님으로 가득 찬 남궁 쪽에서는 조각조각 흩어진 불빛이 밤을 더욱 아름답게 하고, 정원 역시도 신년제를 위해 평소보다 더욱 아름답게 꾸며졌지만 소비에슈의 눈에는 아무것도 보이지 않았다.

불임이라면 미리 대책을 세워야 하는 게 아닐지, 하지만 대책을 어떻게 세워야 할지, 나비에에게 이 이야기를 해야 할지 말지 고민하느라.

"이 일이 알려지면 전 죽습니다."

그러나 분수대 쪽에서 들려온 남자의 목소리가 소비에슈를 정신차리게 했다.

어느 철없는 영식이 불장난을 하다 걸렸기에 저런 말을 하나. 소비에슈는 혀를 차면서 못 볼 꼴 보기 전에 다른 방향으로 돌아섰다.

"일단 옷부터 입어요."

그러나 이어서 들려온 익숙한 여자의 목소리가 소비에슈의 발목을 덥석 움켜쥐었다.

'나비에?'

"비밀로 해주실 수 있겠습니까?"

다시 남자의 목소리.

이게 무슨 소리지? 소비에슈는 돌아서서 분수대로 걸어갔다. 그러나 넝쿨이 늘어진 길을 지나 분수대가 있는 동그란 정원에 들어서도 벌거벗은 남자 따위는 없었다. 나비에만이 분수대에 걸터앉은 채 좀 놀란 표정으로 눈을 깜빡이고 있을 뿐.

"황후? 괜찮소?"

새가 갑자기 벌거벗은 하인리 왕자가 되더니 그 왕자가 또 새로 변해서 달아났어. 새라서…… 귀도 더 밝은가 보다. 갑자기 새로 변해서 어딜 그리 바쁘게 뛰어가나 했더니, 바로 소비에슈가 나타난 걸 보면. 왜 안 날아가고 뛰어서 달아났는진 모르겠지만.

"황후?"

내가 대답하지 않으니 이상한지 소비에슈가 다시 날 부르면서 다가왔다.

그런데 어째서? 얼른 표정 관리를 하려는데, 그가 오다가 우뚝 멈추더니 내 손을 내려다보는 게 아닌가. 덩달아 고개를 내리자 손안 가득 금색 깃털과 금색 머리카락이……. 이런. 아무래도 깃털이 뽑히는 와중에 그가 사람으로 변해서 이렇게 된 듯한데.

아니, 어느 쪽이든 대답할 말이 궁하잖아. 진짜 죽는진 모르겠지만 비밀로 해달라 사정했는데 그 이야기를 하기도 뭐하고. 하인리 왕자가 벌거벗고 있다가 새로 변해서 가버렸단 말을 하기도 뭐하고.

머뭇거리고 있자니 소비에슈가 갑자기 확 손을 뻗어서 내 손을 들어 올렸다.

"짧군."

그는 내가 움켜쥔 금발 길이를 확인하고는 나를 빤히 쳐다보았다. 이게 뭐냐는 듯. 그 눈빛이 나를 의심하는 것처럼 보였다.

의심한다면 무슨 의심을? 내가 이 시간에 다른 남자와 밀회라도 했다 여기나?

대체 누구의 머리카락이었을까. 나비에는 왜 제대로 대답하지 않았을까. 소비에슈는 다음 날이 되어도 머리가 복잡해 일을 제대로 하지 못했다. 나비에가 혹시 정부를 두려는 건 아닐까 걱정스럽고, 금발 남자와 밀회를 한 건 아닌가 신경 쓰였다. 하지만 분명 거기서 빠져나간 사람은 아무도 없었다.

'밀회한 게 아니어도 남의 머리카락을 움켜잡고 있는 건 그거대로 이상하지만…….'

그런데 한창 생각에 잠겨 있을 때였다.

"폐하. 연합국 사모뉴에서 사신이 찾아왔습니다."

문 밖에서 기사가 조심스럽게 알려왔다. 들어오란 신호를 보내자, 잠시 뒤 문이 열리면서 적갈색 머리의 여자가 들어왔다. 뒤에는 하인이 길쭉한 선물 상자를 두 손으로 받쳐 들고 있었다.

"크랑티아 가문의 가리누엘라입니다, 폐하."

가까이 다가온 여자는 소비에슈에게 예의를 갖추어 인사를 올리고는 하인에게 눈짓했다. 신호를 받은 하인은 들고 온 상자를 소비에슈에게 내밀었다.

“신년제 선물이랍니다.”

비서가 대신해 상자를 받아 들자 하인이 뒤로 물러났다. 소비에슈가 흑색 상자 뚜껑을 열자 안에서 여기저기 보석을 달아 치장한 금화살이 나타났다. 도금한 금화살이 아니라 정말 촉부터 날개, 대까지 다 황금으로 된 화살이.

“이걸 왜 주는 거지?”

소비에슈가 뚜껑을 다시 덮으며 묻자 가리누엘라는 빙그레 웃었다.

“선물의 의미는 선물하는 사람이 일일이 설명하면 재미없지요.”

이후로 몇 가지 형식적인 말을 꺼낸 가리누엘라가 돌아가자, 소비에슈는 카를 후작에게 건성으로 물었다.

“금화살에 의미가 있나?”

카를 후작은 인상을 찡그리더니 좀 찝찝한 듯 말했다.

“금으로 만든 화살에 찔리면 사랑에 빠진단 말이 있긴 합니다만…….”

“!”

신년제가 시작되었다.

“오늘은 바쁘게 준비하셔야 합니다. 아시지요?”

백작 부인은 날 보자마자 웃으면서 묻고는 얼른 옷장에서 미리 준비해둔 드레스를 꺼내 들어 올렸다. 소매통이 넓은 아이보리색 드레스로, 실루엣이 풍성하면서도 과하지 않고 깔끔한 디자인이었다.

“첫날이니 다들 화려하게 꾸미고 나올 터이지요. 이런 날에는 더욱 화려하게 하려다가 너무 힘을 준 것처럼 보이면 괜히 우습게 됩니다. 여왕의 이미지가 돋보이도록 하는 게 더욱 나을 거예요.”

엘리자 백작 부인은 ‘눈의 여왕’이 콘셉트라면서 얼른 일어나 씻자고 재촉했다. 연회장에 가장 첫 번째로 들어갈 필요는 없기에, 나는 천천히 준비를 마치고 소비에슈를 만나 함께 홀로 들어갔다. 연회장 안에 들어와 계단을 내려가던 중 피아노 근처에 서 있는 하인리와 눈이 마주쳤지만, 어색하게 시선을 피했다.

하인리 왕자가…… 일부러 라스타를 괴롭힌 게 아니란 건 알았다. 아니, 일부러 시비를 건 건 맞겠지만, 이유 없이 시비를 건 게 아니란 건 알았다. 그 커다란 새가 하인리 왕자라면 그로서는 난데없이 라스타에게 목덜미가 잡혀 마구 흔들린 걸 테니. 악감정이 있었겠지.

하지만 그 오해를 풀었다 한들 그의 벌거벗은 몸을 봐버렸는걸. 눈을 마주하기 힘들었다. 소비에슈와 첫 춤을 추고 잠시 휴식하기 위해 사람들이 덜 북적이는 곳에 갈 때까지도 나는 일부러 하인리 왕자가 있는 방향으로는 시선조차 보내지 않았다. 그가 있는 쪽에선 늘 소란이 일어났기에 어느 방향을 피해야 할지 알아내기는 쉬웠고.

그런데 도수가 약한 샴페인 한 잔을 받아서 마시려 할 때였다. 사람들이 웅성대는 소리가 들려왔다.

"세상에. 예뻐라."

"어쩌면 저런 드레스가 있죠?"

"마법을 건 건가요?"

누군가 늦게 참석한 듯했다. 잔을 입술에 가져가면서 사람들이 쳐다보는 곳을 보니, 홀로 내려오는 계단 위. 이제 막 들어온 여자가 보였다.

나 역시 좀 놀랐다. 에스코트를 받지 않고 들어온 그녀는 적갈색 머리카락을 자연스럽게 부풀러 늘어뜨렸는데, 드레스가…… 정말 굉장해서.

달빛을 엮어서 만들면 저런 모양이 아닐까 싶은 재질이었는데, 연회장 빛을 받자 드레스가 혼자 반짝거렸다. 그냥 수식어가 아니었다. 말 그대로 반짝거리고 있었다. 그 속에서 그녀는 주인공처럼 보였다.

'누구더라?'

어디 사람이더라, 잠시 생각하고 있자니 그녀는 계단을 천천히 내려와 소비에슈가 있는 방향으로 다가갔다. 소비에슈에게 가는 건가? 아니면 그냥 같은 방향?

의아해서 뚫어져라 보고 있자니, 그 여자는 정말로 소비에슈의 앞까지 다가가 무어라 말을 걸었다. 목소리는 들리지 않지만 그녀가 무어라 말을 하자 소비에슈는 좀 놀란 눈치였다. 하지만 곧 두 사람은 손을 잡고 춤을 추기 위해 무대 중앙으로 갔다.

"……."

가만히 그 모습을 보고 있자니 소비에슈가 내 쪽으로 힐긋 시선을 던졌다. 묘한 시선.

'왜 저렇게 쳐다보지?'

그의 의도를 알아내기도 전에 감미로운 음악이 나오고 여자는 교본처럼 완벽하게 춤을 추기 시작했다. 어느새 곁에 온 베르디 자작 부인이 "아, 저 여자." 하고 탄식하더니 옆에서 내게 알려주었다.

"연합국에서 온 크랑티아 후작의 동생이네요."

"그래요?"

"네. 듣기로는 굉장히 똑똑하다던데. ……똑똑하긴 하네요."

베르디 자작 부인은 인상을 찡그리며 약간 비꼬는 뉘앙스로 말했다.

"언제 들어와야 시선이 집중될지 정확하게 아는 걸 보니. 일부러 늦게 온 모양입니다."

로라도 친구와 노는 것 같더니 옆으로 오면서 끼어들었다.

"저도 방금 들었는데요, 폐하. 저 여자는 다룰 줄 아는 악기가 일곱 개나 된대요. 몇 개는 전문 악사들조차 놀랄 정도로 잘 다루고요, 특히 작곡 쪽으로는 천재적인가 봐요."

"그래요……."

나는 가만히 고개를 끄덕였다.

하지만 뭐 어쩌겠나. 소비에슈의 춤 상대가 아무리 매력적이라 한들, 그는 의무적인 춤은 나와 같이 췄고, 두 번째 춤을 누구와 출지는 어디까지나 그의 선택인데.

"……."

하지만 사람들이 이상할 정도로 나와 소비에슈를 번갈아 힐긋거려서, 결국 바람이나 쐬겠다며 베란다로 나갔다. 하지만 아무도 없는 줄 알았던 베란다에는 이미 선객이 있었다.

"하인리 왕자."

이 순간 그리 마주치고 싶지 않은 사람이.

"진짜야?"

"어. 일부러 제일 늦게 왔대."

"계단에서도 바로 안 내려오고, 왜 어디야 층계참? 그런 데 있잖아. 거기서 사람들 시선 받으면서 서 있었나 봐. 자기가 황후 폐하라도 되는 것처럼."

"와. 머리 쓴 것 봐."

"일부러 그런 거 아냐?"

"그런 거 같아. 내려오자마자 바로 황제 폐하한테 달려가서 춤추자 했나 봐. 폐하는 또 그걸 바로 승낙하고!"

"그럼 황후 폐하는? 황후 폐하는 어쩌고?"

라스타는 궁인들 사이에 끼지 못한 채 조리실 탁자에 앉아 조용히 콩나물 대가리를 따고 있었다. 이 대화를 듣기 전까지는.

"……."

콩나물 대가리 스무 개를 동시에 딴 라스타는 머리 없는 콩나물을 소쿠리 안에 내려놓고서 천천히 일어났다.

"방금 그 얘기, 무슨 소리예요?"

라스타가 음산하게 묻자 궁인들은 소곤거리던 걸 멈추고 고개를 돌렸다.

"네가 무슨 상관이야?"

"시킨 일이나 해."

그들은 라스타를 비웃고서 다시 자기들 대화에 열중했지만, 라스타가 탁자를 쾅 소리가 나게 내려치자 다들 입을 다물었다. 그들은 짜증스럽게 라스타를 쳐다보다가, 라스타의 눈빛을 보고는 입을 다물었다. 그 눈빛이 희번덕해서. 미친 곰 같았다.

"똑바로 말하지 않으면…… 라스타는…… 화를 낼 거예요. 당신들 대가리도 이렇게 따서…… 콩나물이랑 같이 무쳐버릴지도 몰라."

"!"

"대답해. 황후 폐하를 두고…… 누가…… 누구랑 춤을 췄다고?"

하인리 왕자는 난간에서 손을 떼더니 의외란 시선으로 날 보다가 물었다.

"도망은 다 다닌 겁니까?"

"도망이라니."

"절 계속 피해 다니시던데."

"자기 위주로 생각을 많이 하는군요. 난 도망 다닌 적 없습니다."

"아닌데. 계속 피하시던데. 발걸음도 눈도 전부 다."

내가 인상을 찡그리면서 그를 쳐다보자, 하인리는 희미하게 웃으면서 물었다.

"또 도망갈 겁니까?"

"머리를 쓰는군요."

내가 자기를 피해 다녔다고 도발을 해두면 이번에는 다른 데로 바로 가버리지 않을 거라 생각이라도 한 건가. 최대한 차갑게 쳐다보자, 하인리 왕자는 옆으로 조금 물러났다.

"뭐 하는 거지요?"

"너무 가까이 있으면 또 가버리실까 봐 그럽니다."

그런다고 해서 내가 자기 옆으로 갈 줄 아나? 인상을 찡그리고서 제자리에 서 있기만 하자, 하인리 왕자는 그 자리에서 내 쪽을 살피며 인사했다.

"고맙습니다. 인사를 하고 싶었어요. 계속 피하셔서 할 틈이 없었습니다."

"!"

"비밀을 지켜주어서 고맙습니다. ……정말 중요한 비밀인지라."

아아. 내가 자기 비밀을 털어놓을까 봐 계속 쳐다본 건가. 그 이야기를 듣자 그가 날 바라보던 게 좀 이해가 갔다. 하인리 왕자 입장에서는 신경이 쓰일 수밖에 없었겠지. 자기 비밀을 낯선 사람이 알게 되면 계속 그 사람 생각을 할 수밖에 없으니.

"걱정 마요. 함부로 남 얘기를 하지 않으니."

이 부분은 그가 충분히 불안해할 일이라, 나는 최대한 믿음이 가도록 진지하게 약속했다. 그래도 그는 불안하겠지만.

하지만 하인리 왕자는 "믿습니다. 당연히." 하고 중얼거리면서 웃더니 내 눈치를 살피면서 제안했다.

"어쨌든 제 은인이니 은혜를 갚고 싶은데요, 황후 폐하."

"나 때문에 물에 빠진 거였고, 나 때문에 들통난 거였어요. 내게 은혜를 갚을 일은 없지 않나요?"

"그렇습니까?"

그렇다 대답하고서 나는 잠시 고민했다. 여기에 더 있어봐야 제대로 바람을 쐬지도 못할 듯한데. 그냥 안으로 돌아갈까. 하지만 안에는…… 소비에슈가 가리누엘라와 춤을 추고 있잖아. 하인리를 보고 놀라서 잠시 잊었던 두 사람이 떠오르자, 그래도 이 자리에 죽치고 있는 게 그나마 낫겠다 싶어서 나는 한숨을 내쉬고 하인리 왕자와 반대쪽 난간으로 가 기대섰다.

한자리에 있으면서 상대를 계속 무시할 수는 없는 일이어서, 나는 아래를 내려다보는 척하면서 잠시 고민했다. 그가 라스타를 이유 없이 괴롭히는 줄 알았는데, 이젠 아니란 걸 알게 되었단 말을 해야 하나? 아니면 그때 깃털 사이에 있던 유리 조각 같은 거. 그게 괜찮은지 물어볼까? ……후자로 하자. 그가 이유 없이 라스타에게 시비를 건 건 아니지만, 어쨌든 시비를 건 건 맞잖아.

"전에 유리 조각에 찔린 것 같던데. 그건 괜찮아요?"

"물론입니다."

소비에슈는 춤을 추면서도 베란다 쪽을 힐긋거렸다. 아까 분명 나비에가 그쪽으로 나갔는데. 금방 들어올 줄 알았더니 돌아오지 않는다.

언제 돌아오지? 음악이 끝날 즈음엔 돌아오려나? 혼자서 저기서 뭘 하지? 혹시 그 '머리카락 주인'과 함께 있나? 아니, 그렇진 않을 거야.

온갖 상념이 머릿속에 작은 주사위들처럼 굴러다니다, 자기들끼리 똑 똑 부딪치면서 새로운 상상을 만들어냈다.

그러다 음악이 끝나갈 즈음. 마침내 나비에가 다시 안으로 들어왔다. 옆에 아무도 없는 걸 본 소비에슈는 그제야 안심해서 춤에 집중하려 했다. 하지만 가리누엘라와 손을 잡고 한 바퀴를 돌고 나자, 아까 그 장소에서 하인리 왕자가 나오는 게 보였다.

"!"

금발.

소비에슈는 눈이 커다래졌다. 혹시 저자? 나비에가 움켜쥐고 있던 머리카락이 저자의 것인가?

하인리 왕자에 대한 소문은 익히 들어왔다. 엄청난 바람둥이. 여자들에게 인기가 좋고, 굉장히 미남이라는 것. 소비에슈는 설마 나비에가 저런 가벼운 놈과 어울린 건가 싶어 충격을 받았다. 춤을 출 때 상대의 손을 가볍게 잡아야 하지만, 자기도 모르게 손에 힘이 꽉 들어갔다. 저절로 나비에 쪽을 쳐다보게 되었다. 나비에는 부채를 펼쳐서 얼굴을 부치고 있었는데, 이쪽을 쳐다보더니, 눈살을 좀 찌푸렸다. 그가 가리누엘라와 붙어 있는 게 불쾌하다는 듯. 그걸 본 소비에슈는 일부러 표정을 가다듬고서 가리누엘라에게 다정하게 속삭였다.

"음악에 조예가 있단 말은 들었지만. 춤에도 그런 줄은 몰랐군."

"저도 폐하께서 한 번에 두 여자를 떠보는 분이란 건 몰랐군요."

그러다 소비에슈는 가리누엘라의 뼈 있는 말을 듣고 놀라서 그녀를 내려다보았다. 자신을 꼭 잡은 소비에슈의 손에서 힘이 빠져나가자, 가리누엘라는 이번에는 자신이 힘을 주어 그 손을 잡으며 속삭였다.

"지금 폐하의 춤 상대는 저입니다. 지금은 온전히 제게만 집중해 주시지요."

가리누엘라의 목소리는 점점 더 작아졌지만, 오히려 그 탓에 더 집중하게 되었다. 눈이 마주치자 자신감으로 가득한 눈이 가늘게 휘어졌다.

"평생의 사랑을 하루에 끝내는 것도 나름 로맨틱하지 않겠어요?"

"!"

때마침 음악이 끝났다. 두 사람이 춤을 마치고 제자리에 서자 가리누엘라의 드레스 자락이 마지막 선율을 타고서 부드럽게 반 바퀴를 더 돌았다. 다음 춤 상대를 찾기 위해, 휴식을 취하기 위해, 사람들은 다 흩어졌지만, 가리누엘라와 소비에슈는 한자리에 서서 떠나지 않았다. 소비에슈의 눈동자가 흔들리는 걸 본 가리누엘라가 조롱조로 웃었다.

“설마. 아내가 무서워서 그래요?”

“……그럴 리가.”

“걱정하지 마시지요. 전 입이 무거우니까요.”

남궁에 일거리가 부족하단 이야기를 듣자마자 라스타는 얼른 자원했다.

“넌 다쳤다가 회복된 지 얼마 안 됐잖아. 하녀장님이 되도록 무리 가지 않는 선에서만 일을 배우게 하라셨는데.”

뜬금없이 라스타가 남궁 일을 돕겠다며 목소리를 높이자 담당 궁정인은 떨떠름해했다. 하지만 라스타가 남궁 구경을 하고 싶다면서 아득바득 우기자, 결국 귀빈들의 방을 정리하는 일을 맡겼다.

귀빈들이 들어오기 전에 이미 남궁 전체를 쓸고 닦고 광을 냈고, 손님들이 방을 사용한 지는 며칠이 지나지 않았다. 궁정인은 이 정도라면 라스타도 크게 무리 가지 않는 선에서 일을 적당히 해치울 수 있겠지, 생각했다.

하지만 남궁으로 가는 라스타는 일을 할 생각은 추호도 없었다. 라스타는 가리누엘라의 방을 알아내서 그쪽에 들어오자마자 대번에 화병부터 깨부수고, 빳빳하게 올라온 카펫을 구둣발로 마구 짓이겼다. 미리 챙겨 온 종이 더미 역시 여기저기에 뿌려버렸다.

‘짜증 나.’

마음 같아서는 소비에슈 황제의 방에도 이러고 싶지만, 그 방에서 이랬다가는 아예 궁전에서 쫓겨날 터. 그러면 나비에 황후의 곁에서도 멀어지게 된다. 하지만 절대로 황제 폐하도 그냥 넘어가진 않을 거라고, 라스타는 이를 갈면서 방 안을 엉망으로 만들었다. 그렇게 방 안이 완전히 지저분해지자, 그제야 라스타는 천천히 느릿하게 다시 방을 치우기 시작했다.

"이게 뭐야?"

새벽이 되어 방에 돌아온 가리누엘라는 떠나기 전보다 엉망이 된 방을 보자 당연히 화를 냈다. 그때 라스타는 일부러 교묘한 타이밍으로 가리누엘라의 방에서 스치듯 쏙 빠져나온 후였다. 가리우엘라가 방 꼴을 보고 자신을 붙잡을 수 있도록.

"거기!"

예상대로 가리누엘라는 방을 확인하자마자 바로 밖으로 나와서 라스타를 불러세웠다.

"지금 그쪽이 이런 거야?"

가리누엘라가 차갑게 묻자 라스타는 놀란 얼굴로 "저요?" 하고 되물었다.

"그래."

가리누엘라는 부글부글 끓는 걸 억지로 부르고서 라스타에게 천천히 다가오면서 다시 침착하게 물었다.

"네가 내 방을 그따위로 만들었니?"

"라스타는 청소를 하고 있었어요……."

라스타가 앞에서 힘없이 대답하자, 가리누엘라는 이마에 힘이 꽉 들어가서 목소리를 조금 높였다.

"청소를 한 거야 미친 짓을 한 거야? 아예 방 안에서 난동을 부렸던데."

"그럴 리가요……. 라스타가 들어갔을 때부터 이미 방 안은 그 꼴이었는걸요."

"……그 꼴?"

라스타의 단어 선택에 가리누엘라가 발끈해서 "이봐!" 외치는 순간.

"미안해요!"

라스타는 보이지 않는 손바닥에라도 맞은 양 풀썩 쓰러지더니 눈시울을 훌쩍거리면서 사과를 퍼부었다.

"치워보려고 했지만 방 안이 너무 쓰레기통 같아서 어떻게 할 수가 없었어요. 아가씨가 방을 더럽게 쓰는 건 라스타 탓이 아니에요."

"뭐? 하. 이……."

"라스타는 다친 지 얼마 안 되어서 제대로 청소를 할 수가 없었어요. 사람을 불러오려고 했어요. 너무 화내지 마세요."

안 그래도 연약해 보이는 라스타가 바닥에 엎어진 채 끝없이 사과하자, 가리누엘라는 당황했다. 지나가던 사람들 역시 멈춰 서서 이쪽을 힐긋거리면서 혀를 찼다.

"거 웬만하면 적당히 넘어가지."

"남의 나라 와서 너무 심한 거 아냐?"

"어느 가문 사람이길래 저러는 건가요?"

사람들이 수군거리자 가리누엘라는 더욱 화가 났다. 하지만 여기서 언성을 높여봐야 자기만 이상해질 것 같아서, 그녀는 화를 꾸

누르면서 최대한 차분하게 대응했다.

"내가 이 하녀에게 너무 못되게 군다 싶은 분은 내 방이 어떤 꼴이 되어 있나 한번 보시지요. 그러면 이 하녀가 얼마나 영악하게 굴고 있는지 다들 알 테니까요."

그때.

"우리 백곰 양은 그럴 성정이 아닌데."

사람들 틈에 있다가 이 광경을 본 예밀 백작이 가까이 다가오면서 한량처럼 끼어들었다.

"예밀 백작님. 그러면 전 하녀를 괴롭힐 성정이란 건가요?"

가리누엘라가 눈을 가늘게 뜨면서 그를 불렀으나, 예밀 백작은 능청스럽게 웃어넘기면서 라스타가 일어나도록 도왔다.

"물론 아니겠지요. 하지만 오해를 할 수는 있지요. 사람은 다 그러니까요."

가리누엘라의 눈이 더 싸늘해지자 예밀 백작은 빙그레 웃으면서 둘러댔다.

"그러면 전 이만. 쓰러진 백곰 양을 돕고 오겠습니다."

가리누엘라가 있던 곳으로부터 좀 멀어지자 라스타는 힘없이 예밀 백작에게 기대던 몸을 바로 했다.

"더 기대도 되는데요."

그 단호한 태도에 예밀 백작이 아쉽다는 듯 말했지만 라스타는 딱 잘라 "괜찮아요." 하고 대답했다. 그러고는 바로 남궁을 떠나려는 걸 예밀 백작이 얼른 따라붙었다.

"바래다주겠습니다."

"필요 없어요."

"아깐 혼자 서 있지도 못했잖아요?"

"이젠 혼자 걸을 수도 있어요."

라스타는 예밀 백작에게 하인리 왕자의 사람이라 거짓말을 해두었기에 괜히 찔려서 발걸음을 빨리했지만, 예밀 백작은 놀라울 정도로 라스타의 걸음걸이에 정확히 자기 속도를 맞추었다. 결국 라스타는 울며 겨자 먹기로 하인리 왕자의 방 쪽으로 걸어갔다. 그곳 부근에서 예밀 백작을 떨어트려 놓아야지, 생각하면서.

"레이디. 레이디의 기사 다음 타깃은 가리누엘라 양인가요?"

"무슨 말을 하는 건지 모르겠어요."

"가리누엘라 양은 저도 이번 연회 때 처음 보는 거라 성격을 모르겠습니다."

"?"

"하지만 가리누엘라 양의 오빠인 크랑티아 후작은 성격이 나빠요."

"그게 왜요?"

"너무 노골적으로 가리누엘라 양을 적대하면, 그 후작이 어떻게 나올지 모릅니다."

"협박하시는 건가요?"

"충고해주는 거지요. 전에도 말했다시피, 넌 우리 백금 양에게 관심이 가서."

하인리 왕자가 머무는 방 근처에 도착하자, 라스타는 우뚝 멈추어 서서 그를 향해 입을 벌렸다. 자기한테 관심 보이지 말고 얼른 가버리라 말할 생각이었다. 그래야 자신도 얼른 둘러 둘러서 서궁으로 돌아갈 수 있으니.

그러나 무어라 말하기 직전.

"예밀 백작?"

하인리 왕자 쪽이 막 연회장에서 돌아온 듯 약간의 술냄새를 풍기며 걸어왔다. 라스타는 아차 싶어서 눈을 질끈 감았지만, 사정을 모르는 예밀 백작은 하인리 왕자를 보자 사람 좋게 말했다.

"하인리 전하. 전하의 하녀인 라스타 양이 일을 하다가 쓰러져 있기에 바래다주었습니다. 그럼 전 이만."

성큼성큼 멀어지는 그의 뒤통수에 대고 라스타는 '오지랖 넓은 놈!'이라고 소리쳤으나, 이미 하인리 왕자는 온 후였다. 하지만 아무 말도 하지 않아서, 라스타는 심장이 조마조마해서 그를 쳐다보았다. 그런데 무슨 일인지? 분명 또 뭐라 시비를 걸 줄 알았는데. 하인리 왕자는 뜻밖에도 웃고 있었다.

"언제부터 그쪽이 내 하녀였더라?"

그 웃는 얼굴로 시비를 걸긴 했지만.

라스타는 인상을 구기고 무어라 말을 하려 했으나, 이번에도 하인리 왕자가 먼저 입을 열었다.

"얄밉지만 이번은 넘어가주지."

웬일이야? 넘어가준다는데도 이렇게 찝찝한 사람이 있을까. 라스타가 경계하며 쳐다보자, 하인리는 흐뭇하게 웃더니 손을 길을 향해 내밀었다.

"아침길은 공기가 시려서 혼가 가기 좀 그렇지? 내가 서궁까지 바래다주겠다. 가자."

"무슨 꿍꿍이예요?"

"황후 폐하를 보거든 내가 친절하게, 아주 친절하게 그쪽을 바래다주었다고 말해."

"!"

"그러면 나도 네가 내 이름 판 걸 모른 척해줄 테니."

"황제 폐하와 가리누엘라 양이요?"

"춤추는 내내 손을 꼭 붙잡고 있었잖아요."

"둘 다 엇비슷한 시간에 사라져서 돌아오지 않았는데……."

첫 번째 날 연회가 끝나고 방에 돌아왔지만 사람들이 수군거리는 소리는 끝나지 않고 계속해서 귓가를 맴돌았다. 시녀들 역시 사람들이 소곤거리는 걸 들었기에 내 눈치를 살피느라 다들 조심조심히 말했고, 덩달아 응접실 안 분위기는 한없이 내려앉았다.

결국 나는 견디다 못해 혼자 서궁 밖으로 나왔다. 궁전 안에는 온갖 헛소문이 다 떠도는 걸 안다. 알지만…… 가리누엘라와 손을 꼭 붙잡은 채 나를 싸늘하게 바라보던 소비에슈의 눈길이 생각나면 그 소문이 진부 진실일 것 같아 울컥했다.

얼마나 그러고 있었을까. 티격태격 말을 주고받는 소리와 발소리가 가까워져서, 나는 벽에 몸을 기대고 있다가 얼른 자세를 바로 했다. 다가온 이는 라스타와 하인리 왕자였다.

"라스타? 하인리 왕자?"

사이가 나쁘더니, 웬일로 둘이 오는 거지? 의외라서 두 사람을 번갈아 쳐다보자, 라스타와 하인리 왕자가 동시에 입을 열었다.

"남궁에서 만났어요."

"오는 길에 만났습니다."

……대답이 둘이 다른데. 내가 눈살을 찌푸리자, 두 사람은 서로를 노려보더니 서둘러 말을 바꾸었다.

"남궁 부근에서 오는 길이에요."

"생각해보니 남궁 안에서 만났습니다."

이번에도 대답이 엇갈리고. 진실이 뭐기에 둘 다 저래?

내가 팔짱을 끼고서 고개를 비스듬하게 하자, 두 사람은 서로를 또 흘겨보았지만 이번에도 말이 꼬일까 싶은지 아무 말도 못 하고 우물거리기만 했다. 그 모습들이 참 귀여웠지만 지금은 혼자 있고 싶어서, 나는 대충 알겠다 대답하고 다른 곳으로 걸어갔다.

그런데…… 천천히 걸어가다 보니 먼발치에서 계속 발소리가 따라왔다. 돌아보자 하인리 왕자가 멀찍이서 거리를 두고 나를 따라오고 있었다.

"왜 따라오는 건가요?"

확 돌아보면서 묻자 하인리 왕자는 멀리 떨어져 있는데도 반 발자국 뒤로 물러나더니, 멋쩍게 대답했다.

"기분이 우울해 보이셔서……."

"혼자 있고 싶습니다."

딱 잘라 말하자 하인리 왕자는 머뭇거리더니 갑자기 눈 깜짝할 사이 사라졌다. 그 자리에 있는 건 금색 새 한 마리. 알고 있던 사실인데도 놀라워서 그쪽을 보고 있으려니, 새가 된 하인리 왕자는 총총걸음으로 다가와 나를 가만히 올려다보았다.

'이 모습으로는 어때? 괜찮아?'라고 묻듯. 괜찮냐고?

……장난하나.

"뭐 하십니까, 전하?"

하인리가 무언가를 열심히 적고 있자, 맥켄나가 어깨 너머에서 힐긋거리며 물었다.

"편지 적어."

하인리는 짧게 대답하고서 바쁘게 손을 움직이더니, 얼마 가지 않아 펜을 내려놓고서 자기가 쓴 내용을 훑어보았다.

"……."

그러고는 마음에 드는 듯 고개를 끄덕였다.

"괜찮네."

"누구에게 적는 건데요?"

"에르기한테."

"네에…… 네? 에르기 공한테요?"

"어."

맥켄나는 눈을 끔뻑거리다가 인상을 구겼다. 왜요? 하는 시선.

"도와달라 하려고."

맥켄나는 입을 꾹 다물고 하인리를 쳐다보았다. 책망이 한 줌 들어 있는 시선이었다.

"왜."

하인리가 편지를 봉투에 넣으면서 묻자, 맥켄나는 바쁘게 움직이는 길쭉한 손가락을 쳐다보며 떨떠름한 소리를 냈다.

"이건 에르기 공이 좋아하는 스토리가 아닐 텐데요."

"그렇지."

편지를 봉투에 넣은 하인리는 밀랍을 떨어트리고 도장을 힘껏 눌러 밀봉하더니 그 위에 대고 후후 입김을 불었다. 밀랍이 완전히 굳자 하인리는 편지를 맥켄나에게 내밀며 싱긋 웃었다.

"하지만 동대제국이잖아. 소비에슈 황제가 있고. 올걸."

신년제 마지막 날에는 초빙한 귀빈 중에서도 특별히 중요한 이들과 특별 연회를 즐긴다. 하지만 매년 구성원이 달라지기에 보통 얼굴을 익히도록 전날에 저녁 식사 역시 함께 들게 되는데, 오늘이 그날이었다.

소비에슈와 가리누엘라에 대한 소문으로 골치가 아파서 그저 방안에 틀어박힌 채 일이나 하고 싶었지만, 이런 자리는 웬만해서는 피하기도 힘들어서 나는 어쩔 수 없이 적당한 차림을 하고서 저녁 식사 자리로 갔다. 혹시 소비에슈가 가리누엘라를 여기에 데려오진 않을까 생각했지만…… 그렇진 않았다. 그나마 다행이네. 그랬다가는 분위기가 더 엉망이었을 테니.

그래도 다들 소문에 대해 아는 탓인가. 처음 식사가 시작되자 분위기는 조금 무거웠다. 하지만 점차 시간이 흐르면서 스무 명의 손님들이 저마다 여러 가지 이야기를 하는 덕에 분위기는 한결 가볍게 변했다.

나는 내게 말을 거는 이들에게 최대한 밝게 대답하면서 머릿속에서 소비에슈에 대한 문제를 털어내려 애썼다. 그러다 뤕트에서 온 손님을 발견한 건, 옆에 앉은 서즈 공주와 몇 마디 말을 주고받을 때였다.

카프멘 대공. 이번 아카데미 수석 졸업생이자 뤕트의 대공인 사람. 그 사람이 눈살을 찡그린 채 하인리 왕자와 소비에슈를 번갈아 보고 있었다. 그러다가 나와 눈이 마주치자 무덤덤하게 고개만 끄덕이더니 다시 시선을 내리는데…… 왜 저러는 거지? 두 사람과 무슨 일이라도 있었나? 아니면 하인리나 소비에슈가 꺼낸 말 중에 마음에 들지 않는 내용이라도 있었나?

때문에 나도 자연스럽게 소비에슈와 하인리를 쳐다보게 되었다. 일부러 두 사람 쪽은 쳐다보지 않으려 했는데.

소비에슈를 보자…… 가리누엘라가 떠올랐다. 그도 칼로 고기를 썰다가 내 시선을 느낀 건지 고개를 들었다. 우리는 말없이 서로를 쳐다보았지만, 소비에슈는 먼저 머리를 숙이고 음식에 집중했다.

하인리는 튀긴 건지 구운 건지 구분이 가지 않는 감자를 포크로 집으려 애쓰고 있었는데, 그 역시 내가 쳐다보자 덩달아 바로 시선을 올렸다. 그러다 시선이 마주치자 보일 듯 말 듯 희미하게 웃었는데…….

"!"

순간 분수대에 벌거벗은 채 누워 있던 그가 떠올라서 이번에는 내가 시선을 피했다.

"큽."

교묘한 타이밍으로, 카프멘 대공이 갑자기 사레에 들린 건지 잔을 내려놓고 기침하기 시작했다.

"괜찮나요?"

심하게 사레가 들린 듯해 놀라서 묻자, 카프멘 대공은 손수건으로 입을 틀어막은 채 고개를 끄덕이다가 나를 보더니 흠칫해서 시선을 떨구었다.

'왜 저러는 거지?'

나비에가 귀빈들과 저녁 식사를 즐기는 사이. 라스타는 이번에도 남궁 일손이 부족한 데 지원했다.

"라스타가 갈게요!"

"너 며칠 전에 갔다가 귀빈 방을 엉망으로 만들었다면서."

"아니에요. 그 방엔 원래 쓰레기뿐이었어요."

“아니라던데.”

“정말이에요. 예스 백작님도 라스타 편을 들어주었는걸요.”

예스 백작은 누구야? 하녀장은 고개를 기웃하지만, 일단 라스타가 원하는 대로 해주었다.

“알았어. 대신 이번엔 다른 쪽 건물로 가. 그 방엔 가지 말고.”

“그럼요!”

“이제 거기엔 들어가려 해도 막겠지만.”

하녀장은 라스타가 서궁에서 다른 궁정인들과 어울리지 못하는 걸 알고 있고, 그 사실을 안타깝게 여겼다. 좀 맹한 소리나 터무니없는 이야기를 잘 늘어놓지만 그래도 밝고 맑은 아이 같은데. 노예였단 소문 하나 때문에 사람들 사이에 섞이지 못하니 신경이 쓰일 수밖에 없었다. 하녀장이 라스타의 부탁을 들어준 것도 그런 점 때문에 조금 오해를 해서였다. 라스타가 자기에 대한 소문이 한가득한 곳에 있기 싫어서 남궁에 가려는 거라고.

하지만 이런 사실을 모른 채 라스타는 신이 나서 남궁으로 걸어갔다. 그러나 방싯방싯한 얼굴 아래로 머리는 팽팽 빠르게 굴러갔다.

‘가, 뭐야, 하여튼 그 여자 오빠가 크 뭔가 하는 후작이랬지.’

계산을 마친 라스타는 하녀장의 지시대로 가리누엘라의 방이 아니라, 그 반대편에 있는 크랑티아 후작의 방으로 찾아갔다. 이번에는 방 안을 엉망으로 만들지는 않았다. 약점이 있을까 싶어 방 안을 뒤지긴 했지만, 티가 나지 않게 움직인 라스타는 딱히 건질 만한 게 없자 일부러 느릿느릿 청소를 하는 둥 마는 둥 시간을 때웠다. 그러다가 크랑티아 후작이 방 안엔 들어오자, 라스타는 일부러 들고 있던 찻잔을 세게 떨어트려 깨지게 만들었다.

"무슨 일이냐."

날카로운 소리를 들은 후작이 인상을 구기고 다가오자, 라스타는 처량한 표정을 하고서 눈을 그렁그렁하게 뜬 채 시선을 들었다. 화를 내려던 크랑티아 후작은 깜짝 놀라 뒤로 물러났다.

"너는……."

"죄송해요. 손이 미끄러져서. 여기 오기 전에 초로 바닥을 문질렀더니 손이……."

라스타가 동공이 커다래진 고양이 같은 표정을 짓자 크랑티아 후작은 우물우물 횡설수설했다.

"그럴 수도 있지. 손이 미끄러우면 실수도 하고 그러는 거지. 그럼."

"라스타가 얼른 이걸 치우고 갈게요."

"어?"

크랑티아 후작이 뭐라 할 새도 없이 라스타는 얼른 바닥에 쪼그리고 앉았다가 유리잔을 손으로 쥐더니 "아야." 하고 외치며 일어났다. 진짜로 따끔해서 눈물 한 방울이 찔끔 나왔다.

"이런!"

안 그래도 상처투성이인 손 위로 피가 송송 새어 나오자 크랑티아 후작은 자기 손이 베인 양 안절부절못했다.

"이를 어쩌지. 세상에. 손이. 아이고."

"다른 사람을 불러서 치워달라 할게요. 죄송합니다, 크…… 후작님."

그러나 라스타는 꾸벅 인사하고서 조금도 여지를 주지 않고 얼른 밖으로 나왔다.

크랑티아 후작은 심장을 부여잡고서 놀란 마음을 진정시켰다. 천사가 날개를 접으면 저런 모습이 아닐까? 쨍 찻잔이 바닥에 부딪쳐 깨지는 순간부터 심장이 마구잡이로 쿵덕거리고 있었다. 게다가 손가락이 저만큼이나 다쳤는데! 크랑티아 후작은 뒤늦게 라스타를 쫓아 나갔다.

"거기, 거기 은발! 잠시만! 손을 치료해주겠다! 은발!"

그 꼴은, 오빠를 만나기 위해 가까이로 온 가리누엘라가 똑똑히 목격했다. 가리누엘라는 자기 오빠가 은발 하녀를 쫓아가는 걸 쳐다보고는 기가 막혀서 헛웃음을 뱉었다.

"뭐 하는 거야 저 망둥이가?"

행동을 조심 또 조심해야 할 이 타이밍에 오빠가 채신머리 없이 달려가자, 가리누엘라는 어이가 없어서 몇 번이나 '허 허' 비웃었다. 하지만 곧 가리누엘라는 은발 하녀 쪽에 집중했다.

"저 여자…… 전에 그 여잔데. 내 방을 엉망으로 만든 그 여자."

가리누엘라는 대번에 은발 하녀가 자신에게 적의를 가지고 있단 걸 알아차렸다.

"나를 엄청 싫어하나 본데?"

"아가씨를 보자마자 싫어할 사람이 어디에 있겠습니까."

호위는 옆에서 말도 안 된다고 웃었지만, 가리누엘라는 고개를 저었다.

"뭔가 나한테 맺힌 게 있어. 정확히 누구인지 알아봐. 왜 내 오빠한테 접근해서까지 날 물 먹이고 싶어 하나."

크…… 무슨 후작을 어디 인적 드문 곳으로 인도해서 확 떠밀어 버릴까. 계단이라거나 난간 같은 데서. 아니야, 그랬다가 괜히 나비에 님한테 불똥이 튈지도 몰라. 그러면 그가 자신에게 정신 차리지 못하게 만든 다음 사랑이 최고조일 때 확 차버릴까. 장기전은 자신 없지만 단기전은 자신 있는데. 그도 아니면 크…… 무슨 후작이 자기 동생과 사이가 나빠지게 중간에서 살살 긁어볼까. 라스타는 토끼몰이를 하듯 크…… 무슨 후작을 꾀면서 곰곰이 생각해보았다.

그때. 크…… 무슨 후작이 아닌 다른 말소리가 끼어들었다. 라스타는 나무에 딱 몸을 붙이고서 그 소리에 주의를 기울였다. 정확한 대화는 들리지 않았지만, 크…… 무슨 후작에게 다른 곳에 일이 있다고 알려주는 말이었다.

잠시 뒤. 대화가 끝나자 갑자기 사방이 조용해졌다. 라스타는 허리에 손을 올리고서 자신을 방해한 사람을 쳐다보았다.

"이보세요, 에스 백작님."

"에밀 백작이랍니다, 백곰 양."

라스타는 이마에 손을 올리고서 '진짜 골치 아픈 사람이네'란 표정을 노골적으로 드러냈다.

"뭐 하는 거예요?"

"크랑티아 후작이 백곰 양을 귀찮게 따라다니기에."

라스타는 나무둥치를 주먹으로 툭툭 가볍게 두드리면서 비꼬았다.

"라스타는 귀찮은 사람한테 꺼지라고 말하는데요. 지금은 귀찮지 않았어요."

"압니다."

"그런데 왜 멋대로 끼어들어요?"

라스타가 날 선 질문을 던지자 에밀 백작은 입을 꾹 다물더니 잠시 뒤 착잡한 목소리로 물었다.

"미인계를 유도하는 주인은 별로 좋은 주인이 아닌데. 하인리 왕자는 별로 좋은 주인이 아니네요."

"그럼요. 절대 아니죠."

"!"

설마 여기서 라스타가 동조할 줄은 몰랐던지 에밀 백작이 놀란 표정을 지었다. 라스타는 단호하게 돌아서서 몇 걸음 걸어가다가 확 돌아서면서 손으로 가로막는 표시를 했다.

"라스타 일에 신경 쓰지 말아요."

라스타가 에밀 백작에게 경고를 날리는 그 시각. 가리누엘라의 호위는 빠른 조사를 마치고 그녀에게 돌아가 보고했다.

"그 은발 하녀. 남궁 소속이 아니었습니다. 서궁 소속이랍니다."

“서궁이라면…… 황후 밑에 있는 하녀로군.”

“예.”

가리누엘라는 악보에 간략하게 음표를 그리다가 웃음을 터트렸다. 그 바람에 몸이 떨리면서 펜촉 위에 촉촉하게 남아 있던 잉크가 종이 위로 뚝 떨어져 까맣게 번졌다.

“황후가 시켰나 보네.”

“철 같은 황후라더니. 비겁한 수를 쓰는군요.”

“사랑만 사람을 유치하게 만드는 게 아냐. 질투도 사람을 유치하게 만들지.”

가리누엘라는 재밌다는 듯 중얼거리고서 종이를 통째로 구겨서 쓰레기통 안으로 휙 던져넣었다.

“어쨌든 아직은 내가 숙여야 할 때야. 모른 척 넘어가.”

“예.”

“아니. 아니다.”

“?”

“그게 확실해질 동안엔 차라리 여기를 떠나 있는 게 더 낫겠네.”

“가리누엘라 양이 떠났다고?”

신년제 마지막 날. 베르디 자작 부인은 내게 뜻밖의 이야기를 전해주었다. 예상하지 못한 일이었다. 소비에슈와의 소문이 진짜든 가짜든 좀 더 여기에 머물 거라 생각했는데. 진짜라면 소비에슈 때문에, 가짜라면 오히려 당당한 모습을 보여주기 위해. 그런데 떠나다니…….

"역시 헛소문이었던 걸까요?"

엘리자 백작 부인이 신년제 마지막 연회에 입고 갈 드레스를 살피며 물었다. 로라는 하고 싶은 말이 수백 가지 있지만 참는단 얼굴로 부루퉁하게 체스판만 노려보았다.

"글쎄요."

나는 고개를 저었다. 그냥 하는 말이 아니라 정말이었다. 하지만…… 그게 헛소문이었다면 그래. 좋기야 하겠지. 소비에슈가 날싸늘하게 바라보면서 가리누엘라와 손깍지를 끼던 모습은 당분간 잊기 힘들겠지만.

"폐하. 오늘은 무슨 색 옷을 입으실 거예요?"

주베르 백작 부인이 분위기를 바꾸고 싶은지 일부러 밝게 물었다. 나는 소비에슈와 가리누엘라를 생각하길 멈추고 얼른 주베르 백작 부인 곁으로 다가갔다.

"붉은색은 어떤가요?"

"은색이 낫지 않을까요?"

"보라색! 전 보라색에 한 표요!"

그런데 한참 떠들썩하게 있자니, 로라가 "아!" 하고 외치면서 소파에 달라붙은 채 외쳤다.

"다들 그거 들었어요?"

그거?

"리스디요. 에밀 백작이 라스타한테 바다 보석을 선물했대요!"

말이 끝나자마자 여기저기서 '와아아' 하는 웃음 섞인 탄성이 나왔다.

"그 백작은 라스타가 정말 좋은가 봅니다."

"그 백작이 라스타 쫓아다니는 건 알 사람은 다 안대요."

"예밀 백작이라면 평판도 좋지 않나요?"

예밀 백작이…… 그래, 북왕국에서 온 손님이구나. 연회장 내에서도 여러 사람들과 고루 어울리면서 트러블 없이 잘 지내는 걸 본 기억이 났다.

아무와도 춤을 추지 않더니. 라스타를 마음에 두어서 그랬구나.

신기하기도 하고 재밌기도 해서 나는 가리누엘라에 대한 건 뒤로한 채 예밀 백작과 라스타에 관한 이야기에 귀를 기울였다.

"황후 폐하까지도 백작님에 대해 알아버렸잖아요!"

라스타는 막 빨래를 마쳐서 티 한 점 없이 새하얀 천들을 빨랫줄에 널다가, 예밀 백작이 맞은편에서 꼼지락거리며 같이 천을 당기자, 왈칵 짜증이 나서 손을 놓고 호통을 쳤다.

이미 예밀 백작은 신년제가 끝나면서 라스타가 황후 소속이란 걸 알게 된 후였다. 예밀 백작은 혼자서 팽팽하게 천을 당겨 널고는 천 사이로 빼죽 얼굴을 내밀면서 웃었다.

"내가 창피합니까?"

"창피고 뭐고, 라스타는 백작님한테 관심이 없어요."

"다른 좋아하는 사람이 있어서요?"

"이제 라스타는 남자를 안 믿으니까요."

둔하지만 성실하고 착하다 생각한 알렌이나 자신을 구해주었던 소비에슈나 하나같이 다들……. 라스타는 속으로 이 말을 삼키고서 하얀 천을 새로 바구니에서 들어 올려 허공에 대고 물기를 털었다.

예밀 백작은 그 옆에서 라스타를 따라 하면서 물었다.

"그럼 나 말고 결혼 서약서를 믿는 건 어떨까요?"

"!"

"서약서를 우선 믿고, 그다음에 날 믿을 수 있는지 보아주는 건?"

라스타는 빨래를 두 손에 꽉 쥔 채 예밀 백작을 황당해서 쳐다보았다.

"지금 라스타한테 초혼하는 거예요?"

"음. 내가 초혼인 게 맞긴 한데……. 뭐, 초혼이라 합시다. 어떻습니까?"

라스타는 예밀 백작이 좀 미쳤다고 생각했다. 진심으로.

"우리 만난 지 한 달도 안 된 건 아세요?"

얼마나 놀랐던지 막 빤 빨래가 바닥에 닿아 끄트머리가 흙으로 더러워지는데, 그것조차 모를 지경이었다.

"이 말 벌써 수백 번은 한 거 같은데. 난 백곰 양한테 반했다니까."

"……."

라스타는 눈을 가늘게 뜨고서 고생이라곤 한 번도 해본 적 없는 청년의 눈을 바라보다 한심해서 물었다.

"결혼 약속만 했다가 도망치면? 어쩌라고요."

"그럼 결혼 서약부터 할까요? 여기서?"

"!"

라스타는 눈살을 찌푸리고서 그를 쳐다보다가 빨래를 돌돌 감아서 바구니에 휙 던져넣었다. 빨랫줄에 걸어놓은 하얀 천들은 바람에 팔락일 때마다 진한 비누향을 풍기고, 예밀 백작은 그 사이에서 저 하얀 천들보다 더 하얗게 웃고 있었다. 저 빨래 같은 웃음에 라스타는 잠시 마음이 흔들렸지만, 동시에 그가 더욱 얄밉게 여겨졌다. 자신이 살아온 인생은 흙으로 더러워진 천을 찬물에 씻어내는 삶이었는데. 저 남자가 살아온 인생은 햇볕이나 받으면서 저렇게 하얗게 맑게 흔들리는 것뿐이었겠구나 싶어서. 그러니 만난 지 한 달도 안 된 사람에게 청혼부터 하고 있겠지.

"그쪽은 귀족이잖아요. 라스타는 귀족이 아니에요. 불가능해요."

"왜 불가능하다 생각해요?"

"그쪽 부모님이 라스타랑 결혼하면 호적에서 판다고 할 수도 있어요. 그때도 받아들일 수 있어요?"

"뭐, 서운하겠지만 어쩌겠습니까. 나중엔 마음이 풀리시겠죠."

"호적에서 파이면 지금처럼 화려하게 못 살 텐데도요?"

"왜요? 부모님이 호적에서 파도 난 그대로 백작인데요?"

"……."

라스타가 표정을 구기자 예밀 백작은 아까보다 좀 더 진지하게 요청했다.

"백곰 양도 나한테 흔들리는 걸 알고 있습니다."

"!"

"두려운 게 내 신분입니까, 변심입니까?"

"라스타는……."

라스타는 빈 바구니를 들고 터덜터덜 자신의 방으로 걸어갔다. 그런데 방 앞에 하녀장이 서 있었다.

"안녕하세요."

라스타가 한 손을 들어 대충 인사하고 방 안으로 들어가려 하자, 하녀장은 잠시만 기다리라며 라스타를 붙잡았다. 라스타가 멈춰서서 쳐다보자, 하녀장은 주위를 둘러보더니 아무도 없는 걸 확인하고서 입을 열었다.

"아까. 널 찾아갔다가 우연히 대화를 들었다, 라스타."

"라스타가 그래요. 인기가 아주 많아요, 하녀장님."

"솔직히 말하마. 이건 너한테 좋은 기회야."

건성으로 하녀장의 말을 넘기던 라스타는 눈을 동그랗게 떴다.

"네?"

"노예란 소문이 돌고, 궁정인들은 널 무시해. 여기서 더 머물러봐야 너만 마음고생을 하잖니. 이런 소문이 없는 곳에 가. 북왕국은 여기서 멀어. 거기 가서 편하게 살아라."

"라스타는 황후님이 좋아요."

"황후님도 널 좋아해."

"!"

"그러니 네가 편안한 길로 간다면 오히려 좋아하실 거야."

뜻밖의 손님이 찾아왔다. 북왕국의 예밀 백작이.

"무슨 일인가요?"

내가 직접 초대한 손님이긴 하지만, 예밀 백작과는 그리 가까운 사이는 아니었다. 하지만 최근 시녀들이 자주 이야기해주어서 이름만큼은 익숙한 사람이지. 라스타를 좋아하는 남자. 덕택에 덩달아 호감이 가서 나는 평소보다 조금이라도 덜 차갑게 말하려 애썼다.

"공무 관련해서 온 건 아닌 듯하고."

예밀 백작은 무릎 위에 모자를 올려놓고서 순순히 대답했다.

"예. 라스타 양 관련해 찾아왔습니다, 폐하."

시녀들이 근처에 있다면 비명을 질렀겠는걸.

"라스타 양?"

일단 아무것도 모르는 척 되묻자, 예밀 백작은 진지하게 말을 꺼냈다.

"전 라스타 양을 진심으로 사랑합니다."

"사랑을 속삭이기엔 너무 이르지 않을까요?"

"!"

라스타도 같은 말을 했나 보네. 저렇게 놀란 표정인 걸 보니.

어쨌든 계속 말해보라 손짓하고서 차를 한 모금 마시자, 예밀 백작은 모자를 아예 옆자리에 내려놓더니 천천히 자기 속내를 솔직하게 털어놓았다.

“라스타 양은 황후 폐하를 무척 좋아합니다. 라스타 양을 설득해 달란 부탁은 드리지 않겠습니다. 라스타 양이 폐하의 명으로 제게 오는 건 절대 안 될 일이고, 이건 라스타 양이 결정할 일이니까요.”

“…….”

“예쁜 하녀에게 추파나 한번 던지려는 게 아닙니다. 이걸 꼭 말씀드리고 싶었습니다.”

예밀 백작이 돌아간 후. 나는 라스타를 불러서 그가 날 찾아와 한 말을 전해주었다. 전해주어야 할 것 같아서. 황후 앞에서 이런 걸 두고 거짓말을 늘어놓을 사람은 드물지. 예밀 백작 역시 이런 걸 염두에 두고서 날 찾아온 것일 테고.

라스타는 내 말을 듣자 눈동자가 흔들리더니 울상을 짓고서 카펫을 내려다보았다. 라스타도 예밀 백작에게 완전히 마음이 없는 건 아닌 듯했다. 한참을 그러고 있다가 라스타는 내게 기어들어가는 목소리로 물었다.

“폐하는. 폐하는 라스타가 어떻게 했으면 좋겠어요?”

“네가 하고 싶은 대로 해야지. 어느 쪽이든 네 결정을 지지하마.”

“폐하…….”

라스타는 생각을 해보겠다고 대답했지만 한 달이 지나도록 대답

을 하지 못했다. 하지만 이전에는 마냥 신이 나서 펄쩍펄쩍 뛰어다니던 아이가, 지금은 이따금씩 곰곰이 생각에 잠겨서 하늘이나 들풀 등을 바라보는 걸 볼 수 있었다. 물론 그렇다고 해서 지금은 안 뛰어다니는 것도 아니지만.

그러나 라스타가 결정을 내리기 전. 내 정신을 뒤집을 만한 사람 둘이 먼저 찾아왔다. 블루 보헤안의 에르기 클로디아 공작과……가리누엘라가.

에르기 클로디아 공작은 바쁘단 이유로 신년제 초대 역시 거절한 인물인데. 왜 갑자기 왔는지 알 수 없었다. 하지만 그자야 그렇다 쳐도, 가리누엘라가 다시 돌아온 건 완전히 뜻밖이었다.

'기껏 가라앉았던 소문이 다시 커지겠어.'

게다가 가리누엘라는 무슨 영문인지 알현 요청까지 해가면서 찾아와서, 어서 오라고 얼굴을 보고 환영까지 해주어야 했다.

"둘이 오는데 한 명만 환영하기도 뭐하니, 에르기 공작도 환영 인사를 해주겠다고 전해줘요."

두 사람을 맞이하기 전. 잠시 거울을 보고 옷매무새를 정리하면서 나는 몇 번이나 무거운 한숨을 떨어트렸다.

"혹시 폐하께서 부르셨습니까?"

"모르는 일이오."

흰장미의 방으로 가는 길에 소비에슈에게 물어보았지만, 소비에슈는 딱딱하게 대답할 뿐이었다.

그럼 그냥 자기 나라 일로 온 거겠지. 너무 깊게 생각하지 말자. 어지러운 마음을 억지로 빳빳하게 누르면서 나는 방 안으로 들어갔다. 그곳에는 에르기 공작과 가리누엘라가 이미 옥좌 앞에 나란히 서 있었다. 나와 소비에슈가 그쪽으로 가서 서자 두 사람은 예법에 맞게 인사를 올렸다. 여기까지는 아무 일 없었다.

"황제 폐하. 사실 전 여기에 다시 돌아오지 않으려 하였답니다. 하룻밤 정은 하루로 끝내는 게 옳다 여겼으니까요."

여기까지만 아무 일 없었다.

"하지만 어쩔 수 없이 돌아와야 했답니다."

쾌활하게 하룻밤 이야기를 꺼낸 가리누엘라는 사람들이 마음껏 놀랄 틈도 제대로 주지 않고 모든 이들을 한 번에 충격 속으로 확 밀쳐냈다.

"폐하와 저 사이에 아이가 생겼거든요."

그 순간, 내가 어떤 표정을 지었는지 모르겠다. 머릿속에서 벌떼 소리가 나고 고막이 반쯤 뜯어진 듯 '우웅 우웅' 하는 이상한 소리가 나서. 눈앞이 어질어질하고 정신이 아찔해 아무 생각도 나지 않았다.

에르기 공작과 눈이 마주치고서야 나는 제정신을 차렸다. 내 표정이 많이 좋지 않았던 걸까. 그가 초록색 눈동자를 커다랗게 뜨고 나를 쳐다보고 있었다. 그뿐만이 아니었다. 가리누엘라가 소비에슈 아이를 임신했다는데, 사람들은 다들 날 쳐다보고 있었다. 턱에 힘을 꽉 주고서 나는 애써 표정을 관리했다. 이미 한 번 흐트러진 것 같지만.

"황후 폐하, 그렇게 되었답니다."

가리누엘라가 나를 보며 방긋 웃었다. 혓바닥이 간지럽고 배가 아파왔다. 무어라 내가 말하길 기다리는 듯이. 하지만…… 여기서 무슨 말을 할 수 있을까.

"기다렸네."

에르기가 남궁에 짐을 끄르자, 하인리가 얼른 달려와 그를 가볍게 안았다가 떼면서 웃었다.

"목적이 있을 때만 친절한 건 여전하군."

에르기가 비웃듯 말했지만 하인리는 신경도 쓰지 않고서 그를 얼른 방 안으로 끌어당겼다. 그러고는 문을 닫고 둘만 있게 되자마자 대번에 본론부터 이야기했다.

"황후 폐하의 시녀 중 하나를 유혹해줘."

"왜?"

"내가 그분한테 다가갈 수 있게."

"……."

"알아. 물론 이건 자네가 좋아하는 상황은 아니지. 하지만 말이야……."

하인리는 에르기를 설득하기 위해서 미리 준비해둔 이야기를 꺼내려 했다.

"지금 그런 얘기 할 때가 아니던데."

그러나 에르기가 먼저 소파로 가더니 무거운 짐을 옆에 내려놓고 털썩 앉으면서 거만하게 웃었다.

"무슨 소린가?"

"아까. 흰장미의 방인가 거기서. 오는 길에 만난 영애가 그랬거든. 자기가 황제 아이를 임신했다고."

하인리의 표정이 순식간에 건조해졌다. 에르기는 의자 손받이에 팔을 괴고서 무릎을 꼬다가, 얼굴이 새하얗게 질렸던 황후를 떠올리고서 눈살을 찡그렸다. 그 모습에 겹쳐지는 누군가가 있어서.

"……."

가리누엘라는 미소를 띤 채 안락의자에 편안하게 앉아 있었다. 오히려 진맥을 하는 궁의가 괜히 황제의 눈치를 보느라 손을 벌벌 떨었다.

참 대범하긴 대범하구나. 황제의 비서들은 그 광경을 보면서 혀를 내둘렀다. 가리누엘라는 이미 이 황궁의 주인처럼 보였다.

잠시 후. 마침내 궁의가 진맥을 끝내고서 황제에게 말했다.

"임신이 맞습니다, 폐하."

소비에슈는 두 가지 감정에 휩싸였다.

"나가보라."

궁의가 도망치듯 자리를 피하자 소비에슈는 눈을 감고 이마를 손으로 감쌌다. 그 모습을 보다가 비서들도 눈치를 보면서 슬금슬금 자리를 비켰다. 두 사람만 남게 되자, 가리누엘라는 먼저 입을 열었다.

"기쁘실 텐데요."

소비에슈는 이마에서 손을 떼고 그녀를 바라보았다.

"무슨 소리지?"

가리누엘라는 여전히 태연하게 웃고 있었다. 싸늘한 시선을 받자 가리누엘라는 오히려 조롱조로 물었다.

"아이를 가지고 싶어하셨잖아요?"

"그걸……."

"황족만큼 후계자를 중요시하는 이들은 없으니까요."

"!"

"두 분 폐하는 결혼한 지 이미 몇 해인데 아이가 없고."

가리누엘라의 눈꼬리가 가늘게 휘어졌다. 소비에슈는 입을 다물고 그녀를 빤히 바라보았다. 똑똑하단 소문은 헛 게 아니었다.

소문은 순식간에 궁전을 뒤덮었다. 이전에 소비에슈와의 염문은 장난이었다는 듯 모든 사람들이 그 이야기를 수군거렸다.

"황후 폐하……."

라스타는 내 옆에서 주먹을 꽉 쥐고서 뿌드득 소리가 날 정도로 이를 갈았다.

"역시 그때 물러나지 말걸 그랬어요. 아주 죽여버렸어야 하는데."

"뭐?"

게다가 무어라 무서운 말을 한 것 같은데…… 정신이 멍하다 보니 바로 옆에서 중얼거리는 소리도 들리지 않았다.

"아니에요. 속상해서 한 말이에요."

나는 고개를 끄덕이고서 다시 소파 등받이에 몸을 기대어 눈을 감았다. 소비에슈 소비에슈 소비에슈…… 너는 대체.

그때.

"폐하."

너무 화가 나서 견딜 수가 없다고, 정원을 좀 뛰다 오겠다며 나간 로라가 어리둥절한 얼굴로 작은 상자를 들고 돌아왔다.

"이거요. 앞에 놓여 있었어요."

"뭔가요?"

"폐하께 드리는 생일 선물이라고……."

생일은 이미 지났는데? 선물 상자를 받아서 포장을 풀자 작은 약병이 나타났다. 그리고 그 안에 끼워져 있는 작은 카드. 카드 안에는 '늦은 생일 선물. 사랑의 묘약'이라고 써 있었다.

"……."

누가 이런 걸 보낸 거지?

소비에슈의 방 역시 분위기는 심상치 않았다. 소비에슈는 두 병

이나 연거푸 술병을 비웠다. 카를 후작은 그 옆에서 계속 술을 따라주다가, 결국 참지 못하고 걱정스럽게 물었다.

"가리누엘라 양의 말이 정말일까요?"

"정말이겠지. 어차피 아이가 태어나면 들통날 일. 북왕국에서 꽤 이름 있는 가문인데, 그런 걸로 거짓말을 하진 못할 거다. 가문을 위해서도."

게다가 가리누엘라는 한 달 동안 아예 궁전을 비웠다가 돌아왔다. 이 일 때문에 사람들은 가리누엘라가 정말 어쩔 수 없이 이곳에 돌아왔다고 여기는 눈치였고.

옆에 있던 나비에가 낯빛이 창백해져서 굳던 게 떠올라, 소비에슈는 다시 새 술병을 따서 아예 직접 잔을 채웠다.

"폐하."

카를 후작이 그 모습을 걱정스럽게 바라보았지만 소비에슈는 계속 술을 입에 털어 넣었다. 카를 후작에게는 말하지 못했지만, 사실 그는 나비에와 자신 둘 중 하나가 불임이 아닐까 의심하고 있었다. 가리누엘라가 짚은 그대로.

그런데 가리누엘라가 한 번 만에 임신을 했으니, 분명 불임은 나비에일 터. 어쩌면 가리누엘라가 임신한 아이는 그의 처음이자 마지막 아이일 수도 있었다. 그런데 그 아이가 사생아가 된다면…….

하녀장의 심부름으로 라스타가 나비에를 찾기 위해 잠시 동궁에

갔을 때였다. 나비에가 바쁜 듯해서 바로 부르지 못하고 동궁 근처를 서성이고 있는데, 누군가 그녀를 불렀다.

"그때 그 하녀네."

라스타는 우뚝 멈춰 서서 옆을 쳐다보았다. 그 여자였다. 가리누엘라. 이젠 이름을 외웠다. 라스타가 인상을 구기자, 가리누엘라는 가까이 다가오더니 휘파람을 부는 듯 리듬 있는 어조로 라스타를 조롱했다.

"이젠 상황이 역전됐구나. 이를 어쩌지?"

"방을 더럽게 쓰던 그 아가씨네요."

라스타가 퉁명스럽게 말해보았지만, 가리누엘라는 부드럽게 웃으면서 그 말조차 가볍게 흘려 넘겼다.

"곧 내가 황후가 될 텐데. 미리 납작하게 기는 게 좋지 않을까?"

"황후……?"

"그러면 예전 일은 넘어가줄 수도 있단다. 난 자애로운 황후가 될 생각이라."

명백한 도발이었으나 라스타는 거기에 넘어가고 말았다.

"뭔 개소리야?"

라스타가 발끈해서 도끼눈을 뜨자 가리누엘라의 옆에 선 호위가 손을 뻗어서 라스타를 떠밀었다.

"아!"

라스타가 엉덩방아를 찧자 가리누엘라가 하나도 미안하지 않단 투로 말했다.

"이제부터 내 몸에 손대는 건 황족을 해하려 한 거나 다름없단

다. 잘 기억해두련. 그 가증스러운 연기도 소용없어."

카프멘 대공이 뜻밖에 나를 룹트와의 교역 상대로 지정한 건 때문에 여러모로 골치가 아픈 와중이었다. 그 일에 관해 고민하느라 머리가 아파서, 나는 바깥 공기를 쐬면서 숨이나 돌리려 밖으로 나왔다. 그런데 정원 한구석. 인적 드문 곳에 라스타가 넘어져 있었다. 바로 앞에는 가리누엘라가 서 있고.

"무슨 일이지?"

가까이 다가가자 가리누엘라는 완벽한 자세로 내게 인사를 건네며 사과했다.

"죄송합니다, 황후 폐하. 이 하녀가 제게 험한 말을 해대니 좋지 못한 모습을 보였어요."

그 태도는 평범한 귀빈 같아서, 내 앞에서 내 남편의 아이를 가졌다 말한 사람 같지 않았다. 눈이 마주치자 가리누엘라는 부끄럽단 듯 웃었다.

"글쎄. 내 눈엔 험한 말을 한 것도, 좋지 못한 모습을 보인 것도 모두 그대인데."

굳이 장단을 맞춰줄 마음이 없어서, 나는 무뚝뚝하게 말하고서 라스타의 손을 잡고 일으켜 세웠다.

그러고서 라스타를 데리고 돌아가려는데, 가리누엘라가 갑자기 아까와 확 바뀐 어투로 입을 열었다.

“전 음악가로 살고 싶었습니다, 황후 폐하.”

내가 돌아보자 그녀는 눈살을 찌푸리더니 아주 정당한 일에 항의하듯 말을 이어갔다.

“그런데 황제 폐하 때문에 난데없이 정부가 되어버렸어요. 압니다. 황후 폐하도 상처받으셨겠지요. 하지만 이 상황에 가장 상처받은 건 황후 폐하가 아니라 저입니다.”

“!”

“그러니 절 ‘정부 따위’ 보듯 쳐다보지 마세요.”

그 말이 끝나자마자 옆에서 라스타가 삿대질을 했다.

“어디서 뚫린 주둥이를 함부로 놀려, 닥쳐!”

그 이후로도 라스타는 더 말을 했지만, 그 단어 모두 알아듣기 어려운 욕이어서 나나 가리누엘라, 가리누엘라 옆의 호위 모두 입을 벌리고 멍하니 턱만 떨어트리고 있었다. 가리누엘라는 라스타가 욕을 한 무더기 쏟아붓자 그제야 가라앉은 목소리로 내게 부탁했다.

“저 하녀는 당장 벌하셔야 할 것 같습니다, 폐하. 폐하의 체면을 깎아내리는군요. 저런 하녀를 두면 오히려 폐하가 우습게 보이지요.”

가리누엘라 옆의 호위 역시 나만 이 자리에 없었다면 당장 라스타를 패대기쳤을 거란 표정이었다.

“글쎄요.”

하지만 라스타의 고대어 같은 욕은 지금 이 순간 내게는 통쾌하기만 할 뿐이었다.

"난 아무 말도 못 들었는데."

"폐하!"

"가자, 라스타."

방으로 돌아온 뒤. 나는 라스타를 앉혀놓고서 몇 번이나 당부했다.

"라스타. 날 위해서 나서준 건 고맙지만, 절대로 사람들 앞에서 그렇게 말하면 안 돼."

"하지만 그 새끼들이 너무 엿 같아서 라스타는 참을 수가 없었어요."

"나도 그렇게 생각해. 그렇지만 자칫하다가 너한테 불똥이 튈 수가 있어."

"라스타는……."

"네가 날 위해 싸우다가 다치면 난 시원하지 않아. 괴로울 거야."

그렇게 말한 후에야 라스타는 마지못해 고개를 끄덕였다. 하지만 계속할 말이 있는 듯 우물우물하더니, 갑자기 눈시울이 촉촉해져서 말했다.

"결정했어요."

"잘했어."

"북왕국에 안 갈 거예요."

"……뭐?"

가리누엘라와 그렇게 안 싸우겠단 게 아니라 북왕국에 가지 않겠다고?

"예밀 백작님은 좋은 사람이지만, 라스타는 나비에 님 옆에 남고 싶어요."

"라스타……."

이 와중에 왜 갑자기 그 결론을 내렸는지는 모르겠지만, 어쨌든 라스타 본인은 굉장히 어려운 결정을 내린 것처럼 보였다.

한 달이 넘도록 여기서 기다린 예밀 백작이 무척 아쉬워하겠는걸.

하지만 라스타가 너무 눈물을 콸콸 흘리고 있어서 나는 일단 고개를 끄덕였다. 사실 라스타가 왜 이렇게까지 엉엉 우는지 잘 이해가 가지 않았지만. 내가 발견하기 전에 가리누엘라가 심한 말을 더 많이 했던 걸까?

그러나 라스타의 말은 거기서 끝이 아니었다.

"라스타는 폐하를 따라다닐 거예요. 라스타는 폐하랑 서왕국에 갈 거예요."

"서왕국?"

갑자기 웬 서왕국?

"서왕국은 왜?"

어리둥절해서 되묻자 라스타는 눈을 동그랗게 떴다. 자기도 서왕국 얘기가 왜 나왔는지 전혀 모르는 듯했다. 하지만 곧 고개를 빠르게 젓더니 이게 문제가 아니라는 듯 내게 힘주어 말했다.

"라스타는, 폐하를, 따라갈 거예요."

여기서 서왕국 이야기는 왜 나오는 건지, 왜 이렇게까지 서럽게 우는 건지, 대체 이해 가는 게 하나도 없지만…… 그 말을 하는 라스타의 표정은 평소보다 훨씬 진지하고 신중해서, 나는 고개를 끄덕이고서 라스타의 손을 잡아주었다. 라스타는 더욱 끅끅거리면서 울더니 다시 한번 반복해 말했다.

"꼭 데려가 주셔야 돼요. 폐하는 라스타를 버리지 않을 거죠?"

"그럼. 당연하지. 자, 울지 마. 괜찮아. 응?"

"……."

가만히 눈을 감고 있던 대신관이 천천히 눈꺼풀을 들어 올리며 깊은 한숨을 내쉬었다. 그러자 옆에 숨을 죽이고 있던 신관이 조심스럽게 물었다.

"어떻습니까, 대신관님?"

질문을 던지는 신관의 표정은 자기가 더욱 긴장에 가득 차 있었다. 그럴 만도 했다. 그가 수행사제일 시절부터 몇 년이나 대신관의 이 기도를 따라다녔던가. 하지만 아무리 기도해도 소용이 없었는데, 오늘은 평소보다 대신관이 일찍 눈을 뜬 데다 표정 역시 전보다 한결 밝은 듯하니 절로 기대가 되었다.

대신관은 어느새 키가 훌쩍 자라 자신보다 커져버린 신관을 보고는 희미하게 웃었다.

"이전보다 많이 편안해지셨구나."

“그러면 이제 빨간 유령도 나타나지 않겠군요?”

대신관은 고개를 끄덕거리면서 “아마.” 하고 대답했다. 신관은 손을 가슴 위에 올리고서 안도의 한숨을 내쉬었다.

“다행입니다. 정말 무서웠거든요. 여기 올라올 때마다 유령이랑 마주칠까 봐 아주 심장이 막.”

“이놈아. 넌 유령을 본 적도 없으면서 왜 그래?”

“그래도 무서운 건 무서운 거지요.”

대신관이 헛소리는 그만하고 앞장이나 서라면서 턱으로 계단을 가리키자, 신관은 간이 등불을 앞으로 내밀고서 어두운 탑 안으로 조심조심 내려갔다.

방문을 닫기 전. 대신관은 바닥에 약간 남아 있던 불그스름한 기운이 완전히 사라지는 걸 보고 고개를 끄덕였다.

“그런데요 대신관님. 라스타 님 유령이요, 뭘 보고 뭘 듣고 있는 건가요? 뭘 하길래 이렇게 진정되는 데 시간이 몇 년이나 걸린 겁니까? 어차피 유령이 다 자기 입장에서 생각하고 꿈꾸는 거 아닌가요?”

“그게 아니니 이리 오래 걸렸지.”

“아닙니까? 그럼요?”

대신관은 앞에서 종알거리는 제자의 뒤통수를 쳐다보다가 혀를 찼다.

“비밀이다 이놈아. 네가 대신관이 되면 직접 알아봐라. 될 일은 없겠지만.”

“이 대신관님!”

신관은 억울해서 항의했지만 대신관은 입을 다물고 끝까지 말해 주지 않았다. 결국 신관은 혼자 구시렁거리면서 다른 이야기를 꺼냈다.

"며칠 후면 라르스 황태녀님 대관식인데, 이왕 날짜도 가까우니 보고 갈까요?"

이제 유령이 나타나지 않을 거라고 했지만, 그래도 조용히 내려가기에는 이 안의 음침한 분위기가 너무 무서웠던 것이다.

"대신관님이 보고 가겠다 하면 당장 정식으로 초대해주실 텐데요!"

그러나 대신관은 이번에도 쩌렁쩌렁 호통을 쳤다.

"바빠 죽겠는데 무슨!"

신관은 이번에도 '아 대신관님!' 하고 칭얼대려 했으나, 그보다 한발 먼저 다른 사람이 목소리를 냈다.

"아아 섭섭해. 너무하시네."

신관은 높이 들고 있던 등불을 얼른 내렸다. 어느새 탑의 출구였고, 출구 부근의 벽에 키가 큰 금발 여자가 팔짱을 낀 채 기대어 서 있었다.

"황태녀님!"

신관이 놀라서 꾸벅 인사하자 라리는 되었다고 손을 젓고서 대신관을 향해 히죽 웃었다.

"할아버지. 진짜 안 보러 올 거예요? 내 대관식?"

할아버지 소리에 대신관은 끙 소리를 내며 목덜미를 잡았다. 방금 전 유령의 환상을 공유하다 와서인가. 침착하고 행동 하나하나가 절제된 나비에 황후와 똑같은 얼굴을 하고서는 하인리 왕자처럼 행동하는 라리가 오늘따라 더욱 이질적으로 느껴졌다.

그러다가 대신관은 라리의 옆에 선 존재를 보고서 진지하게 묵례했다. 그 존재는 겉만 사람일 뿐, 그 실체는 용이란 걸 알기 때문이었다.

하지만 신관은 수행이 부족한 탓에 사람 모습을 한 저 용이 얼마나 무섭고 위대한지 전혀 모르는 듯, 어려워하는 라리를 피해 괜히 용 쪽으로 가까이 섰다.

한심한 놈. 내가 저걸 왜 수행사제로 뽑았을까. 대신관은 저 까불거리는 촉새를 말년이 다 되어 제자로 받은 자신을 탓하며 고개를 젓다가, 황태녀의 뒤에 선 여자 기사를 발견하고는 눈을 커다랗게 떴다.

"!"

여자 기사는 대신관이 자신을 쳐다보자 왜 저러나 싶은지 의아한 얼굴로 슬그머니 인사했다. 떨떠름한 표정을 보니 저쪽은 '내가 인사를 안 해서 노하셨나?' 생각하는 눈치였다.

"……."

이 역시 환상 속에서 내내 본 얼굴이라, 대신관은 괜히 눈물이 찔끔 나와서 소맷자락으로 눈가를 얼른 닦았다.

"어? 대신관님 우세요?"

눈치 없는 제자가 그새 또 옆에서 촐싹대자, 대신관은 얼른 제자의 등짝을 펑 두들기고서 옆으로 돌아섰다.

"전 이만 가보겠습니다, 황태녀님."

"진짜 대관식 안 보고 갈 거예요?"

"예. 바쁩니다."

"아 섭섭해."

"섭섭해도 안 됩니다. 아버님 때부터도 그렇지만 제발, 제발 저 좀 그만 부르십시오. 내가 신관들 제외하면, 살면서 제일 많이 본 게 그 얼굴이란 말입니다."

대신관이 바쁘게 사라지자 라리는 괜히 섭섭해서 투덜거렸다.

"맨날 바쁘셔 맨날."

그러자 용용이 옆에서 웃으면서 라리의 허리를 감쌌다.

"저 인간이 옆에 있었으면 좋겠어? 들어서 옮겨다 줄까?"

라리는 용용이에게 '너부터 결혼식장에 옮겨두고 싶다'고 말하려다가, 큼큼 헛기침을 하면서 모테를 보았다. 모테는 민망한지 시선을 옆으로 돌린 채 둘을 쳐다보지 않느라 애쓰고 있었다. 라리가 용용이의 옆구리를 찌르자 그제야 용용이도 라리의 허리에서 손을 내렸다. 여전히 모테 쪽은 의식하지 않는 듯하지만.

"이런 데서 용 티가 난다니까."

라리는 히죽 웃고서 턱으로 동궁 방향을 가리키고 앞서갔다.

"됐어, 오기 싫으시면 오지 마시라 해. 가자. 오늘 어마마마가 외할머니의 특제 스페셜 케이크를 만들어주겠다 하셨단 말이야."

"……몇 번이나 말하지만 라리. 그건 요리사가 만든 거라니까."

"용용이! 너 우리 엄마 못 믿어?"

"믿지만 진실을 가릴 수는 없다."

"모테야, 넌 우리 엄마 믿지?"

“예? 저도 대답해야 합니까?”

먼발치에서 멈춰 선 대신관은 떠들썩한 소리가 점점 멀어질 때까지 그대로 있었다. 그러다 완전히 소리가 들리지 않게 되자, 그제야 천천히 등을 돌려 걸어갔다.

등 뒤에서 따뜻한 봄바람이 불어왔다. 완전한 새로운 세대가 시작되려 하고 있었다.

끝

재혼 황후 8

초판 1쇄 인쇄 2022년 12월 10일
초판 1쇄 발행 2022년 12월 30일

지은이 알파타르트
펴낸이 김문식 최민석
총괄 임승규
기획편집 박소호 김재원 이혜미
조연수 김지은 정혜인
디자인 배현정
제작 제이오

펴낸곳 (주)해피북스투유
출판등록 2016년 12월 12일 제2016-000343호
주소 서울시 성북구 종암로 63, 5층(종암동)
전화 02)336-1203
팩스 02)336-1209

ISBN 979-11-6479-738-7 (04810)
979-11-6479-027-2 (세트)